collection dirigée par Claude AZIZA

GUIDE
DE LECTURE

© Presses Pocket, 1993.

ISBN 2-266-04852-X

AVANT-PROPOS

De Balzac à Zola, d'Homère à Proust, d'*Andromaque* à *Carmen*, CENT classiques à lire et à voir, à découvrir et à explorer au travers de pistes bien balisées comme d'itinéraires de traverse où il fait bon musarder le temps d'une savoureuse (re)lecture.

Nous proposions, il y a trois ans déjà, une nouvelle façon d'explorer les richesses du fonds Presses Pocket (abrégé en PP), mise en forme dans un *Guide de lecture*. La collection « Lire et Voir les classiques », née en 1989, célébrait alors son premier anniversaire. Aujourd'hui, elle fête son numéro 100 et elle a tenu à y associer tous ceux qui, enseignants, étudiants ou simples lecteurs, lui ont permis de croître et embellir. En leur proposant ce *nouveau Guide de lecture*.

Celui-ci, pourtant, ne pouvait se contenter de marcher sur les traces de son grand frère. En effet, l'apparat critique des ouvrages de la collection dispense de précisions inutiles. Ainsi la fiche sur les *auteurs* est-elle réduite au strict minimum et la *bibliographie* aux nouvelles parutions.

On trouvera donc, d'abord, tout ce qui peut permettre d'éclairer le *contexte de production* de l'œuvre, les rapports entre l'*Histoire et la fiction*, l'analyse du *titre* et des *structures* et, quand le texte s'y prête, des indications de *lectures complémentaires*.

Mais deux innovations de la collection méritent un traitement tout particulier : le *Dossier historique et littéraire* (abrégé dans le texte en DHL) et le *Cahier iconographique* (abrégé en CI). Le premier permet, grâce aux textes et aux renseignements qu'il donne, de travailler sur l'œuvre sans avoir besoin d'une imposante bibliographie, parfois difficile à rassembler, loin des bibliothèques universitaires.

Il fallait donc proposer des *recherches et des travaux* qui puissent le prendre en compte.

Le second, l'élément le plus neuf pour une collection au format de poche, ne devait évidemment pas jouer un rôle purement décoratif : nous en avons fait à la fois un instrument de travail et de plaisir. Encore fallait-il doter les lecteurs des moyens nécessaires à une lecture active. Deux *études*, en fin d'ouvrage, permettront de travailler sur l'image et, surtout, à l'heure de la vidéo-cassette et du magnétoscope, d'analyser un film dont le CI aura suggéré la vision. On imagine les fructueux rapprochements à venir entre le texte, l'iconographie qu'il a inspirée ou qui a pu l'inspirer, et son adaptation à l'écran…

Rédigées par des enseignants exerçant à tous les niveaux (collège, lycée d'enseignement général, lycée professionnel, classe préparatoire, université), ces fiches, se veulent le reflet des préoccupations et des attentes des lecteurs. Loin de contraintes trop étroitement scolaires et d'une uniformité trop artificielle, elles n'ont d'autre but que de faire accéder le plus grand nombre au seul plaisir du texte.

Claude AZIZA,
Directeur de la collection
« Lire et Voir les classiques ».

HONORÉ DE BALZAC
(1799-1850)

1 - MÉMENTO

« Je vous dirai que vous ne pouvez rien conclure de moi, contre moi ; que j'ai le caractère le plus singulier que je connaisse. Je m'étudie moi-même comme je pourrais le faire pour un autre. Je renferme dans mes cinq pieds deux pouces toutes les incohérences, tous les contrastes possibles, et ceux qui me croiront vain, prodigue, entêté, léger, sans suite dans les idées, fat, négligent, paresseux, inappliqué, sans réflexion, sans aucune constance, bavard, sans tact, malappris, impoli, quinteux, inégal d'humeur, auront tout autant raison que ceux qui pourraient dire que je suis économe, modeste, courageux, tenace, énergique, négligé, travailleur, constant, taciturne, plein de finesse, poli, toujours gai. [...] Je finis par croire que je ne suis qu'un instrument dont les circonstances jouent. »

(*Correspondance*, 1826)

« L'immensité d'un plan qui embrasse à la fois l'histoire et la critique de la Société, l'analyse de ses maux et la discussion de ses principes, m'autorise, je crois, à donner à mon ouvrage le titre sous lequel il paraît aujourd'hui : *La Comédie humaine*. »

(Avant-Propos de 1842 à *La Comédie humaine*)

2 - VADEMECUM

CHRONOLOGIE DES ŒUVRES

1829   *Le Dernier Chouan ou La Bretagne en 1800.*
          La Physiologie du mariage.
1830   *Scènes de la vie privée* (6 nouvelles, dont les
          futurs *Gobseck, La maison du chat-qui-
          pelote, Une double famille*).
1831   *La Peau de chagrin.*
1835   *Le Père Goriot* (d'abord publié en feuilleton).
          Le Lys dans la vallée. Le Colonel Chabert.
1837-1938 *César Birotteau* ; *Les Employés* ; *La Maison
          Nucingen.*
1842   Début de la parution de *La Comédie humaine*
          (de 1842 à 1848).
1848   *Le Cousin Pons* et *La Cousine Bette.*

JUGEMENTS SUR L'AUTEUR

« Tous ses personnages sont doués de l'ardeur vitale dont il était animé lui-même. Toutes ses fictions sont aussi profondément colorées que des rêves. » (Baudelaire)

« Depuis cinquante ans, un bon roman est un roman qui ressemble à un roman de Balzac. » (Brunetière)

« Le roman balzacien est le roman de la famille, de la jeunesse, de la femme, de la province et de Paris, considérés non comme lieux ou moments exceptionnels, privilégiés ou préservés, mais bien comme lieux ou moments où se saisit le processus moderne : d'une part de volonté d'être et d'aptitude à être, d'autre part d'aliénation, de déracinement, de déshumanisation. »

(P. Barberis, *Balzac. Une mythologie réaliste*,
                              Larousse, 1971, p. 39.)

LES CHOUANS

« LIRE ET VOIR LES CLASSIQUES »
N° 6064

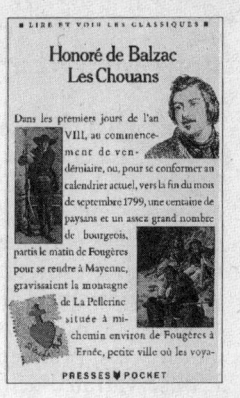

1 - CONTEXTE

EN 1829...

● **Politique et société** : quand paraît le roman, le ministère Martignac, qui a notamment interdit les jésuites d'enseignement, vit ses derniers mois, avant l'arrivée de Polignac en août, dont les maladresses provoqueront la révolution de juillet 1830 et l'abdication de Charles X. La Restauration touche donc à sa fin.

● **Arts et culture** : Lamartine entre à l'Académie française et avec lui le premier romantisme. Pourtant un drame de Hugo, *Marion Delorme*, est interdit après avoir été accepté par la Comédie-Française. Mais Dumas fait jouer *Henri III et sa cour*, Sainte-Beuve publie *Vie, Poésies et Pensées de Joseph Delorme*, Mérimée, *Chronique du règne de Charles IX*. Quant à Hugo, malgré ses malheurs à la scène, il triomphe en poésie avec *Les Orientales*, et s'inscrit de façon décisive dans le débat sur la peine de mort avec *Le Dernier Jour d'un condamné*. Balzac signe enfin de son nom et abandonne les pseudonymes. Il s'arrogera la particule l'année suivante avec *La Peau de chagrin*.

HISTOIRE ET FICTION

L'action du roman se déroule en l'an VIII, donc en 1799 et 1800. La dernière page fait un bond en avant chronologique jusqu'en 1827. L'intrigue s'inscrit dans la guerre civile qui embrasa la France de l'Ouest à partir de 1793, et relate des épisodes de la chouannerie bretonne sous le Consulat, c'est-à-dire les derniers soubresauts avant la pacification quasi finale. Balzac s'est documenté sur ce moment de l'histoire et a fait le voyage de Fougères. Il en tire ses premières vraies descriptions de paysage. L'observation d'acteurs qui avaient vécu ces années terribles, les conversations avec des témoins directs de la Révolution et du Consulat, les lectures font de ce roman un roman historique sérieux, même s'il est pétri d'influences littéraires, dont les romans de Walter Scott et de Fenimore Cooper. Inventée, la machiavélique entreprise de Fouché correspond bien aux conspirations de cette époque troublée, et le dernier chouan rappelle Georges Cadoudal.

2 - TEXTE

LE TITRE

Il a changé au cours des éditions. Balzac avait d'abord envisagé d'intituler son roman *Le Gars* (surnom donné au héros par ses compagnons de combat). Le titre original est *Le Dernier Chouan ou la Bretagne en 1800* (mars 1829). La 2e édition (1834) s'intitule *Les Chouans ou la Bretagne en 1799* (signée H. de Balzac). L'entrée dans *La Comédie humaine* en 1846 permet le titre définitif : *Les Chouans*. Si la correction de date répond à un souci d'exactitude, le titre premier rendait mieux compte de l'intrigue. En effet, les chouans, proches des sauvages de Fenimore Cooper, se livrent de plus en plus au brigandage, et seul le marquis de Montauran maintient la véritable flamme. Les Bleus et le pouvoir révolutionnaire stabilisé par le coup d'état de Brumaire sont absents du titre, qui focalise l'intérêt sur les révoltés. Pour les lecteurs de 1829, il évoque une période historique encore proche. Il semble installer le lecteur moderne dans un passé quasi mythique, et d'autant plus romanesque.

L'ORGANISATION

Le roman comporte trois parties. « L'embuscade » nous présente les Chouans et les Bleus, respectivement commandés par Montauran, dit le Gars et Hulot. À Mayenne, l'on prend connaissance de la déclaration de Bonaparte, qui vient de prendre le pouvoir : il faut balayer définitivement la révolte chouanne. « Une idée de Fouché » nous fait entrer dans l'univers de la machination policière. Il s'agit de piéger le Gars grâce à une jeune femme, Marie de Verneuil. Mais celle-ci tombe vraiment amoureuse du chouan. « Un jour sans lendemain » : au terme de péripéties romanesques, le Gars et Marie meurent victimes de Corentin, l'agent de Fouché. En 1827, seul un vieux paysan rappelle ces temps épiques. Une structure fortement dramatique, qui met en relief l'amour de deux jeunes gens, pris dans le tourbillon de l'Histoire, fidèles à leur foi, et leur oppose l'inquiétante puissance de la police. Fouché est le grand manipulateur : la politique moderne commence...

3 - INTERTEXTE

Suggestions pour un parcours méthodique

• La description de la Bretagne, des Bleus et des paysans, le portrait de Marche-à-Terre (ch. 1) ; les portraits de Mme du Gua, de Marie, du Gars et de Corentin (ch. 2) ; les scènes de combat (ch. 1 et 3) ; la naissance et la progression du sentiment amoureux (ch. 2 et 3) ; la mort des héros (ch. 3).

Le DHL permet un parcours historique et thématique

 • **Documents historiques** sur la chouannerie (pp. 391-400),
auxquels on ajoutera les textes des historiens de la Révolution, et tout particulièrement Michelet. On ouvrira aussi
sur la chanson, car les Blancs et les Bleus ont inventé leur
propre légende grâce à leurs chansons. Les Mémoires
abondent. On peut privilégier ceux de la marquise de la
Rochejaquelein, et du côté républicain, ceux du général
Turreau, le bourreau de la Vendée.

 • **Chouans et contre-révolutionnaires littéraires** : d'autres
textes de Balzac traitant de ces années (pp. 385-389). On
y ajoutera *Une ténébreuse affaire* (fiche n° 11) et *Béatrix* ;
les textes de Chateaubriand, Hugo et Barbey d'Aurevilly
(pp. 401-409) proposent des portraits d'acteurs emblémá-
tiques de ces guerres, ainsi que l'évocation des prestiges
qui peuvent séduire notre imaginaire. On ajoutera Dumas
(Blanche de Beaulieu) et le poème de Hugo, « Jean
Chouan » *(La Légende des siècles)*.

 • **L'héroïne noble et sublime** dans la fidélité : on la
comparera à Laurence de Cinq-Cygne *(Une ténébreuse
affaire)* ou à Armande d'Esgrignon *(Le Cabinet des
Antiques)*.

 • **Le policier** : Corentin réapparaît dans *Une ténébreuse
affaire* et *Splendeurs et Misères des courtisanes* (fiche
n° 10). On élargira avec la figure de Fouché et celle de
Vidocq.

 • **Conspiration et complot** : *Une ténébreuse affaire* et
L'Envers de l'histoire contemporaine. Mais le roman historique à la Dumas déploie superbement les séductions du
thème, ainsi que le roman populaire, dont il est une compo-
sante quasi obligée.

4 - PRÉTEXTE

Le CI propose un parcours historique avec le 18 Brumaire (p. 2), la figure de Fouché (p. 3), les généraux combattant en 1799 (pp. 4-5), Cadoudal (p. 12). À ces personnages historiques il ajoute une imagerie de la chouannerie et de la Vendée (pp. 6-11, 4e de couverture), sans oublier les Bleus (p. 9). Ces représentations des guerres de l'Ouest ont été fort nombreuses, prouvant l'importance de l'événement dans l'Histoire et pour l'imaginaire. L'ouvrage de Jean-Clément Martin, *Blancs et Bleus dans la Vendée déchirée* (Découvertes-Gallimard, n° 8, 1986) est une mine.

Le XIXe siècle en entretiendra la mémoire, comme en témoignent les représentations théâtrales d'adaptations du roman (p. 13). On pourrait compléter la documentation en cherchant les images suscitées par le *Quatrevingt-Treize* de Hugo (fiche n° 31), qui se situe aussi dans la Bretagne insurgée. De même, les illustrations des romans de Barbey d'Aurevilly et de leurs adaptations à l'écran élargiraient le tableau.

Le cinéma a su conférer ses prestiges aux *Chouans* (pp. 14-16), d'autant que le bicentenaire de la Révolution française a replacé au premier plan les guerres de l'Ouest.

Une ténébreuse affaire se déroule peu après l'intrigue des *Chouans*. On peut comparer les héroïnes : Marie de Verneuil et Laurence de Cinq-Cygne, en les rapprochant du type de l'amazone. Ces personnages féminins nobles et sublimes entrent dans l'éventail des représentations balzaciennes de la femme.

LE COLONEL CHABERT

« LIRE ET VOIR LES CLASSIQUES »
N° 6052

1 - CONTEXTE

LE CONTEXTE DE PRODUCTION :
Ce qui se passait en 1835

- **En politique** : Le Corse Fieschi commet un attentat contre Louis-Philippe ; sécession du Texas par rapport au Mexique ; les Boers vont coloniser le nord de l'Afrique du Sud (« le Grand Trek »).
- **En littérature et dans les arts** : Schumann, *Étude Symphonique* ; première de *Chatterton*, d'A. de Vigny, au Théâtre français ; *Lucia de Lammermoor*, de Donizetti ; V. Hugo, *Les Chants du crépuscule* ; Musset, *La Nuit de Mai*, *Confessions d'un Enfant du siècle* ; Gogol, *Journal d'un fou*.
- **Sciences et techniques** : création de la ligne de chemin de fer entre Saint-Étienne et Lyon.
- **Divers** : fondation de l'Agence Havas.

HISTOIRE ET FICTION

L'action du roman débute environ dix ans après la bataille d'Eylau, qui eut lieu en 1807 ; la France connaît alors la Restauration, puisque Napoléon, le héros du

Colonel Chabert, a abdiqué en 1814. Le Colonel Chabert appartient donc clairement à une époque révolue, d'où son sentiment d'exclusion...

Le roman se termine douze ans après la première visite de Chabert à l'étude de l'avocat ; c'est donc une période de vingt-deux ans qui est couverte par la narration.

2 - TEXTE

LE TITRE

Comme très souvent chez Balzac, le titre reprend le nom du personnage principal, auquel est accolée la fonction dans le roman ; ainsi, Chabert, qui a trouvé la justification de sa vie dans le service de l'Empereur, est-il au début du roman doublement en décalage : officiellement, Chabert est mort, principalement aux yeux de sa femme ; et son grade de Colonel d'Empire est une survivance d'un monde dont on ne veut plus.

L'ORGANISATION

Ce roman court est plus complexe qu'il n'y paraît au premier abord... D'une façon évidente, il présente le récit d'une déchéance ; et cette déchéance est écrite dès le début du roman, ou presque : comment ce fantôme, qui gêne tout le monde par sa réapparition, pourrait-il retrouver une place normale dans la société et dans sa propre famille ? Quand il se rend compte de la réalité de la situation, il ne lui reste plus qu'à s'effacer, qu'à devenir un numéro dans l'hospice de Bicêtre. C'est donc le changement d'un monde que Balzac veut saisir, le passage de l'épopée napoléonienne à une autre donne politique, période de transition qui a toujours profité aux ambitieux de toutes sortes... Dans cette société impitoyable, il n'y a plus de place pour les représentants de l'Ordre antérieur.

Ce sont les Forts comme la Comtesse ou Delbecq qui vont s'imposer. Ce qui, évidemment, s'accompagne d'un pessimisme de ton chez Balzac : les êtres « bons » s'effacent ou se retirent, comme Derville à la fin du roman...

Le Colonel Chabert obéit bien à la mission que s'est donnée Balzac, en composant *La Comédie humaine* : à travers des destins individuels, qui permettent des études psychologiques précises, se dessine la perspective d'une période historique privilégiée, et d'une tranche de société, pierre de l'édifice littéraire que veut bâtir l'écrivain.

3 - INTERTEXTE

EXPOSÉS ET DOSSIERS :

1. - Étude de la construction dramatique du roman (la succession chronologique, les temps forts — cf. la scène de la « résurrection » de Chabert à Eylau —, les retours en arrière, les ellipses temporelles...).

2. - Les différents milieux sociaux peints dans le roman (comparaison éventuelle avec la peinture sociale de Zola).

3. - Le contexte historique : de Napoléon à la Restauration.

4. - Le thème du « revenant », du disparu (en établissant des comparaisons avec d'autres personnages littéraires : Ulysse, Richard Cœur de Lion...).

5. - L'intégration du *Colonel Chabert* dans le projet de *La Comédie Humaine* ; le procédé du retour des personnages ; la raison des différentes versions du roman.

6. - Le réalisme dans le roman.

7. - La folie, omniprésente ici, sous forme de menace latente pour Chabert, et dans le dénouement.

8. - L'armée et la guerre.

4 - PRÉTEXTE

L'étude du dossier iconographique permet une grande variété de pistes de travail, originales pour les élèves.

D'abord, dans les deux premières reproductions d'illustrations du roman même : les deux portraits de Chabert révèlent une appréhension fort différente du personnage... Différente ou complémentaire ?... Le premier pourrait représenter Chabert, misérable au début du roman ; le second, Chabert dans l'étude de Derville, au maintien assez noble pour impressionner ce dernier, pourrait préfigurer les transformations du personnage au cours du roman.

Ensuite, en dehors de ces deux extrêmes de l'évolution de Chabert, il y a tous les stades intermédiaires : les retrouvailles mélodramatiques de Chabert et de sa femme (p. 10) ; la folie et la déchéance sociale (pp. 11 et 13). Cette « galerie de portraits » ponctuerait assez utilement le dossier n° 8 sur l'évolution des personnages.

Une autre piste pourrait être d'étudier, à travers l'iconographie, la représentation du mythe napoléonien : du « portrait militaire » (p. 4), aux tableaux de bataille surtout (pp. 6, 7 et 16), on peut aborder des notions abstraites pour les élèves, comme le réalisme pictural et/ou le ton épique... Une visite au Louvre complèterait utilement cette étude. Enfin, la figure même de l'Empereur (p. 7), figé dans la célèbre posture pour l'éternité !... Encore une fois, l'illustration de l'épopée napoléonienne renverrait au texte de Balzac et à la dévotion de Chabert pour « son » héros...

Enfin, le recours aux différentes versions cinématographiques (cf. Filmographie, p. 142 et les pp. 14-15 du Dossier) permet de mesurer, entre autres, combien certains acteurs extrêmement célèbres « collent » à l'image que l'on se fait des personnages du roman : Raimu, à la noblesse blessée, et qui peut s'offrir ainsi (de façon d'ailleurs crédible) un numéro d'acteur dans son interprétation de déchu social ; Marie Bell, retorse et hypocrite, dans un type de rôle où on l'a souvent confinée...

EUGÉNIE GRANDET

« LIRE ET VOIR LES CLASSIQUES »
N° 6005

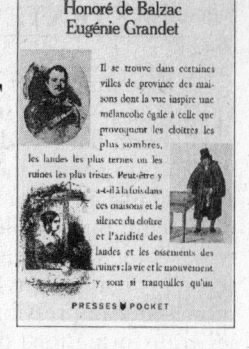

---

1 - CONTEXTE

LE CONTEXTE DE PRODUCTION :
Principaux événements en 1833

 • **En littérature :** Balzac, *Le Médecin de campagne*, *L'Illustre Gaudissart*, second dizain des *Contes drolatiques*, *Ferragus*, *La Fille aux yeux d'or* ; Sand, *Lélia* ; Musset, *Rolla*, *Les Caprices de Marianne* ; Hugo, *Marie Tudor*, *Lucrèce Borgia* ; Gautier, *Les Jeunes-France* ; Goethe, *Le Second Faust*.
 • **En musique :** Chopin, *Nocturnes* ; Mendelssohn, *Symphonie italienne*.
 • **En peinture :** Ingres, *Portrait de Bertin l'aîné*.
 • **En politique :** Poursuite de la conquête de l'Algérie ; Lamartine député du Nord ; loi Guizot sur l'enseignement primaire ; abolition de l'esclavage dans les colonies anglaises ; Égypte et Syrie données à Méhémet Ali.

HISTOIRE ET FICTION

 L'action se passe sous la Restauration, à Saumur ; nous apprenons l'origine de la fortune de l'ex-tonnelier Grandet : l'achat en 1792 de vignobles, d'une vieille abbaye et de fermes, biens confisqués au clergé. L'anniversaire d'Eugénie, qui a vingt-trois ans en novembre 1819, met en branle l'intrigue principale, qui se clôt en août 1827, avec la réception par Eugénie, qui n'a jamais quitté Saumur, d'une lettre de l'ingrat Charles Grandet (neveu de l'avare) : une fois fortune faite aux Indes, il oublie sa promesse et s'apprête à épouser une jeune fille laide et riche. L'argent, opposé à la passion amoureuse d'Eugénie pour Charles, est une puissance omniprésente dans le roman. C'est en fonction de ce révélateur que se définissent et s'agitent, outre la majorité des personnages principaux, la quasi-totalité des personnages secondaires, à l'exception notable de Mme Grandet mère et de sa bonne, la « Grande Nanon ».

2 - TEXTE

LE TITRE

Le titre, *Eugénie Grandet*, met en avant le personnage féminin le plus important du roman ; on peut d'ailleurs se demander à ce propos si ce n'est pas Grandet, formidable figure d'avare, qui est le véritable « héros » du roman. En effet, Eugénie tire peut-être trop du côté de la vierge sublime pour toujours émouvoir tout en restant vraie... En tout cas, l'époque est à la découverte du cœur féminin : Lucrèce Borgia et Marie Tudor ; Marianne ; Lélia ; quant à Balzac, il n'avait qu'à prendre chez Mme Hanska le modèle de son héroïne.

L'ORGANISATION

Eugénie Grandet est une œuvre de jeunesse de Balzac. Pourtant on y trouve déjà une peinture très aiguë des mœurs de la province : si l'on sauve les apparences, si les incidents sont feutrés et comme étouffés derrière les lourdes portes closes, les appétits y sont néanmoins féroces : filles qui sont l'objet de tractations financières sordides, partis opposés et clans rivaux...

Dans ce « vase clos » peuvent s'épanouir à loisir les passions exacerbées : depuis le dévouement de Nanon jusqu'à l'amour d'Eugénie, tout y est excessif et conflictuel.

Enfin, le langage des différents personnages, révélateur de l'origine de ces derniers, mais aussi de leurs caractères, mérite une étude : franc-parler de Nanon, simplicité calculée, non exempte de vulgarité, de Grandet, hauteur coupante de sa fille, qui témoigne certes d'une grandeur d'âme sublime, mais qui n'en est pas moins une Grandet par le caractère impérieux de son langage...

3 - INTERTEXTE

On peut envisager d'étudier cette œuvre avec des élèves de second cycle.

RECHERCHES THÉMATIQUES

1. - L'amour et le mariage dans *Eugénie Grandet*.
2. - Les techniques narratives de Balzac.
3. - Place et importance de l'œuvre dans le cycle de *La Comédie humaine*.
4. - Capitalisme et problèmes d'argent dans le roman.
5. - Peinture d'un milieu social : la bourgeoisie de province.
6. - Comparaison de l'héroïne et des autres personnages féminins de Balzac.
7. - Le style de Balzac.

LECTURES COMPLÉMENTAIRES

● Autour du thème de l'avarice : Molière, *L'Avare* ; Balzac, *Gobseck*.
● Autour du personnage de la femme qui se sacrifie : Balzac, *Ursule Mirouet*, *La Vieille fille*, *La Cousine Bette*.

4 - PRÉTEXTE

Le CI permet tout d'abord, de la page 1 à la page 3, d'évoquer les liens privilégiés que Balzac tissa avec les femmes : Marie du Fresnay, en l'occurrence, et « l'Étrangère », Mᵐᵉ Hanska. La vie de l'auteur est marquée par les présences féminines, et l'on peut rappeler, à ce propos, les grandes figures de femmes de *La Comédie humaine*.

Deuxième domaine dans lequel l'iconographie peut être précieuse : en liaison avec les pistes pédagogiques proposées (cf. Intertexte), le thème de l'argent sera mentionné à travers l'évocation des spéculateurs de la Restauration ; encore une fois, la biographie de Balzac est mêlée à son œuvre.

Une série d'illustrations, ensuite, rappellent des éléments-clés du roman : en particulier l'amour total et exclusif d'Eugénie pour son cousin Charles. On pourra faire sentir aux élèves le caractère conventionnel des poses des personnages, « romantiques » ou mélodramatiques, en se demandant si et comment les personnages de Balzac échappent à ces stéréotypes...

Le dénouement du roman sera rattaché aux illustrations des pages 13 et 14 : à l'exotisme suggéré par les activités de Charles en Afrique (qu'y a-t-il de plus éloigné de Saumur que les côtes africaines où Charles fait la traite des Noirs ? Illustration en couleurs après toute la série sur la petite ville de province, en noir et blanc), répond l'image des derniers moments du Père Grandet, bloqué dans son lit, dans sa chambre, dans sa maison, dans sa ville, etc.

Enfin, des images assez désespérantes de l'avenir prévisible d'Eugénie : le dossier se clôt, au sens propre et figuré, sur une vision bien pessimiste. On essaiera de retracer l'évolution de l'héroïne, avec les élèves, à partir de ces illustrations.

LA FEMME
DE TRENTE ANS

« LIRE ET VOIR LES CLASSIQUES »
N° 6076

1 - CONTEXTE

DE 1830 A 1842...

● **Politique et société** : *La Femme de trente ans* ne prend son titre définitif qu'en 1842, mais certaines pages sont publiées dès avant la Révolution de Juillet. En douze années, la France louis-philipparde de la monarchie de Juillet est passée de l'ère des dangers politiques (insurrections de 1832 et 1834, attentat de Fieschi en 1835, tentative de soulèvement par Louis-Napoléon en 1836 et 1840) au triomphe de la bourgeoisie. La France connaît une triple révolution industrielle, des transports (le chemin de fer), du crédit. À l'enrichissement bourgeois répond la misère ouvrière, même si le pays est encore très majoritairement rural.

● **Arts et culture** : c'est la grande époque du romantisme. Si les sciences progressent dans tous les domaines, la scène intellectuelle voit la consécration d'un romantisme devenu de plus en plus politique. En 1841, l'élection de Victor Hugo à l'Académie prend ainsi une valeur symbolique. Poésie et théâtre ont imposé les noms de Vigny, Musset, Lamartine et Hugo, mais cette époque est surtout l'apogée du roman. Dès avant *Le Rouge et le Noir* (fiche n° 77) de Stendhal (1830), il est devenu le genre aux multiples dimensions, que tous les grands auteurs honorent par leurs œuvres. Balzac est le grand nom incontesté. En 1842, les volumes de *La Comédie humaine*, regroupant les textes antérieurement parus et leur en ajoutant de nouveaux, commencent à être publiés.

HISTOIRE ET FICTION

Dans sa forme définitive, le récit commence en 1813, sous l'Empire, pour se terminer en 1844, sous Louis-Philippe. Au début, l'héroïne est une toute jeune fille, elle meurt âgée de cinquante ans. En dépit des invraisemblances chronologiques dues à l'assemblage de nouvelles qui constituent le roman unifié, malgré des aventures mélodramatiques et frénétiques, *La Femme de trente ans* présente un destin de femme, inspiré par des modèles réels et emblématique de la condition moderne de la femme mariée se débattant avec les conséquences de son adultère.

2 - TEXTE

LE TITRE

C'est l'un des plus célèbres de *La Comédie humaine*. Non seulement il unifie en un seul personnage les héroïnes des nouvelles successives et confère ainsi son unité profonde au roman, mais il désigne un type que Balzac a imposé en littérature. Il inscrit ainsi la femme dans une dimension existentielle, en faisant de l'âge, et surtout de la situation sociale, un critère décisif. La féminité littéraire n'est donc plus seulement liée à la nature, mais à la condition. En outre, Balzac fait aboutir dans le roman les réflexions sur la condition conjugale qu'il a développées dans *La Physiologie du mariage* (1829). *La Femme de trente ans* est sans doute le premier grand roman d'adultère du XIXe siècle.

L'ORGANISATION

Elle est complexe, en raison de la genèse compliquée du roman. Sans trop s'attarder sur les dates de publication des différentes parties cousues ensemble, l'on insistera sur les titres des chapitres. Quoique lisible séparément, « Premières fautes » est un prélude qui installe le thème du mariage. « Souffrances inconnues » fait la transition avec le chapitre 3, mais se focalise sur l'expiation et les remords de Julie. « À trente ans », qui portait initialement le titre destiné à devenir celui de l'ensemble, s'impose comme partie centrale, relie le roman à *La Comédie humaine*, et analyse véritablement le type romanesque ainsi créé, qui s'installe dans l'adultère. « Le doigt de Dieu », s'il place le récit dans une perspective édifiante (le châtiment divin de la faute), contraste avec « Les deux rencontres », véritable roman d'aventures mélodramatiques dont la chronologie s'accorde mal avec celle de l'ensemble. Hélène, la fille de Julie, est aussi victime du doigt de Dieu. « La Vieillesse d'une mère coupable », titre qui évoque le troisième volet de la trilogie de Beaumarchais, *La Mère coupable*, fiche n° 13, achève l'expiation de Julie. Son destin est bouclé.

3 - INTERTEXTE

Suggestions pour un parcours méthodique

• Les portraits de Julie (ch. 1, 3, 4), en insistant tout particulièrement sur celui du chapitre 3 (pp. 123-125) ; on peut compléter par les portraits des filles, légitimes et adultérines (ch. 4 et 5) ; les passages édifiants, qui permettent de définir la portée morale du roman (ch. 2 et 4) ; les étapes du roman d'adultère (états d'âme, rencontre, débat intérieur, faute, remords, punition) ;

• une place peut être accordée à la description initiale de la parade militaire, car elle s'inscrit dans les thèmes napoléoniens de *La Comédie humaine* (ch. 1) ;

• le chapitre 5 est analysable comme roman « frénétique », avec son rythme et sa rhétorique spécifiques.

Le DHL permet un parcours thématique dans *La Comédie humaine*, par la comparaison entre divers portraits féminins (pp. 242-252) et à travers le XVIIIe et XIXe siècles en suivant les métamorphoses de la femme (pp. 253-266).

On ouvrira aussi l'éventail des portraits féminins en comparant Julie à Béatrix dans le roman éponyme, à la duchesse de Maufrigneuse *(Le Cabinet des Antiques, Les Secrets de la princesse de Cadignan)* ou à l'héroïne de *Madame Firmiani*. Les possibilités sont très nombreuses.

• **Le roman d'adultère :** On évoquera *Madame Bovary,* fiche n° 22, Anna Karénine de Tolstoï ou *Effi Briest* de Fontane. Dans *La Comédie humaine,* les adultères abondent : *Illusions perdues*, fiche n° 6 (Madame de Bargeton), *La Muse du département* (Dinah Piédefer), *Le Père Goriot*, fiche n° 9 (Anastasie et Delphine)... On peut comparer les deux premiers chapitres au *Lys dans la vallée* (fiche n° 7), qui traite aussi le thème du bonheur refusé par vertu.

• **Le mariage et le couple :** chez Balzac, outre *La Physiologie du mariage* et *Les Petites Misères de la vie conjugale*, il s'agit d'une thématique majeure. On citera les *Mémoires de deux jeunes mariées, Une double famille, La Paix du ménage, Le Contrat de mariage, La Cousine Bette, L'Interdiction, La Maison du Chat-qui-pelote, La Rabouilleuse...*

4 - PRÉTEXTE

La Femme de trente ans invite à analyser les représentations de la femme au XIXe siècle (CI, pp. 1-7, 9, 10). Les incarnations à l'écran complètent le tableau (pp. 14-16). Portraits de femmes réelles (pp. 1, 3-5, 9), ou imaginaires

(6-7, 12), les images dévoilent certaines idées du temps sur la féminité (pose, attitude, regard…).

La Femme de trente ans est aussi un roman en grande partie parisien, même si Balzac le classe dans les « scènes de la vie privée ». À partir du cahier (pp. 6, 10-11, 13), on peut tracer un parcours monumental, social et mondain de la ville aux cent mille romans. On y ajoutera le Paris des fêtes militaires impériales (p. 12). On y opposera la campagne, car Julie se retire en Touraine et en Sologne. Haut lieu du roman balzacien *(Le Lys dans la vallée,* fiche n° 7, *La Grenadière…),* la Touraine peut faire l'objet d'une recherche iconographique.

La vie mondaine (p. 11, 4e de couverture) suscite de nombreuses représentations, où se lisent les rapports entre les individus d'un même monde, les conventions, l'importance du cadre.

Balzac et les femmes : le romancier (p. 2) a été souvent caricaturé en compagnie féminine (p. 4). On peut élargir la réflexion à la caricature au XIXe siècle. Grand genre illustré par de prestigieux dessinateurs, elle est à la fois regard critique et révélateur sur la société, glorification paradoxale…

Le chapitre 5 consacre dans ce roman de la vie privée le personnage du Capitaine parisien. Ce pirate, s'il évoque un personnage mis en scène par Balzac dans ses romans de jeunesse, Argow le pirate *(Annette et le Criminel,* 1824), est avant tout l'un des exemples de ce type prestigieux au XIXe siècle. Fascinants, inquiétants, corsaires et pirates ont été introduits en littérature par Byron *(Le Corsaire,* 1814) et Walter Scott *(Le Pirate,* 1822). À partir de la gravure de la p. 14, on peut entamer une recherche sur les présentations graphiques, picturales, cinématographiques et littéraires des « Frères de la côte ».

HISTOIRE
DES TREIZE

« LIRE ET VOIR LES CLASSIQUES »
N° 6075

1 - CONTEXTE

DE 1833 À 1835...

● **Politique et société :** après avoir maté les insurrections de 1832 et l'équipée légitimiste de la duchesse de Berry, la monarchie de Juillet assoit son pouvoir. Elle édicte des lois restrictives sur la liberté de la presse et d'association (1834), réprime férocement de nouvelles insurrections (massacre de la rue Transnonain, 1834), et organise l'enseignement primaire (loi Guizot, 1833).

● **Arts et culture :** Delacroix et Ingres dominent la peinture, Chopin et Berlioz la musique. Le drame romantique s'impose sur la scène, mais le plus grand, le *Lorenzaccio* de Musset, fiche n° 55 (1834) n'est pas représenté. Heureusement, le public peut voir *Les Caprices de Marianne* (1833) et *On ne badine pas avec l'amour* (1834) ou le *Chatterton* de Vigny (1835). Mais la grande affaire, c'est le roman : *Lélia* de George Sand (1833), *Volupté* de Sainte-Beuve (1834), *Servitude et Grandeur militaires* de Vigny (1835), *Mademoiselle de Maupin* de Gautier (1835). Et bien sûr, les chefs-d'œuvre de Balzac, dont *Le Père Goriot*, fiche n° 9 (1834-1835). Stendhal, lui, interrompt *Lucien Leuwen*, qui restera inachevé.

HISTOIRE ET FICTION

Située dans le Paris de la Restauration, entre 1816 et 1819, la trilogie confère à ce théâtre de passions exacerbées, une dimension inquiétante avec *Ferragus* et érotique avec *La Fille aux yeux d'or*. *La Duchesse de Langeais* offre à Balzac l'occasion de développer son point de vue idéologique sur l'aristocratie et la société. Le thème de la société secrète, s'il n'est pas en fin de compte central, inscrit les romans dans la filiation du roman noir, dont les lecteurs étaient friands.

2 - TEXTE

Le titre commun réunissant trois romans indique que Balzac avait eu l'intention d'écrire une série relatant les exploits d'une société secrète. Il n'écrivit que cette trilogie (DHL pp. 430-443) ; des membres de la société réapparaîtront dans *Le Contrat de mariage* (1835), mais les Treize ne constituent pas un personnel majeur dans *La Comédie humaine*. D'une part, ils n'entreprennent rien de très glorieux dans nos trois romans : éliminer un officier qui cherche vainement à séduire la fille mariée de leur chef ; punir une coquette, puis la retrouver quand elle a disparu ; aider à la conquête d'une jeune fille. C'est bien peu, quand on pourrait faire trembler l'État. D'autre part, l'intérêt romanesque se porte sur les drames privés et la peinture des passions. La trilogie se décompose en trois récits. L'*Histoire des Treize* conserve cependant un réel potentiel de séduction pour l'imaginaire.

Le titre *Ferragus, chef des Dévorants,* s'il rappelle un *Ferragan, chef de brigands* de 1827, évoque un personnage mystérieux, ancien criminel, sorte de surhomme, mais, nous le verrons, possédé par la passion de la paternité.

La Duchesse de Langeais appartient à une série de titres importante dans *La Comédie humaine*. En focalisant l'intérêt sur l'héroïne, il annonce l'analyse d'un caractère et laisse soupçonner une intrigue amoureuse, tout en inscrivant le personnage dans le monde aristocratique.

Meilleur que le titre initial —*La Femme aux yeux rouges*, *La Fille aux yeux d'or* est lourd d'une poésie sensuelle. S'il souligne le pouvoir de séduction de Paquita Valdès, rien dans cette périphrase ne laisse soupçonner son homosexualité.

3 - INTERTEXTE

Suggestion pour un parcours méthodique

Parmi les grandes directions possibles, on peut choisir :
• les scènes de violence (pp. 70, 286, 422) ; les scènes pathétiques (mort de Madame Jules, p. 139 sq. ; mort de la duchesse de Langeais, p. 334) ; les scènes et déclarations d'amour ; les portraits de femmes (pp. 52, 103, 210, 370) ; les portraits des héros (pp. 61, 224, 358) ;
• il est également important d'analyser le discours sur l'aristocratie et le Faubourg Saint-Germain dans *La Duchesse de Langeais* (p. 196 sq.) ;
• de même, le Prologue de *La Fille aux yeux d'or,* ce tableau de la société parisienne, est un des passages les plus significatifs de *La Comédie humaine* (p. 339 sq.) ;
• la scène du Père Lachaise dans *Ferragus* peut être comparée à la scène finale du *Père Goriot* (p. 160).

Le DHL permet un parcours intertextuel et thématique par le biais des bandes et sociétés secrètes dans *La Comédie humaine* (pp. 447-461).
• **La femme chez Balzac** (pp. 467-486) : technique du portrait-typologie-représentation de la féminité. De nombreux romans balzaciens offrent d'autres exemples.
• **Le désir et la passion amoureuse :** aux extraits du D.H.L. (pp. 499-502), on ajoutera *Illusions perdues, Splendeurs et Misères des courtisanes, Le Père Goriot, Les Secrets de la princesse de Cadignan, Eugénie Grandet, Le Lys dans la vallée, La Femme de trente ans,* etc., voir les fiches consacrées à ces romans

• **Paris**, ou la ville aux cent mille romans : au Prologue de *La Fille aux yeux d'or* s'ajoutent les descriptions du *Père Goriot*, de *La Peau de chagrin,* d'*Illusions perdues,* de *La Cousine Bette,* etc. Le D.H.L. ouvre quelques pistes pour entrer dans la littérature du XIXe siècle (pp. 487-498). Jusqu'au Paris de Zola *(La Curée, Une Page d'amour, L'Assommoir, Le Ventre de Paris…),* en passant par *Les Mystères de Paris, Les Misérables* ou *L'Éducation sentimentale,* les exemples abondent (cf. fiches sur ces romans).

4 - PRÉTEXTE

L'*Histoire des Treize* est avant tout une histoire de femmes. L'on peut donc travailler sur les représentations de la femme qu'inspire la lecture des romans ou l'étude de leurs adaptations à l'écran (CI pp. 1, 4, 7, 11, 12-16). De là on peut ouvrir à la question de l'image féminine dans la production artistique de l'époque, et des rapports qu'elle entretient avec les conceptions dominantes de la féminité.

Romans de la passion, les trois récits ont donné lieu à des illustrations dans les éditions du temps (pp. 5, 10-11), dont on peut analyser certaines caractéristiques. Tantôt, il s'agit d'insister sur la dimension dramatique, voire mélodramatique (*Ferragus,* p. 5 ; *La Duchesse de Langeais*, p. 11). Tantôt, c'est l'héroïne qui est privilégiée (p. 11), et l'on peut comparer sa représentation avec sa description.

Si *La Duchesse de Langeais* se déroule initialement dans le grand monde, dont le salon est l'un des hauts lieux emblématiques (pp. 8-9), *La Fille aux yeux d'or* est chargé d'exotisme et d'érotisme (p. 12). Se trouve ainsi mobilisée toute une imagerie orientale et lascive, dont le XIXe siècle se régala. La dédicace à Delacroix (p. 2) peut être pleinement exploitée.

La trilogie baigne dans la violence. Mémoire de l'Empire (p. 6), thème de la conspiration (p. 5), sexualité exacerbée : l'*Histoire des Treize* est celle de leurs désirs et de leurs frustrations.

ILLUSIONS PERDUES

« LIRE ET VOIR LES CLASSIQUES »
N° 6070

---

1 - CONTEXTE

LE CONTEXTE DE PRODUCTION :

1837 (1ere partie) ; 1839 (2e partie) ; 1843 (3e partie).
Voir fiches nos 10, 11, 76.

HISTOIRE ET FICTION

L'action se situe sous la Restauration, c'est-à-dire entre 1815 et 1830 ; cette période, bien que le livre ait été publié un peu plus tard, sous la Monarchie de Juillet, est donc très présente dans la mémoire des lecteurs. La Restauration est, rappelons-le, le fait du roi Louis XVIII, qui cherche donc à « restaurer » l'Ancien Régime, et à effacer la Révolution et l'Empire...

De façon un peu plus précise, l'action peut être placée vers 1820 ; mais le recul historique, même minime, dont bénéficie Balzac lui permet de « prévoir » la chute de la Restauration (en particulier par le pouvoir de la presse). Le livre suit le destin de certains personnages jusqu'en 1842 et annonce, dans les dernières lignes, que le lecteur pourra savoir ce qu'il est advenu de Lucien (cf. p. 718).

2 - TEXTE

LE TITRE

Rarement un titre aura mieux convenu à l'ensemble de l'œuvre d'un écrivain ; rarement un titre aura mieux exprimé le double mouvement qui anime un roman : des premières pages, où il est dit combien Lucien fut élevé « dans l'espérance de destinées brillantes », à la tentation du suicide final. Le roman commence donc dans des illusions de tous ordres — illusion d'une ascension sociale pour Anaïs de Bargeton et Lucien ; illusions qui bercent ce dernier dans l'assurance d'un talent poétique méconnu ; illusions de l'amour aussi, qui aveugle si souvent les protagonistes... Mais ces illusions se heurtent à la dure réalité, qui se charge de remettre à leur place rêveurs et ambitieux forcenés ; David Séchard croit que son invention le tirera de la médiocrité, et il échoue ; Lucien, lui, connaît l'amertume de l'échec littéraire et social, tant à Angoulême qu'à Paris. La fin du roman le laisse dans une situation presque désespérée. Alors, oui : « illusions perdues » : récit d'espérance que tout le roman va se charger d'anéantir, application manifeste de la volonté balzacienne de réalisme en matière littéraire.

L'ORGANISATION

● Le roman appartient aux « Scènes de la vie parisienne », comme l'*Histoire des Treize*, offrant « le tableau des goûts, des vices », à Paris surtout. Il est divisé en trois parties, rédigées à trois dates différentes, la première (« Les deux poètes », 1836) et la troisième (« Les souffrances de l'inventeur », 1843) se déroulant à Angoulême, et encadrant la partie centrale (« Un grand homme de province à Paris », 1839), qui se situe à Paris.

● D'une manière évidente, chaque personnage de l'histoire est chargé de représenter soit une classe sociale, soit une facette d'un mythe. Ainsi, la noblesse est incarnée différemment selon qu'elle vit à Paris (Rastignac ou Mme d'Espard en sont les prototypes) ou en province, dont les ridicules sont épinglés férocement par Balzac. La femme même, en ce qu'elle a d'éternel, voit ses différents aspects illustrés à travers plusieurs héroïnes du roman : Mme de Bargeton est celle qui, maternelle autant qu'amoureuse, perdue dans ses illusions, justement, va vouloir lancer Lucien dans le monde. Ève, elle, c'est la femme pure, honnête et fidèle, l'épouse idéale, celle qui « gagnera » à la fin du roman. Enfin Coralie mourra, « purifiée » par une fin édifiante, après une vie de débauche et de luxe effréné avec Lucien.

• La société est donc conçue comme une force qui broie ceux qui, comme Lucien, sont victimes des mirages de l'illusion : l'argent corrompt tout, y compris, bien sûr, le génie créateur (cf. la « conversion » de Lucien au journalisme) ; Paris attire à lui toute une jeunesse avide de succès faciles et prête à tout : le roman est consacré à la destruction de ces ambitions.

3 - INTERTEXTE

Recherches et travaux à partir du DHL :

1. - Structure interne de l'histoire (notamment les allers/retours Paris-province).

2. - Portrait des personnages masculins principaux.

3. - Même travail pour les femmes (dans les deux cas, bien insister sur la valeur symbolique de ces personnages).

4. - La peinture sociale : deux mondes aux antipodes : la province et Paris.

5. - Le monde des journalistes et de la politique.

6. - Le monde des écrivains (le « Cénacle »).

7. - L'argent.

8. - Les fêtes, comme illusions de bonheur et lieux de représentation sociale.

9. - L'écriture de Balzac : le problème du réalisme.

10. - On pourra d'abord faire travailler les élèves sur une étude comparative des trois préfaces (une pour chaque partie), en montrant l'éventuelle évolution du projet de Balzac.

11. - Les extraits proposés dans le DHL de *Corinne ou l'Italie*, roman de Mme de Staël (1807), et ceux d'un autre roman de Balzac, *Béatrix*, peuvent permettre des exposés d'élèves, qui présenteraient l'œuvre entière, ou établiraient précisément les points de comparaison entre les différents types de personnages féminins ; on pourrait également les expliquer plus classiquement en classe. Même type de travail avec « les ambitieux » ou « la bohème ».

4 - PRÉTEXTE

● Tout d'abord, une étude précise des premières pages du CI permettra, par l'examen des costumes et des lieux représentés, notamment, de bien fixer les caractéristiques des milieux sociaux évoqués dans le roman. Des châteaux et autres demeures huppées d'Angoulême aux galeries de bois du Palais-Royal, du gros bourgeois Camusot aux dandys romantiques, c'est tout un monde qui se crée devant nous...

● Comparaison possible avec des caricatures de Daumier (ou d'autres, parues dans les journaux de l'époque).

● La filmographie.

— Se poser en premier lieu la question de savoir pourquoi l'œuvre n'a pas inspiré les cinéastes.

— Se demander pourquoi c'est surtout le personnage de Vautrin qui a été privilégié.

— Étudier les adaptations cinématographiques ; seule celle de M. Cazeneuve, à vrai dire, est aisément accessible (encore concerne-t-elle la suite de ce roman : *Splendeurs et Misères des courtisanes*). Voir ce que le scénario a conservé d'une œuvre aussi longue et foisonnante que la nôtre est très instructif.

LE LYS DANS LA VALLÉE

« LIRE ET VOIR LES CLASSIQUES »
N° 6034

1 - CONTEXTE

EN 1836...

- **Politique et société :** Thiers devient premier ministre en février, remplacé par Molé en septembre. La monarchie de Juillet a maté les insurrections de 1832 et 1834, elle devra faire face en octobre à la tentative de Louis-Napoléon Bonaparte à Strasbourg. L'événement politico-mondain est la mort d'Armand Carrel, journaliste républicain, tué en duel par Émile de Girardin, fondateur en 1836 du quotidien *La Presse*, premier journal à prix modique accessible au grand public, imité par *Le Siècle* de Dutacq. Cette innovation suscite une intense polémique qui occasionne ce célèbre affrontement. La France est de plus en plus dominée par la bourgeoisie, et entre dans la voie du progrès économique, qui engendre des clivages sociaux.

- **Arts et culture :** le romantisme s'est imposé sur la scène, en poésie et dans le roman, dont il inspire les intrigues. Le *Kean* de Dumas, *La Confession d'un enfant du siècle* et *La Nuit d'août* de Musset, le *Napoléon* de Quinet ou l'*Arthur* de Guttinger sont les œuvres les plus marquantes de cette année. Paru dans *La Presse*, *La Vieille Fille* de Balzac est le premier roman feuilleton.

HISTOIRE ET FICTION

Si le récit de Félix de Vandenesse se situe en 1827, l'intrigue du *Lys dans la vallée* commence en 1814 et se déroule tout entière sous la Restauration et le règne de Louis XVIII. Le roman est nourri des idées politiques de Balzac, converti au légitimisme, et présente en particulier une figure de l'émigré (M. de Mortsauf). Véritable éducation sentimentale, le récit repose également sur une opposition entre Paris et la province, et entre les personnages féminins, Mme de Mortsauf et lady Arabelle Dudley. Par ailleurs, Balzac entend récrire le *Volupté* de Sainte-Beuve (1834), où il trouvait trop facile le renoncement vertueux de l'héroïne dû à l'absence de désir. Inséparable du sentiment religieux et des conceptions sur le mariage et l'amour de cette époque, *Le Lys dans la vallée* reste un superbe roman sur la passion.

2 - TEXTE

LE TITRE

L'un des plus poétiques de toute *La Comédie humaine*, il métaphorise l'héroïne. Le lys, un des symboles de la pureté, appartient à l'iconographie symbolique de la Vierge. Fleur, Henriette (cette blonde qui s'appelle d'ailleurs Blanche — Arabelle sera rousse) est l'ornement de la campagne où elle vit retirée avec son mari, dans la vallée de l'Indre. Elle est la perfection sur terre, l'épouse de l'âme. L'orthographe archaïsante renvoie à la fleur de lys de la monarchie légitime. Cette prédominance de la fleur dans le titre se monnaiera dans le roman par le jeu des bouquets entre Henriette et Félix, qui disent l'indicible du sentiment amoureux. Le titre souligne aussi que Balzac aborde « la grande question du paysage en littérature » (Préface).

L'ORGANISATION

Se présentant comme un faux roman épistolaire (le long récit de Félix adressé à Natalie de Manerville, qui s'achève presque sur la lettre d'Henriette, et la réponse de Natalie à la fin), *Le Lys dans la vallée,* exprimant le point de vue de Félix, comporte trois parties. « Les deux enfants » relate la rencontre de Félix avec une inconnue dont la beauté l'émeut au point qu'il dépose un baiser sur ses épaules, puis les relations entre le jeune homme et cette femme, qui l'autorise seulement à écouter ses confidences. « Les premières amours » est un moment idyllique de bonheur chaste, une plage élégiaque et bucolique, avec la scène des vendanges. Félix rentre à Paris où son poste l'appelle. Dans « Les deux femmes », Félix succombe aux charmes de lady Arabelle Dudley, mais se précipite à Clochegourde en apprenant qu'Henriette est mourante. Elle meurt vertueuse, après un bouleversant débat intérieur. Félix retourne à Paris où il s'éprend de Natalie, qui renonce à leur union, ne voulant pas rivaliser avec le souvenir de deux femmes exceptionnelles. On relève donc les structures fondamentales d'un roman d'éducation sentimentale, d'un roman d'adultère inaccompli, d'un roman de la passion et du renoncement.

3 - INTERTEXTE

Suggestions pour un parcours méthodique

• La description du paysage, définie comme enjeu par la préface (pp. 45-48) ; la progression de l'amour, depuis la scène du baiser (pp. 42-43) ; le langage de l'amour (ch. 2) ; les portraits de femmes (Henriette, pp. 54-60, et Arabelle, p. 229 sq.) ; la mort édifiante d'Henriette (pp. 294-310) ; la lettre d'Henriette (pp. 312-319).

Le DHL permet un parcours thématique

● **Le paysage** tourangeau chez Balzac (pp. 347-351) : on comparera le principe descriptif ici déployé aux autres descriptions de la campagne et de la nature *(Le Curé de village, Le Médecin de campagne, Béatrix)* et aux descriptions urbaines ainsi qu'à celles des maisons ou des intérieurs dans *La Comédie humaine (La Maison du Chat-qui-pelote, Le Père Goriot, Le Colonel Chabert, La Muse du département...).* On peut élargir cette question du paysage à ceux de *La Nouvelle Héloïse* de Rousseau et de l'*Oberman* de Sénancour.

● **Balzac et les femmes** (pp. 359-379) : on complètera au besoin avec les indication figurant dans la fiche consacrée à *La Femme de trente ans* (fiche n° 4).

● **L'érotique balzacienne** (pp. 381-386) : on pourra ajouter *Une passion dans le désert* et *Sarrasine*.

● **L'émigration et la politique :** avec des extraits des *Mémoires d'Outre-Tombe* (pp. 387-398).

Parmi d'autres possibilités thématiques, signalons la scène de première rencontre (par exemple *L'Éducation sentimentale*, fiche n° 21), le roman d'adultère (voir *La Femme de trente ans*, fiche n° 4), où l'on pourrait développer une comparaison avec les relations entre Julien Sorel et Mme de Rênal dans *Le Rouge et le Noir* (fiche n° 77). Félix, que l'on rapprochera d'autres jeunes hommes de *La Comédie humaine* (Lucien de Rubempré, Rastignac), entre dans une série où l'on trouve Saint-Preux, Julien Sorel, Frédéric Moreau...

Une comparaison avec *Volupté* de Sainte-Beuve serait très éclairante, en montrant deux traitements du même thème. Il en va de même avec *Séraphita* de Balzac, qui traite la perfection dans le ciel.

4 - PRÉTEXTE

Sis dans un cadre naturel faisant l'objet de descriptions poétiques, *Le Lys dans la vallée* est un roman qui se déroule dans un château en Touraine (CI pp. 1, 6-7, 8-9, 11-12). Lieu éminemment balzacien — le romancier (pp. 2, 5) faisait de fréquents séjours à Saché (pp. 7, 9) —, la province tourangelle (également présente dans *La Femme de trente ans* et dans *La Grenadière*) oppose son ordre et son calme aux offres de la passion (à noter que la Touraine est aussi pour l'imaginaire balzacien, nourri de Rabelais, le lieu de la sensualité heureuse, p. 15). Le domaine de Clochegourde (pp. 1, 8) installe une dimension bucolique et élégiaque, dont les représentations iconographiques peuvent être comparées à toute une imagerie campagnarde en vogue au XIXe siècle.

Si le roman privilégie la figure d'Henriette de Mortsauf (pp. 10, 11, 14), il met aussi en scène la fière et volcanique Arabelle (p. 4). Ces types féminins entrent dans une typologie plus large (p. 4), certes inspirée par les conquêtes et amitiés féminines de Balzac (p. 3). On pourrait donc évoquer nombre de représentations d'héroïnes balzaciennes dans les illustrations du temps et les confronter aux images plurielles de la femme dans la peinture du XIXe siècle.

Si la vie mondaine sert avant tout d'occasions (la scène du bal, p. 10), *Le Lys dans la vallée* comporte une dimension politique (pp. 12-13). Vaincu de l'Histoire, le comte de Mortsauf (p. 12) s'est enfermé dans ses souvenirs et sa rancœur. Le thème de l'émigration a suscité caricatures politiques (p. 13) et représentations multiples. Un travail de recherche serait fécond, et pourrait compléter un parcours intertextuel sur l'émigré, la mémoire de la Révolution, l'opposition entre la nostalgie de l'ordre ancien et les réalités de la France postrévolutionnaire.

LA PEAU
DE CHAGRIN

« LIRE ET VOIR LES CLASSIQUES »
N° 6017

■ LIRE ET VOIR LES CLASSIQUES ■

Honoré de Balzac
La peau de chagrin

Vers la fin du mois d'octobre dernier, un jeune homme entra dans le Palais-Royal au moment où les maisons de jeu s'ouvraient, conformément à la loi qui protège une passion essentiellement imposable. Sans trop hésiter, il monta l'escalier du tripot désigné sous le nom de numéro 36. "Monsieur, votre chapeau, s'il vous plaît ?" lui cria d'une voix sèche et grondeuse un petit vieillard blême, accroupi dans l'ombre, protégé par une barricade, et qui se leva

PRESSES ■ POCKET

---

1 - CONTEXTE

LE CONTEXTE DE PRODUCTION :
Principaux événements en 1831

- **En littérature** : triomphe de Hugo avec *Notre-Dame de Paris* (la « bataille d'Hernani » est de l'année précédente, comme *Les Harmonies poétiques et religieuses*, recueil apaisé de Lamartine, et *Contes d'Espagne et d'Italie* qui marquent les débuts éclatants de Musset).
- **En musique** : *La Symphonie fantastique* de Berlioz et *La Symphonie révolutionnaire* de Liszt, reconnu alors comme pianiste virtuose, sont de 1830.
- **En peinture** : Delacroix, que Balzac admire, expose *La Liberté guidant le peuple* au Salon de 1831.
- **En politique** : Après la révolution de Juillet (1830), Louis-Philippe est roi des Français : c'est le point de départ de l'essor conjoint de la bourgeoisie et du capitalisme ; la conquête de l'Algérie (prise d'Alger, juillet 1830) commence et, avec elle, le colonialisme (et le mirage oriental dans les lettres et les arts).

HISTOIRE ET FICTION

L'action se passe entre octobre 1829 et août 1831, date de la parution du livre. Elle est donc donnée comme contemporaine du récit qui en est fait. Raphaël de Valentin, le héros, a vingt-six ans quand elle commence, et il meurt à la fin. Dans une longue analyse qui occupe tout le chapitre II (« Une femme sans cœur »), il raconte sa vie à partir de l'âge de dix-sept ans (1820).

2 - TEXTE

LE TITRE

Le titre, bien qu'il fasse référence à un objet tout à fait concret, le chagrin étant en effet un cuir épais fait à partir de la dépouille d'un âne, a été à l'évidence choisi par Balzac pour son caractère insolite, et pour l'équivoque que le mot « chagrin » introduit : une tristesse violente minera précisément le héros, Raphaël, quand il comprendra la nature exacte du pacte qu'il a noué avec un brocanteur-antiquaire doté de quelques-uns des traits traditionnellement attribués au diable.

L'ORGANISATION

Il y a au moins deux façons de lire *La Peau de chagrin*. Certains veulent n'y voir que le premier des chefs-d'œuvre réalistes de Balzac, une peinture vive, aiguë, pittoresque du Paris des années 1830, avec ses boutiques d'antiquaires, ses tripots, sa jeunesse dorée perdue de débauche et de fêtes galantes. Ils ont donc tendance à considérer la « peau de chagrin » elle-même, qui assure à ceux dont le vouloir est intrépide (puisque chaque vœu réalisé raccourcit d'autant la peau, et la vie de son possesseur) comme un simple accessoire narratif, destiné à donner au texte la couleur piquante, à la mode, d'un conte oriental. D'autres au contraire concluent à l'absolue nécessité structurale de ce symbole magique, et voient dans le livre une méditation sur l'usure des forces de la vie, l'impuissance et la mort. À mener en rapport avec le destin même de Balzac, qui a mis beaucoup de lui dans le personnage de Raphaël, ce débat peut fournir une excellente piste pour la lecture du roman.

La Peau de chagrin est un roman d'amour ou sur l'amour : Raphaël y est ballotté entre l'appel insistant de la débauche, donc du néant, sa passion masochiste pour la terrible et frigide Foedora, l'affection profonde mais trop sage (ou qui ne s'avoue pas assez vite comme charnelle) de Pauline.

Raphaël, ce portrait de l'artiste jeune en être déchiré par des pulsions contradictoires, avide de jouir et suicidaire, est un personnage d'une grande complexité, dont on ne sait s'il s'aveugle lui-même ou s'il est trop lucide pour accepter la nécessaire soumission à l'ordre du monde. Au milieu de ses pairs, le joyeux Rastignac, le sententieux Horace Bianchon, qui sont déjà des créatures de *La Comédie humaine*, il constitue le premier des autoportraits masqués qui jalonnent l'œuvre balzacienne (Félix de Vandenesse, Rubempré, mais aussi Vautrin, Birotteau...).

On insistera sur le romantisme de *La Peau de chagrin*, que l'on mettra en rapport, de ce point de vue, avec *La Fille aux yeux d'or*, dédié à Delacroix : même goût du mystère, de l'excès, même précipitation du personnage central vers une catastrophe redoutée, désirée où il est lui-même victime (Raphaël) ou bourreau (De Marsay).

3 - INTERTEXTE

RECHERCHES THÉMATIQUES

1. - La magie dans le roman.
2. - Les personnages féminins (Foedora et Pauline).

3. - Raphaël, héros romantique.
4. - Réalisme et fantastique dans *La Peau de chagrin*.
5. - La puissance de l'argent.
6. - Les sources littéraires de Balzac.

4 - PRÉTEXTE

La dualité signalée précédemment (cf. « Intertexte ») entre l'inspiration fantastique et la veine réaliste trouve une excellente illustration dans le dossier iconographique : les pages 1, 3 et 12 du dossier reproduisent des gravures qui mêlent les détails réalistes — l'évocation du monde voué au plaisir et à la fête (p. 1), ou plutôt la boutique de l'antiquaire, dont la description chez Balzac est si frappante (pp. 3 et 12) — et le fantastique.

On peut également rapprocher, comme le fait la page 2, Raphaël et Balzac lui-même, en étudiant la part autobiographique du roman.

Par ailleurs, le contexte historique peut être évoqué à partir des illustrations des pages 6 et 7 : de Charles X à Louis-Philippe, il est aisé de percevoir le caractère troublé de cette période, propice aux doutes existentiels, aux « divertissements », aux extrêmes...

Tout un axe d'étude sur la topographie de Paris est possible à partir des pages 8 et 9 : roman ancré dans une réalité géographique, donc, ce qui n'exclut nullement le fantastique.

L'époque de parution du roman est marquée par le triomphe du Romantisme (cf. « Texte »). Les reproductions des pages 5, 10, 11 fixent les artistes en vogue dans les années 1830.

Enfin, la filmographie (p. 425, avec des illustrations pp. 13 à 16) permet de prouver le succès de ce roman, adapté au cinéma dès le muet, et à l'étranger...

LE PÈRE GORIOT

« LIRE ET VOIR LES CLASSIQUES »
N° 6023

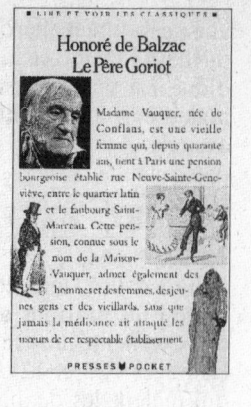

1 - CONTEXTE

DE 1833 À 1835 : voir fiche n° 5.

HISTOIRE ET FICTION

« *All is true* » (p. 22) : Balzac affirme que *Le Père Goriot* n'est « ni une fiction ni un roman » mais un drame réel, autrement qui met en scène des passions, des intérêts, des conflits comme il s'en cache partout et au fond de tous les cœurs. L'action se passe en 1819 à Paris et dure jusqu'à l'enterrement du père Goriot en février 1820 au Père-Lachaise. Quartiers de Paris, rapports sociaux, intrigues amoureuses, problèmes d'argent, étudiants, jeunes femmes, bandits et police : le roman entre dans la réalité.

2 - TEXTE

LE TITRE

Le titre joue sur une ambiguïté. On dit « le père Goriot » comme on dit « le père Grandet » (fiche n° 3). C'est l'appellation campagnarde de l'homme âgé, du bon-homme. Les pensionnaires de la maison Vauquer désignent ainsi celui dont il se moquent si volontiers (le patronyme du héros fera d'ailleurs l'objet de plaisanteries, et aussi d'une ironie de l'auteur, qui l'affectera d'un compère-loriot, maladie oculaire des vieillards, bien normale chez un père aveuglé d'amour !). Mais le roman héroïse le thème de la paternité, déjà traité dans *Ferragus* (fiche n° 5). Récit d'une passion, dans le sens profane (car Goriot éprouve plus qu'un amour paternel) et dans un sens quasi religieux (il est « le Christ de la paternité »), le roman ne se réduit pourtant pas à cette dimension. Le titre ne laisse deviner ni l'initiation sociale de Rastignac ni le rôle de Vautrin.

L'ORGANISATION

Roman d'apprentissage, *Le Père Goriot* fait passer Rastignac par trois étapes initiatiques : Mme de Bauséant, sa cousine, lui apprend le grand monde. Vautrin, le bandit, lui dévoile la dureté des rapports sociaux et la loi de l'intérêt. La mort de Goriot lui prouve le danger des passions exacerbées. Lançant des hauteurs du Père-Lachaise son fameux « À nous deux maintenant ! » (p. 308), Rastignac commence sa carrière, que *La Comédie humaine* exploitera (il y réapparaît plus de vingt fois).

Commençant son roman par un coup de force, la longue description de la pension Vauquer, Balzac tisse les liens entre les personnages et utilise la technique du mystère et du dévoilement progressif : qui sont les visiteuses du père Goriot ? qui est Vautrin ?... Le lecteur enquête avec Rastignac. À partir de la pension, le jeune homme se lance à la conquête de Paris grâce aux femmes, allant du faubourg Saint-Germain, quartier aristocratique, à la Chaussée d'Antin, quartier des banquiers.

3 - INTERTEXTE

Suggestions pour un parcours méthodique

• L'un des passages les plus emblématiques de la descrip-

tion initiale : le portrait de la mère Vauquer (pp. 27-28) ;
Vautrin initiateur (pp. 124-137) ; l'arrestation de Vauquer,
grand moment mélodramatique (pp. 222-228) ; l'initiation
par les femmes : le discours de Mme de Beauséant
(pp. 99-100) et celui de Delphine (pp. 236-237) ; la mort
« du Christ de la paternité » (pp. 286-295) ; les obsèques
du père Goriot et le défi de Rastignac à la société parisienne (pp. 307-308).

Le DHL permet un parcours thématique et historique.

• **L'initiation** (pp. 349-358), **le mariage et l'adultère**
(pp. 345-348).

• Balzac inaugure le **retour des personnages** avec *Le
Père Goriot*. Avec le D.H.L. (pp. 359-372), on peut
réfléchir sur les conséquences du procédé. Un travail de
recherche permet de suivre la carrière de Vautrin (*Illusions
perdues*, fiche n° 6 ; *Splendeurs et Misères des courtisanes*, fiche n° 10).

• **Roman parisien**, traversée de Paris, *Le Père Goriot*
invite à rassembler des textes de *La Comédie humaine* traitant de la ville aux cent mille romans. Aux passages cités
de *Ferragus* et de *La Fille aux yeux d'or* (fiche n° 5), on
ajoutera *La Peau de chagrin* (fiche n° 8), *Illusions perdues*
(fiche n° 6), *La Cousine Bette*, etc. On peut élargir jusqu'au
Paris de Zola, en passant par *Les Mystères de Paris, Les
Misérables* ou *L'Éducation sentimentale,* les exemples abondent. Les « tableaux parisiens » des *Fleurs du mal* et le
Spleen de Paris de Baudelaire permettront une comparaison entre les différents traitements du paysage urbain.

4 - PRÉTEXTE

Le CI [1] propose un parcours du roman selon ses illustrations du temps (pp. 8-12). Les figures principales (pp. 8-

1. Pour une analyse détaillée du CI, voir « Suggestions pour une lecture de l'image », II, 1.

9) sont analysables dans leur rapport avec la description textuelle. Les scènes illustrées (pp. 10-12) offrent l'occasion d'étudier les costumes, les poses et attitudes. Une comparaison avec les images de l'adaptation télévisée (pp. 13-15) sera éclairante : illusion référentielle, effet produit par l'incarnation de personnages par des acteurs... On peut compléter par le film de 1944 (voir filmographie, p. 375), disponible commercialement. Ajoutons que la popularité du roman se mesure à la production de statuettes représentant les héros, comme Vautrin (p. 1). Statufier les personnages de fiction n'est-il pas plus significatif encore que statufier le romancier (p. 2) ? Quant au théâtre, il consacre à sa manière le roman, au prix de bouleversements majeurs (p. 5).

Les lieux parisiens permettent aussi un parcours iconographique (pp. 2, 3, 4, 16). On complètera par des images de l'époque et une carte de Paris d'avant les grands travaux d'Haussmann.

Placé sous les auspices de Geoffroy Saint-Hilaire (p. 7), *Le Père Goriot* accorde une large place au discours médical (p. 7). La fiction se donne une caution scientifique (de là la naissance du personnage de Bianchon. On peut revenir aux figurations des personnages (pp. 8-9) par le biais de la physiognomonie. Balzac pense que les traits physiologiques permettent de comprendre les traits du caractère. Le portrait se fonde ainsi sur une apparence d'objectivité scientifique.

SPLENDEURS ET MISÈRES DES COURTISANES

« LIRE ET VOIR LES CLASSIQUES »
N° 6073

1 - CONTEXTE

DE 1838 À 1847...

● **Politique et société :** depuis juillet 1830, la France vit sous la royauté bourgeoise de Louis-Philippe. En 1837 est inaugurée la ligne de chemin de fer Paris-Saint-Germain : le pays s'installe dans la modernité économique. Mais déjà quelques troubles sociaux annoncent la Révolution de 1848.

● **Arts et culture :** le drame romantique, illustré par *Ruy Blas* (1838), sombre en 1843 avec *Les Burgraves* du même Hugo, académicien depuis 1841. En 1845, Chateaubriand finit ses *Mémoires d'Outre-Tombe*, Eugène Sue fait triompher le roman feuilleton grâce aux *Mystères de Paris* (1842) et Alexandre Dumas écrit *Le Comte de Monte-Cristo* (1844-1845), puis *Les Trois mousquetaires* (1844-1847). Mort en 1841, Stendhal n'a guère connu le succès avec *La Chartreuse de Parme* (1838) malgré les éloges de Balzac. La poésie hugolienne (*Les Rayons et les Ombres,* 1840) et celle de Vigny (*La Maison du berger,* 1844) concurrencent les *Recueillements poétiques* de Lamartine (1839).

Balzac publie régulièrement les volumes de *La Comédie*

humaine depuis 1842. *Splendeurs et Misères des courtisanes* est écrit par étapes (1838, 1843, 1844, 1846, 1847). Les différents épisodes paraissent d'abord en feuilleton, puis sont repris en volumes.

HISTOIRE ET FICTION

Se déroulant entre 1824 et 1830 (mais Vautrin se retire vers 1845), le roman nous dévoile les rapports entre l'argent, la prostitution, la justice, le grand monde et les bas-fonds. Balzac s'est soigneusement documenté sur le monde des courtisanes, des policiers et des criminels. Ils s'agit d'une extraordinaire traversée de la société contemporaine. Si la structure feuilletonesque oblige à multiplier les épisodes au prix de la stricte vraisemblance, les rapports sociaux fondés sur l'argent, l'intérêt, l'ambition et l'amour sont dévoilés de façon saisissante.

2 - TEXTE

LE TITRE

Il a une valeur poétique, tout en fonctionnant sur le modèle de *Grandeur et Décadence de César Birotteau* (1837). Peut-être Balzac songe-t-il aussi à un roman anglais de Thomas Surr traduit en 1807 : *Splendeur et Souffrance* (*misery* en anglais).

Il est trompeur, dans la mesure où il semble annoncer la présence de plusieurs courtisanes, alors que la seule Esther a un rôle de premier plan, et seulement pendant les deux premières parties. Sans doute l'évolution du projet explique-t-elle en partie cette discordance : voulant rivaliser avec Eugène Sue et Dumas, Balzac accentue la dimension feuilletonesque de son œuvre et la focalise encore plus sur le criminel Vautrin.

L'ORGANISATION

Fonctionnant comme la suite d'*Illusions perdues*, en nous proposant la fin des aventures de Lucien de Rubempré, le roman comporte quatre parties. « Comment aiment les filles » met en place l'intrigue conçue par Vautrin pour tirer parti de la beauté d'Esther au bénéfice de son protégé Lucien. « À combien l'amour revient aux vieillards » développe cette intrigue et son tragique dénouement. « Où mènent les mauvais chemins » raconte la fin de Lucien en prison. « La dernière incarnation de Vautrin » montre comment le bandit devient chef de la police. La structure mélodramatique va s'accentuant. On notera l'importance des titres de chapitres, le rythme de la composition, directement influencé par la technique du feuilleton.

Sont développés quatre thèmes narratifs principaux qui nécessitent 273 personnages fictifs : les amours désintéressées d'une prostituée au grand cœur et d'un jeune homme au passé romanesque ; l'association de ce jeune homme avec un héros fascinant peu porté sur les femmes ; la passion d'un richissime vieillard pour la courtisane ; l'histoire complexe des démêlés d'un ancien forçat avec la police et la justice ; le tout s'imbriquant étroitement avec le grand monde aristocratique et la société parisienne.

3 - INTERTEXTE

Suggestions pour un parcours méthodique

• Les discours de Vautrin (à Lucien et Esther, 1re et 2e parties ; en prison et lors de ses interrogatoires, 4e partie) ; les scènes d'amour et de séduction où apparaît Esther (1re et 2e parties) ; l'art du dialogue ; la description (en particulier celle de la Conciergerie, p. 365 sq.) ; les portraits.

• **Parcours thématique :** le roman peut être couplé avec

Le Père Goriot (fiche n° 9) et *Illusions perdues* (fiche n° 6), pour suivre la carrière de Vautrin, et comparer Eugène de Rastignac à Lucien de Rubempré ; avec *La Maison Nucingen*, où est exposé le mécanisme de la fortune du banquier, et on comparera avec l'usurier Gobseck, grand-oncle d'Esther *(Gobseck)* et le père Grandet (*Eugénie Grandet*, fiche n° 3). On peut élargir au Gundermann de *L'Argent* de Zola, à l'Andermatt du *Mont-Oriol* de Maupassant.

- **Le criminel :** aux textes de Balzac (D.H.L., pp. 651-663), on peut ajouter *Les Mystères de Paris* et *Les Misérables* (fiche n° 29).

- **Le policier :** à *Une ténébreuse affaire* (pp. 685-688 et fiche n° 11), on ajoutera *Les Chouans* (fiche n° 1). Pour élargir, on peut évoquer Javert dans *Les Misérables*, et le roman policier à partir d'Émile Gaboriau.

- **Les personnages féminins :** on associera Esther à Coralie *(Illusions perdues)* et Valérie Marneffe *(La Cousine Bette)*. Le DHL propose le portrait d'une grande dame balzacienne (pp. 671-684). On ajoutera *La Duchesse de Langeais* (fiche n° 5), Madame de Beauséant *(Le Père Goriot)* ou Madame d'Espard *(L'Interdiction)*.

- **L'amour :** romantique et rédempteur chez Esther, réduit au désir impérieux chez Nucingen, désir homosexuel sublimé chez Vautrin, amour noble, vertueux et sublime chez Clotilde, il imprime sa dynamique à la logique narrative du roman. C'est par lui que se trouvent réunis le grand monde et celui des marginaux et hors-la-loi. On pourrait montrer la récurrence de certaines de ses dimensions dans *Eugénie Grandet, Illusions perdues, Le Lys dans la vallée, Le Père Goriot*.

4 - PRÉTEXTE

Physionomie, désir et séduction du crime

- Le personnage balzacien est conçu en partie selon la physiognomonie, autrement dit une « science » qui établit un rapport direct entre les traits de la physionomie et ceux du caractère. Les illustrations contemporaines du roman reproduites dans le CI (pp. 3, 6, 10, 11) peuvent être interrogées selon ce principe. On approfondira en recherchant des illustrations du temps qui se réfèrent explicitement à cette théorie.

• Esther est l'un des personnages féminins les plus intéressants de *La Comédie humaine*. Type de la beauté juive, elle peut être comparée à Clotilde pour une typologie de la beauté féminine selon Balzac (pp. 1, 4-5, 7). On peut également se demander si les actrices qui ont interprété ce rôle à l'écran correspondent à ce que notre imaginaire fabrique à partir des descriptions balzaciennes (pp. 14-15). Le roman insiste sur le désir ; désir de puissance, désir amoureux, désir de l'argent : les femmes condensent ces trois modalités. On recherchera d'autres représentations de la femme à l'époque romantique.

• Romancier de l'énergie, Balzac (p. 2) incarne en Vautrin l'un de ses fantasmes les plus fascinants, celui de la puissance combinée au savoir social. Herrera-Vautrin est un fil rouge de l'iconographie (pp. 2, 3, 6, 8-9). Génie du crime, affronté à la police, qui tend à envahir le roman en ce siècle où les classes laborieuses sont identifiées aux classes dangereuses (pp. 10-11), il se doit de connaître la prison, l'un des hauts-lieux du roman au XIXe siècle (pp. 12-13).

• La quatrième de couverture évoque les séductions mondaines et les prestiges de la vie sociale. Elle renvoie aussi à l'ampleur d'une fresque. Elle peut donc servir de point de départ à une recherche iconographique sur les représentations de salons, de bals, de grandes manifestations mondaines à l'époque de Balzac et inviter à une comparaison avec l'imagerie de la société proustienne, cet ultime avatar de la comédie humaine.

UNE TÉNÉBREUSE AFFAIRE

« LIRE ET VOIR LES CLASSIQUES »
N° 6112

■ LIRE ET VOIR LES CLASSIQUES ■

Honoré de Balzac
Une ténébreuse affaire

L'automne de l'année 1803
fut un des plus beaux de
la première période de ce
siècle que nous
nommons
l'Empire. En octobre, quelques
pluies avaient rafraîchi les prés, les
arbres étaient encore verts et
feuillés au milieu du
mois de novembre.
Aussi le peuple
commençait-il à
établir entre le ciel et Bonaparte, alors
déclaré consul à vie, une entente à laquelle
cet homme a dû l'un de ses premiers

PRESSES ■ POCKET

1 - CONTEXTE

LE CONTEXTE DE PRODUCTION :

Le roman, paru d'abord en feuilleton en 1841, est publié en 1843.

- **En littérature :** Le romantisme déclinant continue d'inspirer les romanciers. 1840 : Lermontov, *Le Démon* ; Sainte-Beuve, *Port-Royal* ; Hugo, *Les Rayons et les Ombres*. 1841 : Mérimée, *Colomba*. 1842 : Sue, *Les Mystères de Paris* ; Gogol, *Les Âmes mortes*.
- **En musique :** 1840-1850 : Liszt, *Rhapsodies hongroises*.
- **En politique :** 1840-1848 : Louis-Philippe, roi des Français, s'appuie sur une bourgeoisie du « juste milieu » ; Guizot, premier ministre, profondément conservateur, applique son célèbre programme : « Enrichissez-vous ».

HISTOIRE ET FICTION

L'action débute à l'automne 1803 : des émigrés revenus clandestinement en France participent à une conspiration royaliste visant le Premier Consul : l'allusion à Cadoudal est transparente et la première partie s'achève

sur l'exécution du duc d'Enghien. La deuxième débute à
l'installation de l'Empire : au moment où les héros,
comme certains émigrés, ont obtenu le droit de rentrer en
France. L'enlèvement mystérieux d'un sénateur les com-
promet à nouveau alors qu'ils s'occupaient de récupérer
discrètement leur fortune protégée par des mains amies.
Balzac transpose ici l'enlèvement, le 23 septembre 1800,
d'un sénateur, Clément de Ris, qui resta séquestré dix-neuf
jours. Accusés de ce rapt, quatre jeunes royalistes furent
exécutés en novembre 1801, probablement sur ordre de
Fouché. Situant l'affaire quelques années plus tard, Balzac imagine que l'héroïne, cousine des accusés, obtient de
Napoléon leur grâce en allant se jeter à ses pieds la veille
même de la bataille d'Iéna, le 13 octobre 1806. Le fin mot
de l'affaire est donné dans le roman vers 1833, dans le
salon de la princesse de Cadignan, entrelaçant une fois de
plus les références historiques et les références typiquement
balzaciennes. Nous passons donc, au cours du roman, du
monde rural encore secoué par les enjeux de la tourmente
révolutionnaire (rachat des biens nationaux, soutien aux
émigrés), au faubourg Saint-Germain, qui, sous Charles X, mêle les anciens profiteurs anoblis aux restes de
l'aristocratie, pour les derniers règlements de compte.

2 - TEXTE

LE TITRE

L'expression « Une ténébreuse affaire » tire le texte du
côté du **roman policier**, bien que ce classement se discute,
si on suit les analyses de Roger Caillois (Préface, p. 12).

L'ORGANISATION

■ Bien intégré dans une partie de *La Comédie humaine*
restée incomplète *(Scènes de la vie politique),* renouant
avec la tradition du roman historique, l'intrigue, avec ses

rebondissements, fait de cette œuvre un **roman d'aventure** dominé par la figure typiquement romantique de Laurence de Cinq-Cygne. Tous les ingrédients sont réunis : un cadre historique allie le thème de la fidélité à un univers passé auquel les héros s'accrochent avec panache, celui du dévouement farouche du serviteur qui n'a pas hésité à endosser la livrée des traîtres pour mieux servir ; l'amour rendu impossible par la troublante gémellité des jeunes héros ; les châteaux en ruines et les souterrains des anciennes abbayes. On reconnaît aussi le **romantisme** balzacien : l'énergie et la passion sont au cœur de cette affaire et le narrateur critique le rationalisme cartésien (ch. XVIII), dénonçant, comme dans Musset, les contradictions et l'impuissance de la raison aux prises avec l'action. Des liens mystérieux unissent toutes les destinées, celle de la belle et touchante Marthe à celle de l'inquiétant Corentin, qui attendra vingt ans avant d'assouvir sa vengeance. Tous les fils de l'histoire se nouent dans les profondeurs secrètes de la vie provinciale.

■ Enfin, comme dans tout bon roman balzacien, les **réalités matérielles** sont prédominantes : les châteaux de l'Ancien Régime sont sagement administrés par des pères de famille qui reconstituent patiemment dans leur potager la fortune ancestrale ; l'énergie passionnée de Laurence se repère à sa constitution frêle et indomptable ; la violence du tempérament du garde-chasse Michu lui donne une forte odeur de rouquin ; les policiers, de fins limiers, se demandent combien il faut de sacs de plâtre pour réparer une clôture. À la fin du chapitre XII, on nous rappelle que « *les sens sont en quelque sorte la gaine de la vive et pénétrante action qui procède de l'esprit* ».

3 - INTERTEXTE

Le DHL permet d'étudier dans le détail le rapport entre **histoire et fiction** ; on discutera aussi la thèse romantique de l'intuition qui permet à l'artiste de **reconstituer une**

vérité cachée : le monde balzacien donnerait les clefs qui manquent pour déchiffrer les énigmes de l'histoire.

Étude des cadres historiques :

- **Topographie et histoire** : le domaine de Cinq-Cygne ; les traces médiévales ; la ville et la campagne ; les deux intérieurs (la maison de Michu et le château).
- **L'ordre nobiliaire** : le dévouement des domestiques ; les hiérarchies à l'intérieur de la noblesse ; le faubourg Saint-Germain sous la Restauration.

La psychologie balzacienne :

- Les différentes figures de la passion ; physique et énergie de l'âme.
- L'affrontement Laurence/Corentin (ch. X).
- Les antithèses romantiques : les personnages qui s'opposent deux à deux ; les oppositions à l'intérieur d'un même personnage.

Une ténébreuse affaire dans *La Comédie humaine* :

- Les allusions précises à d'autres romans, et particulièrement aux *Chouans* (comparaison des deux héroïnes ; comparaison des modalités de l'affrontement entre royalistes et révolutionnaires (ch. X et XXII).
- La figure de Corentin à travers plusieurs romans de Balzac.
- Le faubourg Saint-Germain et les personnages que l'on retrouve dans le salon de la princesse de Cadignan.

4 - PRÉTEXTE

La « physionomie balzacienne »

- Étude des différentes dimensions des portraits balzaciens : le physique, le moral, l'histoire, le fatal (cf. dans le roman les théories de Lavater et les affirmations qu'existe un lien entre le physique et le moral). Comparez-les aux portraits représentés dans le dossier. Rédigez, en pastichant Balzac, le portrait de Cadoudal.

• Opposer les portraits de Michu et de Corentin, à l'aide de l'étude de leur rôle dans le roman.

L'imaginaire populaire

• Étude des illustrations dans les gravures et la presse populaire : naïvetés et drames. Identifier les scènes représentées ; faire un choix pour une presse populaire d'aujourd'hui : s'agirait-il des mêmes scènes ?

• Images de la noblesse : comparer le portrait historique de Cadoudal et la représentation du caractère aristocratique dans la fiction (téléfilm et gravures) : le mythe de la finesse et de la blancheur (retrouver ce mythe du sang noble, opposé ici au sang noir, dans l'imaginaire claudélien).

• Chevaux et cavaliers dans le CI et dans le roman : thème à la fois psychologique (symbole de fougue, d'énergie, de puissance), thème social et historique (tenue et savoir aristocratiques ; les chevaux venus de chez le Comte d'Artois) ; et enfin narratif (cf. la reconnaissance des traces des fers).

Étude de la mise en scène de *L'Otage* :

• Anachronismes suggestifs (siège moderne ; panier à ouvrage ; broderie de feuilles qui tombent ; cravate blanche — cf. les tableaux précédents — et mitaine ; coiffure et décolleté Empire).

• L'opposition dramatique du blanc et du noir ; les attitudes des acteurs.

La peinture officielle

La mise en scène ; la représentation du pouvoir (objets symboliques, théâtralité des gestes ; codes chromatiques : couleurs rouge et or d'un côté, bleue dans le portrait de Cadoudal) ; étudier de la même façon la gravure représentant l'attentat de la rue Saint-Nicaise ; le mythe napoléonien : grandeur guerrière et bonhomie.

CHARLES BAUDELAIRE

(1821-1867)

1 - MÉMENTO

« *Le beau est toujours bizarre.* Je ne veux pas dire qu'il soit volontairement, froidement bizarre, car dans ce cas il serait un monstre sorti des rails de la vie. Je dis qu'il contient toujours, un peu de bizarrerie, de bizarrerie naïve, non voulue, inconsciente, et que c'est cette bizarrerie qui le fait être particulièrement le Beau. C'est son immatriculation, sa caractéristique. Renversez la proposition, et tâchez de concevoir un *beau banal* ! Or, comment cette bizarrerie, nécessaire, incompressible, variée à l'infini, dépendante des milieux, des climats, des mœurs, de la race, de la religion et du tempérament de l'artiste, pourra-t-elle jamais être gouvernée, amendée, redressée par les règles utopiques conçues dans un petit temple scientifique quelconque de la planète, sans danger de mort pour l'art lui-même ? Cette dose de bizarrerie qui constitue et définit l'individualité, sans laquelle il n'y a pas de beau, joue dans l'art (que l'exactitude de cette comparaison en fasse pardonner la trivialité) le rôle du goût ou de l'assaisonnement dans les mets, les mets ne différant les uns des autres, abstraction faite de leur utilité ou de la quantité de substance nutritive qu'ils contiennent, que par l'idée qu'ils révèlent à la langue. » (*Exposition universelle de 1855, Beaux-arts*).

« L'irrégularité, c'est-à-dire l'inattendu, la surprise, l'étonnement sont une partie essentielle et la caractéristique de la beauté. » (*Fusées*).

« J'ai trouvé la définition du Beau, de mon Beau. C'est quelque chose d'ardent et de triste, quelque chose d'un peu vague, laissant carrière à la conjecture [...]. Je ne prétends pas que la Joie ne puisse pas s'associer avec la Beauté, mais je dis que la Joie en est un des ornements les plus vulgaires — tandis que la Mélancolie en est pour ainsi dire l'illustre compagne, à ce point que je ne conçois guère (mon cerveau serait-il un miroir ensorcelé ?) un type de Beauté où il n'y ait du Malheur. Appuyé sur — d'autres diraient : obsédé par — ces idées, on conçoit qu'il me serait difficile de ne pas conclure que le plus parfait type de Beauté virile est *Satan*, — à la manière de Milton. » (*Fusées*).

2 - VADEMECUM

Pour la chronologie de l'œuvre et la bibliographie, on se reportera respectivement aux pages 302-304 et 335-336.

Pour comprendre la genèse de l'esthétique de Baudelaire, il faut se rappeler qu'il est, comme toute cette génération post-romantique, l'héritier de Chateaubriand (cf. l'ennui de René) et de Sade, ainsi que des romantiques mineurs (Pétrus Borel) et du courant illuministe (cf. p. 314 « place de Baudelaire dans son siècle »). Du voyage dans les îles destiné à le faire renoncer à la littérature, le poète revient avec les thèmes du souvenir oriental, du paradis perdu, des parfums exotiques, de la torpeur, de la présence obsédante de la mer — autant d'images qui nourriront *les Fleurs du mal*. Ajoutons à cela les influences des grands maîtres qu'il admire (Théophile Gautier, Victor Hugo, Delacroix) et surtout d'Edgar Poe dont il sera le traducteur passionné — et pour finir la haine de la bourgeoisie qui le poussera en 1848 à choisir le camp des insurgés, puis à considérer le dandysme comme « le dernier éclat d'héroïsme dans les décadences ».

LES FLEURS DU MAL

« LIRE ET VOIR LES CLASSIQUES »
N° 6022

1 - CONTEXTE

LE CONTEXTE DE PRODUCTION :
Principaux événements de 1845 à 1857 (date de publication en volume)

Voir fiches nᵒˢ 14 et 25.

HISTOIRE ET FICTION

Paul Valéry le souligne : « *Les Fleurs du mal* ne contiennent ni poèmes historiques ni légendes ; rien qui repose sur un récit. On n'y voit point de tirades philosophiques... Mais tout y est charme, musique, sensualité puissante et abstraite. » Rien en effet qui permette de relier à l'histoire ces poèmes dont les premiers remontent à 1845 et dont les derniers sont publiés en 1866 à Bruxelles par Poulet-Malassis sous le titre des *Épaves* (23 textes dont les six pièces condamnées). Et pourtant, par sa géographie et par sa sociologie parisienne (cf. « Tableaux parisiens ») comme par ses aspirations impuissantes à l'Idéal et ses plongées dans un Eden exotique où règne la sensation (cf. pp. 305-306), l'œuvre reflète intensément la souffrance et la solitude du poète dans une ville qui lui renvoie l'image désolante de sa propre misère.

2 - TEXTE

LE TITRE

D'après Asselineau, le titre aurait été trouvé un soir au café Lamblin. Quoi qu'il en soit, le mot *fleurs* est fréquent chez Baudelaire. Certains comme Vigny, ont pensé que ce titre ne convenait pas au contenu (lettre du 27 janvier 1862). Baudelaire explique dans l'un de ses projets de préface : « Il m'a paru plaisant et d'autant plus agréable que la tâche était plus difficile d'extraire la Beauté du Mal. » Cependant, si le poète semble insister sur l'aspect esthétique, il dit aussi, par ailleurs, que son livre est « d'une spiritualité ardente et éclatante ».

On pourra comparer le titre définitif à ceux initialement envisagés par Baudelaire : *Les Lesbiennes* (cf. CI, p. 8), puis *Les Limbes*, images d'ambiguïtés sensuelles, signes d'un état transitoire, marquées d'insatisfaction du poète déjà ballotté entre le spleen et l'idéal.

L'ARCHITECTURE DU RECUEIL

La volonté d'ordre est très nettement affirmée : le livre a « un commencement, un milieu et une fin » (lettre à Vigny). Barbey D'Aurevilly y voit, quant à lui, « une architecture secrète, un plan calculé par le poète méditatif et volontaire ».

À première vue, il y a deux thèmes : « spleen » et « idéal », le recueil comprenant six livres : *Spleen et Idéal*, *Tableaux parisiens* (en 1861), *Le Vin*, *Fleurs du mal*, *Révolte*, *Mort*. On aurait donc les deux postulations, puis les évasions inutiles, enfin la révolte et la mort. On peut sans doute aller au-delà de ce plan et suggérer la structure suivante :

1. - Réflexions et confidences : le poète est un être de malédiction et de grandeur (cf. « Bénédiction », « L'Albatros », « Élévation », « Le Mauvais Moine », « L'Ennemi »).

2. - La mission de l'artiste : exprimer la souffrance et révéler les mystères (cf. « Correspondance », « La Vie antérieure », « Bohémiens en voyage »).

3. - **Difficulté de l'Art :** elle tient aux obstacles (cf. « La Muse malade », « La Muse vénale », « Le Guignon ») et à la matière même (cf. « La Beauté », « L'Idéal »).

4. - **Premier effort d'évasion vers le bonheur :** cycle des femmes aimées : Jeanne Duval, l'amour qui pervertit ; Mme Sabatier, l'amour qui illumine ; Marie Daubrun, l'amour qui voit ses limites ; les femmes au simple prénom.

5. - **Spleen :** tous les souvenirs sont décevants, l'Art est inaccessible (cf. « La Cloche fêlée ») ; sentiment d'impuissance, d'emprisonnement, de solitude : les souvenirs sont devenus des remords et le sentiment du temps vous engloutit (cf. « Le Goût du néant »).

6. - **Nouvelles tentatives d'évasion :** la ville (cf. *Tableaux parisiens*) avec ses faces diurne et nocturne ; le vice : *Le Vin*, *Fleurs du mal*.

7. - **La révolte :** c'est plutôt une défaite ; maudit et proscrit, le poète s'adressera à Satan.

8. - **La mort, dernier voyage :** poème de l'adieu où sont repris les différents thèmes du recueil qui se termine par un désir d'ailleurs. Entre Satan et Dieu, le poète ne peut choisir.

S'il existe donc une architecture, qui est le drame de Baudelaire, la composition du recueil reste lâche, faite de contrastes. *Les Fleurs du mal* sont plutôt que le livre de l'unité, celui des contradictions, celles-là même dans lesquelles le poète se débat.

3 - INTERTEXTE

La lecture de la préface (pp. 7-15) et des pages 312-313 du dossier qui exposent le déroulement du procès des *Fleurs du mal* permettra de mieux comprendre la situation paradoxale de Baudelaire qui est à la fois le lieu géométrique du romantisme finissant et de la modernité. Ce qui choqua la société épanouie du second Empire, c'est moins le côté licencieux que la condamnation du plaisir, la présence du remords, l'obsession du néant, bref la négation même des « valeurs » bourgeoises, si bien représentées à la scène par Offenbach.

S'agissant de l'interprétation de l'œuvre, on examinera les trois principales thèses, en présence (cf. bibliographie, pp. 335-336) :

• **Les interprétations religieuses** estiment que l'hésitation fondamentale entre Satan et Dieu est résolue au profit de Dieu.

• **L'interprétation d'après le dandysme :** c'est surtout celle de G. Blin. La négation du christianisme chez Baudelaire passe de la sensualité la plus profonde aux excès du jansénisme le plus dur. Il y a chez le poète une sensualité de la douleur. La souffrance est pour lui une forme d'hédonisme.

• **L'interprétation sartrienne :** Sartre pense que c'est par le mal que Baudelaire prend conscience de son existence et de sa solitude.

4 - PRÉTEXTE

Le CI met en évidence plusieurs aspects essentiels de l'esthétique baudelairienne : sa familiarité avec les peintres (pp. 2, 3, 4, 5, 8, 9, 12), mais aussi son sens de la modernité — un néologisme que Baudelaire emprunte à Balzac (*La Dernière Fée*, 1823) et qu'il incorpore définitivement dans le lexique — dont il sait percevoir, en critique avisé, les traits aussi bien chez Delacroix que chez Wagner (p. 11) — cf. extraits des *Curiosités esthétiques* (pp. 220-228) et de *l'Art romantique* (pp. 229-241).

L'examen de la page de garde de l'édition de 1857 fait apparaître une citation inattendue d'Agrippa d'Aubigné qui voudrait faire accroire l'idée d'une entreprise moralisatrice. On lui opposera l'aveu de Baudelaire lui-même : « Dans ce livre atroce, j'ai mis tout mon cœur, toute ma tendresse, toute ma religion (travestie), toute ma haine. Il est vrai que j'écrirai le contraire, que je jugerai mes grands dieux que c'est un livre d'art pur, de singerie, de jonglerie, et je mentirai comme un arracheur de dents. » (Lettre à Ancelle, février 1866).

BEAUMARCHAIS
(1732-1799)

1 - MÉMENTO

« Horloger, musicien, chansonnier, dramaturge, auteur comique, homme de plaisir, homme de cœur, homme d'affaires, financier, manufacturier, éditeur, armateur, fournisseur, agent secret, négociateur, publiciste, tribun par occasion, homme de paix par goût, et cependant plaideur éternel. » Variété étourdissante d'un auteur engagé dans son siècle auquel un autre passionné de théâtre rend hommage (Louis Jouvet, « Beaumarchais vu par un comédien », *Revue universelle*, 1936) : qu'il enseigne la harpe aux filles de Louis XV, qu'il crée la Société des Auteurs dramatiques ou qu'il tente d'acheter des armes pour l'armée française, Beaumarchais n'a de cesse de dépenser sa prodigieuse énergie vitale.

Considéré avec méfiance par les philosophes de son temps, il apparaît bientôt comme leur chef de file : « Figaro a tué la noblesse », s'exclame Danton. « Météore fulgurant, méprisé, détesté, admiré, sacré [...], ses contradictions sont insolubles, sans que jamais il en souffre ou même paraisse en avoir conscience. » (Philippe Van Tieghem). « On ne peut presque rien dire de lui que le contraire aussitôt ne semble également vrai. » (Jacques Scherer).

Figaro reste son meilleur porte-parole : « Ardent au plaisir, ayant tous les goûts pour jouir, faisant tous les métiers pour vivre [...], ambitieux par vanité, laborieux par nécessité ; mais paresseux... avec délices ! orateur selon le danger ; poète par délassement ; musicien par occasion ; amoureux par folles bouffées, j'ai tout vu, tout fait, tout usé. » (*Le Mariage de Figaro*, V, 3).

2 - VADEMECUM

Si le roturier Pierre-Auguste Caron semble d'abord destiné à reprendre la vocation et la boutique paternelles — à treize ans il est apprenti horloger —, son dynamisme inventif ne tarde pas à lui apporter la notoriété à la Cour : horloger du roi, professeur de harpe de ses filles, il acquiert une réputation d'amuseur qui contribue à une ascension sociale aussi rapide que favorisée par les intrigues financières. En 1756, il prend le nom de Beaumarchais et s'anoblit en 1761 par l'achat de la charge de Conseiller-Secrétaire du roi. Il entreprend alors à la fois une carrière d'homme de lettres et d'affaires : il séjourne à Madrid pour conquérir les marchés commerciaux espagnols de Louisiane.

Échec de deux drames bourgeois « larmoyants », *Eugénie ou la Vertu du désespoir* (1767), précédé d'un *Essai sur le genre dramatique sérieux*, et *Les Deux Amis ou le Négociant de Lyon* (1770). Cependant, accusé de faux par l'héritier d'un financier mêlé à ses intrigues, Beaumarchais est condamné par le Parlement en 1773. Malgré sa lutte contre le conseiller Goëzman qui lui inspire ses quatre *Mémoires* (voir DHL), il est déchu de ses droits civiques. Il reprend alors des voyages « diplomatiques » qui sont l'occasion de missions secrètes à Londres et en Allemagne. Après le succès du *Barbier de Séville* (1775), il fournit des armes aux « Insurgents » américains, fonde la Société des Auteurs dramatiques, édite les œuvres complètes de Voltaire à Kehl, lance des opérations immobilières et finit par être réhabilité. Il connaît le triomphe avec *Le Mariage de Figaro* (1784), suivi de son opéra *Tarare* (1787) et de *La Mère coupable* (1792).

Sous la Révolution, chargé de mission en Hollande pour l'achat de 60 000 fusils, il est accusé d'être un trafiquant accapareur ; suspect, il vit en émigré à Hambourg d'où il rentre en 1796 et meurt peu après.

Le Barbier de Séville, Le Mariage de Figaro, La Mère coupable

« LIRE ET VOIR LES CLASSIQUES »
N° 6168

1 - CONTEXTE

ENTRE 1775, 1784 ET 1792...

1775 : la Convention de New York se réunit en janvier. Washington prend le commandement en chef des troupes américaines en juin ; celles-ci tentent d'envahir le Canada (novembre). Une disette à Paris provoque la « Guerre des farines » et des émeutes à Versailles (avril/mai). Malesherbes est nommé secrétaire d'État à la maison du roi (21/7), Saint-Germain à la guerre. James Watt vend sa première machine à vapeur à Wilkinson. L'auteur dramatique anglais Sheridan donne sa comédie *Les Rivaux*. La première du *Barbier de Séville* (porté à cinq actes), le 23 février, à la Comédie-Française, est un échec.

1784 : signature du traité de paix anglo-hollandais à Versailles (20/5). Joseph II impose l'allemand comme langue officielle dans tous ses états. Fondation de la Compagnie espagnole des Philippines et de la banque de New-York. Mort de Diderot. Bernardin de Saint-Pierre publie ses *Études de la nature*. Première triomphale du *Mariage de Figaro*, le 27 avril, à la Comédie-Française.

1793 : Catherine II envahit la Pologne (19/6) et Stanislas capitule (23/7). Rouget de Lisle compose *La Marseil-*

laise (25/4). Proclamation de la Patrie en danger (11/7).
Insurrection parisienne et suspension du roi (10/8). La
Fayette tente d'entraîner ses troupes sur Paris, puis déserte.
Instauration d'un tribunal révolutionnaire (17/8) et abolition définitive des froits féodaux. Massacres de septembre (2 au 6), auxquels Beaumarchais échappe de peu après
l'affaire des 60 000 fusils. Les Girondins dispersent la
Commune de Paris. Laïcisation de l'état civil, institution
du divorce. Les Français remportent la bataille de Valmy
(20/9), prennent Chambéry et Nice. Abolition de la
royauté et proclamation de la République (21/9) ; débuts
de la Convention. Après sa victoire sur les Autrichiens à
Jemmapes (6/11), Dumouriez conquiert la Belgique.
Annexion de la Savoie (27/11). Début du procès du roi
(4/12). Décret imposant le régime français aux pays
conquis (15/12). Goethe donne ses *Élégies romaines*, Schiller l'*Histoire de la Guerre de Trente ans*. Florian, *Fables* ;
Chénier, *Iambes*. Le 26 juin, la première de *La Mère coupable* au Théâtre du Marais est un demi-échec.

HISTOIRE ET FICTION

La scène se situe successivement en Espagne, à Séville,
puis non loin de là, au château d'Aguas-Frescas, enfin à
Paris, dans l'hôtel occupé par la famille du Comte Almaviva, à la fin de 1790. La « trilogie » s'achevant par le
« tableau de la vieillesse du comte », elle s'ouvre donc de
nombreuses années auparavant sur « sa turbulente jeunesse » (voir ci-dessous).

2 - TEXTE

LES TITRES

Dans la tradition du valet de comédie (voir « Intertexte ») et sur un sujet très répandu au théâtre — *La
Précaution inutile* d'un barbon amoureux, à la manière

de *L'École des femmes* de Molière — Beaumarchais
invente le personnage de Figaro : c'est lui qui mène la
comédie à Séville (la capitale andalouse est aussi à la mode
sur scène — voir *Dom Juan*, fiche n° 51) comme lors de
La Folle Journée du *Mariage*. Immortalisé sous son nom,
qui deviendra une figure d'antonomase, Figaro quitte sa
profession pour entrer au service du comte Almaviva,
manifestant ainsi la réussite du roturier habile et spirituel,
à l'image de son créateur. Enfin, la comédie s'achève dans
le drame larmoyant, comme en témoigne le titre *La Mère
coupable* (que Balzac reprendra comme titre de la dernière
partie d'un autre itinéraire de femme, *La Vieillesse d'un
mère coupable* dans *La Femme de trente ans*, fiche n° 4) :
c'est ici Rosine, devenue comtesse Almaviva, qui doit
payer le bonheur éphémère des jours passés, tandis que
le sous-titre, *L'Autre Tartuffe*, affirme un parallèle évident
avec Molière (voir Préface de l'auteur).

LA STRUCTURE DRAMATIQUE

Conçu comme une véritable trilogie, l'ensemble des pièces présente « en trois séances consécutives, tout le roman
de la famille Almaviva, dont les deux premières époques
ne semblent pas, dans leur gaieté légère, offrir de rapport
bien sensible avec la profonde et touchante moralité de
la dernière ; mais elles ont, dans le plan de l'auteur, une
connexion intime [...] Après avoir bien ri, le premier jour,
au *Barbier de Séville*, de la turbulente jeunesse du comte
Almaviva, laquelle est à peu près celle de tous les hommes.

Après avoir, le second jour, gaiement considéré, dans
La Folle Journée, les fautes de son âge viril, et qui sont
trop souvent les nôtres.

Par le tableau de sa vieillesse, et voyant *La Mère coupable*, venez vous convaincre avec nous, que tout homme,
qui n'est pas né un épouvantable méchant, finit toujours
par être bon quand l'âge des passions s'éloigne, et surtout
quand il a goûté le bonheur si doux d'être père ! (Beaumarchais, *Un mot sur La Mère coupable*, préface de 1797).

C'est en défendant sa pièce contre ses détracteurs que Beaumarchais a conçu le *Mariage* comme « le sixième acte du *Barbier* » (voir la *Lettre modérée sur la chute et la critique du Barbier de Séville*) et, dès le début de 1785, il annonce dans la Préface du *Mariage* le drame à venir : « Je garde une foule d'idées qui me pressent pour un des sujets les plus moraux du théâtre, aujourd'hui sur mon chantier : *La Mère coupable* ».

3 - INTERTEXTE

Quelques suggestions pour une analyse intertextuelle d'ensemble :

• **« Le roman de la famille Almaviva »** ou de la comédie légère au drame larmoyant (voir la structure dramatique) : retracer l'itinéraire de chacun des personnages principaux à travers les péripéties de leurs existences et l'évolution de leurs caractères ; rechercher dans le dernier volet mélodramatique, *La Mère coupable*, les moments de délicate nostalgie (cf. « un certain Léon d'Astorga, qui fut jadis mon page, et que l'on nommait Chérubin... » I, 8), de tristesse ressentis devant la fragilité et la ruine de l'âge d'or, celui du plaisir et du rire du *Barbier* à *La Folle journée*. Une sorte de *Vingt ans après* en forme de méditation sur le temps qui passe...

• **Maître et valet :** rapprocher Figaro des autres grandes figures comiques de serviteur de comédie : Plaute, *Asinaria* et *Aulularia* (voir *La Marmite* avec *L'Avare* de Molière dans la même collection, fiche n° 49) ; Térence, *Phormion* ; Molière, *Tartuffe* (n° 53), *Dom Juan* (n° 51), *Les Fourberies de Scapin*, *Le Malade imaginaire* (n° 52) ; Lesage, *Crispin rival de son maître, Turcaret* ; Marivaux, *La Surprise de l'Amour, L'Île des Esclaves, Le Jeu de l'amour et du hasard* ; à compléter avec Diderot, *Jacques le Fataliste et son maître* (n° 20).

Le DHL permet de mesurer l'évolution des conceptions de Beaumarchais auteur dramatique dont l'œuvre s'inscrit dans les préoccupations littéraires et historiques de son temps :

● **Le goût du divertissement populaire :** le document 1 présente l'une de ses premières créations, *Zizabelle mannequin*, une œuvre de circonstance pour représentations privées, sans prétention, dans l'esprit des parades de foire et du répertoire italien, sur des thèmes convenus de farce ou de comédie, avec chansons parodiques ou originales : « un théâtre pour le rythme et pour la fantaisie ou Beaumarchais a fait ses gammes ».

● **Le plaisir de l'impromptu (document 4) :** sur le modèle de Molière (voir *L'Impromptu de Versailles*), Beaumarchais donne son propre impromptu à l'occasion du *Barbier de Séville* : petite revanche personnelle de l'auteur, coups de chapeau ou d'épaule aux confrères, réflexion sur le risque du comédien et sa propre fragilité. Le théâtre : « un gai commerce » [...] « C'est du plaisir que le public vient chercher, et il mérite bien d'en prendre : il l'a payé d'avance. » (à rapprocher d'un autre impromptu, celui de Giraudoux, *L'Impromptu de Paris*).

● **L'héritier de Diderot**, assumant la filiation des *Entretiens sur « Le Fils naturel »* (documents 2 et 3) : « Le théâtre devient un ''objet de sentiment'', un espace ouvert aux dramaturges *oseurs*, aux productions hors classification en prise directe avec le réel. Le spectateur est pris comme unique compétence, au double titre de la réflexion et de sensibilité. Un théâtre pour le cœur et pour la nature, entre comédie et tragédie. » (Jean Delabroy).

● **L'« affaire » du *Mariage de Figaro* (document 5) :** les circonstances mouvementées de la création et de son succès, « un vrai feuilleton, haletant, rebondissant ».

● **La tentation de l'opéra (document 7) :** « la question musicale chez Beaumarchais est loin d'être indifférente pour la compréhension même de son théâtre. » Il est enthousiasmé par l'*Iphigénie en Aulide* de Gluck (1774) — voir *Iphigénie*, fiche n° 65 — et plaide avec *Tarare*, son opéra en 5 actes, pour un rééquilibrage lyrique autour du pôle dramatique.

• **Le citoyen et la Révolution (document 8)** : « commissionné, proscrit, errant, persécuté mais nullement traître ni émigré », selon ses propres *Mémoires*, le polémiste développe ses stratégies avec la fameuse affaire des fusils de Hollande. « Du pamphlétaire, admirable, on retiendra ce qui le relie à sa philosophie de dramaturge : la conscience d'une Histoire-spectacle, où les ''fortuités'' s'enchaînent incompréhensiblement, où chaque événement est frappé au coin de la singularité. » (J. Delabroy)

4 - PRÉTEXTE

Entre l'univers de Watteau (pp. 1, 4, 7) et celui de l'opéra (pp. 5, 15), « entre gaieté et gravité, plaisir et mélancolie » (p. 1), le CI donne à la trilogie cet air de « fête galante », « chantant sur le mode mineur/L'amour vainqueur et la vie opportune » (Verlaine, *Clair de lune*). Une « inoubliable légèreté de l'être » mise en scène par un « roi de l'imbroglio » qui pressent la « culbute générale » (pp. 2-3). On pourra aussi imaginer Rosine, boudeuse, triomphante ou rêveuse (pp. 4, 5, 7), l'entremetteur Figaro (p. 5), et le séduisant comte Almaviva (p. 6) dans leurs diverses transpositions picturales. Enfin de nombreuses illustrations permettent de commenter l'évolution de la mise en scène comme les choix d'interprétation du XVIIIe siècle à nos jours : les « créateurs » de 1784 (pp. 10-11), les personnages de *La Mère Coupable* en 1876 et en 1990 (pp. 12-13, 14 et 16), la « conversation espagnole » vue par Jean-Pierre Vincent en 1987 (pp. 8-9), *Le Barbier* version Boutté et *Le Mariage* selon Vitez (p. 15), la douceur d'un chuchotement devenue apothéose du chant lyrique dans les *Noces* de Mozart (p. 15).

CHARLOTTE BRONTË
(1816-1855)

1 - MÉMENTO

« Charlotte Brontë... a atteint l'expression du romantisme le plus élevé à travers le réalisme le plus bas. »

G.-K. Chesterton

« Elle avait de grands yeux bien dessinés... On y lisait d'ordinaire l'intelligence patiente d'une âme à l'écoute ; mais parfois, si une juste cause suscitait un vif intérêt ou une saine indignation, ils s'illuminaient comme si quelque lampe spirituelle venait de s'allumer et brillait derrière ces globes expressifs. »

Mrs Gaskelle, *La Vie de Charlotte Brontë.*

« Elle écrira dans la rage quand elle devrait écrire dans le calme. Elle écrira sottement quand elle devrait écrire sagement. Elle parlera d'elle-même quand elle devrait parler de ses personnages. Elle est en guerre avec son sort. Que pouvait-elle faire d'autre que mourir jeune, déformée et contrariée ? »

Virginia Woolf, *Une chambre à soi*,
Paris, Denoël, 1977.

2 - VADEMECUM

CHRONOLOGIE DES ŒUVRES

1846 *Poèmes.*
1847 *Jane Eyre*, une autobiographie.
1849 *Villette.*
1857 *Le Professeur.*

Toutes ces œuvres ont été publiées sous le pseudonyme masculin de Currer Bell.

BIBLIOGRAPHIE

La vie de Charlotte Brontë ne peut être dissociée de celles de son frère et de ses sœurs. Le mystère de cette atmosphère familiale étrange est présenté dans :
Jeanne BLUTEAU, *La Vie passionnée des Brontë*, Paris, Seghers, 1960. Louis PERCHE, *Ces Étranges Sœurs Brontë*, Paris, Pierre Waleffe, 1968 (livre abondamment illustré de documents et de photographies). Daphné DU MAURIER, *Le Monde infernal de Branwell Brontë*, trad. J. Fillion, Paris, Club des éditeurs, 1960. Elizabeth GASKELL, *Vie de Charlotte Brontë*, 1857, tradution française de 1877. Rebecca FRASER, *Charlotte Brontë*, Londres, Cox and Wyman, 1988. Peters MARGOT, *Charlotte Brontë, une âme tourmentée*, Stock, 1969. Jeanne CHAMPION, *La Hurlevent*, Le livre de poche, n° 6509.

ÉTUDES CRITIQUES

John MAYNARD, *Charlotte Brontë and Sexuality*, Cambridge UP, 1984. Pauline NESTOR, *Charlotte Brontë*, Londres, Macmillan, 1987.
Enfin on pourra se renseigner sur le contexte de la société anglaise du 19e siècle dans Jacques CHASTENET, *La Vie quotidienne en Angleterre au début du règne de Victoria*, Paris, Hachette, 1961.

JANE EYRE

« LIRE ET VOIR LES CLASSIQUES »
N° 6045

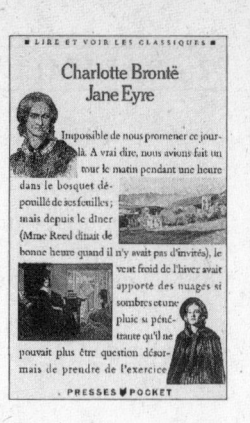

1 - CONTEXTE

LE CONTEXTE DE PRODUCTION :
Principaux événements en 1847

- **En littérature :** Emily Brontë, *Les Hauts de Hurlevent* ;
Anne Brontë, *Agnès Grey. Les prolongements du mouvement romantique :* Thackeray, *Vanity Fair* ; Emerson,
Poèmes ; Balzac, fin de la parution de *Splendeurs et Misères des courtisanes* ; Chateaubriand, fin de la rédaction
des *Mémoires d'Outre-Tombe* ; Michelet, *Histoire de la Révolution française.*
- **Mouvement des idées :**
Marx, *Misère de la philosophie.* C'est en 1848 qu'est
fondé en France le premier quotidien féministe *(La Voix des femmes).* La pionnière féministe anglaise Flora Tristan est morte en 1844.
- **En musique :** mort de Mendelssohn ; Schumann, *1er*
et *2e Trios* ; Verdi, *Macbeth.*
- **En peinture :** Millet, *La Baratteuse.*
- **Sciences et techniques :** Helmotz, principe de la
conservation de l'énergie. Médecine : Simpson découvre
les propriétés anesthésiques du chloroforme.

• **En politique :** la reine Victoria est montée sur le trône en 1837. En 1847 est adoptée la journée de dix heures dans les usines ; la conquête de l'Inde par les Anglais s'achève.

HISTOIRE ET FICTION

L'action de *Jane Eyre* se passe dans la première moitié du 19e siècle. Les repères précis sont rares : les livres que lit Jane enfant ont été publiés dans les années 1800.

De nombreux détails renvoient à l'atmosphère dans laquelle vivait la gentry anglaise (qui n'est pas la haute aristocratie : nobility) dans le premier tiers du 19e siècle : vie campagnarde et mondaine pour les maîtres, vie de labeur incessante pour les domestiques ; dureté des systèmes éducatifs réservés aux plus pauvres dans des institutions charitables que Dickens a dénoncés (nouvelle loi sur les pauvres promulguée en 1834) ; atmosphère de religiosité ; puissance du mouvement évangéliste auquel appartient le père de Charlotte Brontë.

2 - TEXTE

LE TITRE

Le roman porte le nom de l'héroïne ; elle s'exprime à la première personne et le sous-titre indique qu'elle écrit son autobiographie. Mais il s'agit bien entendu d'une autobiographie imaginaire, même si de nombreux détails de la vie de Jane Eyre évoquent certains aspects de celle de Charlotte Brontë. C'est bien la forte personnalité de la jeune fille qui marque l'ouvrage entier. Il s'agit d'un roman d'apprentissage : une enfant orpheline et maltraitée conquiert le bonheur après avoir farouchement combattu pour assurer non seulement sa survie mais aussi son indépendance et sa dignité.

L'ORGANISATION

Classiquement divisé en chapitres, écrit en respectant la chronologie, le roman suit les étapes de la vie de Jane : l'enfance dans une famille qui la rejette ; puis les longues et dures années à l'orphelinat, enfin la découverte de la vie dans la maison où elle est gouvernante. Ces longues années mènent à une scène dramatique où se révèle brutalement l'impossibilité d'épouser Rochester, déjà marié.

Le dernier quart du livre marque une rupture : dans une autre atmosphère, Jane va se découvrir une famille, retrouver le pouvoir de décider de sa destinée puisqu'un autre mariage lui est offert. L'épisode final la ramène auprès de l'homme qu'elle aime et les années de la maturité heureuse ne sont évoquées que très brièvement.

LE ROMANTISME DE L'ŒUVRE

Au romantisme historique de Walter Scott succède, avec les romans des sœurs Brontë, un romantisme de l'intériorité qui rappelle les grands poètes anglais, Wordsworth, Coleridge, Shelley ou Keats. C'est l'individu et son épanouissement spirituel qui sont au centre du roman.

LA TENTATION DU FANTASTIQUE

Il arrive même que la nature et le décor participent de la tourmente qui emporte l'héroïne : le manoir de Thornfield, avec ses escaliers tortueux, cache une énigme ; les rires terrifiants, les frôlements nocturnes et les icidents mystérieux, qui évoquent d'abord pour le lecteur les romans noirs des années 1800, s'expliquent finalement de façon rationnelle ; mais c'est de façon nettement fantastique qu'une voix franchit les montagnes pour réunir les amants séparés.

3 - INTERTEXTE

La piste autobiographique : à l'aide du dossier, on peut analyser ce que le personnage de Jane doit à la personnalité et à l'expérience de Charlotte Brontë ; il est indispensable de bien marquer les limites de cette assimilation et de chercher comment Jane réalise ce que Charlotte n'a pu que rêver.

La piste historique et sociale :
• les revendications féministes de Jane ;
• étude de l'« atmosphère victorienne » du roman ; la personnalité de l'héroïne la remet-elle fondamentalement en cause ?
• les différentes catégories sociales présentées dans le roman : on peut, en particulier, étudier, à l'aide des documents fournis par le dossier, l'évolution de la situation des gouvernantes ;
• place et rôle de l'argent dans le roman : les rentes, l'argent gagné, l'argent refusé ;
• le départ de St-John pour l'Inde (fait aussi référence à des faits historiques précis : rôle des missionnaires, achèvement de la conquête de l'Inde).

Les structures spatiales et temporelles :
• les lieux du roman : le thème de la recherche d'une maison personnelle, le rôle du décor dans l'histoire, l'opposition des trois maisons (le manoir de Thornfield, la maison des cousins de Jane, l'affreuse maison où Rochester n'avait pas voulu envoyer sa première femme et où il se réfugie blessé) ;
• l'ailleurs : l'Inde, où St-John pourra vivre selon ses principes.

L'écoulement temporel : liaison des accélérations et des ralentissements de la narration avec la tension intérieure de l'héroïne.

Le dépassement du réalisme et le rôle de l'imaginaire :
• romantique et fantastique dans le roman ;
• le symbolisme des livres lus et des tableaux peints par Jane ;
• le rôle du rêve.

4 - PRÉTEXTE

Le CI peut servir de support et d'illustration :

• à une étude de la famille Brontë : comparer les différents portraits présentés, les dater ;

• à une étude de l'atmosphère victorienne et des échos que l'on peut trouver dans le livre : relever tous les contrastes sociaux ou psychologiques suggérés ;

• à une étude du fantastique dans le roman : il devient plus perceptible si l'on utilise des images et des documents qui exploitent cette piste ; cela peut conduire à une réflexion sur l'intertextualité : en elle-même, l'apparition de la folle qui vit recluse dans le manoir ne relève du fantastique que si l'on confronte les détails qui sont donnés dans le texte aux images présentant des figures de cauchemar (tenue de fantôme, visage grimaçant, etc.). Les documents extraits de films, en particulier, utilisent l'arsenal des images suggestives : architecture gothique, figures tragiques, contraste des couleurs, etc.

Prolongements possibles :

• comparaison avec d'autres romans anglais : l'enfance malheureuse dans Dickens (*David Copperfield*, *Oliver Twist*, *Les Grandes Espérances*) ; nature sauvage et fantastique dans *Les Hauts de Hurlevent* ;

• étude comparée de personnages féminins : comparaison avec Sue Bridehead, la féministe consciente du roman de Thomas Hardy *Jude l'obscur*, ou, à l'inverse, avec la Jeanne d'*Une vie* de Maupassant qui ne prend jamais sa destinée en main ;

• utilisation des extraits du livre de Jean Rhys : *La Prisonnière des Sargasses* : réécriture de telle ou telle scène du roman en adoptant le point de vue de « la folle » ;

• dossiers d'instruction civique : les droits des enfants ; les systèmes éducatifs ; les systèmes charitables.

PIERRE CORNEILLE

(1602-1684)

---

1 - MÉMENTO

[Le Cid] « est si beau qu'il a donné de l'amour aux dames les plus continentes, dont la passion a même plusieurs fois éclaté au théâtre public. On a vu seoir en corps aux bancs de ses loges ceux qu'on ne voit d'ordinaire que dans la chambre dorée et sur le siège des fleurs de lys. La foule a été si grande à nos portes et notre lieu s'est trouvé si petit que les recoins du théâtre qui servaient les autres fois ont été des places de faveur pour les cordons bleus et la scène y a été d'ordinaire parée de croix de chevaliers de l'Ordre. »

Montdory (premier interprète de Rodrigue),
lettre de 1637.

---

2 - VADEMECUM

TRAGÉDIES ET TRAGI-COMÉDIES

1631 *Clitandre* (tragi-comédie).
1635 *Médée.*
1637 *Le Cid* (tragi-comédie).
1640 *Horace.*
1642 *Cinna.*
1643 *Polyeucte* ; *La Mort de Pompée.*
1645 *Rodogune.*
1646 *Théodore, vierge et martyre.*
1647 *Héraclius.*
1651 *Nicomède* ; *Pertharite.*
1658 *Œdipe.*
1662 *Sertorius.*
1664 *Othon.*
1667 *Attila.*
1674 *Suréna.*

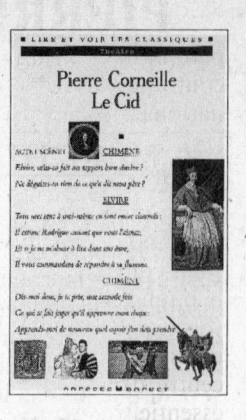

LE CID

« LIRE ET VOIR LES CLASSIQUES »
N° 6085

1 - CONTEXTE

LE CONTEXTE DE PRODUCTION : 1617-1640

Voir fiche n° 16.

HISTOIRE ET FICTION

Le Cid a pour cadre historique la Reconquista espagnole au XIe siècle. C'est en 1094 que Rodrigo Diaz prit Valence (événement postérieur à l'intrigue du *Cid*) et il y régna jusqu'à sa mort en 1099.

2 - TEXTE

LE TITRE

Fils de Don Diègue élevé par le roi au rang de gouverneur du prince de Castille, Don Rodrigue prend la tête du combat contre les Mores : c'est à son retour que le roi l'autorise à porter le titre de Cid (de l'arabe Sidi) en souvenir de son éclatante victoire. Rodrigue, en vengeant son

père bafoué, conquiert la gloire personnelle, sa victoire
contre les Morès la couronne en faisant de lui un héros
national.

L'ORGANISATION

• **Ambiguïtés dramaturgiques :** chef-d'œuvre de la
tragi-comédie, *Le Cid* fut aussi triomphalement reçu par
le public populaire que décrié par les « doctes », groupe
formé par les dramaturges concurrents de Corneille et les
théoriciens de l'art dramatique, tel l'abbé d'Aubignac. Au
centre de la fameuse querelle du *Cid*, deux arguments
essentiels : Corneille aurait plagié un auteur espagnol,
Guillén de Castro, et sa pièce pécherait contre toutes les
règles dramaturgiques : unité de lieu, de temps, invraisemblances de l'intrigue, invraisemblances psychologiques,
etc. Intitulée « tragi-comédie » par Corneille (genre assez
flou), la pièce a, en réalité, toute l'ampleur d'une véritable tragédie qui en ignorerait les exactes contraintes : la
querelle du *Cid* ne se comprend que dans le contexte historique de la première moitié du XIIe siècle, où s'élaborent dans la passion les règles de l'art classique.

• **La poésie de l'héroïsme :** l'enthousiasme sans précédent du public de 1637 qui fit peu de cas des « imperfec-
tions » d'une pièce conçue dans une période de transition
vers le théâtre régulier, rendait justice à l'extraordinaire
couple formé par Rodrigue et Chimène. C'est au fond
d'eux-mêmes, sous la tension d'une énergie personnelle
sans défaut, que les jeunes gens tentent de résoudre les
difficiles, mais non pas inhumains, conflits engendrés par
des contraintes qui leur sont extérieures. L'élan vers
l'héroïsme est égal chez Chimène et Rodrigue, et simultané. Il ne s'agit pas, pour eux, d'éradiquer une passion
qui compromettrait leur honneur : leur grandeur morale
tient à la difficile conquête d'une unité intérieure qui n'est
pas un compromis, mais l'accès de haute lutte à l'harmonie entre contraintes extérieures et aspirations à l'idéal du
« généreux ».

3 - INTERTEXTE

EXPOSÉS ET RECHERCHES

1. - Le personnage historique du Cid (voir dossier, pp. 116-122).

2. - La querelle du *Cid* (pour les classes du second cycle) : son origine, ses développements, le rôle du cardinal de Richelieu, les réponses de Corneille (voir dossier, pp. 98-115).

3. - *Le Cid* et les questions d'actualité (pour les problèmes relatifs au duel, voir dossier, pp. 156-174).

4. - Les sources espagnoles de Corneille (voir dans le dossier l'*Avertissement* de Corneille p. 103 sq. et les extraits de *Las Mocedades del Cid* p. 119 sq.).

5. - Pour les classes du premier cycle : imaginer une suite au *Cid* (voir Urbain Chevreau, pp. 122-127).

6. - Figures du Cid (voir dossier, pp. 127-149) : du Cid romantique au Cid parodié.

7. - L'héroïsme cornélien, du *Cid* à *Nicomède*.

8. - Les stances de Rodrigue : formes et significations.

9. - Le personnage de l'Infante.

10. - Portée politique du Cid.

Les lectures complémentaires sont suggérées par le dossier. On pourra proposer le cycle entier consacré au Cid dans *La Légende des siècles* (l'édition présente n'en donne que de larges extraits). L'ouvrage de G. Mongrédien, *La Vie quotidienne des comédiens au temps de Molière*, pourra intéresser les élèves du premier comme du second cycle.

4 - PRÉTEXTE

Le tableau contemporain ouvrant le cahier iconographique peut sembler rébarbatif. Il présente un Rodrigue dans la force de l'âge, austère : c'est le héros national qui est ici figuré, dont le cycle est toujours très populaire en Espagne, comme en témoigne aussi la bande dessinée (p. 12), destinée à célébrer, essentiellement, les prouesses guerrières : nous sommes loin des délicatesses du cœur. Se reporter également à la page 7 : statue du Cid.

La page 2 évoque le terme de la querelle du *Cid* : les célèbres *Sentiments* de la (jeune) Académie mettaient fin à la bataille, Corneille n'y répondit autrement que quatre ans plus tard, par une tragédie régulière : *Horace*.

La page 3, avec ses éditions en langues étrangères, rappelle l'extraordinaire succès de la pièce et son rayonnement.

Les sources espagnoles alimentent les pages 4 et 5 : pages à commenter dans l'exposé sur les sources de Corneille.

Dans le tableau représentant un épisode de la Reconquista (pages 8 et 9), on analysera les symboles de la victoire et ceux de la défaite. Même exercice pour la quatrième de couverture.

Page 10, le cardinal de Richelieu, auteur d'un édit important contre le duel (thème romanesque à succès au XIXᵉ siècle) est mis en regard de scènes de duel : celui-ci fit des ravages malgré les énergiques mesures de répression.

La page 13 est consacrée à un acteur qui marqua le siècle dans son rôle de Rodrigue : Gérard Philipe. Direct et lumineux, G. Philipe est bien loin du sombre Cid de C. Heston, tout auréolé des Oscars reçus pour *Ben-Hur*. Antony Mann s'inspire de toute la geste du Cid Campéador pour un film grandiose de quatre heures.

HORACE

« LIRE ET VOIR LES CLASSIQUES »
N° 6131

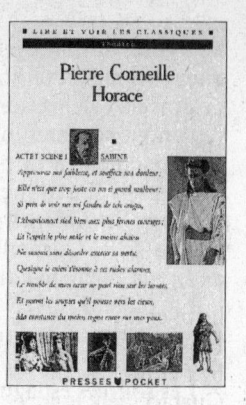

---

1 - CONTEXTE

LE CONTEXTE DE PRODUCTION : 1617-1640

● HISTOIRE POLITIQUE

1617-1643	Règne de Louis XIII.
1624	Richelieu entre au Conseil du roi.
1631	Révolte de Gaston d'Orléans, frère du roi.
1632	Exécution du duc de Montmorency.
1635	La France s'engage dans la guerre de Trente ans.
	Fondation de l'Académie française.
1642	Exécution de Cinq-Mars et de ses complices.
	Mort de Richelieu.

● THÉÂTRE ET POÉSIE

1637	Corneille, *Le Cid*.
1638	Tristan, *Les Amours de Tristan*.
1640	Corneille, *Horace*.
1641	Corneille, *Cinna* ; Tristan, *La Lyre*.

● PHILOSOPHIE

Descartes publie en 1637 le *Discours de la méthode,* en 1641, ses *Méditations métaphysiques*.

● ARTS
1640   La Tour, *Le Tricheur à l'as de carreau*.
1642   Le Nain, *Famille de paysans*.

HISTOIRE ET FICTION

Horace a pour cadre historique la Rome des rois. La lutte entre Rome et Albe se passe sous le règne de Tullus Hostilius, que la chronologie traditionnelle situe entre 672 et 640 avant J.-C. Le combat entre les Horaces et les Curiaces n'est pas autrement daté par Tite-Live.

2 - TEXTE

LE TITRE

Corneille a choisi de donner pour titre à sa première tragédie importante le nom du triple vainqueur des Curiaces. Certains critiques, suivant l'opinion répandue qui veut voir en Horace un fanatique barbare, estiment que le véritable héros est Curiace, qui arme son bras sans hésiter pour défendre sa ville, mais exprime avec chaleur son déchirement, sa révolte intérieure. On peut personnellement préférer la poésie douloureuse du personnage de Curiace, mais il est incontestable qu'Horace assure l'unité de l'intrigue.

L'ORGANISATION

● **Corneille fidèle à ses sources :** le dramaturge suit avec scrupule les données historiques. Seul le personnage de Sabine est inventé, afin de créer une belle opposition avec celui, attesté, de Camille. Violemment attaqué sur le meurtre de Camille, Corneille répond, comme pour *Le Cid*, que le vrai est toujours préférable au vraisemblable, allant en cela contre une tendance marquée de l'esthétique classique. Il est manifeste qu'en dénaturant le dénouement (Camille, par exemple, pouvait se donner elle-même la mort), on vide de sa substance le personnage d'Horace, qui tend tout entier vers le monstrueux fratricide. Enfin, le meurtre de Camille amène tout l'acte V, qui contient la leçon politique de la pièce.

● **Une tragédie régulière :** Corneille ne peut avoir bien reçu les arguments de ses détracteurs lors de la querelle du *Cid*. La hiérarchie des genres plaçait au sommet la tragédie : il est bien naturel que Corneille veuille y accéder de façon éclatante, puisque l'on avait contesté son aptitude à maîtriser les règles de la composition dramaturgique. Unités de lieu et de temps sont exactes, et la critique n'a pas estimé fautive l'unité d'action de la pièce, bien qu'Horace soit soumis à une double épreuve. Quant à la bienséance, heurtée par un meurtre sur scène, elle constitue le « point faible » : « nous ne sommes point obligés de nous écarter de la vérité », estime Corneille, pour qui les grands sujets « doivent toujours aller au-delà du vraisemblable ». La question, de toute façon, ne se pose plus au spectateur moderne.

● **Une tragédie politique :** jusqu'où doit aller le dévouement à l'État ? Horace est-il coupable d'avoir tué sa sœur qui maudissait Rome, ou bien a-t-il agi en vertu des mêmes sentiments qui l'animaient contre les trois Curiaces ? S'il est coupable, qui doit décider de sa mort, et quel châtiment peut-on imposer à celui qui vient de libérer sa patrie ? Tout le contenu politique de la pièce tourne autour de la notion de sacrifice, diversement interprété par les personnages, et de celle de raison d'État. Tulle apporte un certain nombre de réponses, en proposant une morale nationale et familiale de nature à satisfaire les consciences émues par la guerre fratricide entre l'Espagne et la France. Elle constitue, de la part de Corneille, un acte d'allégeance à Richelieu.

3 - INTERTEXTE

TRAVAUX ET EXPOSÉS

1. - La dramaturgie d'Horace : une pièce « régulière » ?
2. - Les sources de Corneille : la Rome légendaire de Tite-Live.
3. - Sabine et Camille.
4. - Les ambiguïtés du personnage d'Horace.
5. - Le vieil Horace et la tentation du sublime.
6. - La vie des comédiens à l'époque de Corneille.
7. - Richelieu et l'Académie française.
8. - *Le Serment des Horaces,* de David.

En lectures complémentaires, on pourra recommander *Cinna* et *Nicomède*, tragédies à sujet politique dans lesquelles la réflexion de Corneille sur le pouvoir aboutit à des considérations très différentes d'*Horace*.

On pourra aussi utiliser les parallèles entre Racine et Corneille (La Bruyère, Fontenelle, Péguy, entre autres).

4 - PRÉTEXTE

Rachel (1820-1858), peinte par Bubufe en 1850, ouvre le CI. Grande Camille, elle contribua à remettre la pièce à l'honneur. Ses jeux de scène sont restés célèbres, sa voix extraordinairement subtile compensait ses défauts physiques.

Le portrait romantique de Corneille, page 2, est intéressant, il correspond à la période de redécouverte de l'auteur d'*Horace*, pièce à laquelle on préférait, généralement, les autres grandes tragédies à sujet romain (*Cinna, Polyeucte,* notamment).

La vignette de la page 3 représente de manière assez confuse la phase finale du combat des Horaces et des

Curiaces ; on demandera aux élèves d'identifier les combattants : le dernier des Curiaces figure bien au premier plan, mais qui transperce-t-il ?

On comparera les deux tableaux du Cardinal par Philippe de Champaigne (voir édition du *Cid*, PP n° 6085 : *Le Cardinal de Richelieu assis*). Le tableau ici présenté se trouve au Ministère des Affaires étrangères

Peinte par Duvivier (page 6) et par Girodet, entre autres, la scène du meurtre de Camille donne lieu à de spectaculaires compositions. Relever les signes de la romanité (architecture, vêtements). Page 7, le forum romain tel qu'on pouvait le voir au XVIIe siècle.

On se servira du dossier sur J.-L. David pour commenter le somptueux *Serment des Horaces* (pp. 8 et 9, détail p. 10). On reprochait à David d'avoir trop séparé les Horaces du groupe des femmes, nuisant ainsi à l'unité d'ensemble. Sur le thème révolutionnaire du serment, voir le texte de Starobinski dans le DHL.

D'interprétation difficile, le rôle d'Horace n'a pas beaucoup séduit les comédiens : même le grand Mounet-Sully (p. 12, représenté dans sa loge) fit une composition assez médiocre.

Les pages 14 à 16 sont consacrées à quelques représentations modernes d'Horace. Il est à noter que le film d'André Versini (page 15) est une adaptation très libre : il s'agit d'un film policier. On pourra rappeler la brillante carrière de Charles Aznavour au cinéma dans les années soixante (il fut l'interprète de F. Truffaut).

ALPHONSE DAUDET
(1840-1897)

1 - MÉMENTO

« Oui, c'est bien moi, ce Petit Chose obligé de gagner sa vie à seize ans dans cet horrible métier de pion, et l'exerçant au fond d'une province, d'un pays de hauts fourneaux qui nous envoyait de grossiers petits montagnards m'insultant dans leur patois cévenol, brutal et dur. Livré à toutes les persécutions de ces monstres, entouré de cagots et de cuistres qui me méprisaient, j'ai subi là les basses humiliations du pauvre. [...]

Longtemps après ma sortie de ce bagne d'Alès, il m'arrivait souvent de me réveiller au milieu de la nuit, ruisselant de larmes ; je rêvais que j'étais encore pion et martyr. »

A. Daudet, *Histoire de mes livres*, 1888.

2 - VADEMECUM

CHRONOLOGIE DES ŒUVRES

1858	*Les Amoureuses* (poèmes).
1868	*Le Petit Chose.*
1869	*Les Lettres de mon moulin.*
1871	*Lettres à un absent.*
1872	*Tartarin de Tarascon.*
1873	*Les Contes du lundi.*
1874	*Fromont jeune et Risler l'aîné.*
1879	*Les Rois en exil.*
1881	*Numa Roumestan.*
1884	*Sapho.*
1885	*Tartarin sur les Alpes.*
1895	*La Fédor.*
1897	*Le Trésor d'Arlatan.*

CONTES DU LUNDI

« LIRE ET VOIR LES CLASSIQUES »
N° 6072

---

1 - CONTEXTE

LE CONTEXTE DE PRODUCTION :
Principaux événements en 1873

- **En littérature :** T. Corbière, *Les Amours jaunes* ; T. Hardy, *Une paire d'yeux bleus* ; J. Stuart-Mill, *Autobiographie* ; J. Verne, *Le Tour du monde en quatre-vingts jours*.
- **En peinture :** C. Monet, *La Partie de croquet*, *Les Coquelicots*, *Régates* ; C. Pissarro, *L'Oise près de Pontoise*.
- **En musique :** L. Delibes, *Le roi l'a dit* (opéra) ; N.-A. Rimsky-Korsakov, *Ivan le Terrible* (opéra).
- **En politique :** les Allemands évacuent la France ; dépression industrielle et agricole en Grande-Bretagne ; proclamation de la république en Espagne.
- **Sciences et techniques :** invention du fil barbelé (J.-F. Glidden, États-Unis), de la première machine à écrire industrialisable (États-Unis) ; première ablation d'un larynx cancéreux (C. Billroth) ; fermeture du marché d'esclaves de Zanzibar.

HISTOIRE ET FICTION (1870-1871)

L'action se passe dans les années 1870 (guerre franco-allemande)-1871 (Commune de Paris).

19 juillet : déclaration de guerre de la France à la Prusse.
Août : défaites françaises.
1er septembre : défaite de Sedan.
2 septembre : capitulation et capture de Napoléon III.
4 septembre : proclamation de la république (Gambetta).
18 septembre : Siège de Paris.
18 janvier 1871 : capitulation de Paris ; négociations de Thiers avec Bismarck (abandon de l'Alsace-Lorraine ; 5 milliards d'indemnités de guerre).
18 mars - 21 mai : Commune de Paris.

2 - TEXTE

LE TITRE

Collaborateur du journal *Le Soir*, Daudet donne, dès février 1871, une série de textes qu'il regroupe en mars 1873 sous le titre de *Contes du lundi*. Les premiers récits furent publiés dans *Le Soir* pour ses numéros datés du mardi, mais sortant le lundi, les suivants dans *L'Événement* pour les numéros datés du lundi. S'agit-il à proprement parler de contes ? L'élément merveilleux est parfois présent. Certains récits sont des « tableaux » ou des « souvenirs ». La plupart des récits gardent la forte empreinte des activités de journaliste de Daudet, sorte de « grand reporter », voire de « correspondant de guerre » pendant les événements de 1870 et de 1871.

L'ORGANISATION

● Déséquilibre ?

On s'interrogera sur le déséquilibre entre l'importante première partie et les deux autres qui semblent un peu maigres : on peut expliquer la place donnée ici aux « Trois sommations » (p. 243 sq.) puisqu'il s'agit de l'esprit de révolte du Parisien tout au long du siècle. Si « Maison à vendre » (p. 271 sq.) se passe à la campagne, les conséquences de la vente permettent de le ranger ici. « L'Empereur aveugle » (p. 327 sq.) concerne les rapports entre la France et la Bavière, avant le conflit de 70 ; cela suffit-il pour ranger ce texte, le plus long du recueil, dans la troisième partie ?

Si une certaine cohérence apparaît dans la deuxième partie (misères et illusions de la vie parisienne), on voit mal ce qui rapproche les textes de la troisième partie, sinon précisément les « souvenirs » de l'auteur.

● ... Ou cohérence interne ?

En revanche on peut parler d'une architecture de la première partie. Le classement des textes n'y suit pas exactement l'ordre chronologique (de rédaction ou des événements racontés), mais un certain ordre logique :

● un groupe de 7 textes sur la guerre, le siège de Paris et la perte de l'Alsace-Lorraine, tout au début ;

● un groupe de 7 textes sur la Commune, tout à la fin ;

● au milieu, 12 textes qu'on peut diviser en 5 sousgroupes : le siège de Paris (3 récits), 2 tableaux, 2 morts pathétiques, 3 récits symboliques, 3 récits algériens.

● CONFIDENCE ET CONNIVENCE

C'est un homme de bonne foi qui raconte, le plus souvent à la première personne, témoin ou acteur. Présent même quand il s'efface derrière un personnage (ex. Franz de « La Dernière Classe », p. 9 sq.). Mais la confidence ainsi pratiquée au fil du livre devient connivence.

● THÈME DU BONHEUR PERDU

Chaque texte se réfère à l'image d'un bonheur que Daudet est heureux d'évoquer : la paix, la campagne tranquille, la famille unie, les plaisirs simples, les corps assoupis. Mais toute image heureuse est/a été déchirée par l'événement qui survient, toujours brutal, inattendu.

● RÉALISME ET FANTAISIE

Le titre donné par Daudet à la première partie : « La fantaisie et l'histoire », montre bien que l'auteur veut, à la fois, présenter l'événement nu et le transposer sur un autre plan (cf. préface, pp. XIX-XX). De ce fait, la fonction assignée à l'art n'est ni d'être réaliste ni d'être idéaliste, mais de regretter le bonheur perdu.

● UNE IDÉOLOGIE RÉACTIONNAIRE

On relève aisément dans ces *Contes* tous les éléments d'une idéologie réactionnaire : la vraie France, la France éternelle, a disparu. La vie des gens n'a plus de sens. « La Mort de Chauvin » (p. 141 sq.), c'est celle du « dernier Français ». Héros de guerre, morts de la Commune, tous ont été floués : tout est perdu (cf. la fin des « Émotions d'un perdreau rouge », p. 318). Cette amertume qui s'accompagne de racisme (cf. p. 148, Paris et les nègres) ne peut même pas animer un nationalisme bourgeois.

3 - INTERTEXTE

EXPOSÉS

1. - La verve de Daudet dans les *Contes*.

2. - Les enfants dans les *Contes* (sensibilité et sensiblerie).

3. - Les trois meilleurs *Contes*. Justifiez votre choix.

4. - Les *Contes* ont-ils une unité profonde ?

5. - Classer les textes selon la place faite aux images heureuses et à celles du malheur.

RECHERCHES

1. - La guerre de 1870 chez Daudet et Maupassant.

2. - Hugo et Daudet : deux lectures d'un même événement.

3. - Zola et Daudet : deux sens du même événement.

4. - Daudet, Dickens et Malot : l'univers enfantin.

5. - Comparer les *Lettres de mon moulin* et les *Contes...*

DOSSIERS

1. - La guerre de 70, le siège de Paris, la Commune : dossier historique et littéraire. (voir pages 297 à 357).

2. - Le patriotisme alsacien-lorrain de 1870 à 1918 d'après Daudet et Erckmann-Chatrian.

En lectures complémentaires, le dossier offre des contes (dont la suite donnée par Daudet à « La Dernière Classe ») publiés par Daudet dans d'autres recueils.

● **On lira ensuite des récits sur la guerre de 1870 :** *Boule de suif* (Maupassant, PP n° 6055 ; cf. la fiche n° 40) ; les quatre récits des *Soirées de Médan* (1880) qui restent (celui de Maupassant étant le 5e), *La Débâcle* (Zola, 1892). Puis des textes sur la Commune : *L'Insurgé* (Vallès, 1886) ; *Bas les cœurs* (Darien, 1889) ; sans oublier les poètes : Hugo (*L'Année terrible,* 1872), Rimbaud (*Poésies*, cf. fiche de l'édition PP), J.-B. Clément (*Chansons*, 1885, *Le Temps des cerises* est de 1867), etc.

4 - PRÉTEXTE

Le CI rend compte des diverses sources d'inspiration des *Contes du lundi*. Les pages 4 et 5 évoquent la guerre franco-allemande. Le très populaire Hansi (pages 6 et 7) exalte le patriotisme alsacien. Un exposé pourra être consacré à ce grand caricaturiste. Le premier des *Contes*, et l'un des plus connus, est très caractéristique de l'« esprit revanchard » : la page 1 en offre une illustration, dont on soulignera la dramatisation.

Les scènes pathétiques des sièges de Metz et de Paris sont évoquées pages 8 et 9, ainsi qu'en quatrième de couverture. On commentera l'allégorie de la France page 9.

Les pages 10 à 13 sont consacrées à l'épisode de la Commune de Paris qui inspira à Daudet ses contes les plus grinçants. On comparera la photo de la page 10 (scène de barricade) et le tableau de A. Dewanbez, page 12. La semaine sanglante et la terrible répression versaillaise sont évoquées par le tableau de Boulanger, page 11, et les documents de la page 13 (exécutions sommaires).

Le style naïf des illustrations des pages 14 et 15 tranche sur la dureté des précédentes. Toutes saisissent un détail des trois contes auxquelles elles se rapportent : « Le Caravansérail », « Les Paysans à paris », « Un réveillon dans le Marais ». C'est ce détail que l'on pourra demander aux élèves de rechercher avec précision.

Les pages 2 et 3 sont consacrées à l'auteur. Préciser l'importance de l'œuvre du photographe Nadar.

LETTRES DE MON MOULIN

« LIRE ET VOIR LES CLASSIQUES »
N° 6038

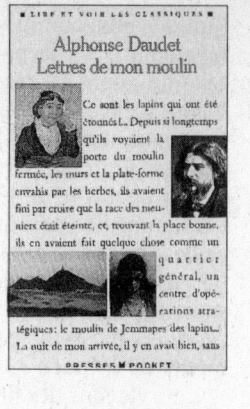

1 - CONTEXTE

LE CONTEXTE DE PRODUCTION : 1869

Voir fiche n° 21.

HISTOIRE ET FICTION

Daudet transporte son lecteur, d'une « lettre » à l'autre, à travers l'espace et le temps. Certes, la référence est toujours à la Provence contemporaine, mais il nous entraîne hors de ce monde familier : ainsi, l'histoire de la mule du pape est censée se passer au temps où les papes avaient leur résidence en Avignon (c'est en 1309 qu'eut lieu le transfert de la papauté). Rares sont les épisodes qu'on peut dater avec précision (comme le naufrage de la Sémillante : 15 février 1855).

2 - TEXTE

LE TITRE

Rien de plus trompeur que le titre de cette œuvre célèbre : cette pseudo-correspondance ne s'adresse, en fait, à aucun destinataire précis et n'a rien d'épistolaire, ni dans le fond, ni dans la forme ! Quant au fameux « moulin de Daudet » que l'on fait visiter aux touristes du côté de Fontvieille, entre Arles et les Baux-de-Provence, il est loin d'être authentique ! L'auteur en effet n'a jamais acheté de moulin et l'acte de vente qu'il publie en avant-propos de l'ouvrage est resté à l'état de projet.

Quand Daudet venait à Fontvieille pour une de ses « retraites spirituelles » qu'il affectionnait, il descendait au château de Montauban, qui appartenait à une grand-tante par alliance. Si l'auteur y a sans doute médité quelques contes, il les a en réalité écrits bien plus tard à Clamart, puis Champrosay.

L'ORGANISATION

● **Un recueil patiemment constitué :** sous forme de chroniques dans les journaux *L'Événement* (12 premières lettres entre août et novembre 1866) et *Le Figaro* (4 lettres en octobre et novembre 1868 ; 3 lettres en août et octobre 1869), puis en volume (*Lettres de mon moulin, impressions et souvenirs*) en décembre 1869. L'édition définitive de 1879 ajoute à ces 19 textes 5 contes publiés en 1873 dans « Le Bien public » et « Les Trois messes basses » qui figuraient jadis dans les *Contes du lundi*.

● **Une œuvre cohérente ?** Il ne s'agit pas d'une simple collection de contes et légendes de Provence, mais d'un recueil de textes centré sur un lieu privilégié (le moulin), et ordonné dans le temps : l'avant-propos est constitué de l'acte d'achat (imaginaire) du moulin et l'on enchaîne naturellement sur l'« Installation », les premières impressions (« La diligence de Beaucaire », etc.) La dernière note laisse percer la nostalgie de la capitale et forme comme un adieu à la Provence.

● **Une Provence élargie :** Si la vie en Provence aujourd'hui et hier constitue le thème principal de l'ouvrage, le cadre s'élargit à des souvenirs de Corse (« Le Phare des Sanguinaires », « L'Agonie de la Sémillante » et « Les Douaniers ») et d'Algérie (« À Milianah » et « Les Sauteterelles »). Seules échappent à l'univers méditerranéen ainsi élargi les lettres XIV (« Le Portefeuille de Bixiou ») et XV (« La Légende de l'homme à la cervelle d'or ») consacrées aux épaves de la bohème ; ces deux pièces insolites livrent la clé du « message » : pour Daudet, évoquer ces douloureuses victimes, c'est une façon d'exorciser le mal qu'il a voulu fuir en venant s'installer « sur sa lumineuse colline ». L'alternance des lieux souligne la place centrale de ces deux lettres très étroitement complémentaires :

```
Provence : I-VII
Corse    : VIII-X
Provence : XI-XIII
Paris    : XIV-XV
Provence : XVI-XIX
Algérie  : XX-XXI
Provence : XXII-XXIV
```

3 - INTERTEXTE

EXPOSÉS

● PREMIER CYCLE

1. - La peinture du monde animal.
2. - Le sentiment de la nature.
3. - Géographie des *Lettres de mon moulin*.
4. - Gens d'Église et fidèles dans les *Lettres de mon moulin*.

● SECOND CYCLE

1. - Paul Arène et Daudet (D.H.L., pp. 215 ; 224-229).
2. - Les félibres (voir dossier, pp. 217-223).
3. - La Provence dans les lettres françaises (M. Pagnol, H. Bosco, J. Giono, P. Arène).
4. - Le fantastique dans les *Lettres de mon moulin*.
5. - Réalisme et fantaisie dans les *Lettres*...

La lecture de Daudet peut être l'occasion de découvrir le grand poète Frédéric Mistral, en traduction, mais aussi, dans certains cas, en langue provençale. On pourra également travailler sur *L'Arlésienne* (Daudet et Bizet). Un dossier sur les principaux tableaux représentant l'Algérie au XIXe siècle (Delacroix et Fromentin, notamment) peut être utile. Les *Contes* de Paul Arène ont été réédités et intéresseront les classes du premier cycle.

4 - PRÉTEXTE

Page 1 du CI : expliquer tous les termes techniques apparaissant sur la couverture. Justifier le choix du conte choisi.

Page 2 : belle et talentueuse, Madame Daudet eut un rôle considérable dans la carrière d'écrivain de son époux (voir l'ouvrage de Jean-Paul Clébert, *Les Daudet, 1840-1940*, Paris, 1988).

Page 3 : de la photo à la caricature : saisir les procédés utilisés par Gill.

Les pages 4 et 5 évoquent la Provence de Daudet et les lieux propices à « l'inspiration ». On pourra rechercher d'autres lieux célèbres fortement liés à un écrivain et réfléchir à la nature du lien qui les soude.

Les pages 6 et 7 rappellent que les *Lettres de mon moulin* s'attachent à d'autres espaces que la Provence : quelles correspondances, voyantes ou secrètes, Daudet établit-il entre eux ?

Des pages 8 et 9, on notera les fortes présences féminines, dont on analysera les attitudes.

Les pages 10 et 11 rappellent la place de l'Algérie dans le recueil (actualité historique, fantasmes orientalistes). Voir le dossier p. 243 sq.

L'Arlésienne est moins populaire que *Carmen*, mais a souvent été représentée. Le dossier (pp. 231-242) donne de larges extraits du livret.

Les pages 14, 15 et 16 fournissent des clichés de différents films tirés des *Lettres* (voir dossier p. 269). On pourra préciser les principales étapes de la carrière de Raimu.

LE PETIT CHOSE

« LIRE ET VOIR LES CLASSIQUES »
N° 6016

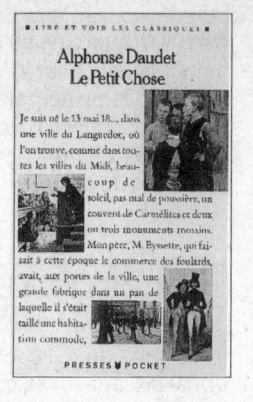

---

1 - CONTEXTE

LE CONTEXTE DE PRODUCTION :

● Ce qui se passait entre 1865 et 1870 :

dans le genre romanesque : 1865 : Les frères Goncourt, *Germinie Lacerteux* ; 1866 : Dostoïevski, *Crime et Châtiment* ; 1867 : Les frères Goncourt, *Manette Salomon* ; Zola, *Thérèse Raquin* ; 1868 : Zola, *Madeleine Férat* ; 1869 : Flaubert, *L'Éducation sentimentale* ; Tolstoï, *Guerre et Paix* ; Les frères Goncourt, *Madame Gervaisais* ; Victor Hugo, *L'Homme qui rit.*

en poésie : 1866 : Verlaine, *poèmes saturniens* ; 1867 : Théodore de Banville, *Les Exilés* ; 1868 : François Coppée, *Les Intimités* ; 1869 : Baudelaire, *Petits Poèmes en prose* (posth.) ; Sully Prudhomme, *Les Solitudes* ; Verlaine, *Fêtes galantes* ; Lautréamont, *Les Chants de Maldoror.*

● Principaux événements politiques et sociaux :

de 1860 à 1870, l'Empire libéral : 1864 : octroi du droit de grève ; mai 1868 : loi sur la presse (supprime le régime de l'avertissement, assouplit celui de l'autorisation préalable) ; sept. 1869 : un sénatus-consulte transforme l'Empire en une monarchie constitutionnelle non parlementaire. Le Corps législatif possède l'initiative des lois, vote le budget par chapitres et peut interpeller les ministres.

20 avril 1870 : Le Sénat perd l'autorité constituante qui n'appartient plus qu'à l'empereur et au peuple. 8 mai 1870 : Plébiscite ; la réforme est approuvée.

HISTOIRE ET FICTION

« Je suis né le 13 mai 18.. » : Daudet a supprimé la date initiale de 1826, au profit du blanc qui lui permettait de résoudre des difficultés de chronologie intérieure. Le premier chapitre fait allusion à la Révolution de 1830, le Petit Chose a une vingtaine d'années à la fin du roman.

2 - TEXTE

LE TITRE

Le Petit Chose est le surnom que Daudet lui-même avait reçu au collège de Lyon et qu'il garda lorsqu'il était pion au collège d'Alès, en raison de sa petite taille et de sa mine maladive. C'est celui qu'il attribue, dans ce roman autobiographique, à son personnage, Daniel Eyssette, frère, dans la littérature du XIXe siècle, de Cosette, la petite chose, l'enfant-martyre des Thénardier.

L'ORGANISATION

● **Un roman autobiographique :** l'ensemble du roman se fonde, dans ses grandes lignes, sur l'expérience du jeune Daudet. La lecture de *Mon Frère et Moi*, d'Ernest Daudet, confirme la justesse des épisodes, au détail près, touchant à l'enfance lyonnaise et aux divers déboires familiaux. Mais cette similitude entre Daniel Eyssette et Daudet va en se relâchant, et les nécessités de la fiction romanesque creusent un écart de plus en plus important. À partir de l'épisode d'Alès, tous les événements sont systématiquement noircis, et le mélodrame impose ses lois, aboutissant à la mort héroïque de la « mère » Jacques.

● **Le roman de la duplicité :** c'est le trait le plus intéressant des personnages, et la profondeur psychologique du roman tient à la révélation, souvent tragique ou dramatique pour le héros, parfois salvatrice, de cette duplicité : Eyssette père, violent, craint de ses enfants, est « au fond un excellent homme » ; duplicité hypocrite de M. Viot au doux sourire, mais dont l'âme noire est passée dans ses terrifiantes clefs ; « l'excellent Roger », le maître d'armes, est en fait une sombre crapule ; l'abbé Sarlande et « sa belle figure laide » ; M\ :lle\ Pierrotte, tantôt Camille, la petite bourgeoise, tantôt « les yeux noirs » et leurs promesses érotiques et sensuelles ; la « belle dame » du premier est en fait une grue et une aventurière mythomane ; duplicité héroïque de Jacques, à la fois frère et mère de Daniel, qui cache sa mortelle maladie. La reconnaissance de cette duplicité individuelle et collective, psychologique et sociale, conduit les fils directeurs de l'intrigue, et constitue l'apprentissage du Petit Chose.

3 - INTERTEXTE

L'œuvre peut-être étudiée aussi bien dans les classes du premier cycle que dans celles du second cycle : on pourra alors la comparer aux grandes œuvres autobiographiques du XIXᵉ siècle.

EXPOSÉS

1. - *Le Petit Chose,* roman social.
2. - L'autobiographie au XIXᵉ siècle.
3. - Le dénouement du *Petit Chose* : bonheur ou ennui ?

4. - La vie dans les collèges au XIXe siècle (voir dossier, pp. 334-336).

5. - Les thèmes romantiques dans *Le Petit Chose*.

6. - Le personnage de Jacques.

7. - La bohème : mythes et réalités (voir dossier, pp. 339-346).

Comme lecture complémentaire, on proposera *Le Bachelier*, de Jules Vallès (voir dossier, p. 336), pour les classes du second cycle, et *Poil de Carotte*, de Jules Renard, pour les classes des collèges.

On trouvera des témoignages sur Daudet dans le *Journal* de l'abbé Mugnier (Mercure de France, 1985), dans *Mon Frère et Moi*, d'Ernest Daudet (Paris, 1882), et dans *Souvenirs de mon temps*, d'Ernest Daudet (Paris, 1921).

4 - PRÉTEXTE

La page 1 du CI met en scène l'événement principal de la première partie du roman : la détresse de Daniel y est-elle rendue ?

Les pages 4, 5 et 16 renvoient à l'univers des collèges. Le tableau de Bashkirtseff (p. 4), peut faire l'objet d'une analyse détaillée (composition, références sociales, thème du « titi »).

Deux pages sont consacrées à l'évocation de la bohème et du dandysme, dont on fera définir le rapport.

Les pages suivantes donnent des extraits de deux adaptations cinématographiques, celle d'André Hugon (1923), et celle de Maurice Cloche (1938). On cherchera, pour les pages 8, 9, 10 et 11, les détails concernant la vie scolaire au XIXe siècle (uniformes, tables, cour d'école, etc.).

À propos de la page 13 : quelle scène du roman la vignette supérieure illustre-t-elle ?

À propos de la page 14 : étudiez les effets mélodramatiques.

DENIS DIDEROT
(1713-1784)

1 - MÉMENTO

« Monsieur et mon très digne maître,
J'aurais assurément bien mauvaise grâce de me plaindre de votre silence puisque vous avez employé votre temps à préparer cinq volumes de l'Encyclopédie. Cela est incroyable. Il n'y a que vous au monde capable d'un si prodigieux effort. Vous aura-t-on aidé comme vous méritez qu'on vous aide ? Vous savez qu'on se plaint des déclamations quand on attend des définitions et des exemples ; mais il y a tant de profusion qu'on passera aisément par-dessus les ronces. L'infâme persécution ne servira qu'à votre gloire. Puisse votre gloire servir à votre fortune et votre travail ne pas nuire à votre santé. Je vous regarde comme un homme nécessaire au monde, née pour l'éclairer et pour écraser le fanatisme et l'hypocrisie. »

Voltaire, *Lettre à Diderot*, décembre 1770.

2 - VADEMECUM

BIBLIOGRAPHIE

1745 Traduction de *L'Essai sur le mérite et la vertu* de Shaftesbury.
1746 Publication et condamnation par le Parlement des *Pensées Philosophiques*.
1748 Publication anonyme des *Bijoux indiscrets*.
1749 *Lettre sur les aveugles à l'usage de ceux qui voient.*

1751   Premier volume de *L'Encyclopédie*.

1757   *Le Fils naturel*.

1758   *Discours sur la poésie dramatique*.

1760   Écriture de *La Religieuse*.

1762   Première ébauche du *Neveu de Rameau*.

1765   *Essai sur la peinture*.

1766   Distribution des dix derniers tomes de *L'Encyclopédie* (les planches sortiront les années suivantes).

1769   Rédaction du *Rêve de d'Alembert*.

1771   Lecture de la première version de *Jacques le Fataliste*.

1772   *Essai sur les femmes*.

1773   Rédaction du *Paradoxe sur le comédien*.

1778   *Est-il bon ? est-il méchant ?*

1782   *Essai sur les règnes de Claude et de Néron*.

1783   Dernières corrections à *Jacques le Fataliste*.

« Le livre le plus extraordianire, le plus vivant, le plus libre de Denis Diderot, est le recueil de ses lettres à Sophie Volland. »

Hubert Juin.

(Cf. l'édition en 16 volumes de la correspondance de Diderot aux Éditions de Minuit reproduite dans l'édition Lewinter.)

« Pour lui la fiction et le savoir ne font qu'un. Il est comme Goethe, comme Rabelais : il est porteur d'une œuvre unique à mille facettes, d'une œuvre dont la modernité éclate à chaque instant. »

Alexandre Astruc.

« Diderot romancier raconte des histoires dont le rythme, l'emboîtement et les personnages ne cessent de se modifier. Cette prodigieuse liberté est moderne : elle anticipe sur les malicieuses constructions de Robbe-Grillet, Perec, Borges, et plus encore, de Bunuel... (il) s'encanaille dans ce qu'il appelle sa « licence » et son « libertinage » ; il s'abandonne à la fiction comme à son élément naturel. Sa gaieté semble inspirer aujourd'hui Italo Calvino ou Woody Allen ».

Jean-Claude Bonnet.

JACQUES LE FATALISTE ET SON MAÎTRE

« LIRE ET VOIR LES CLASSIQUES »
N° 6013

1 - CONTEXTE

Diderot, qui en avait lu une première version en 1771, a corrigé ce livre jusqu'à sa mort en 1783 (le texte n'a été publié en français qu'en 1792). À cette époque en France, les Lumières sont sur le déclin et en Allemagne s'exprime déjà un courant de sensibilité romantique.

1771	Questions sur *L'Encyclopédie*.
1770-1771	(Hiver) Interdiction est faite à Rousseau de lire publiquement ses *Confessions*.
1774	Goethe, *Les Souffrances du jeune Werther*.
1776	Restif de la Bretonne : *Le Paysan perverti*. Buffon, *Les Époques de la nature*.
1776-1778	Rousseau, *Les Rêveries du promeneur solitaire*.
1781	Schiller, *Les Brigands*.

• **En musique :**

1777	Glück, *Armide*.
1782	Haydn, *Ariane*. Mozart, *L'Enlèvement au sérail*.

• **En peinture :**

1771	Chardin, *Autoportrait aux bésicles*.
1777	Greuze, *La Cruche cassée*.

• **En politique :**

1771	Voltaire obtient l'acquittement de la famille protestante Sirven après neuf ans de lutte.
1772	Premier partage de la Pologne ; la France laisse faire.
1774	Couronnement de Louis XVI.
1774-1783	Révolte et victoire des colonies anglaises d'Amérique.

HISTOIRE ET FICTION

L'action se passe à une époque contemporaine de celle où écrit l'auteur, mais celui-ci néglige, dans la tradition du roman picaresque, de nous préciser les lieux et les dates et nous promène à travers la France dans une pérégrination apparemment sans but, jusqu'à ce que le lecteur s'aperçoive (et — semble-t-il — Jacques avec lui) qu'en fait, il s'agissait d'aller rendre visite à l'enfant que le maître, dix ans auparavant, a dû reconnaître pour sien (alors qu'il n'en était nullement le père). Entre temps nous avons revécu l'enfance villageoise de Jacques et toute une société bigarrée de l'Ancien régime a défilé sous nos yeux : des femmes du monde, des marquis, des prostituées, des paysannes, des chirurgiens, quelques moines et un bourreau. Tout juste si Jacques aura trouvé le temps de nous raconter ses premières amours.

2 - TEXTE

LE TITRE

Le valet mène le maître : Jacques, le jacques de la paysannerie française, est devenu un philosophe dont le capitaine a lu Spinoza, ce qui lui permet de ne jamais s'inquiéter puisque « tout est écrit là-haut »... et qu'on peut tirer quelques compléments d'information d'une bonne gourde. Entre Panurge, Figaro et Sganarelle, Jacques est la figure centrale d'un livre unique : c'est d'ailleurs lui le bavard qui nous raconte tout ce que son maître souhaite entendre pour se désennuyer.

L'ORGANISATION

La liberté du récit est totale et se marque dès les premières lignes qui pourraient servir d'exergue à toutes les théories dites du « nouveau roman ».

L'auteur intervient dans le texte aussi facilement que Jacques se tait, et apostrophe le lecteur, comme Sterne le fait dans *Tristram Shandy*.

S'agit-il d'un conte ? d'une nouvelle ou même d'un roman, genre que l'auteur accable de sarcasmes ? ou de cet art raffiné de la conversation dont les dialogues de Diderot nous ont donné des exemples éblouissants ? En tout cas il s'agit d'un récit à tiroirs : les histoires s'emboîtent les unes dans les autres, leurs moralités, s'il y en a, se répondent et seul le récit des amours de Jacques est indéfiniment repoussé.

Les personnages sont d'une vie intense, surtout les femmes et les deux protagonistes : le maître acquiert dans la deuxième moitié du livre un aplomb qui lui permet de répondre à Jacques omniprésent dans la première partie.

Les femmes, souvent lestes, parfois touchantes, y sont de merveilleuses conteuses. Enfin de nombreuses silhouettes bien caractérisées (Gousse toujours à court d'argent, jamais de morale) défilent dans notre souvenir, chacune nantie d'une anecdote et d'une interrogation philosophique. Chacun s'évertue à poser l'unique question que ne cesse de se poser Diderot à propos de l'homme : *Est-il bon ? est-il méchant ?*

3 - INTERTEXTE

LA PISTE PHILOSOPHIQUE

• **La subjectivité** : chaque affirmation est rapportée à un locuteur et parfois au deuxième degré (Jacques disait que son capitaine disait...). Dégager la portée philosophique du procédé qui interdit l'affirmation dogmatique et qui est la seule modalité possible de la formulation sceptique : il n'y a pas de vérité universelle mais seulement des affirmations particulières.

• **Du fatalisme de Jacques au matérialisme de Diderot** : la parodie des conceptions philosophiques présentées dans le dossier ; le lien avec la sagesse des nations. Les hypothèses déterministes (le thème de l'enchaînement des causes et des effets) ; la rationalité scientifique.

• **Les morales** : opposer les leçons tirées de chacune des anecdotes ; montrer qu'elles servent à poser la question de la morale et non à la résoudre.

LA CONDITION FÉMININE

1. - Jacques et les femmes ; le maître et les femmes.

2. - Libertinage, liberté des mœurs et revendication philosophique.

3. - Faire l'inventaire précis des figures féminines dans le roman ; définir leur condition ; repérer les marges de liberté qu'elles s'octroient. Peut-on parler de revendication féministe ? Dégager les moralités de chacune de leurs histoires ; marquer les contradictions.

4. - Comparer méthodiquement l'histoire centrale du marquis des Arcis et de madame de la Pommeraye à l'extrait de la *Dissertation sur les femmes* présenté p. 393.

LA CONSTRUCTION ROMANESQUE

1. - Faire un schéma général des récits menés dans le texte en marquant le long d'un axe à quelle page chaque histoire commence, s'interrompt, finit ; indiquer par des couleurs différentes le narrateur de l'histoire.

2. - Relever les interventions de l'auteur dans le texte ; dégager leur portée critique et dire sur quelle conception du roman elles reposent.

3. - Le verbe dans le texte : la transcription de la parole, le thème du bavardage ; le récit, l'échange verbal ; le refus de parler.

• **Roman et société :** peinture des conditions sociales ; la revendication d'égalité ; les libertés et les contraintes d'une société.

4 - PRÉTEXTE

IMAGES ET SOCIÉTÉ

1. - Identifier avec précision les personnages représentés en précisant leurs positions dans le combat philosophique.

2. - Du livre à l'esprit philosophique : quelle place leur accordent ces images. Montrer la place de la réflexion et de la discussion dans cette société.

3. - Images des femmes : de la soumission au pouvoir absolu, de l'amour au libertinage, de la religion à l'huissier.

IMAGES DE JACQUES ET DE SON MAÎTRE

1. - Identifiez les différents personnages. À l'aide de quels signes distinctifs les reconnaît-on ? Ces signes viennent-ils tous du roman ?

2. - Préciser les époques de référence de chaque mise en scène. Commenter les anachronismes.

3. - Écrire pour chaque scène représentée un court dialogue correspondant à une des pages du roman.

4. - Commenter le choix des accessoires utilisés par chaque mise en scène. À quels aspects du roman font-ils référence ?

Une comparaison très intéressante peut être faite avec le texte de la pièce de Milan Kundera : *Jacques et son Maître*, Gallimard, « Le manteau d'Arlequin », 1971.

LES DAMES DU BOIS DE BOULOGNE

1. - Reconnaît-on sur les images l'histoire du marquis des Arcis et de madame de la Pommeraye ? Pourquoi ? Est-ce seulement une question d'époque ? Donner d'autres interprétations possibles des conflits qui opposent ces personnages.

2. - Qu'apporte dans ce film la situation au vingtième siècle ? Change-t-elle le sens de l'histoire ?

3. - Opposer le « jansénisme » de Bresson aux images du XVIIIe siècle.

4. - Chercher dans le texte les passages qui pourraient être précisément mis en scène dans ces photos. Rédiger le synopsis en décrivant les images qui suivraient et celles qui précéderaient, en écrivant le texte des paroles prononcées.

GUSTAVE FLAUBERT
(1821-1880)

1 - MÉMENTO

Flaubert vu par lui-même

L'œuvre de Flaubert témoigne d'une lutte constante entre une tendance « romantique » et une existence « réaliste ». Flaubert le disait lui-même : « Il y a en moi deux bonshommes distincts, un qui est épris de gueulades, de lyrisme, de grands vols d'aigle, de toutes les sonorités de la phrase et des sommets de l'idée ; un autre qui creuse et qui fouille le vrai tant qu'il peut, qui aime à accuser le petit fait aussi puissamment que le grand, qui voudrait vous faire sentir presque matériellement les choses qu'il reproduit ».

Correspondance, janvier 1852.

par Italo Calvino...

« Il y a une histoire de la perception visuelle romanesque — du roman comme art de *donner à voir* personnes et choses — qui coïncide avec quelques moments de l'histoire du roman, mais non pas avec tous. De Madame de Lafayette à Constant, le roman explore l'esprit humain avec une acuité prodigieuse, mais les pages sont comme des persiennes fermées qui ne laissent rien filtrer. La perception visuelle romanesque commence avec Stendhal et Balzac et atteint avec Flaubert l'adéquation parfaite entre mot et image (la plus exigente économie pour un rendement maximal). La crise de cette perception visuelle ne commencera qu'un demi-siècle plus tard, avec l'avènement du cinéma. »

in « *Le Nouvel Observateur* », 5 mai 1980.

et par Roland Barthes

« La phrase devient ainsi, dans notre littérature, un objet nouveau : [...] une phrase de Flaubert est immédiatement identifiable, non point par son "air", sa "couleur" ou tel tour habituel à l'écrivain — ce que l'on pourrait dire de n'importe quel auteur — mais parce qu'elle se donne toujours comme un objet séparé, fini, l'on pourrait presque dire transportable, bien qu'elle ne rejoigne jamais le modèle aphoristique, car son unité ne tient pas à la clôture de son contenu, mais au projet évident qui l'a fondée comme un objet : la phrase de Flaubert est une chose. »

Nouveaux Essais critiques,
Le Seuil, 1972.

2 - VADEMECUM

Chacun des trois volumes consacrés à Flaubert (n° 6009, 6014 et 6033) donne les repères biographiques indispensables et la chronologie de l'œuvre.

Les inconditionnels de Flaubert ajouteront aux bibliographies le très savoureux essai du britannique Julian Barnes, *Le Perroquet de Flaubert* (Stock, Nouveau cabinet cosmopolite, 1986), qui démonte avec humour l'âpre mécanique flaubertienne, l'impressionnante biographie de l'américain Herbert Lottman *Gustave Flaubert* (Fayard, 1989) ou encore la radiographie sociologique que Pierre Bourdieu donne de *L'Éducation sentimentale* dans *Les Règles de l'art — Genèse et Structure du champ littéraire* (Le Seuil, 1992).

L'ÉDUCATION SENTIMENTALE

« LIRE ET VOIR LES CLASSIQUES »
N° 6014

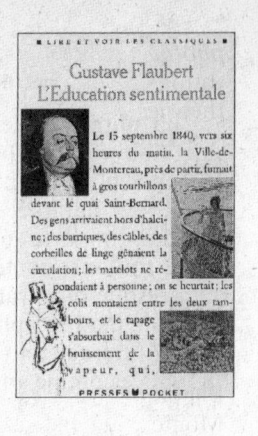

1 - CONTEXTE

LE CONTEXTE DE PRODUCTION : 1869

Les premières esquisses du livre remontent à 1863, au moment où Flaubert, ayant achevé *Salammbô* (publié l'année précédente), hésite entre ce sujet et celui de *Bouvard et Pécuchet*, auquel il croit davantage mais qu'il ne mettra en chantier effectivement qu'en 1874. Il faudra plus d'un an à l'auteur pour ajuster les scénarios définitifs (particuliers à chacun des dix-neuf chapitres, répartis en trois parties : six, six et sept chapitres). Ensuite la rédaction proprement dite s'étendra de septembre 1864 au 16 mai 1869.

- **En littérature :** Lautréamont, *Les Chants de Maldoror* ; Hugo, *L'Homme qui rit* ; Verlaine, *Les Fêtes galantes* ; Jules Verne, *Vingt mille lieues sous les mers* ; Hector Malot, *Romain Kalbris* ; traduction du « Corbeau » d'Edgar Poe ; Tourgueniev, *Nouvelles moscovites*.
- **En musique :** Franck, *Les Béatitudes* ; Grieg, *Concerto pour piano* ; Wagner, *L'Or du Rhin*.
- **En peinture :** Degas, *Au café de Châteaudun* ; Monet, *La Grenouillère* ; Moreau, *Prométhée* ; Renoir, *La Grenouillère* ; Cézanne, *Portrait d'Achille Emperaire*.
- **Sciences et techniques :** inauguration du canal de Suez (novembre) ; Cros, *Solution générale du problème de la*

photographie en couleurs ; Mendeleev (Russie), classification périodique des éléments chimiques ; Maxwell, théories sur l'électricité ; création de La Samaritaine.

• **En politique :** élection de mai-juin : poussée « radicale » en faveur de la République ; *senatus-consulte* sur les réformes libérales en septembre ; fondation du parti social démocrate en Allemagne.

HISTOIRE ET FICTION

L'action se passe entre le 15 septembre 1840 (date de l'appareillage, à Paris, quai Saint-Bernard, de la Ville de Montereau, bateau à aubes qui conduit Frédéric à Nogent), et « le commencement de l'"hiver" 1867, où Frédéric et son vieil ami Deslauriers ont une conversation nostalgique concernant leur passé commun. Entre ces deux dates, les personnages traversent toute une partie mouvementée de l'histoire de la France sans vraiment la comprendre, sans y participer vraiment, même quand ils côtoient de fort près des événements capitaux comme la Révolution de 1848 et le coup d'État du 2 décembre 1851 (cf., pp. 536-545). On ne peut qu'être frappé par le contraste entre le traitement de certains épisodes de cette Histoire, détaillés avec minutie (les débuts de 1848) et le gommage de certains autres (la trahison de la Révolution ouvrière, en juin 1848 : Frédéric est alors à Fontainebleau et n'y assiste pas ; la préparation du 2 décembre et les émeutes qui le suivirent, etc.). Sans doute l'auteur, protégé de l'Empereur, pratique-t-il là une forme d'autocensure.

Mais surtout, le travail d'écriture, ici primordial, subordonne la vérité historique aux nécessités de l'Art. D'où la coexistence, dans ce livre, d'une grande précision dans les descriptions des lieux, des réalités sociales, des vêtements, et d'une tendance au resserrement, à l'accélération, ou, au contraire, à l'étalement, à la lenteur, qui va parfois jusqu'à une certaine désinvolture chronologique et manifeste dans le roman cette certitude que le rêve est plus fort que le réel, et qu'en tout cas les éléments divers du monde extérieur n'ont de sens que répercutés (et déformés) par un regard subjectif. Comme l'a souligné très justement René Dumesnil, « il devient impossible d'apercevoir le point où l'œuvre cesse d'être de l'histoire ».

2 - TEXTE

LE TITRE

Le titre choisi reprend sans changement celui de la « première » *Éducation sentimentale*, achevée en 1845 et qui, malgré quelques ressemblances superficielles, n'a que peu de rapport avec celle-ci (voir fragments pp. 528-531). À vingt-quatre ans, Flaubert ne met guère de malice dans ce titre, alors que le romancier de la quarantaine lui donne à l'évidence un sens ironique : aucun des personnages de 1863-1869, à commencer par le « héros » Frédéric Moreau, ne s'éduque le moins du monde au cours du récit. Tous persévèrent, ballottés par le destin, dans leurs velléités initiales, vagues et contradictoires. Quant à l'adjectif « sentimental », il a les mêmes connotations grinçantes que dans le fameux « Colloque sentimental » de Verlaine, paru dans *L'Artiste* du 1er juillet 1868. Souvent obsédés par des idées généreuses ou de grands « sentiments », les piètres protagonistes de *L'Éducation* ne manifestent (au mieux) qu'une tendance incontrôlée au « sentimentalisme » le plus niais.

L'ORGANISATION

• Une certaine vision de l'Histoire, de la vanité de toute Histoire, sous-tend le travail de Flaubert. On s'interrogera sur cette vision en examinant en particulier la façon dont l'utopie de 48 est, dans le roman, constamment présentée comme une ridicule caricature de l'épopée de 1789, comment la plupart des personnages, inconscients de leurs actes, jouent sans conviction une sorte de *remake* d'événements devenus largement mythiques.

• L'amour, qui semble occuper si fort Frédéric, trouve sa cohérence surtout dans une rêverie plus ou moins décousue autour de la notion de femme idéale, rêverie qui n'empêche nullement la fixation des désirs sur des êtres rien moins que sublimes (Rosanette), et qui aboutit, à la fin du livre, à ce constat dérisoire : le « meilleur » du rêve érotique a été vécu, dans une maison de prostitution, par deux adolescents trop timides.

• Frédéric Moreau, Mme Arnoux, mais aussi Deslauriers, Mme Dambreuse, Sénécal, etc., sont des sortes de marionnettes, qui agissent moins qu'ils ne sont menés par les forces, elles-mêmes désordonnées, qui les entourent. Les aventures avortées de ces anti-héros nous intéressent moins que l'organisation des stratégies d'écriture qui leur donnent naissance.

3 - INTERTEXTE

Répétitions savamment orchestrées, retour de thèmes, d'objets, de situations : si, au plan thématique, *L'Éducation sentimentale* ne propose que les figures désespérantes de la circularité, c'est cette circularité même, comme principe d'organisation esthétique, qui fait du livre le précurseur de tout le roman moderne, de Proust au Nouveau Roman, chacun des éléments du texte se rattachant bien moins à un quelconque référent externe (social ou politique, par exemple) qu'à d'autres éléments qui, figurant eux-mêmes dans le texte, en assurent l'autonomie.

À la fois roman social et confession, étude de mœurs et livre d'amour, *L'Éducation sentimentale* provoqua lors de sa lecture dans les salons de la Princesse Mathilde (voir CI p. 10) des « mouvements divers ». Seuls, George Sand et Théodore de Banville le défendirent ouvertement (cf. pp. 548-549).

Tout, dans l'écriture comme dans les thèmes, marque une rupture très nette avec la tradition romanesque. Pour la première fois, en effet, un écrivain ose briser les tabous : la vertu, l'honneur, la morale, le bonheur, l'héroïsme. Pour la première fois, la médiocrité, la mélancolie, la laideur, l'inquiétude, deviennent des sujets de roman.

Paul Bourget ne s'y trompera pas :

« Le mal dont Flaubert a souffert toute sa vie, cet *abus de la pensée* qui l'a mis en disproportion avec son milieu, avec son temps, avec toute action, involontairement, instinctivement, il le donne à ses médiocres héros... Et ce même danger du rêve et de la pensée court d'un bout à l'autre de cette *Éducation sentimentale* dont Flaubert aurait pu dire plus justement encore que de *Bouvard et Pécuchet* que c'était « le livre de ses vengeances » *(Études et Portraits).*

4 - PRÉTEXTE

Pour mieux appréhender la manière dont Flaubert compose avec l'histoire, on mettra en parallèle l'iconographie, les passages de *L'Éducation sentimentale* auxquels elle renvoie et le DHL (pp. 523-545).

Les convulsions de la Révolution manquée de 1848, puis les événements de 1851, marquent la soumission de la bourgeoisie à la loi bonapartiste, servent de toile de fond aux aventures de Frédéric Moreau, témoin extérieur de l'histoire et spectateur passif de sa propre existence. Il y a une certaine analogie entre les échecs individuels du héros et le désastre de la République dans laquelle nombre de ses contemporains avaient placé leurs espérances : à l'échec du personnage fait écho l'échec de toute une génération. « Le sentimentalisme, notait Flaubert dans ses *Carnets*, suit la politique et en reproduit les phases ».

MADAME BOVARY

« LIRE ET VOIR LES CLASSIQUES »
N° 6033

1 - CONTEXTE

LE CONTEXTE DE PRODUCTION :
Principaux événements en 1856-1857 (publication en volume)

Voir fiche n° 25.

HISTOIRE ET FICTION

L'action est loin d'être linéaire, comme le laisse entendre le sous-titre du roman *(Mœurs de province)* : il s'agit d'une fresque avec des raccourcis et des passages dilatés. Après une discrète intervention de l'auteur semblant rapporter un souvenir d'enfance, l'entrée du collégien Charles Bovary en classe (il a environ 15 ans), le roman, qui s'achèvera par la mort de Charles (sans doute vers 30-35 ans), se distribue en trois parties : la première nous mène jusqu'à la grossesse d'Emma et au départ du ménage pour Yonville, la seconde narre l'idylle avec Rodolphe ; dans la troisième dominent la liaison avec Léon et le suicide d'Emma. Ainsi la trame romanesque se déroule-t-elle sur plus d'une vingtaine d'années ; sans doute, sous la monarchie de Juillet (Charles est né vers 1815), jusque dans les années 1848-1851 (cf. p. 407 : Homais rend de grands services au préfet « dans les élections » et adresse une supplique « au souverain »).

2 - TEXTE

LE TITRE

Rouault, le nom de jeune fille d'Emma, est un patronyme du terroir, il est clair que *Bovary* est une invention de l'auteur. Elle permettait sans doute de jouer sur le bredouillis du « nouveau » (Charbovary fait songer à « charivari »), mais surtout, la connotation « bovine » du terme (obstination un peu sotte et routinière, manque de *virilité*) plaît à Flaubert. Il la réutilisera dans Bouvard, l'associant à Pécuchet, dont le patronyme rappelle le mot latin *pecus*, animal de ferme. Mais Flaubert centre son récit sur Emma. Il a trouvé le prénom lors d'un voyage en Orient, avec Maxime Du Camp, en 1849. Un soir, aux confins de la Nubie, au bord du Nil, Flaubert aurait saisi le bras de son ami en disant : « J'ai trouvé ! Je l'appellerai Emma Bovary ! » C'est donc Emma la protagoniste du roman, celle à qui il s'identifie. Il nous annonce, dès le titre, une analyse clinique, centrée sur un problème de couple, vue du côté de la femme.

L'ORGANISATION

• Depuis que le terme de « bovarysme » désigne une pathologie mentale où se mêlent le rêve diffus, la neurasthénie et les enthousiasmes intermittents, le roman de Flaubert est entré parmi les grandes œuvres de la littérature universelle. Sans doute l'auteur voulait-il de son côté solliciter l'attention du lecteur sur l'aspect intime d'un destin auquel il n'arrive rien de spécialement singulier : le roman est dépourvu d'événements, au sens anecdotique du terme, ce qui met davantage en valeur des épisodes comme le bal ou les rencontres.

• Cette discrétion en face des faits s'accommode parfaitement avec le regard d'Emma. Ce n'est pas qu'il ne se passe rien dans sa vie, c'est que sa langueur de femme insatisfaite et ses poussées de rêve lui font récuser l'existence pour la vivre sur un autre plan, et la rater. Comme cas, et comme séquelle du romantisme, la névrose prend avec Emma Bovary un corps exemplaire.

• *Madame Bovary* est un roman *d'apprentissage*, mais un roman où l'apprentissage est impossible et comme voué, dès l'origine, à l'échec. Peut-être pour la première fois, il est centré sur une femme. L'héroïne de Flaubert, à l'inverse des personnages féminins balzaciens, n'est pas appelée à jouer un rôle d'agent du destin, mais elle est condamnée à ne pouvoir échapper à la société où elle vit.

• Emma est romantique en ce sens qu'il lui manque toujours des mots pour obtenir l'adéquation à la richesse de ses pensées. Dans l'aventure avec Rodolphe, elle revit des mots appris et elle entame, en même temps que son adultère, une activité liée à l'écriture. Le point le plus haut de son désir n'est peut-être que celui de Flaubert, hanté par le drame de l'écriture. Pour lui, il en irait de l'écriture comme du reste : la seule façon de dépasser cette castration que représente la bourgeoisie, ses valeurs pseudo-mâles (celle du père !), c'est d'assumer le manque, d'*être* femme en un mot.

3 - INTERTEXTE

« EMMA BOVARY, C'EST MOI »

C'est dans une multitude de sens qu'il faut prendre l'identification du romancier à son héroïne. Ainsi, la solitude dans le champ hostile ou indifférent des regards peut fournir une piste. Une autre est fournie par la thèse de R. Girard selon laquelle le désir est toujours *triangulaire* : on imite un *Autre* et un tiers s'interpose entre l'objet ainsi transfiguré et le sujet. Peut-être en profondeur Flaubert et Emma ont-il cela en commun de ne vivre leur existence que dans son dédoublement, cet effet de « duplication stérile » marqué dans le roman.

LE ROMANCIER ET SES PERSONNAGES

Tous des médiocres depuis Homais et Bournisien, les deux piliers du XIXᵉ siècle contemporain de Flaubert, jusqu'à Rodolphe et Léon. Bien entendu la croix et l'avenir politique sont du côté d'Homais. Ce n'est pas un hasard si l'usurier est le seul à porter un nom où passe un souffle de vie : Lheureux ! En face, l'animal fixé à un sillon, Bovary, le bœuf, le sceptique qui ne s'en laisse pas conter, Homais (ou « oh ! mais »), et ce passé révolu du verbe *aimer*, Emma (on peut aussi lire dans leurs deux noms les traces des mots *femme* et *homme*) ? Quant aux autres, ils ont des patronymes matériels et grossiers.

LA THÉMATIQUE

• On pensera aux épouses mal mariées, celles de Tolstoï *(Anne Karenine)*, de Dostoïevski *(L'Éternel Mari)* ou de Bernard Shaw *(Candida)*.

• On n'oubliera pas la vie de province et son ennui chez Balzac *(Illusions perdues, La Muse du département)*, chez Zola *(La Conquête de Plassans)* ou chez Mauriac *(Thérèse Desqueyroux)*.

4 - PRÉTEXTE

On complètera la filmographie de *Madame Bovary* (p. 453) par la mention du film homonyme de Claude Chabrol (1991) avec Isabelle Huppert (Emma), Jean-François Balmer (Charles), Christophe Malavoy (Rodolphe) et Jean Yanne (M. Homais).

Les images du film pourront être comparées à celles que présente le CI et au texte de Flaubert auquel Chabrol a voulu être « d'une fidélité exemplaire ». Mais avant de procéder à cette analyse d'images, on méditera le conseil de Flaubert : « pour qu'une chose soit intéressante, il faut la regarder longtemps ».

TROIS CONTES

« LIRE ET VOIR LES CLASSIQUES »
N° 6009

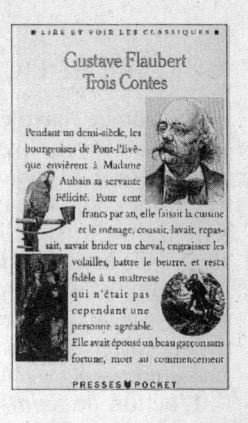

1 - CONTEXTE

LE CONTEXTE DE PRODUCTION : 1875-1877

Si l'on met à part les œuvres de jeunesse, depuis long-temps reniées, *Trois Contes* est le seul livre de Flaubert qui ait été écrit — relativement — vite (septembre 1875 - février 1876 : *La Légende de Saint Julien l'Hospitalier* ; mars-août 1876 : *Un cœur simple* ; novembre 1876 - février 1877 : *Hérodias*). Dans cette fièvre créatrice, les circonstances extérieures, au moins au début, ont joué un rôle incitateur. Depuis le grand succès de *Salammbô* (1862), Flaubert n'avait connu, dans l'édition ou au théâ-tre, que des échecs, en particulier cèlui, écrasant pour lui, de *L'Éducation sentimentale* (1869). Au printemps de 1875, un coup terrible le frappe : E. de Commanville, mari de sa nièce chérie et gérant de sa fortune depuis 1865, est mis en situation de semi-faillite : le déficit dépasse le mil-lion de francs-or. Épuisé et désespéré, Flaubert va cepen-dant rapidement trouver un dérivatif dans le projet de *Saint Julien*, dont l'histoire étrange et édifiante l'avait frappé dès 1835. Il se met alors au travail, bientôt avec enthou-siasme, et peu à peu se dessine dans son esprit le plan du triptyque.

HISTOIRE ET FICTION

La trilogie renvoie à trois époques différentes : l'antiquité, le Moyen Âge et l'époque contemporaine.

L'action d'*Hérodias* se passe à Machærous, citadelle élevée sur les bords de la mer Morte, à l'époque de la prédi-
cation du Christ. Elle met en scène, avec un grand luxe
de détails archéologiques et historiques (à la manière de
Salammbô), un épisode de la vie d'Hérode Antipas. Un
processus de resserrement dramatique a conduit Flaubert
à concentrer en un seul jour — comme dans la tragédie
classique — les événements de plusieurs années.

L'action de *Saint Julien*, inspirée par un vitrail de la
cathédrale de Rouen, et nourrie par diverses lectures de
Flaubert, renvoie au XIIIe siècle, mais le récit ne comporte
aucune date, les blancs y sont nombreux et l'ampleur respective des parties très inégale (la troisième est fort courte).
L'atmosphère générale, onirique et magique, préserve le
caractère légendaire et (en apparence) naïvement hagiographique de la tragédie.

L'action d'*Un cœur simple* s'étale sur « un demi siècle » (p. 21). Parmi les dates mentionnées, les points extrêmes sont représentés par la mort de M. Aubain (début
1809, cf. p. 21) et celle de son épouse (mars 1853, cf.
p. 58), à laquelle Félicité survivra un nombre d'années
indéterminé. Le seul événement historique rapidement
mentionné est la révolution de juillet 1830 (p. 47) qui
amène un nouveau sous-préfet à Pont-l'Évêque !

2 - TEXTE

LE TITRE

Le titre générique *Trois contes* place sur le même plan des
récits très disparates. Flaubert parle de « volume cocasse »
« assez drôle ». « Quant au *Cœur simple*, ajoute-t-il, c'est
aussi bonhomme que Saint Julien est effervescent. »

On notera que le premier conte devait primitivement s'intituler *Histoire d'un cœur simple* (cf. pp. 149-150), et que le titre abrégé (qui rompt le parallèle avec *La Légende de Saint Julien l'Hospitalier*) vient sans doute du portrait de la grande Nanon chez Balzac : « le cœur simple, la tête étroite de Nanon ne pouvaient contenir qu'un sentiment et une idée » *(Eugénie Grandet)*.

L'ORGANISATION

L'extraordinaire virtuosité d'écriture qui permet à Flaubert de passer de l'onirisme au réalisme et à l'épopée tragique ne doit pas faire oublier qu'un réseau souterrain de correspondances unit en profondeur, sur le plan thématique au moins, chacun des volets de la réflexion flaubertienne sur la foi, le sens de la vie, la rédemption des crimes ou de ce péché majeur qu'a toujours été pour Flaubert, la bêtise (on ne peut nier celle de Félicité). Chacun à sa manière, en effet, le criminel Julien, la fruste Félicité, l'impure Hérodias qui, à travers l'exécution de Iaokanaan (Jean-Baptiste), est l'involontaire instrument de l'accomplissement des prophéties du Christ, constituent dans une lecture possible de leur histoire, les preuves vivantes que le dessein de Dieu s'incarne dans le monde — là et comme on l'attend le moins. Il y a pourtant trop d'éléments ironiques dans les récits flaubertiens pour que la lecture inverse (tout est vanité, y compris ce qu'on appelle sainteté) ne soit pas autorisée par le texte : jusqu'au bout, l'indécision commande la structure des *Contes*, une indécision liée à une esthétique refusant toute littérature « à message ».

On notera enfin que l'ordre choisi prouve le désir de donner une signification à l'ensemble du recueil : il propose une remontée dans le temps.

3 - INTERTEXTE

Œuvre de maturité, chacun de ces *Trois contes* peut être mis en relation avec d'autres romans de Flaubert.

Les paysages normands d'*Un cœur simple* sont aussi ceux de *Madame Bovary* et de *Bouvard et Pécuchet*.

Saint Julien qui est peut-être le plus fascinant des *Trois contes* entretient des rapports évidents avec *La Tentation de Saint Antoine*, commencé en 1847, remanié plusieurs fois, et publié seulement en 1874.

Hérodias enfin, rappelle *Salammbô* (cf. pp. 167-168) par certaines ressemblances extérieures, un goût évident pour les mises en scène exotiques, le rutilement des couleurs et les formes, une fascination pour l'Orient et son rêve sensuel...

Le D.H.L. (pp. 141-170) permettra de saisir le travail d'écriture et d'esthétique de Flaubert. On pourra y ajouter ce commentaire très perspicace d'Italo Calvino sur Flaubert : « le vrai thème de cet homme apparemment si enfermé en lui-même a été l'identification avec l'autre. Dans le geste sensuel de saint Julien étreignant le lépreux, nous pouvons reconnaître le terme ardu vers lequel tend l'ascèse de Flaubert, comme programme de littérature et de rapport au monde. Peut-être les *Trois contes* témoignent-ils de l'un des plus extraordinaires itinéraires spirituels jamais accomplis en marge de toutes les religions » (*Le Nouvel Observateur*, 5 mai 1980).

4 - PRÉTEXTE

L'iconographie retrace à grands traits l'itinéraire de Flaubert (p. 1) inspiré à la fois par la réalité normande (pp. 2-5) et par le voyage en Orient (pp. 10-11).

Des trois thèmes, c'est celui d'Hérodias qui a le plus suscité de développements picturaux (cf. Gustave Moreau, pp. 12-13) et scéniques (cf. O. Wilde, R. Strauss, pp. 14-16) au XIXe siècle. On constate que l'esthétisme décadent déplace l'éclairage d'Hérodias sur sa fille Salomé qui ne cesse d'exercer une fascination diabolique : on insiste davantage sur la sensualité et la violence du délire sexuel où la mort devient le substitut de l'amour impossible.

THÉOPHILE GAUTIER
(1811-1872)

1 - MÉMENTO

« Théophile Gautier est un écrivain d'un mérite à la fois *nouveau* et unique. De celui-ci, on peut dire qu'il est jusqu'à présent, sans *doublure*.

Pour parler dignement de l'outil qui sert si bien cette passion du Beau, je veux dire de son style, il me faudrait jouir des ressources pareilles, de cette connaissance de la langue qui n'est jamais en défaut, de ce magnifique dictionnaire dont les feuillets, remués par un souffle divin, s'ouvrent tout juste pour laisser jaillir le mot propre, le mot unique, enfin de ce sentiment de l'ordre qui met chaque trait et chaque touche à sa place naturelle et n'omet aucune nuance. Si l'on réfléchit qu'à cette merveilleuse faculté Gautier unit une immense intelligence innée de la correspondance et du symbolisme universels, ce répertoire de toute métaphore, on comprendra qu'il puisse sans cesse, sans fatigue comme sans faute, définir l'attitude mysté-rieuse que les objets de la création tiennent devant le regard de l'homme. »

Baudelaire, *L'Art romantique*,
« Théophile Gautier », III.

2 - VADEMECUM

CHRONOLOGIE DES PRINCIPALES ŒUVRES DE GAUTIER

1831	Premier texte en prose : *La Cafetière, conte fantastique.*
1833	*Les Jeunes-France, romans goguenards.*
1835-1836	*Mademoiselle de Maupin.*
1844	*Les Grotesques.*
1845	*España.*
1852	*Émaux et Camées.*
1857	*Le Roman de la momie.*
1861	*Le Capitaine Fracasse.*
1872	Édition définitive d'*Émaux et Camées.*

JUGEMENTS SUR L'AUTEUR

« Dans une conférence d'avril 1914, André Gide lança une de ces formules qui se substituent commodément à l'analyse critique : "Oui, Théophile Gautier occupe une place considérable ; c'est seulement dommage qu'il l'occupe mal." Les lettres françaises ont imposé une sorte de quarantaine à ce maître contesté que les lettres étrangères, en revanche, apprécient. [...] Gautier a connu la disgrâce d'être un poète proscrit sans être un poète maudit. Il n'en demeure pas moins un merveilleux professeur d'écriture. »

P. Moreau, « Théophile Gautier »,
Encyclopaedia Universalis.

LE CAPITAINE FRACASSE

« LIRE ET VOIR LES CLASSIQUES »
N° 6100

---

1 - CONTEXTE

LE CONTEXTE DE PRODUCTION

Principaux événements de 1861 à 1863 :

- **En politique :** Second Empire ; guerre du Mexique ; guerre de Sécession aux États-Unis.
- **En littérature :** Voir dossier p. 615.
- **Autres arts :** Garnier commence la construction de l'Opéra de Paris. Delacroix : *Combat de Jacob avec l'ange*. Salon des Refusés. Manet : *Le Déjeuner sur l'herbe, Olympia*. Wagner, *Tannhäuser*.
- **Sciences et techniques :** Pasteur et la pasteurisation.

HISTOIRE ET FICTION

L'action se déroule à l'époque privilégiée du roman de cape et d'épée, sous le règne de Louis XIII (cf. *Cinq-Mars* de Vigny et les romans de Dumas). Gautier a beaucoup rêvé de cette époque : « Il y voit une sorte de lieu mythique où les hommes étaient plus nobles et les femmes plus belles que dans le monde Louis-Philippard étriqué où il vit ». (Préface, p. 13)

« Bien que l'action se passe sous Louis XIII, *Le Capitaine Fracasse* n'a d'historique que la couleur du style » écrit Gautier dans sa préface de 1863 (p. 19). Le roman n'a pas en effet d'ambitions documentaires, mais il évoque, à la manière « des eaux-fortes de Callot ou des gravures d'Abraham Bosse », le luxe et la misère d'un temps riche en contrastes. Ces scènes pittoresques ressuscitent la mentalité du mousquetaire, la vie du comédien et la langue baroque et burlesque de Scarron.

2 - TEXTE

LE TITRE

Le roman doit son titre au nom de guerre que se choisit le baron de Sigognac, lorsqu'il décide de remplacer Matamore. Fracasse est un fanfaron, héritier du *miles gloriosus* de la comédie latine, de Matamore et de Capitan (Préface, p. 14). Son jeu est ridicule : Fracasse marche « comme une paire de ciseaux forcée [...] roulant des yeux furibonds et faisant la mine la plus outrageuse et la plus outrecuidante du monde » (p. 291). Mais Sigognac renouvelle un peu le personnage, en lui prêtant une certaine profondeur psychologique : « Fracasse [...] aime le courage, les vaillants lui plaisent, et il s'indigne lui-même d'être si poltron. Loin du danger, il ne rêve qu'exploits héroïques, entreprises surhumaines et gigantesques ; mais quand vient le péril, son imagination trop vive lui représente la douleur des blessures, le visage camard de la mort et le cœur lui manque » (p. 203).

Fracasse est, de fait, l'antithèse de Sigognac, qui cache sous des apparences réservées son habileté et son courage. Il est le double honteux du baron, parodie et outrance de cet autre masque qu'est la misère. *Le Capitaine Fracasse* peut ainsi se lire comme une quête de la transparence, comme la nostalgie d'un ordre où les apparences seraient révélatrices de l'être.

L'ORGANISATION

L'itinéraire du baron de Sigognac est un « parcours à la fois pittoresque, littéraire et initiatique » (p. 14). Au terme d'une première série d'aventures, constituées en parallélismes et en contrepoints (représentations, séjours à l'auberge, bonnes et mauvaises fortunes...), le baron subit l'épreuve la plus douloureuse en jouant Fracasse devant Yolande de Foix. Ce renoncement à tout orgueil, ce dépouillement de soi conjurent pour ainsi dire le mauvais sort. Ayant délibérément accepté et dépassé sa déchéance, Sigognac affronte dans la seconde partie du roman des épreuves plus chevaleresques, dont la première est son défi au duc de Vallombreuse. Le roman s'organise ainsi autour des chapitres VIII à X. À un premier mouvement, pour ainsi dire descendant, succède une ascension amoureuse et sociale. Les mérites du héros lui permettent de conquérir enfin l'amour et la fortune.

3 - INTERTEXTE

Le Capitaine Fracasse peut être proposé à des classes d'âge et de niveau très variés. Des élèves de quatrième ou de troisième seront sensibles à l'intrigue romanesque et à ses rebondissements, mais il faudra attendre le second cycle pour aborder l'étude approfondie de la composition et des procédés d'écriture.

EXPLICATIONS DE TEXTE

1. - Le château de Sigognac, pp. 21-22.
2. - Le baron, pp. 34-36.
3. - Agostin, pp. 92-93.
4. - Première représentation, pp. 132-146.
5. - Les obsèques de Matamore, pp. 176-177.

6. - Autre représentation, pp. 257-258.

7. - Déclarations, pp. 281-284.

8. - Arrivée à Paris, pp. 304-305.

9. - Le Pont-Neuf, pp. 320-325.

10. - Reconnaissance, pp. 449-450.

11. - Mort d'Agostin, pp. 502.

12. - Dénouement, pp. 526-527.

ÉTUDES THÉMATIQUES

1. - La vie quotidienne d'un théâtre ambulant au XVIIe siècle. On comparera éventuellement la peinture de Gautier et celle de Scarron, dans *Le Roman comique*. Voir document n° 10.

2. - Les représentations théâtrales.

3. - Le romanesque.

4. - *Le Capitaine Fracasse*, un roman de cape et d'épée ?

5. - Le grotesque. Voir document n° 8.

6. - Gautier peintre : l'art de la description.

7. - Le Paris du *Capitaine Fracasse*.

8. - Le château de Sigognac. Voir documents n° 1 sq. (surtout 7).

9. - Le personnage théâtral de Fracasse. Voir document n° 12.

10. - Agostin et Chiquita.

11. - Comparaison du premier et du dernier chapitre.

12. - Étude structurale du roman.

Le DHL fournit encore d'autres pistes pédagogiques. On pourra par exemple comparer le chapitre XI aux variantes qu'en proposent les éditions pour la jeunesse. On étudiera également la figure du comédien à travers les documents n° 10 sq. Comment expliquer la faveur de ce personnage à l'époque baroque et à l'époque romantique ?

4 - PRÉTEXTE

• **Paris au XVIIᵉ siècle :** il sera intéressant de rapprocher la peinture faite par Gautier du Paris de Louis XIII des tableaux proposés (CI pp. 6 et 7). Les élèves pourront chercher d'autres documents littéraires et picturaux.

• **Le théâtre et les comédiens italiens :** on cherchera des tableaux représentant des comédiens (cf. pp. 8-9), comme ceux de Watteau : *La Sérénade italienne, Mezetin, L'Amour au théâtre italien, Pierrot, Comédiens italiens,* etc. On essaiera d'identifier chacun des personnages, de préciser son type, en se référant si possible au texte de Gautier.

• **Filmographie du *Capitaine Fracasse* :** le roman a été adapté à l'écran à plusieurs reprises (voir p. 622) et le cahier iconographique présente des images des films d'Abel Gance (1942), de Pierre Gaspard-Huit (1961) et Ettore Scola (1991). Voir pp. 12-16 et 4ᵉ de couverture. On pourra chercher à identifier les épisodes et les personnages du roman. Ces documents permettent également d'ébaucher une comparaison entre ces trois films, d'esthétique et d'esprit très différents. Quels aspects du roman, quels thèmes semble privilégier chacune de ces mises en scène ? On opposera les jeux de lumière et l'esthétique très théâtrale du film d'Abel Gance à la vision de Pierre Gaspard-Huit, plus populaire et narrative. Ettore Scola souligne, lui, le thème dramatique, et, prenant quelques libertés avec l'intrigue, fait du théâtre le sujet de son film.

LE ROMAN DE LA MOMIE ET AUTRES RÉCITS ANTIQUES

« LIRE ET VOIR LES CLASSIQUES »
N° 6049

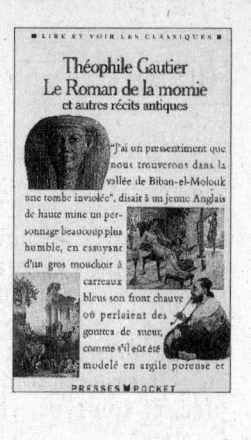

1 - CONTEXTE

LE CONTEXTE DE PRODUCTION :

La publication des six récits s'est échelonnée de 1837 (*La Chaîne d'or ou l'Amant partagé*) à 1857 (*Le Roman de la momie*).

- **En politique :** monarchie de Juillet, Seconde République, début du Second Empire.
- **En littérature :** Période particulièrement féconde, qui voit le développement simultané des courants romantiques et réalistes. Vigny, Hugo, Lamartine, Musset sont à l'apogée de leur talent. Balzac écrit une grande partie de *La Comédie humaine*, Stendhal publie *La Chartreuse de Parme* en 1839, *Madame Bovary* paraît en 1857. Michelet, Augustin Thierry renouvellent le genre historique. Les années 1840 voient la naissance du mouvement parnassien.
- **En musique :** Berlioz (*Requiem*, 1837 ; *La Damnation de Faust*, 1846), Chopin (*Préludes*, 1839), Wagner (*Tannhaüser*, 1845), Liszt (*Rhapsodies hongroises*, 1840-1850).
- **Sciences et techniques :** 1838, Daguerre invente les daguerréotypes ; 1843-1853, expériences de Joule ; progrès de la médecine (mise au point de l'anesthésie chirurgicale, travaux de Semmelweis, Davaine...).

HISTOIRE ET FICTION

Trois des six récits ont pour cadre la civilisation égyptienne : *Le Roman de la momie* évoque l'Égypte au temps de l'exil d'Israël, *Le Pied de momie* est celui d'une princesse embaumée il y a quatre mille ans, Cléopâtre est l'héroïne du dernier texte « égyptien ». L'histoire du roi Candaule se déroule en Lydie, en 715 avant J.-C.. *La Chaîne d'or* met en scène les courtisanes grecques du siècle de Périclès. Seule la dernière fiction nous ramène à Rome, ou plus exactement à Pompéi, en l'an 79 de notre ère.

« L'Antiquité est d'abord pour Gautier un immense réservoir d'images » (Préface, p. 8). L'imagination du poète, nourrie de lectures érudites autant que de rêves et de peinture, se plaît à de vastes et somptueuses fresques dont le but, quasi magique, est de ressusciter le passé.

D'où le thème fantastique du voyage dans le temps. À trois reprises, le pouvoir d'un objet (le papyrus de Tahoser, le pied d'Hermonthis, l'empreinte du sein d'Arria Marcella) permet de remonter le temps, et d'échapper aux réalités du XIXe siècle.

2 - TEXTE

LE TITRE

« Tout à coup un rouleau de papyrus caché entre le flanc et le bras de la momie frappa les yeux du docteur » (p. 60). La belle Tahoser a emporté dans la tombe son histoire, et le roman prétend n'en être que la traduction. Vieille supercherie romanesque, qui vise moins ici à accroître la crédibilité de la fiction (quel scribe a jamais écrit comme Gautier ?), qu'à transformer le texte, moderne et littéraire, en objet magique, antique et sacré. Grâce aux mots, Tahoser ressuscite, l'art du romancier accomplissant parfaitement et dépassant les ambitions des embaumeurs.

Cette victoire sur la mort s'opère aussi deux fois grâce au rêve (*Le Pied de momie* et *Arria Marcella*), et trois fois par la seule magie du récit. L'art du romancier s'apparente ici à la nécromancie.

L'ORGANISATION

On peut se demander si, au-delà des apparences (cadre, personnalité des héros, etc.), nos six récits ne raconteraient pas finalement la même histoire, celle d'un amour impossible. Les amants se heurtent à des obstacles sociaux (Tahoser et Poëri, Cléopâtre et Meïamoun), psychologiques (Candaule et sa femme, le trio de *La Chaîne d'or*) ou fantastiques (*Le Pied de momie*, *Arria Marcella*). Le franchissement de l'interdit entraîne une sanction, qui est le plus souvent la mort, ou tout du moins une séparation éternelle. Seul le conte de *La Chaîne d'or* fait exception à la règle. « On pourrait voir dans le récit de Gautier les manifestations du désir et poser les quatre termes de la phase fantasmatique : désir, interdit, transgression et sanction. » (Préface, p. 14).

On notera dans certains récits la présence de cet ennui, si propre au XIXe siècle. Il a la fonction du manque qui pousse à la transgression.

3 - INTERTEXTE

Certains de ces récits pourront être étudiés dès le premier cycle, en classe de quatrième ou de troisième, mais l'ensemble conviendra mieux à une classe de seconde. *La Chaîne d'or* et *Arria Marcella* peuvent même fournir le point de départ original d'un cours de civilisation antique.

EXPLICATIONS DE TEXTES TIRÉES
DU *ROMAN DE LA MOMIE*

1. Le désert, pp. 30-31. **2.** Le tombeau, pp. 45-48. **3.** Pharaon, pp. 93-95. **4.** Rencontre de Tahoser et Poëri, pp. 122-3. **5.** Les moissons, pp. 140-142. **6.** La colère de Pharaon, pp. 158-159. **7.** Pharaon retrouve Tahoser, pp. 181-183. **8.** Déclaration, pp. 190-191. **9.** Les plaies d'Égypte, pp. 216-218. **10.** Le miracle de la Mer Rouge, pp. 223-224.

EXPOSÉS

1. - L'art de la description.

2. - La structure des récits.

3. - La femme et la peinture de l'amour.

4. - Gautier et la civilisation égyptienne : de l'érudition au fantasme. Voir DHL, p. 451 sq.

5. - Le personnage de Cléopâtre. Voir DHL, pp. 517-523.

6. - Pompéi. Voir DHL, pp. 435 sq. et 537 sq. Bibliographie, p. 444. Voir aussi le roman d'E.-G. Bulwer-Lytton, *Les Derniers jours de Pompéi*, Presses Pocket, n° 2237.

7. - La momie : de la description archéologique à la présence fantastique. On pourra également étudier les documents n°s 6 et 7 (à comparer), 15 et 16.

8. - L'inspiration antique et le fantastique.

9. - Le pittoresque et la couleur locale : thèmes récurrents et procédés stylistiques.

Lectures complémentaires : Voir documents n°s 3, 8, 10, 11, 12, 28, 29, 30, 31 et 32.

4 - PRÉTEXTE

1. - Gautier et la peinture

Les pages 1 à 5 du cahier iconographique présentent des tableaux pouvant illustrer les récits de Gautier, dus en particulier au peintre Marilhat. Quels parallèles peut-on établir entre l'esthétique du *Roman de la momie* et ces toiles ? On en étudiera la composition, la précision et le pittoresque. On verra que Marilhat se montre particulièrement soucieux de rendre la luminosité de l'Orient.

Marilhat illustre l'orientalisme français. On invitera les élèves à se documenter sur l'œuvre d'autres artistes relevant de la même sensibilité : Delacroix et Chassériau, Fromentin, mais aussi Adrien Dauzats (1804-1868), Adrien Guignet (1816-1854), Léon Belly (1827-1877), Narcisse Berchère (1819-1891)...

2. - Une image fantasmatique de la femme

Voir DHL, pp. 6 à 11. Les créatures de Gautier, comme celles des toiles reproduites, joignent à leur grande beauté les raffinements du luxe et les séductions de la sensualité. Quelle vision se dégage ici de la femme ?

Milan Kundera a écrit : « Le kitsch exclut de son champ de vision tout ce que l'existence humaine a d'essentiellement inacceptable » (*L'Insoutenable Légèreté de l'être*). Ce jugement s'applique-t-il aux œuvres reproduites pp. 6 à 11 ?

3. - L'Égypte ancienne

Les élèves pourront rechercher des documents concernant l'Égypte antique (reproductions, textes, catalogues d'expositions, etc.) illustrant les thèmes chers à Gautier (vie quotidienne, usages funéraires...). On rapprochera ces documents de certains passages du texte. Ce travail pourrait être à l'origine d'une petite exposition présentant conjointement photographies et textes, ou textes historiques et textes littéraires.

MAURICE GENEVOIX
(1890-1980)

1 - MÉMENTO

« Sans doute Maurice Genevoix a-t-il incarné (en Lanfroi) l'un de ces êtres simples qui l'avaient initié aux secrets
de la nature, comme il nous le rappelle dans *Jeux de glace* :
''J'y ai été aidé par des hommes sans détours, candices
et purs, en vérité pareils à des enfants. Bûcherons,
pêcheurs, veneurs, charbonniers, valets de chiens, incultes et rudes par ailleurs, il se peut, ivrognes peut-être à
l'occasion, mais patients, francs de toute vanité, soumis
à l'ordre du monde, attentifs aux 'signes magiques', et de
la sorte voyants privilégiés [...] Ils m'ont été, ces humbles,
comme des intercesseurs. Et c'est ainsi qu'ils m'ont, ami-
calement, peu à peu guidé vers moi-même, vers ce qui fait
écho à ce rythme à moi-même consonant, à ce chant qu'il
m'appartient d'entendre dans ce monde qui nous est commun.''. » (Préface de Jean Dufournet, p. 22)

« Chasseur d'instinct, de vocation, c'est la poésie que
je guette. [...] J'aime les bêtes, on aura pu s'en aviser à
seulement feuilleter ces pages. Elles s'intègrent naturellement à l'univers où nous vivons : comme nous, comme
l'arbre et la source. » *(Jeux de glace)*

2 - VADEMECUM

DATES PRINCIPALES

1916-1923	*Ceux de 14.*
1925	*Raboliot.*
1938	*La Dernière Horde.*
1958	*Le Roman de Renard.*
1961	*Jeux de glaces.*
1962	*La Loire, Agnès et les garçons.*
1967	*La Forêt perdue.*
1969	*Tendre Bestiaire, Bestiaire enchanté.*
1971	*Bestiaire sans oubli.*
1972	*La mort en face.*
1978	*Lorelei.*

JUGEMENTS SUR L'AUTEUR

« L'œuvre de Maurice Genevoix fait partie de celles que critiques et lecteurs ont tôt fait de classer : d'abord taxé d'''écrivain de guerre'' et de ''pacifiste'', l'auteur de *Ceux de 14* est devenu, après la parution et le couronnement de *Raboliot*, ''chantre de la nature'', un ''observateur fidèle'' des choses et des bêtes et, plus récemment, un écrivain ''régionaliste'' et ''écologiste avant l'heure''. C'était peut-être donner à ses livres un sens que leur auteur n'a jamais explicitement confirmé.

[...] Pour les personnages comme pour le narrateur, la connaissance de la nature est la seule véritable initiation à la connaissance de soi. [...]

La quête de l'écrivain est aussi celle du Temps perdu. ''la réalité ne se forme que dans la mémoire'', et toute écriture ne vise, en fait, qu'à reconstituer un passé. [...]

Pour Genevoix, le style ne pose pas de problème de conscience [...], intercesseur obligé, évoquant un moi toujours situé au-delà de l'écriture : peut-être, en cela, cette prose paraît-elle en marge des préoccupations contemporaines. »

J.-P. Damour, *Dictionnaire des littératures de langue française,* Éd. Bordas.

LE ROMAN
DE RENARD

« LIRE ET VOIR LES CLASSIQUES »
N° 6053

1 - CONTEXTE

LE CONTEXTE DE PRODUCTION :
Principaux événements en 1958

- **En politique :** insurrection du 13 mai en Algérie, le général de Gaulle président de la République (21 décembre) après l'adoption de la Constitution de la Ve République par référendum. Mort de Pie XII, élection de Jean XXIII.
- **En littérature :** E. Albee, *Zoo Story* ; S. de Beauvoir, *Mémoires d'une jeune fille rangée* ; T. Capote, *Petit déjeuner chez Tiffany* ; M. Duras, *Moderato cantabile* ; J. Kerouac, *Sur la route* ; B. Pasternak, *Docteur Jivago* ; C. Rochefort, *Le Repos du guerrier.*
- **En musique :** P. Boulez, *Le Soleil des eaux* ; E. Varèse, *Poème électronique.*
- **Au cinéma :** C. Chabrol, *Le Beau Serge* ; S. Kubrick, *Les Sentiers de la gloire* ; L. Malle, *Les Amants* ; J. Tati, *Mon Oncle.*
- **Sciences et techniques :** voyage du sous-marin *Nautilus* (2 928 km sous la calotte glaciaire arctique) ; premier satellite de communication SCORE.

HISTOIRE ET FICTION

L'ensemble de l'action se déroule dans l'univers du Moyen Âge et sa durée est très précisément indiquée : d'un mois de mai à l'été de l'année suivante. Mais l'épilogue, transportant cette histoire au XXᵉ siècle, « *un soir du temps* », lui donne une dimension éternelle, et le Lanfroi d'alors évoque « *un lointain fabuleux où revivaient ce soir une longue suite de Lanfroi* ».

2 - TEXTE

LE TITRE

Comédie animale, décalque coloré et satirique de l'éternelle comédie humaine, *Le Roman de Renard* a été, dès le Moyen Âge, un vaste chantier : élaboré par de multiples écrivains entre 1174 et 1250, il a poursuivi sa carrière jusqu'à nos jours et dans une grande diversité de langues (cf. Dossier, pp. 243-247). Maurice Genevoix n'a voulu ni « traduire en langage actuel » les *dits* des *trouveurs*, ni les « coudre bout à bout tels quels ». Mais il a vu dans les « branches » des « vieux poèmes » un « thème » où « puiser à sa guise », retenant les épisodes les plus savoureux et allégeant le texte de ce qui pouvait « rebuter » ou « déconcerter » les lecteurs d'aujourd'hui.

L'ORGANISATION

Maurice Genevoix refuse « un transfert résolument anthropomorphique » de l'avant-texte, il en supprime allégories, symboles, références conjoncturales, scatologie, stéréotypes ou invraisemblances. Il instaure en revanche un décor naturel et multiplie croquis et esquisses dans une sorte de bestiaire. En outre il réorganise le texte pour en

« ménager la progression dramatique », de l'enfance de
Renard au « triomphe final » de l'initié qui « annonce la
dislocation de la communauté animale et passe le flam-
beau à ses fils ». Il s'agissait pour le romancier de « bien
particulariser les personnages, les animaux animalière-
ment, ... mais en se défendant d'un tabou trop supersti-
tieux, et pareillement d'une humanisation excessive ».
Renard, dans tous ses états, se détache ainsi sur une véritable galerie de portraits, souvent seul contre tous, symbo-
lisant la force de la vie et la liberté.

3 - INTERTEXTE

RECHERCHES THÉMATIQUES

1. - Portrait physique (pp. 31-33, 79, 108-111, 116, 139,
162, 199, 225) et psychique (pp. 114, 166, 185-186) de
Renard.

2. - Renard et les femmes : Hermeline, Hersent la louve,
Florie la femme du seigneur de la Fuye, Fière la lionne.

3. - Renard et Isengrin le loup.

4. - Renard et Tybert le chat.

5. - Renard et Noble le lion.

6. - Renard et le forestier Lanfroi.

7. - Le duo des vilains : Constant Desnoix et Autran-
le-Roux.

ÉTUDES COMPARATIVES

On pourra, pour ce travail, puiser à loisir dans la table
de concordances proposée aux pages 317-323 entre les différents chapitres du roman de Maurice Genevoix, le texte
médiéval et l'adaptation de Paulin Paris. On trouvera en
outre *in extenso* deux aventures de Renard présentées successivement dans la version médiévale, sa traduction et une
adaptation, l'une de Paulin Paris, l'autre d'Albert-Marie
Schmidt.

Le DHL fournit encore d'autres pistes pédagogiques telles que la comparaison des deux fins de Renard, chez Maurice Genevoix et Louis Pergaud (pp. 249-282) ; la comparaison de différents renards, fictifs ou réels (pp. 325-354), qui peut s'assortir d'un travail sur la typologie des textes ; une approche du français du Moyen Âge (pp. 285-312).

4 - PRÉTEXTE

Le CI offre une grande variété de portraits du goupil : du plus réaliste (photo de la p. 5 ou dessins de Maurice Genevoix des pp. 5, 6 et 16) au plus anthropomorphe (qui n'est pas celui de Benjamin Rabier, pp. 1, 8 et 9). Un survol rapide de ce cahier permet de mesurer immédiatement l'originalité qui distingue Maurice Genevoix de ses prédécesseurs, médiévaux ou plus proches de nous : nulle trace chez lui de l'anthropomorphisme du texte originel qui a fait la joie des différents illustrateurs (on en relèvera les marques tout au long du cahier). Cela explique l'origine médiévale de nombre de citations. Quel(s) portrait(s) de Renard nous montre ce cahier (texte et image) ? C'est la question que l'on posera aux élèves.

Les pages 2 et 3 permettent de rapprocher le roman médiéval d'illustrations des XIIIᵉ et XIVᵉ siècles. Ce peut être l'occasion de rappeler quelques notions sur l'histoire du livre. On confrontera ces images à celle de la 4ᵉ de couverture afin de mieux mesurer la distance entre les signes conventionnels en usage au XXᵉ siècle pour « faire moyenâgeux » et les indices qui permettent une datation médiévale.

Les pages 6 et 7 sont consacrées au renard des *Fables* de La Fontaine. C'est l'occasion de rappeler que la création artistique fleurit sur le fonds inépuisable et mouvant d'œuvres et de récits antérieurs.

Le Polar de Renard (pp. 12 et 13) enfin permet l'étude d'une transposition extrême, au XXᵉ siècle, sous une forme (la bande dessinée), dans un genre (le policier) et un registre (familier voire vulgaire) tout différents.

HOMÈRE

(IXe siècle avant J.-C. ?)

1 - MÉMENTO

« Les civilisations antiques ont pu s'effondrer, partout où il s'est trouvé des "clercs" pour survivre aux Barbares la gloire d'Homère a reparu avant même ses œuvres. En un temps où l'on ne connaît plus ses poèmes que par des résumés latins, Benoît de Sainte-Maure, vers 1170, au début de son *Roman de Troie*, salue "Omers qui fut clers merveillos / E sages e escientos". Un bon siècle plus tard, Dante, qui rencontre Homère dans les Limbes, parmi les grands Anciens qui ne souffrent pas damnation, le proclame "seigneur du chant de haute altitude / Qui au-dessus des autres vole comme l'aigle". »

(Article « Homère » in *Encyclopaedia universalis*).

« Une même vague par le monde, une même vague depuis Troie / Roule sa hanche jusqu'à nous. Au très grand large loin de nous fut imprimé jadis ce souffle... / Et la rumeur un soir fut grande dans les chambres ; la mort elle-même, à son de conques, ne s'y ferait point entendre. »

Saint-John Perse, *Amers.*

« Quelle joie ! Laisser agglutinés dans leur brouillard cimmérien tous les colleurs de concepts en papier et fauves de placard, tous les grelottants de l'intellect, nauséeux de la conscience, paralysés du cœur [...] ! Et soudain, en plein vent et pleine lumière, ces vrais hommes, ces vraies femmes, ces vraies jeunes filles : passion, pureté, fureur, rire, sanglots. [...] Autour d'eux un vrai monde [...], la mer comme une poitrine qui halète, la lumière qui est une pour les dieux et pour les hommes. Un monde avec qui on peut se battre, mais sur lequel, après la lutte, on peut prendre appui. Car il *tient*. Malheureux qui ne peut vivre avec Homère ! »

Gabriel Germain, *Homère*.

2 - VADEMECUM

Un vieil aveugle qui va de villages en palais pour conter les exploits de nobles héros guerroyant en des temps très anciens : la tradition a figé une silhouette incertaine, les spécialistes discutent la réalité de son existence et l'authenticité de son œuvre. Un ou plusieurs aèdes inconnus, accompagnant fêtes et banquets de leurs récits chantés, comme le feront nos troubadours et trouvères au Moyen Âge ? L'historien Hérodote écrivait, au Ve siècle av. J.-C. : « Homère n'a vécu que quatre siècles avant moi. » Sept villes d'Asie Mineure se disputaient l'honneur de l'avoir vu naître ; Victor Bérard donnera la préférence à Milet.

Ce n'est qu'au VIe siècle av. J.-C. que le tyran d'Athènes Pisistrate décida de regrouper en une première édition écrite et « officielle » de 28 000 vers des chants jusqu'alors épars, selon une origine purement orale. Au IIIe siècle av. J.-C., des érudits alexandrins rassemblèrent et comparèrent tous les manuscrits existants pour rééditer les deux poèmes homériques désormais divisés chacun en 24 chants, d'après les 24 lettres de l'alphabet grec. *L'Iliade*, plus héroïque, glorifie les valeureux guerriers qui s'affrontent devant Troie, et l'*Odyssée*, plus romanesque, raconte les aventures d'Ulysse sur le chemin du retour vers Ithaque.

Loin d'être les premiers chefs-d'œuvre de la littérature occidentale, l'*Iliade* et l'*Odyssée* sont donc les ultimes productions d'une très longue tradition. Homère a hérité de cette tradition le cadre religieux et mythologique, la trame même des récits épiques et la manière de les dire.» (Préface, p. 9)

ODYSSÉE

« LIRE ET VOIR LES CLASSIQUES »
N° 6018

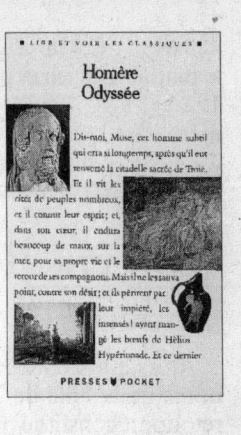

---

1 - CONTEXTE

VERS 850 AV. J.-C....

Arrivée des Étrusques en Italie. Des tribus indo-européennes établissent leur royaume en Chaldée, au nord de l'Assyrie.

● 883-859 : Assour-Nasir-Apal II est roi d'Assyrie, son territoire atteint la Méditerranée.

● 874-853 : Achab est roi d'Israël ; sa femme Jézabel fait assassiner les Prophètes. Cependant, Josaphat, roi de Juda, s'allie à Achab dont il épouse la fille Athalie. En 853, à la bataille de Qarqar, Salmanassar triomphe des Syriens et des Palestiniens coalisés sous la direction d'Achab. Athalie est reine de Juda de 841 à 836 ; le grand prêtre Joad la fait assassiner en 836.

HISTOIRE ET FICTION

À quelle date s'est déroulée la guerre de Troie, cette expédition de rapine déguisée en expédition punitive par des Achéens venus du continent grec pour s'emparer d'une riche cité d'Asie mineure ? Déjà les Anciens n'étaient pas d'accord à ce sujet : l'historien Hérodote (vers 484 - vers

420 av. J.-C.) la situait au début du XIIIᵉ siècle av. J.-C.,
le mathématicien et philosophe Ératosthène (vers 284 - vers
192 av. J.-C.) en 1183 av. J.-C. Aujourd'hui cette dernière date semble la plus souvent retenue. Les aventures
d'Ulysse se dérouleraient donc au début du XIIᵉ siècle av.
J.-C. à travers le bassin méditerranéen, de Troie à Ithaque.

2 - TEXTE

LE TITRE

Alors que l'épopée de la guerre, l'*Iliade*, porte l'un des
noms de la ville de Troie (Ilion), le titre de l'épopée du
retour est constitué par le nom grec de son héros éponyme.
« Le nom d'Ulysse comporte, en grec même, un nombre
considérable de variantes : Odysseus, Olysseus, Oulysses,
Oulyxès (d'où les Latins ont tiré Ulixes et nous-mêmes
Ulysse). [...] Ulysse serait donc un très vieux héros local
que peut-être les futurs Grecs ont trouvé sur place
lorsqu'ils se sont installés en Grèce et dont la légende était
cultivée dans la partie la plus occidentale de la Grèce. »
(Préface, p. 14)

LA STRUCTURE ÉPIQUE

Fixée par la tradition, la composition de l'*Odyssée* est
organisée en XXIV chants (voir « Vademecum »), ce qui
constituera par la suite le principe canonique de l'épopée.
Dans sa belle traduction, retenue pour la présente édition
(voir pp. 441-442), Leconte de Lisle a choisi le terme grec
de « rhapsôdie » pour lui redonner son plein sens étymologique de poème interprété par le « rhapsôde », « celui
qui coud des chants entre eux ».

« L'*Odyssée* présente un plan assez régulier. Après les
préliminaires, l'épopée raconte le voyage de Télémaque à
Pylos et à Sparte (chants I-IV). [...] Après cette préparation où le héros principal, Ulysse, est d'autant plus attendu
qu'il est absent, on le suit depuis l'île de Calypso jusqu'à
son arrivée pitoyable chez les Phéaciens [...]. Toujours

prudent, Ulysse se garde bien de dévoiler, d'entrée de jeu, son identité et le suspens maintient en haleine aussi bien les Phéaciens que les auditeurs d'Homère. [...] La présentation arrive enfin au début du chant XI et vient alors, par un procédé de récit dans le récit, qui évoque la technique du flash-back, le récit des aventures du héros depuis la fin de la guerre de Troie. » (chants V-XII). Le chant XIII sert de charnière. Après tant d'aventures, le retour d'Ulysse à Ithaque est d'une facilité étonnante [...]. Vient enfin la scène à faire, celle que l'on attendait depuis le début du poème, l'épreuve du tir à l'arc, sorte de rite de passage [...]. La vengeance sera à la mesure des injures subies. Dernière scène de retrouvailles avec Pénélope. » (Préface, pp. 17-19)

3 - INTERTEXTE

Thèmes de réflexion pour lectures et recherches intertextuelles

• L'itinéraire d'Ulysse : mythe et hypothétique réalité (Préface, pp. 16-17 ; carte p. 473).

• Ulysse « aux mille tours » ou la victoire de la *métis* (l'intelligence par l'astuce et la ruse) sur la force brutale et bornée : retrouver les caractéristiques d'un personnage archétypal d'après la tradition mythologique (elle en fait le fils de Sisyphe à qui diverses supercheries ont valu l'un des plus célèbres châtiments éternels infligés par les dieux), comme d'après l'épopée puis le théâtre antique et classique : guerrier astucieux dans l'*Iliade* (voir en particulier le fameux épisode du cheval de Troie), diplomate habile, « machiavélique » avant la lettre — le type même du menteur selon Platon *(Hippias mineur ou Sur le mensonge)* — chez les tragiques : *Philoctète* et *Ajax* de Sophocle, *Hécube* d'Euripide, *Les Troyennes* de Sénèque, mais aussi chez Shakeaspeare dans *Troïlus et Cressida*, chez Racine dans son *Iphigénie* (voir fiche n° 65) et chez Giraudoux dans *La Guerre de Troie n'aura pas lieu* (voir pp. 449-461).

• « Le mythe de Pénélope » ou l'archétype de la fidélité conjugale : à comparer avec Andromaque (voir fiche n° 63), comme avec l'image antithétique de l'adultère fatal symbolisé par les deux sœurs Hélène et Clytemnestre ; à prolonger par la lecture du *Colonel Chabert* (voir fiche n° 2) où Balzac décrit le retour difficile d'un héros lui aussi « porté disparu » au combat.

• Les femmes dans l'*Odyssée* ou les pièges de l'amour : de la fatale ensorceleuse (Circé) à l'épouse fidèle (Pénélope) en passant par les amoureuses déçues (la nymphe Calypso et la tendre princesse Nausicaa).

• Père et fils : la quête de Télémaque, comparer avec *Les Aventures de Télémaque* de Fénelon (voir DHL, pp. 443-448).

• Les dieux et leur représentation anthropomorphique : à étudier tout particulièrement les rôles d'Athéna et de Poséidon, adjuvant et opposant de la quête héroïque.

• L'arrivée à Ithaque et la vengeance finale : les « bons » fidèles et les « méchants » usurpateurs, les scènes successives de reconnaissance.

• Épreuves initiatiques et rites de passage : mort symbolique et visite de l'Au-delà (schéma présent dans toutes les épopées) ; étapes fondamentale de la *Nékyia* (évocation des morts), passage obligé du parcours d'initiation et de la tradition littéraire : rapprocher le chant XI de l'*Odyssée* du chant VI de *L'Énéide*.

• Le périple et la quête héroïque : comparer Ulysse avec les grands héros de la mythologie gréco-romaine poursuivant aussi une navigation mouvementée pour accomplir leur mission (Héraclès et ses divers travaux, Jason et la Toison d'or, Thésée et le Minotaure, Énée à la recherche d'une nouvelle patrie).

• « Heureux qui comme Ulysse... » (Du Bellay) : étudier la pérennité et l'actualité du périple mythique à travers les diverses transpositions littéraires et iconographiques du voyage d'Ulysse (voir DHL, « Ulysse et l'*Odyssée* après Homère », pp. 431-441 ; sans oublier le film de Stanley Kubrick, *2001, l'Odyssée de l'espace* et la série télévisée *Ulysse 31* qui, sous la forme du dessin animé, transporte les personnages homériques au XXXIᵉ siècle) — en complément, on pourra consulter le *Dictionnaire culturel de la mythologie gréco-romaine*, Nathan, 1992.

• L'épopée, fonctions historique et littéraire, structures récurrentes (voir Préface, pp. 12-14) : rapprocher l'*Odyssée* d'autres grandes poèmes épiques appartenant à des périodes et à des civilisations différentes, comme *L'épopée* (sumérienne) *de Gilgalmesh, L'Énéide* de Virgile, l'épopée indienne du *Mahabharata, La Chanson de Roland, L'Odyssée* de l'écrivain grec Nikos Kazantzaki (1938).

4 - PRÉTEXTE

Le CI propose des illustrations très variées du périple d'Ulysse à mettre en relation avec ses épisodes les plus connus : l'affrontement avec le Cyclope Polyphème (rhapsôdie IX) en mosaïque romaine (pp. 6-7), son aveuglement sur coupe et vases antiques d'origine grecque (pp. 2-3), la fuite d'Ulysse dissimulé sous un bélier sculpté (p. 5) ; l'épreuve des Sirènes (XII) pour le téméraire héros lié au mât de son bateau (mosaïques, pp. 5 et 7 ; photographie en 4ᵉ de couverture) ; la rencontre avec la nymphe Calypso (V) que le cinéma représente symboliquement sous les mêmes traits que Pénélope (Silvana Mangano, p. 14) ; le séjour dans l'île des Phéaciens (pp. 3, 9 et 13) où Ulysse a été recueilli par Nausicaa (VI à mettre en relation avec les pp. 10 et 13 : comparer attitudes et costumes des personnages sur la gravure et sur l'écran) ; le retour à Ithaque avec l'émouvante scène de reconnaissance du chien Argos (XVII, p. 8), la rencontre avec Pénélope (XIX, p. 4), l'épreuve de l'arc (p. 15) et le massacre des prétendants (XXII, p. 11) — immortalité d'un héros intrépide, résistant aux flammes de l'Enfer de Dante (p. 8), fixé, l'épée à la main, par la sculpture et la peinture (pp. 1-2), doté du charme hollywoodien de Kirk Douglas (pp. 12-13 ; 14-157 ou consacré par la bande dessinée (p. 16).

VICTOR HUGO

(1802-1885)

1 - MÉMENTO

Aucun écrivain n'a, plus que Victor Hugo, suscité l'admiration et le mépris. Faut-il voir en lui le « génie sans frontières » que célébrait Baudelaire ou « le plus formidable des imbéciles du XIXᵉ siècle » que vilipendait Léon Daudet ?

Le XXᵉ siècle semble, lui aussi, osciller entre la plus grande réserve — « un Barnum hâbleur, opportuniste et rusé » (René Char) — et l'enthousiasme — « le plus extraordinaire métier poétique qu'ait jamais connu le vers français » (Aragon). André Breton quant à lui laisse tomber un verdict définitif : « surréaliste quand il n'est pas bête ».

Quoi qu'il en soit, Victor Hugo a parfaitement épousé l'esprit de son siècle, lui qui, comme le faisait remarquer avec humour Charles Péguy, a eu la grande habileté de naître en 1802 et d'emboîter sa carrière dans « *un très grand siècle [...] qui commence sur Napoléon et finit sur l'Exposition universelle et les Universités populaires et s'acheva presque sur les aéroplanes* ».

Son évolution politique — du « culte du trône et de l'autel » à l'affirmation : « la Révolution, c'est l'avènement du peuple, et au fond, le peuple, c'est l'homme » *(Quatrevingt-Treize)*, — correspond au cheminement complexe d'un jeune écrivain aux dents longues qui trouve peu à peu sa véritable mesure pour devenir le chantre inspiré d'une humanité future réconciliée avec elle-même : Hugo n'en finit pas de défier le XXᵉ siècle.

2 - VADEMECUM

● LES SUCCÈS (1815-1849)

● **En poésie :** *Odes et Ballades* (1822-1826), *Les Orientales* (1829), *Les Feuilles d'automne* (1831), *Les Chants du crépuscule* (1835), *Voix intérieures* (1837), *Les Rayons et les Ombres* (1840).

● **Au théâtre :** *Cromwell* et sa *Préface* (1827), où se trouve défini le drame romantique, *Marion Delorme* (1829), *Hernani* et sa fameuse bataille (1830), *Lucrèce Borgia* (1833), *Ruy Blas* (1838), *Les Burgraves* (1843).

● **Dans le roman :** *Bug-Jargal* (1820), *Han d'Islande* (1823), *Notre-Dame de Paris* (1831).

● L'EXIL (1851-1870)

Napoléon le petit (1852), *Les Châtiments* (1853), *Les Contemplations* (1856), *La Légende des siècles* (1859), *Les Misérables* (1862), *Les Travailleurs de la mer* (1866), *L'Homme qui rit* (1869).

● LE TRIOMPHE (1870-1885)

Quatrevingt-Treize (1874), *L'Art d'être grand-père* (1877), *Histoire d'un crime* (1877), *Les Quatre vents de l'esprit* (1881).

● PUBLICATIONS POSTHUMES

La Fin de Satan (1886), *Le Théâtre en liberté* (1886), *Toute la lyre* (1889-1893), *Dieu* (1891), *Choses vues* (1913).

LES CONTEMPLATIONS

« LIRE ET VOIR LES CLASSIQUES »
N° 6040

1 - CONTEXTE

LE CONTEXTE DE PRODUCTION : 1856

Voir fiche n° 15.

HISTOIRE ET FICTION

« Vingt-cinq années sont dans ces deux volumes », écrit Hugo. Beaucoup des textes de la première partie, *Autrefois*, ont été écrits avant 1843. Un certain nombre de poèmes évoquent les combats politiques de Hugo dans les années 40. La deuxième partie, *Aujourd'hui*, est consacrée à la mémoire de sa fille Léopoldine, tragiquement disparue le 4 septembre 1843.

2 - TEXTE

LE TITRE

« Qu'est-ce que *Les Contemplations* ? C'est ce qu'on pourrait appeler, si le mot n'avait quelque prétention, *Les Mémoires d'une âme* » (V. Hugo, *Préface*). La connotation religieuse du titre est en rapport avec le contenu philosophique du recueil. La vision de l'univers et de ses drames conduisent le poète-voyant à la révélation de sa destinée. Quant au sous-titre, il n'indique pas exactement un projet autobiographique, mais montre la volonté de Hugo de retracer un large pan de son itinéraire personnel, en prenant pour objet son « âme », principe de vie, et plus précisément, de vie spirituelle.

L'ORGANISATION

Un recueil lentement élaboré : conçu en deux grandes parties, *Autrefois* et *Aujourd'hui*, qui devaient à l'origine opposer la « poésie pure » à une poésie militante, le recueil est modifié dans sa substance par la publication des *Châtiments* (1853), qui apaisent la colère de Hugo. Les deux parties, désormais, se succèdent et s'opposent autour de la date fatidique de 1843, date de la disparition tragique de Léopoldine. « *Les Contemplations* seront ma grande Pyramide » : le souci de construction, les élargissements successifs, l'architecture interne de ce vaste ensemble de 10 000 vers consacrés à l'histoire d'un père (mort de Léopoldine), l'histoire d'un homme (le proscrit), l'histoire de l'humanité, obligent le lecteur à tenir le plus grand compte de la succession des poèmes, des échos, des amorces, des vastes effets d'anthithèses et de symétries.

Structure et thématique :
• le Livre I groupe des souvenirs de jeunesse, mais la mort et la vision y sont déjà présentes. La souffrance se lit dans l'unité même de l'univers.
• Le Livre II, tout entier consacré à l'amour, a une forte unité thématique. Hugo y affirme encore la loi fondamentale pour lui de l'unité universelle. Comme la mort, l'amour, clef de l'univers, moyen de connaissance et de salut, permet d'accéder à l'Un.
• Le Livre III, livre des malheureux et des misérables, approfondit la dialectique de l'humain et du cosmique : la misère humaine y est souvent opposée à la beauté sereine

de la nature. Il s'achève sur la doctrine de la métempsycose et rétablit l'idée d'un monde unique. Le dernier
poème « Magnitudini parvi », réalise la synthèse de
l'humain et du cosmique.

• Le Livre IV, livre des pleurs, fait passer « du bleu clair
au bleu sombre ». Consacré à la mort et à la morte, il
apporte des réponses douloureusement contradictoires,
jusqu'à ce que s'impose au poète la certitude que la mort
aussi offre une clef pour la connaissance de l'univers.

• Le Livre V, livre de l'exil, pose l'identité entre mort
et exil. À l'inverse du livre précédent, le mouvement va
du haut vers le bas ; il faut au poète, avant la révélation,
sonder « l'abîme des douleurs ».

• Le Livre VI enseigne la doctrine qui révèle comment
la douleur est rédemptrice. Hugo y décrit toute l'aventure
de la connaissance. De vastes antithèses aboutissent au
schéma chute-expiation-rédemption. Le dernier poème est
personnel, après les dernières apocalypses. L'œuvre se
referme sur le deuil du père, en une contemplation à la
fois douloureuse et sereine.

3 - INTERTEXTE

EXPOSÉS

1. - Symboles empruntés à la nature dans *Les
Contemplations*.

2. - Fonction du poète dans *Les Contemplations*.

3. - Portée philosophique des *Contemplations* (voir dossier, pp. 591-598).

4. - Les tragédies de l'amour.

5. - Scènes de la vie familiale dans *Les Contemplations*.

6. - Le lyrisme.

7. - Maîtrise et variété du mètre dans le recueil.

8. - L'exil.

4 - PRÉTEXTE

Le CI présente plusieurs dessins de Hugo, pour la plupart conservés dans la maison qu'il occupa place des Vosges (actuel musée Hugo). Fantasmagorie habituelle au poète, le dessin de la page 1 réunit ses initiales à Marine Terrace, sa maison de Jersey. Le dessin de la page 14, macabre, fut inspiré par l'exécution de Tapner à Guernesey : le poème III, 29, fait parler l'arbre qui refuse de devenir gibet. Les pages 2 à 6 évoquent l'exil. On remarquera sur la photo de la page 2 Alexandre Dumas, fidèle ami : « A. Dumas a été bon et charmant jusqu'à la dernière minute. Il a voulu m'embrasser le dernier », écrit-il à sa femme. Le poème V, 15 lui est consacré. Les pages 6 et 7 sont consacrées au souvenir de Léopoldine, pivot des *Contemplations*, les pages 8 et 9 aux femmes aimées et évoquées dans le recueil, essentiellement dans la première partie. Sur la mort de Claire Pradier, voir III, 9, IV, 11, V, 14, et surtout VI, 8.

Les proches de Hugo figurent pp. 10 et 11. Les expériences de spiritisme, auxquelles D. de Girardin initia Hugo et sa famille, étaient à la mode. Les « tables mouvantes » leur firent entendre Léopoldine, mais aussi quantité d'autres « esprits ».

Les grandes figures du livre VI sont rassemblées pages 12 et 13 : ce sont les « images ». Le tableau de Delacroix, mérite un commentaire. L'enluminure de la page 16 est en relation avec le caractère apocalyptique des derniers poèmes du recueil, spécialement du vaste « Ce que dit la bouche d'ombre ».

LES MISÉRABLES

« LIRE ET VOIR LES CLASSIQUES »
N°s 6097, 6098, 6099

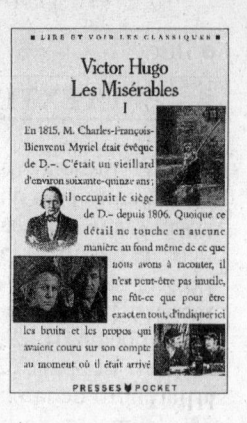

1 - CONTEXTE

● ÉVÉNEMENTS POLITIQUES ET SOCIAUX

1852-1870	Second Empire.
1861-1867	Guerre du Mexique.

● **En littérature :**

1861	Labiche, *La Poudre aux yeux* ; Dickens, *Les Grandes Espérances* ; Dostoïevski, *Souvenirs de la maison des morts.*
1862	V. Hugo, *Les Misérables* ; Flaubert, *Salammbô* ; Fromentin, *Dominique* ; Leconte de Lisle, *Poèmes barbares.*
1863	Gautier, *Le Capitaine Fracasse* ; J. Verne, *Cinq semaines en ballon* ; Taine, *Histoire de la littérature anglaise.*
1863-1870	Sainte-Beuve, *Nouveaux Lundis* .
1863-1872	Littré, *Dictionnaire de la langue française.*

● **Arts :**

1861	Delacroix, *Combat de Jacob avec l'ange.*
1861-1875	Garnier, Opéra de Paris.
1863	Salon des Refusés ; Manet, *Le Déjeuner sur l'herbe.*

● HUGO EN EXIL

1851 (11 décembre) Hugo s'enfuit en Belgique après le coup d'État du 2 décembre.

1852 Il s'installe à Jersey, à Marine Terrace.

1855 Expulsé de Jersey, il s'installe à Guernesey, à Hauteville House.

1861 Voyage en Belgique. Il visite le champ de bataille de Waterloo.

1862 Voyage sur le Rhin et retour par Bruxelles.

1870 (5 septembre) Retour à Paris.

HISTOIRE ET FICTION

Octobre 1815   Jean Valjean vole Mgr Myriel, évêque de Digne.

1833   Mort de Jean Valjean. Mais les divers récits rétrospectifs font remonter à l'année 1739 le *terminus a quo* (voir p. 393 sq. la chronologie établie pour l'ensemble du roman).

2 - TEXTE

LE TITRE

« Il y a un point où les infortunés et les infâmes se mêlent et se confondent dans un seul mot, mot fatal, les misérables ». (II). La duplicité même du mot « misérables » porte toute la thèse socio-politique de Hugo : les misérables sont à la fois ceux qui commettent le mal et le subissent.

L'ORGANISATION

● **L'œuvre d'une vie :** après une phase de documentation (1828-1845) sur le bagne (visite du bagne de Toulon, puis de Brest), sur Mgr de Miollis, évêque de Digne, Hugo promet à ses éditeurs un roman en deux volumes, en 1832.

Le 17 novembre 1845, Hugo commence à écrire un roman intitulé *Jean Tréjean*. Le 30 décembre 1847, Hugo signe avec Gosselin et Renduel un contrat relatif à la première partie d'un roman qui porte alors le titre de *Misères*. L'année 1848 marque l'arrivée de la politique au premier plan des préoccupations de Victor Hugo, qui interrompt l'ouvrage entrepris jusqu'en 1860. Maints témoignages, toutefois, montrent l'intérêt que porte Hugo à son roman, dont il trouve le titre définitif en novembre 1853. La deuxième phase d'élaboration reprend en avril 1860, en exil, et l'œuvre est considérablement enrichie par la douloureuse expérience de l'auteur et l'évolution de ses idées politiques depuis 1848. Révisée de septembre 1861 à avril 1862, l'œuvre paraît de mars à juin 1862.

● **Thèses politiques et sociales de Victor Hugo :** les préoccupations sociales de Hugo datent de ses premiers écrits : *Claude Gueux* et *Le Dernier Jour d'un Condamné* sont des documents destinés à susciter une émotion violente capable de faire passer le lecteur à une prise de conscience. Le programme social de Hugo, rallié à la monarchie de Juillet, est bien dessiné : « Améliorer le sort des déshéritées et douloureuses ». Puis Hugo se rallie, en 1851, aux thèses républicaines, et le roman de 1862 légitime le soulèvement de 1832 et glorifie l'aspiration républicaine. Au terme d'une longue évolution, Hugo se place du côté des forces populaires, qui détiennent la seule souveraineté authentique.

● **Un roman populaire :** Hugo saisit au bond la vogue du roman populaire, lui-même issu du roman noir des tout débuts du XIXᵉ siècle. Le roman populaire (souvent publié en feuilleton) exige une intrigue complexe, riche en rebondissements et coups de théâtre, le choix d'un type de personnages (prostituées, vauriens déclassés, forçats) et d'un milieu, celui des bas-fonds (le « troisième dessous »). La réussite des *Misérables* tient à l'osmose des thèses de l'auteur et des contraintes du genre populaire, exploitées avec audace (emploi de l'argot, notamment).

3 - INTERTEXTE

EXPOSÉS

1. - Hugo, les misérables et la misère avant 1862 (voir DHL, pp. 303-324).

2. - La réception des *Misérables* ; réponses du romancier (voir DHL, pp. 331-389).

3. - *Les Misérables* à l'écran et à la scène : bilan (voir DHL, pp. 421-429).

4. - Jean Valjean : du bagne à la rédemption.

5. - *Les Misérables*, roman à thèse.

6. - « Le troisième dessous ».

7. - Le souffle épique : Waterloo, les barricades de 1832.

8. - Figures féminines.

9. - Le Club de l'ABC.

10. - Gavroche : mythe et réalité.

11. - La poésie de Paris.

12. - Javert le « déraillé ».

13. - *Les Misérables,* roman populaire.

Comme lectures complémentaires, on recommandera les deux récits *Claude Gueux* et *Le Dernier Jour d'un condamné*.

Rapprocher *Les Petits* (*La Légende des Siècles*, LVII, 3) et *Souvenir de la nuit du 4* (*Les Châtiments*, II, 3) de l'épisode de la mort de Gavroche.

4 - PRÉTEXTE

Le CI s'ouvre sur deux dessins de Victor Hugo représentant Fantine, l'un des premiers personnages qu'il ait conçus. Il convient de mettre ces dessins en rapport avec l'extrait de *Choses vues*, tome III,

page 305, et que Hugo intitulait « Origine de Fantine ».
Page 2, même attitude chez Hugo et J. Valjean. L'extraordinaire popularité du roman suscita des adaptations innombrables, dont l'ensemble du dossier donne un aperçu.

Quelques grands Jean Valjean : Jean Toulout (tome 1, p. 5) et Georges Géret (tome 2, p. 5) sont un peu oubliés au profit des monstres sacrés : Harry Baur (tome 3, pp. 4 et 6), Jean Gabin (tome 1, p. 8 et tome 3, p. 8), et le plus récent, Lino Ventura (tome 2, p. 5 ; tome 3, p. 4).

De tous les personnages des *Misérables*, Gavroche est celui qu'a le plus dessiné Hugo : voir tome 2, p. 1 le « Gavroche rêveur », presque caricaturé, avec son rictus qui le rapproche du moineau penché sur son épaule. La tendresse de Hugo filtre dans la posture recroquevillée du sublime gamin des rues. Il est plus conventionnel tome 2, p. 6, en tête du cortège des funérailles du général Lamarque. Le tome 3 lui consacre deux pages : tableaux, images de films évoquent l'héroïque défi de Gavroche. La tendre Cosette, symbole de l'enfance opprimée, est généralement représentée dans un décor, des postures qui évoquent l'odieux asservissement des Thénardier. Les pages 6 et 7 du tome 1 rendent bien le thème mélodramatique de l'enfance victime de l'injustice radicale : voir la taille du balai sur la gravure d'Émile Bayard (tome 1, p. 7).

On comparera l'expression des deux Thénardier (tome 1) offerts par Charles Dullin (à la grimace effrayante) et Jean Carmet (yeux rougis de fatigue, cheveux sales, visage dangereusement inexpressif). De très grands acteurs, également, au service du rôle de Javert : Bernard Fresson (tome 2, p. 3), Anthony Perkins, plus inattendu (tome 2, p. 3), et le saisissant Michel Bouquet (tome 3, p. 7 et quatrième de couverture). On comparera les deux gravures (tome 2, p. 3) et leurs austères silhouettes. « Cette pauvre Éponine est une de mes préférées secrètes et douloureuses » : le personnage a été très soigneusement composé par Hugo. Ici, deux grandes actrices pour un grand « second rôle » : Orane Demazis et Sylvia Monfort (tome 2, p. 5).

NOTRE-DAME DE PARIS

« LIRE ET VOIR LES CLASSIQUES »
N° 6004

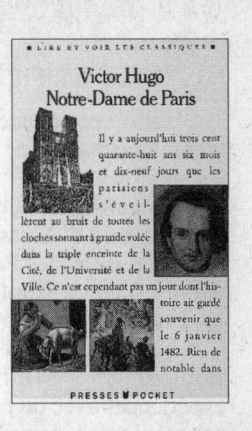

■ LIRE ET VOIR LES CLASSIQUES ■

Victor Hugo
Notre-Dame de Paris

Il y a aujourd'hui trois cent quarante-huit ans six mois et dix-neuf jours que les parisiens s'éveillèrent au bruit de toutes les cloches sonnant à grande volée dans la triple enceinte de la Cité, de l'Université et de la Ville. Ce n'est cependant pas un jour dont l'histoire ait gardé souvenir que le 6 janvier 1482. Rien de notable dans

PRESSES ■ POCKET

1 - CONTEXTE

LE CONTEXTE DE PRODUCTION

C'est au verso de lettres datées des 20 et 25 septembre 1828 que Victor Hugo prend les premières notes pour ce qui sera *Notre-Dame de Paris*. Bien qu'il s'engage alors avec son éditeur Gosselin à remettre son manuscrit le 15 avril 1829, il n'en entreprend la rédaction que le 25 juillet. Terminé le 15 janvier 1831, le roman ne paraîtra dans sa version définitive sous le titre *Notre-Dame de Paris - 1482* (la précision historique fait partie du titre) qu'en 1832 (avec trois chapitres supplémentaires : « Impopularité » (VI, 6) ; « Abbas beati Martini » (V, 1) et « Ceci tuera cela » (V, 2).

Si la période de gestation a été lente — entre temps, Hugo a publié *Les Orientales, Le Dernier Jour d'un condamné,* fait jouer *Marion Delorme* et livré la bataille d'*Hernani* —, la rédaction proprement dite n'a duré que quatre mois et demi. Deux événements l'ont précédée en juillet 1830 : les « Trois Glorieuses » et la naissance d'Adèle (cf. Repères chronologiques, pp. 603-605).

HISTOIRE ET FICTION

L'action commence le 6 janvier 1482. Parmi les événements marquants de cette fin du XVe siècle, on retiendra les suivants.

• **En politique :** Louis XI et Maximilien d'Autriche ont signé la paix d'Arras : la Bourgogne est partagée, Maximilien conserve les Pays-Bas, le Luxembourg et la France-Comté, Venise, Naples et Ferrare entrent en guerre contre les États du Pape.

• La peinture italienne triomphe (*Naissance de Vénus* de Botticelli, en 1484). Léonard de Vinci (1482-1519) fait des expériences avec de petits parachutes. On imprime pour la première fois le texte latin de la géométrie d'Euclide (1482).

2 - TEXTE

LE TITRE

Ce qui donne son unité à cette luxuriante fantasmagorie romanesque, c'est la cathédrale. En romantique soucieux de ressusciter le gothique dans ses images les plus fortes, Victor Hugo construit son récit autour d'une architecture vivante dont l'ombre grandiose domine les acteurs. Comme le peuple qui grouille à ses pieds, l'église a ses débordements, ses démesures, ses disproportions. Hugo, qui croit plus à la dynamique du Progrès qu'au salut théologique, fait de la cathédrale le symbole du combat que mènent les proscrits au cœur généreux qu'elle accueille (Esméralda, Quasimodo) contre les forces des ténèbres qu'elle rejette (Claude Frollo). Par sa puissance primitive, Quasimodo, dont la face grimaçante ressemble aux gargouilles mêmes de la cathédrale (cf. CI, p. 3) et s'identifie à l'ouvrage sublime que le peuple a édifié.

LES PERSONNAGES

Ils sont peu insérés dans la trame temporelle du XVe siècle.

Certains comme Frollo doivent beaucoup à des types littéraires (cf. la figure du *Moine*, de Lewis), d'autres comme Jehan, son frère, ne sont qu'une ébauche de futurs personnages hugoliens (en l'occurrence : Gavroche). Seuls peut-être Esméralda et Quasimodo ont quelque chose de typiquement médiéval. L'une, par son statut social qui la met en marge de la société et la condamne quasi obligatoirement à la prostitution ou au supplice. L'autre, prototype des « monstres » hugoliens certes, mais symbole de tous ces enfants abandonnés, trouvés, recueillis, élevés à l'ombre des couvents ou cathédrales.

Quasimodo et son antithèse, Esméralda s'inscrivent dans la perspective chère à Victor Hugo, l'alliance du sublime et du grotesque. Mais s'ils sont l'un et l'autre des individus que la société réprouve, ils se ressemblent au fond, car ils représentent les forces du bien unies contre celles du mal.

3 - INTERTEXTE

● UN ROMAN HISTORIQUE ?

Victor Hugo n'a jamais caché son admiration pour Walter Scott (DHL, pp. 620-627). Comme lui, il évite de prendre pour héros de son roman des personnages historiques. Certes le roi a un rôle capital dans le roman mais il n'influence guère les événements. Quant à Gringoire, il est très éloigné de son modèle (qui n'a que sept ans en 1482). En fait Gringoire, comme dans une certaine mesure Frollo, joue un rôle de liaison entre les lieux (palais de justice, place de Grève, cour des Miracles) et les personnages.

● HUGO ET LE MOYEN ÂGE

Avoir choisi le Moyen Âge pour cadre de *Notre-Dame de Paris*, pourrait n'être, pour Hugo, qu'une façon de se plier à la mode. Depuis Chateaubriand et ses cathédrales gothiques (DHL, pp. 629-633), la période avait supplanté l'Antiquité. Pourtant les événements de 1830 devaient donner au roman une coloration un peu différente. Certes la société médiévale qui est décrite est bien le reflet d'une période de stabilité et de « coopération pacifique entre toutes les classes » (G. Lukacs). Mais cette stabilité est trompeuse : une évolution, aux traits encore bien incertains, se dessine lentement. Affrontement, tensions, guerres intérieures, tout cela est montré ou suggéré dans le roman. Et la prédiction de Jacques Coppenole à Louis XI annonce non seulement 1789, mais encore 1830.

Le Moyen Âge de Hugo est, en fait, la fin d'une période et le début de la Renaissance. 1482, c'est dix ans avant la découverte de l'Amérique qui marque, pour les historiens, le début de l'histoire moderne. Tous les personnages du roman meurent, y compris Louis XI (en 1483) signifiant par là que la société dont ils sont les acteurs est sur le point de disparaître.

4 - PRÉTEXTE

Le CI permettra d'illustrer la genèse de l'œuvre et de comparer la manière dont, selon les époques et les genres, on s'est efforcé de représenter les protagonistes : Quasimodo (pp. 10-11, 14-15), Esméralda (pp. 12-13) et, bien entendu, la cathédrale et le monde des gueux qui vivent à ses pieds (la Cour des miracles : pp. 2 à 5). On analysera également à la page 4 de la couverture, la représentation — un peu trop étudiée — de la fameuse scène d'Esméralda donnant à boire à Quasimodo sur le pilori, geste de pitié qui va décider de sa transfiguration morale et d'un engrenage fatal. Triomphe de l'*Ananké*, dont l'ombre toute païenne domine le roman. Cela explique la gêne d'un chrétien comme Lamartine : « C'est une œuvre colossale, une pierre antédiluvienne. C'est le Shakespeare du roman, c'est l'épopée du Moyen Âge… Seulement, c'est immoral par le manque de providence assez sensible ; il y a de tout dans votre temple, excepté un peu de religion ».

QUATREVINGT-TREIZE

« LIRE ET VOIR LES CLASSIQUES »
N° 6110

1 - CONTEXTE

LE CONTEXTE DE PRODUCTION

Si l'an 1793 est un leitmotiv depuis les *Odes* de 1822 (« Saturnales sous la forme de l'athéisme et de l'anarchie »), *Quatrevingt-Treize* est une œuvre d'après le retour d'exil postérieure à la Commune, succédant donc au rêve enfin réalisé de voir le despote chassé, mais contemporaine de la douleur de voir le retour du balancier. La remontée dans le temps joue le rôle d'une mise à distance cathartique de traumatismes réels (« les fusillés tombaient dans la fosse parfois vivants, on les enterrait tout de même. Nous avons revu ces mœurs »).

Ce *Quatrevingt-Treize* qu'il porte en lui depuis toujours (cf. le mythe personnel d'un atavisme bleu-blanc conflictuel : « mon père, vieux soldat, ma mère, vendéenne »), c'est l'histoire qui va l'accoucher. 18 avril 1871, la Commune : Victor Hugo est chassé de Belgique pour avoir accueilli des réfugiés. Vaines protestations contre les représailles. Retour à Paris où l'on juge Louise Michel, la « Vierge Rouge » (dont, de son propre aveu, Gauvain et Cimourdain se partagent les traits). Échec aux législatives de 1872 : ses adversaires dénoncent « le souteneur d'une bande d'assassins » (entendons les Communards).

Entreprise fin 1872, la rédaction de *Quatrevingt-Treize* sera menée à bien en l'espace de six mois, à Guernesey.

---

2 - TEXTE

LE TITRE

L'année 1793 s'impose, dans l'esprit de Hugo, comme la date la plus épique, la plus sanglante aussi de la Révolution (cf. Préface, pp. 7-9). On remarquera en outre que 93 allie deux nombres aux valeurs symboliques opposées : 12 (somme de deux chiffres 9 + 3, marque de la perfection et de l'harmonie : cf. les 12 mois de l'année, les 12 signes du zodiaque, les 12 apôtres...) et 13 qui fait entendre sa dissonnance de nombre impair. On peut voir là une manière d'opposer la continuité cyclique et l'amorce d'un élément nouveau, qui annonce justement... la révolution (cf. DHL, pp. 2 et 3).

LES RAYONS ET LES OMBRES

Comme souvent chez Hugo, le livre est construit sur l'antithèse ombre / lumière. Le mal de 93 est en lutte avec le bien, mais le mal est aussi à l'intérieur du bien, qui le déchire. Gauvain et Cimourdain, « ces deux héros incarnent l'un la mort, l'autre la vie : l'un était le principe terrible, l'autre le principe pacifique et ils s'aimaient » (cf. CI, pp. 5 et 6). Cimourdain, « l'effrayant homme juste », est un homme noir. Son amour est celui des principes et non des hommes. Ce qui le distingue de Lantenac, « cette conscience si haute et si obscure », c'est que « l'amer rictus de Lantenac était couvert d'ombre et de nuit, et (que) sur le front fatal de Cimourdain, il y avait une lueur d'aurore ». Pourtant, Gauvain sera capable de se sacrifier. Noire est la Tourgue, refuge-prison de la Vendée, « qui bâtit contre la lumière un garde-fou de ténèbres », mais en face, noire est aussi la guillotine, comme les servants de la Révolution, ce « grand passage d'ombres ».

Héroïques mais mortifères, tous les héros sont donc disqualifiés par la construction du texte dramatique du texte qui leur assigne l'échec. Le maître-mot de la parabole hugolienne semble être : « Au-dessus de l'absolu révolutionnaire, il y a l'absolu humain. »

3 - INTERTEXTE

● UNE TRILOGIE

« Les trois derniers romans de Victor Hugo, *Les Travailleurs de la mer, L'Homme qui rit* et *Quatrevingt-Treize*, accomplissent un trajet dantesque d'exploration du monde et de l'Histoire. » (H. Meschonnic)

Après le livre du combat contre la fatalité des choses, après le livre de la défaite devant la fatalité sociale, Victor Hugo écrit celui de la lutte contre la fatalité politique et la guerre. Il donne ainsi le seul volet qui nous reste d'une fresque dont il avait le projet, une sorte de légende en prose du XVIIIe siècle. En s'appuyant sur les quarante volumes de documentation réunis pendant dix ans de travail, il remonte le temps pour une œuvre de visionnaire du passé : c'est bien le Peuple, l'Humanité et non des accidents que vise son travail.

● DES AFFRONTEMENTS HUGOLIENS

Hugo imagine un chef des Bleus dont les vertus eussent inspiré Plutarque, et il le nomme Gauvain, nom qui est le patronyme de Juliette. Il lui oppose le marquis le Lantenac, aristocrate digne de Corneille qui, pour sauver trois enfants, se sacrifie. Depuis *Littérature et Philosophie mêlées* (1834), trois géants le hantent : Robespierre, Danton et Marat (cf. DHL, pp. 450-462). Parallèlement à l'intrigue proprement dite, il va construire autour de leur affrontement l'une des scènes centrales du livre. Tous ces personnages parlent comme Hugo. Les bons sentiments côtoient le sublime.

● L'ACCUEIL DU PUBLIC

La parution de *Quatrevingt-Treize* suscite l'enthousiasme de ses admirateurs (au premier rang desquels Juliette Drouet qui déclare : « Je suis confondue d'admiration devant la table de multiplication de tes chefs-d'œuvre »), mais aussi la hargne de ses adversaires politiques qui veulent voir dans le roman « l'apologie de la Commune » (Amédée Achard, dans le *Journal des débats*).

4 - PRÉTEXTE

L'étude du CI permettra de visualiser quelques-unes des images les plus fortes de ce « drame qui a la stature de l'épopée ». On s'attachera plus particulièrement à explorer les traces d'humanité que Victor Hugo réserve à certaines figures qu'il affectionne particulièrement :

• celle du mendiant : socialement infirme, hors la loi, il est humainement sain, parce qu'il est dans la continuité de la nature ;

• celle de la mère (pp. 11-13), La Fléchard, atteint à la surhumanité par l'intensité de sa douleur, « dilatation gigantesque de l'âme » qui fait d'elle une sorte de Marie, puis un autre Christ ;

• celle des enfants (pp. 4-13), images d'innocence présociale.

Les « souffrants » sont collectivement identifiés à la Révolution : pour Victor Hugo, si la violence est « un côté redoutable et mystérieux des révolutions », la Révolution, cette Nécessité, est en fin de compte « forge » et « progrès » : « cette idée savait où elle allait, et poussait le gouffre devant elle ».

CHODERLOS DE LACLOS
(1741-1803)

L'INTELLIGENCE D'UN STRATÈGE

« La lettre est l'arme essentielle, mais toujours à double tranchant. Elle doit obliger l'autre à *s'exposer*, mais elle *expose* aussi son auteur qui, menant cette guerre d'alcôve, pourra d'autant moins s'empêcher d'écrire, d'autant moins garder le contrôle de ce qu'il écrit, que cette lettre sera l'occasion par excellence de rêver de cette victoire, de cette gloire à laquelle il sacrifie tant.

Pour le bourgeois Laclos qui rêvait de noblesse, n'ayant pu se faire un nom par les armes, exaspéré d'être cloué [à l'île d'Aix] alors qu'il était volontaire pour aller libérer l'Amérique, la solution alors est d'écrire un roman, d'*exposer* la totalité de cette aristocratie parisienne, par des lettres qu'on pourra attribuer à n'importe lequel de ces arrivistes, de ces fausses prudes, (...) ce qui le fera apparaître alors comme le seul vrai noble, au milieu de cette parodie démarquée, seul héritier des guerres et des amoureux d'autrefois. »

Michel Butor, « Sur les *Liaisons dangereuses* », *Répertoire II,* Éditions de Minuit, 1964.

« De tous les romanciers qui ont fait agir des personnages lucides et prémédités, Laclos est celui qui place le plus haut l'idée qu'il se fait de l'intelligence. Idée telle qu'elle le mènera à cette création sans précédent : faire agir des personnages de fiction en fonction de ce qu'ils pensent. La marquise et Valmont sont les deux premiers dont les actes soient déterminés par une idéologie ? »

André Malraux,
Préface aux *Liaisons dangereuses,* 1939.

2 - VADEMECUM

LE MYSTÈRE D'UNE ŒUVRE UNIQUE

« Le problème de Laclos reste entier, aussi intrigant peut-être que celui de Rimbaud. » (Malraux).

Rien en effet, n'annonce, ni ne rappelle, dans la production de Choderlos de Laclos, *Les Liaisons dangereuses.* Rien qui aurait pu faire passer à la postérité l'auteur de *La Matrone* et d'*Ernestine* (opéras comiques écrits pour tromper l'ennui de la vie de garnison à Besançon — le second, joué en janvier 1777 par la Comédie italienne, connut un échec sans appel) ou celui qui entreprit en 1783 la rédaction (restée inachevée) d'un mémoire sur *L'Éducation des femmes* d'inspiration rousseauiste (cf. pp. 468-469) ; l'auteur impertinent d'une *Lettre sur l'éloge de Vauban* (1786) qui suscita quelques vives contestations dans les milieux littéraires et militaires ou encore celui qui présenta, à sa sortie de prison, un mémoire intitulé *De la guerre et de la paix* (1795) où il préconisait au Comité de salut public la poursuite de la guerre jusqu'à la conquête de toutes les frontières naturelles.

Esprit curieux et imaginatif, auquel on doit à la fois l'invention du « boulet creux » en artillerie et un projet de numérotation des rues de Paris (cf. pp. 469-470) !

Mystère d'une œuvre « unique », isolée : par son sujet et par sa structure, *les Liaisons dangereuses* (1782) jouent avec l'hypocrisie de l'ordre social comme avec celle de l'illusion romanesque. C'est dans et par le scandale que l'œuvre prend son sens et assure son succès.

LES LIAISONS DANGEREUSES

« LIRE ET VOIR LES CLASSIQUES »
N° 6010

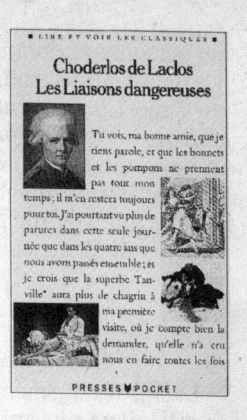

1 - CONTEXTE

LE CONTEXTE DE PRODUCTION :

Le brillant officier d'artillerie Choderlos de Laclos, détaché à l'île d'Aix pour y construire des fortifications, s'ennuie. Lui qui rêvait de gloire militaire a vu lui échapper deux belles occasions : guerroyer contre les Anglais aux Indes (1763) et combattre aux côtés de La Fayette en Amérique (1778). C'est dans ce contexte qu'il décide de faire quelque chose qui, dit-il, « retentît encore sur la terre quand j'y aurai passé » (cf. préface, pp. 7-9).

Les Liaisons dangereuses, qui s'inscrivent dans cette perspective biographique, sont le reflet de l'évolution d'une société où, après la débauche de la Régence et du règne de Louis XV, le vice se dissimule sous les apparences de la vertu et le libertinage prend la forme d'un raffinement intellectuel.

La figure du séducteur cynique et brutal se définit à partir du modèle de Lovelace dans le roman de Richardson, *Clarisse Harlowe* (1748) — un des best-sellers de l'époque. Si Rousseau parvient dans *La Nouvelle Héloïse* (1761) à concilier passion et vertu, Diderot dans l'épisode de Mme de la Pommeraye *(Jacques le fataliste)* met en scène un personnage dont la perversité égale celle de la Merteuil. La dépravation atteindra son paroxysme avec le marquis de Sade (*Justine ou les Infortunes de la vertu*, 1791 ; *Juliette ou les Prospérités du vice*, 1797) auquel fait écho le très prolixe Restif de la Bretonne (*l'Anti-Justine*, 1798). On passe ainsi du libertinage à la cruauté, du désir de séduire à la volonté d'avilir et de détruire — suscitant les foudres de la censure (cf. pp. 483-487).

HISTOIRE ET FICTION

Laclos n'est cependant pas Sade. Marié et bon père de famille, il ne ressemble en rien à ses personnages scandaleux dans lesquels la société de l'époque refusa de se reconnaître. Bien que les 175 lettres soient datées de 1720 et le plus souvent écrites de Paris, l'avertissement de l'éditeur (qui contredit la préface du rédacteur) nie l'authenticité de ce recueil : (« Nous avons de fortes raisons de penser que ce n'est qu'un roman ») et estime invraisemblable que les mœurs décrites ici puissent se situer dans « ce siècle de philosophie où les Lumières, répandues de toutes parts, ont rendu, comme chacun sait, tous les hommes si honnêtes et toutes les femmes si modestes et si réservées » (p. 24).

En 1782, le roman par lettres est un jeu bien établi et la fiction de la correspondance recueillie et sélectionnée par une main anonyme n'abuse plus personne.

2 - TEXTE

LE TITRE

Le titre initialement prévu (*Le Danger des liaisons*) ou celui définitivement retenu (*Les Liaisons dangereuses* ou *Lettres recueillies dans une société pour l'instruction de quelques autres*) ainsi que la référence à *La Nouvelle Héloïse* placée en exergue « j'ai vu les mœurs de mon temps et j'ai publié ces lettres » (voir cahier iconographique p. 3) attestent la volonté moralisatrice de l'ouvrage, qu'explicite la préface du rédacteur : « c'est rendre un service aux mœurs que de dévoiler les moyens qu'emploient ceux qui en ont de mauvaises pour corrompre ceux qui en ont de bonnes ». C'est, *mutatis mutandis*, ce que disait déjà Racine dans sa préface de *Phèdre* : « Le vice y est peint partout avec des couleurs qui en font connaître et haïr la difformité ». Tout cela semble trop simple et le côté artificiel du dénouement, où le couple diabolique Valmont-Merteuil trouve un juste châtiment, laisse le lecteur insatisfait : et s'il ne s'agissait que d'une concession à la morale officielle ?

L'ORGANISATION NARRATIVE DES PROJETS LIBERTINS

Dès les premières lettres, l'intrigue se présente comme l'entrecroisement de trois fils narratifs : la marquise de Merteuil saura-t-elle se venger de Gercourt, en corrompant Cécile et en la mariant ? Le vicomte de Valmont saura-t-il séduire la Présidente, apparemment inaccessible ? La complicité de Valmont et de Merteuil (qui s'ancre dans leur liaison passée) saura-t-elle résister à la divergence de leurs projets libertins et à l'émergence des passions ?

Le recueil s'organise en quatre parties selon une symétrie rigoureuse : la première partie (50 lettres) s'achève sur la double victoire de la vertu ; la seconde (37 lettres) se termine par la victoire de la marquise de Prévan ; la troisième (37 lettres) semble reproduire le mouvement de la première : apparente victoire de la vertu et conversion du libertin ; la quatrième (51 lettres) utilise le faux dénouement moral de la troisième pour mieux souligner la triple catastrophe finale :

• la vengeance de la marquise, au lieu de frapper Gercourt, condamne Cécile ;

• la séduction projetée par Valmont tue la Présidente ;

• les libertins, de complices devenus ennemis, causent leur mort réciproque (mort physique pour Valmont, mort « au monde » pour Merteuil).

3 - INTERTEXTE

UN JEU DE MIROIRS

Le langage est le moteur même du drame dans *Les Liaisons dangereuses* et ce, à double titre : d'abord, comme dans tout roman épistolaire, c'est par le maniement du langage que se définissent les personnages, non seulement dans l'usage, mais dans la théorie qu'ils en font ; ensuite, parce que le discours est par excellence l'arme de la séduction.

L'échange de lettres entre les protagonistes permet d'entretenir à la fois l'illusion de vérité, la distance réflexive et la confidence amoureuse.

Dès les premières lettres, on remarque deux plans ; l'action et le récit qui en est fait. L'utilisation d'une correspondance répond à une nécessité dans l'ordre de la création littéraire. « D'abord, pour la part la plus importante des lettres, il s'agit de véritables comptes rendus, de bulletins d'attaque ou de victoire : pour le roué, la confidence, le rapport sont plus importants que l'acte même. Ensuite, il s'agit d'une réalité *revue*, d'événements interprétés et qui s'inscrivent dans une certaine continuité de *dessein* (le jeu des libertins) : ce n'est qu'au moment où Valmont sera troublé par la Présidente que l'imprévu dénouera cette trame événementielle où tout est décidé par avance. À ce titre, le monde des *Liaisons* n'a pas d'*épaisseur* concrète ni mystérieuse ; il s'agit bien plutôt d'un jeu de miroirs, chaque fait étant reflété différemment par les divers protagonistes. Enfin, la marquise de Merteuil et Valmont revivent, par l'écriture, tout ce qu'ils ont projeté ou fait, et leur plaisir en est accru. Le libertin n'est pas un amoureux de l'instant ; il se voit sans cesse agir et finalement, même à son égard, il éprouve le plaisir, assez trouble en amour, du *spectateur*, après avoir été *acteur* » (M. Launay et G. Mailhos, *Introduction à la vie littéraire du XVIIIe siècle,* Bordas, 1968, pp. 178-179).

Le jeu de miroirs et le contrepoint tendent à faire disparaître la réalité au profit de l'apparence dans la valse des points de vue. Ajoutons, pour finir, le fait que les mêmes événements apparaissent différemment selon les points de vue, mais aussi selon les correspondants auxquels on s'adresse et selon la finalité de la missive. La confrontation des lettres révèle une duplicité généralisée où toute réalité se dissout (voir les « doublons » 85 et 88, 104 et 105, 145 et 146). Il n'y a plus d'acte (même sexuel), il n'y a que du discours. On assiste à l'exposé, en abyme, de la théorie de cette duplicité (cf. le post-scriptum de 106) et à la critique en règle, ironie suprême, des illusions inhérentes au genre épistolaire (lettre 33).

4 - PRÉTEXTE

Le CI témoigne de la fortune des *Liaisons dangereuses* et de la diversité des lectures qui en ont été faites, notamment au théâtre et au cinéma (cf. pp. 489-491).

« Condottiere de l'amour » (A. Maurois), Valmont, après avoir exercé une vive fascination sur le romantique Byron ou encore sur Baudelaire, inspire les nouveaux libertins du XXe siècle que sont Roger Vailland et Vadim (*Les Liaisons dangereuses 1960*) ou, plus près de nous, Philippe Sollers. Le goût du jeu et du risque, le refus de la morale, l'intelligence du cœur humain sont les qualités essentielles de ce type de personnage pour qui la vie n'a de sel qu'au prix de la perversion.

La modernisation du roman conduit à s'interroger sur le sens de l'œuvre et sur la portée de son dénouement. Le naufrage général dans lequel il s'achève confère au récit une touche tragique, symbole de l'évolution même de ce siècle où l'on est passé, en quelques années, « des menus plaisirs au plaisir noir », « de l'escarpolette à l'échafaud » (Jean Starobinski).

Madame de LA FAYETTE
(1634-1693)

« **Quel est l'auteur de** *La Princesse de Clèves* **?** » Depuis Voltaire, la postérité a tranché, mais « les contemporains ne sont pas aussi affirmatifs, et le livre paru sans nom d'auteur n'est pas formellement attribué à Mme de La Fayette, ou du moins à elle seule » (Préface, p. 9). « On peut du moins affirmer — sans pouvoir aller plus loin — que le roman n'est pas le pur produit de la personnalité de Mme de La Fayette, mais le lieu d'expression d'une morale et d'une esthétiques révélatrices d'un groupe. » (p. 10 ; voir DHL, pp. 185-186).

Prototype du genre romanesque, il en est rapidement reconnu comme l'archétype par un discours critique souvent étouffant : dans ses *Lectures de « La Princesse de Clèves »*, M. Laugaa donne une substantielle anthologie des commentaires qu'il a suscités. « Rien de neuf à en dire, qui n'ait été fort bien dit », constate André Gide dans *La Nouvelle Revue Française* (avril 1913) et il poursuit : « J'avoue que je ne ressens pour ce livre qu'une admiration tempérée. » Canonisée par le respect institutionnel, galvaudé par les morceaux choisis, *La Princesse de Clèves* mérite pourtant mieux qu'une froide dissection en forme d'élogieuse autopsie : « Croyez-moi, vous qui pensez savoir ce que c'est que *La Princesse de Clèves* pour en avoir entendu parler, vous qui pensez savoir à quoi vous en tenir, lisez donc ce roman, vous serez surpris. » (M. Butor, « La Princesse de Clèves » in *Répertoire I*, éditions de Minuit, 1960).

2 - VADEMECUM

Le dessin de la vie de Madame de La Fayette, comme les desseins de sa carrière, ne permettent guère de décider si elle fut un être fragile et languissant ou une fine politique ambitieuse et passionnée d'intrigues. « D'abord l'aventure d'une belle promotion sociale, servie conjointement par l'argent et les relations... Certaines femmes ont essayé de parvenir par les hommes et le sexe. Marie-Madeleine Pioche de La Vergne gère au mieux le bénéfice de relations trouvées au couvent de Chaillot. » Nommée à seize ans demoiselle d'honneur de la reine Anne d'Autriche, devenue à vingt et un l'épouse du Comte de La Fayette, « elle semblera toujours fort à son aise dans le jeu compliqué des intrigues. [...]

Puis l'énigme d'une vie affective que l'on suppose peu encombrée par un époux qui lui fit deux fils, et resta sur ses terres. [...] des réunions, une abondante correspondance, des amitiés féminines aussi. Malgré une santé continuellement fragile, Mme de La Fayette s'est fait une vie active, riche en apprentissage. [...]

Enfin l'énigme d'une entrée en écriture » (Préface, pp. 7, 8, 9). Une nouvelle histoire, *La Princesse de Montpensier*, paraît de façon anonyme, en 1662. Puis en 1669 et 1671 sont publiés, sous le nom de Segrais, les deux volumes de *Zaïde*, un roman hispano-mauresque qui remporte un vif succès. Enfin, le chef-d'œuvre en 1678 : parue sans nom d'auteur, *La Princesse de Clèves* suscite d'emblée une admiration et une « querelle » presque aussi vives que celles du *Cid*.

La vieillesse est triste et solitaire : l'« ami très cher », La Rochefoucauld, disparaît en 1680, l'époux en 1683. Bien que peu dévote, la comtesse a, le moment venu, comme bon nombre de ses contemporains, une fin toute chrétienne. À partir de 1720, paraîtront à titre posthume : une *Histoire de Madame,* des *Mémoires de la Cour de France pour 1688 et 1689,* et une nouvelle, *La Comtesse de Tende.*

LA PRINCESSE DE CLÈVES

« LIRE ET VOIR LES CLASSIQUES »
N° 6003

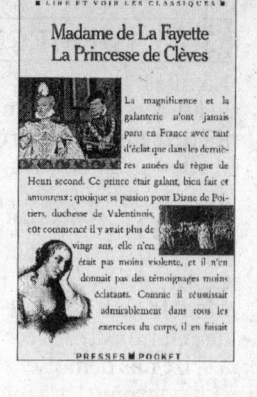

1 - CONTEXTE

EN 1678...

- **Politique et société :** Le traité de La Haye (10 janvier) consacre une alliance anglo-néerlandaise. Les Français s'emparent de Gand et d'Ypres en mars. Signature des traités de Nimègue : entre la France et les Pays-Bas, le 10 août ; puis entre la France et l'Espagne, le 17 septembre. Louis XIV s'allie aux Hongrois.
- **Arts et culture :** Controverse théologique entre Bossuet et le pasteur Claude. R. Simon publie son *Histoire critique du Vieux Testament* que Bossuet fait condamner le 21 mai. La Fontaine donne ses *Fables* VII à XI.

HISTOIRE ET FICTION

Le cadre spatio-temporel où se déroule l'intrigue est très nettement posé dès l'incipit du roman : « La magificence et la galanterie n'ont jamais paru en France avec tant d'éclat que dans les dernières années du règne de Henri second. » (p. 21). C'est donc la cour des Valois qui est représentée avec ses personnages célèbres (voir DHL, pp. 199-202) et ses événements marquants (par exemple la mort du roi Henri II, tué accidentellement lors d'un tournoi le 10 juillet 1559), d'octobre 1558 à mars 1560, soit plus d'un siècle avant la date de parution du roman. La quasi totalité des faits décrits sont fondés sur la réalité historique, seule l'histoire d'amour est inventée de toutes pièces. (Voir DHL, pp. 195-198).

2 - TEXTE

LE TITRE

D'une « beauté parfaite », le « teint blanc », les « cheveux blonds », les « traits réguliers », Mademoiselle de Chartres possède la grâce charmante de l'extrême jeunesse (elle a moins de seize ans au début du roman) : elle représente l'héroïne idéale d'un univers peuplé de jeune gens bien nés, nobles et galants. Son nom constitue donc le titre de l'ouvrage, selon la mode bien établie de la pastorale, mais c'est son patroyme d'épouse, accompagné de son rang, qui est retenu, signifiant ainsi de façon exemplaire le drame intérieur qu'elle incarne (cf. DHL, pp. 200-202).

LA STRUCTURE ROMANESQUE

Le découpage officiel de *La Princesse de Clèves* en quatre parties correspond moins aux exigences de sa structure interne qu'à une nécessité éditoriale (les quatre volumes de l'édition originale). En rupture avec la tradition galante où les intrigues amoureuses foisonnent, sa construction, linéaire et dépourvue de chapitres, se fonde sur une histoire simple autour du trio femme/mari/ « amant », mais sacrifie tout de même à la mode des nouvelles insérées en forme de « tiroirs ». Quatre très brefs épisodes indépendants, de nature historique et ou romanesque (histoire de Diane de Poitiers, amour de M. de Sancerre et de Mlle de Tournon, histoire d'Anne Boleyn et histoire du Vidame de Chartres), soulignent subtilement l'action à la manière de variations symphoniques sur le leit-motiv des complications de l'amour. Ainsi tout le roman s'ordonne en fonction de la fameuse scène de l'aveu, point culminant et récurrent dont l'originalité a aussitôt suscité un étonnement admiratif ou réprobateur. Cette économie dramatique sans précédent marque l'avènement du roman psychologique moderne.

3 - INTERTEXTE

■ QUELQUES PAGES INDISPENSABLES :

• la surprise de la rencontre ou la passion dès le premier regard : M. de Clèves et Mlle de Chartres (pp. 28-29), M. de Nemours et Mme de Clèves (pp. 40-41) ;

• « un aveu que l'on n'a jamais fait à son mari » (pp. 111-114) ;

• « la voir sans qu'elle sût qu'il la voyait » (pp. 143-145) ;

• les tourments de la passion : « je suis vaincue et surmontée par une inclination qui m'entraîne malgré moi » (p. 108) ; « un trouble dont elle n'était pas maîtresse » (p. 72) ; « les inquiétudes mortelles de la défiance et de la jalousie » (p. 108) ; « Je suis le plus malheureux de tous les hommes » (p. 1397. À étudier en relation avec la tragédie racinienne (art de l'épure par la sobriété du style, concentration dramatique et psychologique) ; voir en particulier les aveux de Phèdre *(Phèdre)*, d'Hermione *(Andromaque)*, d'Ériphile *(Iphigénie)* — titres disponibles dans la même collection ;

• l'ultime entrevue : le discours d'adieu de Mme de Clèves à Nemours (pp. 163-166), à rapprocher de l'adieu de Bérénice à Titus dans la tragédie de Racine (acte V, scène VII). On pourra prolonger cette étude par une réflexion d'ensemble sur l'immanence du dénouement (« Tout dans *La Princesse de Clèves* serait suspendu à ceci, qui serait proprement son *telos* : Mme de Clèves, veuve, n'épousera pas M. de Nemours, qu'elle aime, de même que tout, dans *Bérénice*, est suspendu au dénouement

(« Tout dans *La Princesse de Clèves* serait suspendu à ceci, qui serait proprement son *telos* : Mme de Clèves, veuve, n'épousera pas M. de Nemours, qu'elle aime, de même que tout, dans *Bérénice*, est suspendu au dénouement énoncé par Suétone : *dimisit invitus invitam*. » (G. Genette).

■ RECHERCHES, LECTURES ET EXPOSÉS

• Psychologie amoureuse et rituel social : double perspective dans le roman, illustrée par les « Questions d'Amour » qui passionnent les Salons (voir Préface, pp. 13-14), comme par la fameuse « carte du Tendre » — voir *Clélie* (1ere partie, livre I) de Mlle de Scudéry (1654) : « Tendre sur Inclination, Tendre sur Estime, et Tendre sur Reconnaissance » ; alors que le parcours est long et difficile pour parvenir aux deux dernières formes d'amour (l'estime « conjugale »), « la tendresse qui naît par inclination n'a besoin de rien autre chose pour être ce qu'elle est » (la passion « adultère »).

• L'amour et le mariage : à partir du cadre romanesque, on peut proposer une réflexion d'ensemble sur « les mentalités collectives qui opèrent une dissociation radicale entre amour et mariage » (Préface, pp. 14-15). Libertins et dévots se rejoignent pour faire de la passion une pulsion involontaire et éphémère, contraire au mariage, entreprise de durée et de stabilité — voir la condamnation de la passion par les jansénistes, dont les principes philosophiques et moraux ont attiré aussi bien Racine que Mme de La Fayette (p. 17) ; le libertinage représenté par la figure devenue mythique de Don Juan.

• « L'amour, une tentation devant l'impossible » (Préface, p. 197 : selon une conception directement héritée de l'éthique courtoise, la passion se nourrit de l'obstacle qui lui est consubstantiel — voir le mythe amoureux de *Tristan et Yseut* : « l'obstacle est devenu le but, la fin désirée pour elle-même » (D. de Rougemont, *L'Amour et l'Occident*). À l'opposé, « l'amour tendre est durable, mais il renonce à l'amour ; il est durable parce qu'il renonce »

(Préface, p. 16). D'où la « retraite » finale : du « refus comme vérité morale » au renoncement « comme choix de l'absolu » (pp. 17-19). Échec et impuissance à vivre la passion pour le jeune couple trop idéaliste : la mort pour M. de Clèves, le « désert » de la retraite pour Mme de Clèves, face au « principe de réalité » que représente Nemours.

• *La Princesse de Clèves*, mythe et prototype romanesque : rechercher son influence, entre autres, dans *Adolphe* de Benjamin Constant (1816), *Armance* de Stendhal (1827), *Dominique* d'Eugène Fromentin (1862).

4 - PRÉTEXTE

LE PROCÈS DE L'AMOUR

Le CI propose diverses illustrations à mettre en relation avec des portraits de personnages ou des récits d'événements évoqués par le roman : la famille royale autour d'Henri II (p. 7) et des grandes dames de la cour des Valois — l'épouse légitime Catherine de Médicis (p. 6) comme la favorite Diane de Poitiers (p. 6) et la jeune « reine dauphine » Marie Stuart (p. 8) —, le héros séducteur Nemours (p. 6), dont les représentations d'époque permettent de traduire par l'image les premiers mots du roman, « la magnificence et la galanterie ». On pourra commenter et opposer les attitudes comme les costumes : austérité rigide de la reine, brillante parure de la gracieuse maîtresse. La célèbre scène du bal où les deux héros se rencontrent est à rapprocher des pp. 8-9, la mort tragique du roi des pp. 10-11. La vie de Madame de La Fayette, « muse et grande dame » (p. 1), est à retracer à travers les témoignages évoquant les amis (p. 2) comme les réunions mondaines des salons (pp. 3-4) : une femme de lettres promue au rang des romancières célèbres de son temps (p. 5). Enfin plusieurs photographies tirées de l'adaptation filmée de Jean Delannoy (pp. 12 à 16 ; voir filmographie, p. 208) suggèrent l'« érotisme glacé » (p. 15) d'une passion condamnée et romantique avant la lettre.

JEAN DE LA FONTAINE
(1621-1695)

1 - MÉMENTO

« J'aime le jeu, l'amour, les livres, la musique, la ville et la campagne, enfin tout ; il n'est rien qui ne me soit un souverain bien, jusqu'au sombre plaisir d'un cœur mélancolique. »

La Fontaine,
Les Amours de Psyché et de Cupidon, 1669.

« Les bonnes choses qu'il faisait lui coûtaient peu, parce qu'elles coulaient de source et qu'il ne faisait autre chose que d'exprimer naturellement ses propres pensées, et se peindre lui-même. S'il y a beaucoup de simplicité et de naïveté dans ses ouvrages, il n'y en a pas eu moins dans sa vie et dans ses manières. Il n'a jamais dit que ce qu'il pensait, et il n'a jamais fait que ce qu'il a voulu faire. Il joignit à cela une humilité naturelle, dont on n'a guère vu d'exemple... »

Charles Perrault,
« Jean de La Fontaine, de l'Académie française »,
Les Hommes illustres qui ont paru en France au XVIIe siècle.

2 - VADEMECUM

BRÈVE CHRONOLOGIE DES ŒUVRES

1664   *Contes et Nouvelles en vers*.
1668   Les livres I à VI des *Fables*.

1669   *Les Amours de Psyché et de Cupidon.*
1673   *Poème de la captivité de Saint-Marc.*
         Épître pour la mort de Molière.
1674   Le livret de *Daphné* pour Lulli.
1675   *Nouveaux Contes.*
1677   Second recueil des *Fables* (les livres VII à XI).
1687   *Épître à Huet*
1694   Édition des *Fables* comportant le livre XII.

« J'ai fait parler le loup et répondre l'agneau. J'ai passé plus avant : les arbres et les plantes sont devenus chez moi créatures parlantes ; qui ne prendrait ceci pour un enchantement ? »

« L'Académie reconnaît en vous, Monsieur, [...] un génie aisé, facile, plein de délicatesse et de naïveté, quelque chose d'original et qui, dans sa simplicité apparente et sous un air négligé, renferme de grands trésors et de grandes beautés. »

Abbé de la Chambre, *Discours du 2 mai 1684.*

« On fait apprendre les *Fables* de La Fontaine à tous les enfants et il n'y en a pas un seul qui les entende. Quand ils les entendraient, ce serait encore pis ; car la morale en est tellement mêlée et si disproportionnée à leur âge, qu'elle les porterait plus au vice qu'à la vertu.

J.-J. Rousseau, *Émile ou de l'éducation,*
(livre II), 1762.

« Toute explication de l'immortel dialogue entre le loup et l'agneau périt par ce mélange de pensées humaines, soit que l'on repousse le cynisme, soit qu'on l'accepte, soit qu'on le mesure ; le chien n'est pas cynique, il est chien. Par cette présentation de l'idée en objet, sans aucun concept, la fable est esthétique. »

Alain, *Système des Beaux-Arts.*

FABLES

« LIRE ET VOIR LES CLASSIQUES »
N° 6012

---

1 - CONTEXTE

ENTRE 1668 ET 1695

Dans la pleine maturité du règne de Louis XIV sont écrites quelques-unes des plus célèbres œuvres du classicisme français dont :

1668 Molière, *Amphitryon*. Racine, *Les Plaideurs*.
1669 Racine, *Britannicus*.
1670 Pascal, *Pensées*. Racine, *Bérénice*. Bossuet, *Oraison funèbre d'Henriette d'Angleterre*.
1671 Molière, *Les Fourberies de Scapin*.
1672 Racine, *Bajazet*. Molière, *Les Femmes savantes*.
1673 Racine, *Mithridate*. Molière, *Le Malade imaginaire*.
1674 Racine, *Iphigénie*. Corneille, *Suréna*. Boileau, *Art Poétique*.
1677 Racine, *Phèdre*.
1678 Madame de La Fayette, *La Princesse de Clèves*.
1681 Bossuet, *Discours sur l'histoire universelle*.
1688 La Bruyère, *Caractères*.
1691 Racine, *Athalie*.

La cour s'est installée à Versailles en 1682. À partir des années 80 et, en particulier, après la révocation de l'Édit de Nantes (1685), alors que, chez les doctes, on participe à la querelle dite « des Anciens et des Modernes », le règne de Louis XIV s'assombrit.

HISTOIRE ET FICTION

Dans la plupart des cas, l'action des *Fables* est intemporelle : les grenouilles demandent un roi à un Jupiter qui évoque l'Antiquité, mais le meunier, son fils et l'âne sont aussi bien médiévaux que contemporains de La Fontaine. Quant au renard ou au loup, ils sont éternels.

2 - TEXTE

LE TITRE

Le terme de fable est traditionnel depuis l'Antiquité. On parle aussi d'apologue mais le terme est plus sentencieux, peut-être moins littéraire.

L'ORGANISATION

L'évolution du premier au second et troisième recueils des *Fables* est sensible : d'abord conte plaisant, la fable s'enrichit au fur et à mesure des confidences personnelles de La Fontaine, qui nourrit sa réflexion des questions sociales, politiques et philosophiques de son temps : la fable s'actualise sensiblement, tout au moins par les questions abordées ; en même temps, les sources littéraires (Ovide, Pétrone, Théocrite) rivalisent avec les sources les plus traditionnelles (Esope, Phèdre, Pilpay).

● **Les personnages :** dans cette « ample comédie à cent actes divers et dont la scène est l'Univers », on voit surgir un monde foisonnant de personnages qui jouent des rôles différents selon qu'ils constituent une toile de fond (notions ou individus) ou qu'ils agissent comme protagonistes ; le monde est animé d'allégories, le plus souvent des personnifications (éléments naturels, objets, végétaux) ; les modèles antiques, littéraires ou mythologiques, abondent : divinités, dieux, héros. Les animaux surtout sont omniprésents ; leur description n'a rien de scientifique (le vocabulaire zoologique est très pauvre et se borne à des termes très usuels). L'observation naturaliste ne joue qu'un rôle minime, seuls comptent le sens figuré, le symbole, ils apparaissent comme des images de l'homme dans un jeu raffiné où se confondent réalité et fiction.

• **Le conteur :** La fonction didactique de la fable tire son efficacité de la virtuosité du récit. La Fontaine sait adopter tous les tons : épître, élégie, dialogues de théâtre, méditation lyrique et philosophique. L'élégance et la concision sont les pièces maîtresses de cet art. Enfin le versificateur utilise toutes les ressources du mètre, depuis le vers de deux syllabes, à l'humour souvent féroce, jusqu'à l'alexandrin.

3 - INTERTEXTE

1. - Histoire de la fable et des son public (de origines à nos jours) : on cherchera à donner des exemples nombreux et variés des utilisations des références aux fables dans le monde moderne : des étiquettes ou des inscriptions sur les tee-shirts à la vaisselle pour bébé, on verra qu'il n'y a pas que les dessins animés qui puisent dans ce fonds.

2. - Les confidences de La Fontaine : faire l'inventaire des fables dans lesquelles l'auteur s'exprime en son nom personnel ; analyser ces confidences.

3. - L'amour et l'amitié dans les *Fables*.

4. - Le débat sur la morale des *Fables* : faire le point sur les diverses positions en présence ; chercher les moralités les plus édifiantes, les plus supectes moralement.

5. - Le monde des hommes dans les *Fables* : la ville, la campagne ; la cour ; les pays lointains.

6. - Les femmes dans les *Fables*.

7. - La politique selon les *Fables*.

8. - Paysages et jardins : la nature dans les *Fables*.

9. - Les animaux des *Fables* : choisir un animal (le lion, le renard, le loup, rats et souris, le chat), et faire son portrait à l'aide de plusieurs fables. Confrontez-le à d'autres images traditionnelles : mythologie, *Roman de Renard, Livre de la Jungle* ; livres d'enfants ; dessins animés, étiquettes de produits alimentaires, etc.

10. - Travaux de réécriture :

• faire subir à une autre fable que *La Cigale et la Fourmi* les transformations présentées dans le dossier ;

• travailler à écrire les derniers vers d'une fable pour en changer complètement le sens.

4 - PRÉTEXTE

1. - Comparer le frontispice de l'édition originale des *Fables* (C.I., p. 1) aux pages de couverture de votre édition de « Lire et Voir les classiques ». Qu'a-t-on voulu présenter dans chacun des cas ? L'édition moderne donne-t-elle, elle aussi, sa conception des *Fables* ? Comparer les deux à la gravure de la page 15.

2. - L'entourage de La Fontaine : préciser le rôle de chacun des personnages présentés, à la fois dans son époque et dans la vie de La Fontaine. Quelle conclusion en tirer sur La Fontaine lui-même ?

3. - Les amis et protecteurs : définir la condition de l'écrivain dans la société. Des protections à l'Académie, tracez le parcours social de La Fontaine.

4. - La fable à travers les âges : expliciter la portée politique de chacune des utilisations des fables, pp. 6 et 7 du dossier.

5. - Le monde des animaux selon les pp. 10 et 11 : comparer les gravures des pp. 10 et 11 ; en quoi la gravure de la p. 11 est-elle romantique ? Opposer de la même façon les images de *Le Singe et le Dauphin*, pp. 8 et 12.

6. - Les thèmes décoratifs des fables : identifier les fables représentées ; travailler en cours d'art plastique à une utilisation contemporaine du thème d'une fable ; rédiger le dialogue anglais, ou même américain, des deux personnages de la p. 16, des personnages du dessin animé.

LAUTRÉAMONT
(Isidore Ducasse)
(1846-1870)

1 - MÉMENTO

« La fin du XIXᵉ siècle verra son poète... Il est né sur les rives américaines, à l'embouchure de la Plata... Adieu, vieillard, et pense à moi, si tu m'as lu. Toi, jeune homme, ne te désespère point ; car tu as un ami dans le vampire, malgré ton opinion contraire. »

(Chant I, p. 58.)

« La poésie doit être faite par tous, non par un. »

(*Poésies II*, p. 280.)

« Les gémissements poétiques de ce siècle ne sont que des sophismes hideux. Chanter l'ennui, les douleurs, les tristesses, les mélancolies, la mort, l'ombre, le sombre, etc., c'est ne vouloir à toute force, regarder que le puéril revers des choses... Toujours pleurnicher ! »

(Lettre du 12 mars 1870, p. 334.)

« J'ai chanté le mal, comme ont fait Mickiewicz, Byron, Milton, Southey, A. de Musset, Baudelaire, etc. Naturellement, j'ai un peu exagéré le diapason pour faire du nouveau dans le sens de cette littérature sublime qui ne chante le désespoir que pour opprimer le lecteur et lui faire désirer le bien comme remède.

(Lettre du 23 octobre 1869, p. 329.)

2 - VADEMECUM

août 1868	*Les Chants de Maldoror,* chant premier, à Paris.
janvier 1869	Seconde édition du chant premier dans le recueil collectif d'Évariste Carrance, *Parfums de l'âme*, publié à Bordeaux.
été 1869	*Les Chants de Maldoror*, par le comte de Lautréamont (imprimeur Lacroix, Bruxelles). Le livre ne sera pas diffusé du vivant de l'auteur.
avril 1870	Dépôt de *Poésies I* au ministère de l'Intérieur.
juin 1870	Dépôt de *Poésies II* au ministère de l'Intérieur.

André Gide (*Le Disque vert*, 1925) considère Lautréamont, dont « l'influence au XIXᵉ siècle a été nulle » comme « avec Rimbaud, plus que Rimbaud peut-être, le maître des écluses pour la littérature de demain ». Pour Philippe Soupault (*Lautréamont*, Seghers, 1946) « il y a dans la ''virtuosité'' incomparable de Lautréamont un étonnant mépris de la *littérature* ». Selon André Breton cette œuvre est une « apocalypse définitive » *(Anthologie de l'humour noir)* ; il note « l'extraordinaire effacement de Lautréamont derrière son œuvre » *(Nadja)* et décerne aux *Chants* la qualité de « manifeste même de la poésie convulsive » *(L'Amour fou)*. Gaston Bachelard voit dans le caractère agressif des monstres qui peuplent *Les Chants de Maldoror* les preuves d'un « ressentiment d'adolescent » (*Lautréamont*, 1939). Julien Gracq attribue à cette œuvre « une valeur unique de témoignage spirituel », et sa « force explosive » à « des siècles de compression hypocrite et patiente » dans la littérature française *(Préférences*, 1961). Pour Maurice Blanchot, Lautréamont, dont « l'imagination est environnée de livres », même s'il suit le courant de son siècle... exaltation du mal, goût du macabre... en même temps semble hanté par toutes les grandes œuvres de tous les siècles (*Lautréamont et Sade*, 1949).

LES CHANTS DE MALDOROR POÉSIES

Lautréamont
Les Chants de Maldoror
Isidore Ducasse
Poésies

Plût au ciel que le lecteur, enhardi et devenu momentanément féroce comme ce qu'il lit, trouve, sans se désorienter, son chemin abrupt et sauvage, à travers les marécages désolés de ces pages sombres et pleines de poison ; car, à moins qu'il n'apporte dans sa lecture une logique rigoureuse et une tension d'esprit égale au moins à sa défiance, les

PRESSES ◆ POCKET

« LIRE ET VOIR LES CLASSIQUES »
N° 6068

1 - CONTEXTE

CE QUI SE PASSAIT VERS 1868-1870

En France c'est la fin du Second Empire. L'opposition républicaine grandit malgré l'indéniable réussite économique du régime. La guerre contre la Prusse se termine rapidement par le désastre de Sedan, la capitulation de Napoléon III (2 septembre 1870), le siège de Paris et la déchéance de l'Empire, qui aboutiront à la Commune.

1868   Japon, début de l'ère Meiji. Fondation de l'École Pratique des Hautes Études. Baudelaire, *Curiosités esthétiques*. Dostoïevski, *L'Idiot*.

1869   Flaubert, *L'Éducation sentimentale*. Jules Verne, *Vingt Mille lieues sous les mers*. Mort de Lamartine.

1870   Retour d'exil de Victor Hugo. Mort de Dumas père, de Mérimée et de Jules de Goncourt.

HISTOIRE ET FICTION

Les six *Chants de Maldoror* apparaissent comme une grande parade diabolique dans laquelle un héros — du mal — est confronté à des êtres imaginaires, à des vampires, mais aussi aux animaux de la réalité, à la nature ou au Créateur. Récit dont les rapports référentiels avec la réalité sont constamment problématiques, ce texte a tour à tour été considéré comme l'œuvre d'un fou, comme un gigantesque canular de collégien nourri de rhétorique ou comme le symbole de la rébellion contre l'ordre et le langage établis. Il est très différent des *Poésies* qui consistent en une suite d'aphorismes, de maximes et de jugements littéraires. On peut lire celles-ci comme le traité théorique dont les *Chants* seraient la démonstration par l'absurde, puisque Ducasse a affirmé dans ses lettres que les *Poésies* procèdent d'une intention inverse des *Chants de Maldoror* : « je remplace la mélancolie par le courage, le doute par la certitude, le désespoir par l'espoir, etc. » (p. 247).

2 - TEXTE

LE PSEUDONYME

« Lautréamont » est à rattacher au roman d'Eugène Sue, *Latréaumont*, régulièrement réédité depuis 1838, dont le héros, doué d'une force et d'une adresse remarquables, devient, sous l'effet des malheurs de l'existence, un monstre d'orgueil et de cruauté. Ducasse abandonne ce pseudonyme pour les *Poésies*.

LE TITRE

De nombreuses interprétations du nom « Maldoror » ont été proposées : don du mal (comme « Théodore » signifie « don de Dieu »), mal d'aurore, mal d'horreur, horreur du mal, etc. Aucune n'emporte l'adhésion.

L'ORGANISATION

• **Le monde en proie au mal** : les six *Chants*, de longueur inégale et divisés en strophes, sont à la fois un hymne de révolte contre l'omniprésence du mal dans l'univers et une participation enivrée à cette loi de l'espèce. La seule attitude possible face à la monstruosité, c'est de la concurrencer sur son terrain. Le propos n'est pas de relayer la révolte des romantiques, mais d'ouvrir l'imaginaire à la liberté du délire, aux métamorphoses continuelles d'un bestiaire effrayant qui semble provenir de Jérôme Bosch ou de Goya.

• **La parodie** : la tonalité générale est celle de la parodie. Lautréamont a été comme préparé à son œuvre par l'éducation classique qu'il a reçue, dont la rhétorique constituait un élément important (cf. DHL pp. 365-370). Il rivalise d'habileté avec tous les grands modèles de la littérature, Byron ou Baudelaire, quand il apostrophe *l'Océan*, ou les romantiques dits « frénétiques » quand il multiplie les viols, les tempêtes, les vampires et les meurtres. Mais c'est pour proposer une nouvelle méthode philosophique et morale.

• **L'éloge du plagiat** : « Le plagiat est nécessaire, le progrès l'implique. Il serre de près la phrase d'un auteur, se sert de ses expressions, efface une idée fausse, la remplace par une idée juste » *(Poésie II)*. Dès *Les Chants de Maldoror*, Lautréamont a injecté dans son texte des passages, modifiés ou non, empruntés aux auteurs les plus divers que les critiques se sont appliqués à retrouver. Le travail est sans fin (cf. p. 401). Pascal, Vauvenargues, La Rochefoucauld, Buffon par l'intermédiaire de *L'Encyclopédie Naturelle* du Docteur Chenu (Paris, 1850-1861) et bien d'autres sont, dans *Les Chants* comme dans les *Poésies* utilisés, soit pour des démarquages purs et simples, soit avec des corrections et des inversions pour les maximes.

• **Les *Poésies*** : entre *Les Chants* et les *Poésies*, Lautréamont semble changer d'intention. Renonçant à l'exaltation du mal, il paraît considérer que la poésie de la révolte n'est qu'une attitude entachée de fausseté, comme la littérature qui crée un monde qu'elle a détruit d'avance. Retournant en leur contraire les valeurs morales et littéraires, il se livre à une tentative de subversion absolue de tout ce qui a trait à l'esthétique, comme conscient que la littérature va avoir à se donner dans le futur une nouvelle tâche, qui toucherait à l'être plus qu'aux mots.

3 - INTERTEXTE

L'absence de notes en bas de page permet une lecture innocente d'un texte dont la rencontre sera ainsi rendue à sa naïveté; et à l'attrait des adolescents pour le fantastique.

Une lecture plus laborieuse, avec le recours au lexique (pp. 407-470), sera exigée pour au moins l'un des six *Chants*. Elle pourra être pratiquée par groupes, ceci afin de permettre d'affronter à plusieurs les stimulantes difficultés d'un texte dont le caractère apparemment romanesque est constamment déjoué par lui-même. Ces lectures pourront donner lieu à des explication centrées sur certains passages (I, 12, le fossoyeur, cf. *Hamlet* — II, 2-3, Maldoror et Dieu — III, 2, la folle qui passe en dansant — IV, 5, autoportrait de Maldoror — V, 7, adieu à la « poésie » — VI, 8, critique du roman), qui s'attacheront au sens global de telle strophe et dont la reprise par l'enseignant permettra d'aborder la question des intentions philosophiques et de la méthode de Ducasse. Un exposé sera consacré à l'étude des adresses au lecteur qui ouvrent chaque chant.

Le DHL offre un outil de travail d'une grande richesse, qui permettra de donner à des élèves déjà avancés un aperçu sur la nature de la recherche en littérature.

La présence des lectures de Ducasse dans son œuvre apparaîtra dans des explications de détail : chant I, str. 9, Baudelaire et Byron (pp. 338-339 et 342-343) — chant II, str. 11, le combat avec l'ange dans la *Genèse* (pp. 340-341).

Des réflexions plus larges seront proposées :

1. - l'usage du plagiat : le pou et les morpions dans *Les Chants* (pp. 345-347), Vauvenargues et La Rochefoucauld dans les *Poésies* (pp. 373-392) ;

2. - les variations du chant I (pp. 310-322) : en comparant les différentes versions de la fin de ce chant, on cherchera à comprendre comment la transformation du nom de Dazet en un « crapaud » correspond au passage d'une première version autobiographique à un drame métaphysique, dans lequel la figure zoomorphe du crapaud a un fondement philosophique : le refus d'une exaltation des qualités purement « humaines » de l'homme ;

3. - la genèse de l'œuvre (DHL I, II, III) : *Les Chants* et les *Poésies* ont une histoire. On s'interrogera sur le rapport qu'entretiennent les deux œuvres, du point de vue de leur succession, et de leur contradiction ou de leur cohérence.

4 - PRÉTEXTE

Recherches complémentaires suggérées par le CI : la représentation de l'horreur dans la peinture : Goya (CI, p. 1), Bosch, Dali, par la photographie Man Ray (p. 3) et au cinéma (ex. *Dracula*, de Coppola) ; à partir de la photographie de Lautréamont (p. 2) et de son écriture (pp. 4-5), est-on convaincu ou non du sérieux de son entreprise ? Histoire de la découverte de Lautréamont (pp. 6-7) et de son influence ; l'inspiration de Lautréamont procède-t-elle surtout des grands textes de la littérature (pp. 14-15) ou des livres d'images et d'histoire naturelle (pp. 10-13) ? Le décor urbain des *Chants* et le Paris d'Isidore Ducasse (pp. 16).

EUGÈNE LE ROY
(1836-1907)

1 - MÉMENTO

« Le Roy est venu au roman rustique parce qu'il a eu la conviction d'avoir sous les yeux, à l'échelon local, l'abrégé de l'histoire sociale d'un peuple essentiellement rural. Il y a donc constamment, chez lui, juxtaposition du rythme saisonnier de la vie des champs et d'interférences sociologiques et politiques suscitées par les événements parisiens. À la satisfaction d'une existence selon la nature qu'il adore, se mêle le contrepoint des protestations, directes ou allusives contre un pouvoir réactionnaire qu'il dénonce ou contre une religion que son scientisme méprise. »

P. Vernois, in Beaumarchais, Couty et Rey,
Dictionnaire des littératures de langue française
(Bordas, 1987)

2 - VADEMECUM

CHRONOLOGIE DES ŒUVRES

1891 *Le Moulin de Frau.*
1899 *Jacquou le Croquant.*
1901 *Nicette et Milou.*
1906 *Les Gens d'Auberogue.*
     Mademoiselle de La Raphie.
1912 Édition posthume de *L'Ennemi de la mort.*

JACQUOU LE CROQUANT

« LIRE ET VOIR LES CLASSIQUES »
N° 6063

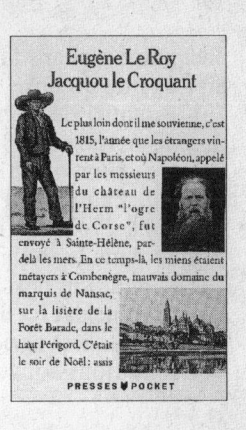

Eugène Le Roy
Jacquou le Croquant

Le plus loin dont il me souvienne, c'est 1815, l'année que les étrangers vinrent à Paris, et où Napoléon, appelé par les messieurs du château de l'Herm « l'ogre de Corse », fut envoyé à Sainte-Hélène, par-delà les mers. En ce temps-là, les miens étaient métayers à Combenègre, mauvais domaine du marquis de Nansac, sur la lisière de la Forêt Barade, dans le haut Périgord. C'était le soir de Noël : assis

PRESSES ♥ POCKET

1 - CONTEXTE

Principaux événements en 1899-1900

(Le roman a paru d'abord en feuilleton, sous le titre *La Forêt Barade*, avant d'être publié en librairie l'année suivante sous son titre définitif.)

- **En littérature :** G. D'Annunzio, *La Gioconda* ; G. Courteline, *Les Gaîtés de l'Escadron* ; G. Feydeau, *La Dame de chez Maxim* ; A. Gide, *Le Prométhée mal enchaîné* ; L. Tolstoï, *Résurrection* ; É. Zola, *Les Quatre Évangiles*, *Fécondité*.
- **En musique :** M. Ravel, *Pavane pour une infante défunte*.
- **En peinture :** C. Monet, *Cathédrale de Rouen* ; H. de Toulouse-Lautrec, série du *Cirque*.
- **Au cinéma :** Méliès tourne *L'Affaire Dreyfus*.
- **En politique :** Loubet est président de la République ; Bloc des gauches (Waldeck-Rousseau) ; Dreyfus est à nouveau condamné mais gracié ; loi Millerand sur la durée du travail.

HISTOIRE ET FICTION

L'action du roman se situe très précisément entre 1815 et 1898. Quand le roman commence, à la Noël 1815,

Jacquou a sept ans ; il se termine en 1898, Jacquou déclare être âgé de 90 ans.

L'essentiel de l'action se termine lors de son mariage avec la Bertille en 1838. L'arrestation et la mort de Martissou se situe en 1816 et la mort de la mère de Jacquou en 1817. Le procès a lieu juste au dernier jour (le 29 juillet) de la révolution de 1830 dont les effets se font sentir jusque dans le Périgord.

La condition paysanne a peu évolué dans ce Périgord noir dominé par les notables : tout un peuple de métayers et de journaliers agricoles vit de façon très précaire, dans des conditions souvent dramatiques.

2 - TEXTE

LE TITRE

Il s'agit d'un récit dont le héros représente le monde rural avec ses capacités de révolte et sa revendication de dignité. Le prénom Jacques est celui dont on affublait dans la France de l'Ancien Régime les paysans, comme synonyme de pitres, de balourds, les révoltes paysannes sont couramment baptisées jacqueries. (cf. le drame de Mérimée *La Jacquerie*).

Le terme de « croquant » était justement apparu dans le Périgord au XVIe siècle pour désigner des paysans révoltés, peut-être parce qu'ils s'armaient facilement d'un outil du genre croc, à moins que ce ne soit parce que les premiers paysans mécontents se seraient réunis en Limousin au bourg de Croq. Le sens s'est affaibli au point de désigner, un peu comme le terme de « jacques », des rustres un peu épais. On le trouve dans La Fontaine, mais aussi dans une chanson de Brassens (« *Les Croquants vont en ville à cheval sur leurs sous...* »). Il a toute une série de dérivés, toujours plus ou moins péjoratifs : croquandaille (rassemblement de paysans) ou croquanterie (attitude caractéristique des dits croquants).

L'ORGANISATION

Jacquou raconte sa vie au fur et à mesure de son déroulement. Le roman se présente à la fois comme un roman d'apprentissage et comme un roman social. Après la mort de son père condamné aux galères, puis celle de sa mère qui ne peut survivre à sa misère, Jacquou doit se battre pour assurer sa subsistance tout en luttant contre l'injustice qui a marqué sa vie dès les premiers jours.

Soutenu par quelques personnes charitables et lucides, malmené par certains paysans aussi durs que les maîtres, Jacquou découvre l'instruction, l'amour, puis l'action politique avant de se retirer dans la forêt, enfin libre d'y mener, avec la famille qu'il a fondée, une vie de labeur et de dignité.

3 - INTERTEXTE

• **La dimension dramatique :** On retrouve dans le roman les caractéristiques du grand feuilleton populaire, proche du mélo : la mort de la mère ; le serment solennel ; le projet de vengeance auquel on ne renonce jamais ; l'amour qui finit tragiquement.

• **Les structures dramatiques :** On peut établir la liste des épisodes qui scandent le roman ; dégager la dimension épique de certains d'entre eux (incendie du château, le procès à Périgueux).

Opposer les éléments qui organisent et stabilisent la vie de Jacquou (la vie au presbytère, le travail, la tendresse pour Bertille) et les événements perturbateurs violents (les morts violentes des parents, les moments d'errance et d'abandon, la fin tragique de Lina, l'incendie du château, les rencontres de la Galiote).

LA PISTE HISTORIQUE

La force des convictions républicaines de l'auteur ancre le récit dans une réalité historique très précise.

Repérer dans le roman les nombreux échos de l'histoire politique française. Montrer leur orientation politique (critique du régime de la Restauration : les nobles n'ont rien appris, les antagonismes du XVIIIe siècle sont toujours vivaces ; espoir mis dans les mouvements révolutionnaires ; apologie de la Révolution et revendication de ses conquêtes. Les forces de progrès : le curé jureur, l'avocat.

1. - Étude de la condition paysanne, dans sa diversité et ses contrastes politiques, les problèmes agraires : la revendication du droit de propriété.

2. - L'enjeu religieux : échos de la Révolution ; les antiques témoins de la charité évangélique.

3. - Étude du conservatisme : la présentation des notables et des nobles qui prétendent toujours à la domination. Les valets des oppresseurs (les régisseurs aux ordres du maître ; les juges aux côtés des notables), etc.

4. - La condition féminine : de la mère de Jacquou à la Galiote, les difficultés et la recherche de la dignité.

LE MYTHE

Mais bien des épisodes dépassent le réalisme social. On peut étudier en particulier :

• le thème de la forêt, dans sa dimension romantique et mythique, lieu de la véritable liberté, lieu des rencontres ; le thème du loup et ses résonances symboliques ;

• l'épisode dramatique de l'incendie du château : sa valeur emblématique ;

• le héros et la foule : Jacquou, héros individualiste, mobilise les paysans pour une action unique, puis se réfugie dans la solitude de la forêt.

4 - PRÉTEXTE

Le CI permet d'établir une correspondance précise entre les différents événements de la vie politique nationale et les épisodes du roman. Cette analyse doit rendre plus explicite la lecture politique du texte. Dégager nettement les allusions aux Cent jours, à l'épisode des quatre sergents de la Rochelle, aux Trois Glorieuses.

1. - Commenter les diverses représentations de la vie paysanne ; repérer dans les documents les contrastes entre la vie des agriculteurs, même misérables, et celle des charbonniers. Commenter l'image de la ville qui est donnée dans le roman à l'aide des documents sur Périgueux.

2. - Repérer les différentes orientations des romanciers présentés ; ce dossier peut être complété par celui qui accompagne les romans de Georges Sand (voir fiches nos 73-74) ; parmi les romans qui mettent en scène les paysans (Balzac, *Les Paysans* ; G. Sand, *La Petite Fadette, La Mare au diable, François le Champi* ; É. Zola, *La Terre* ; E. Guillaumin, *La Vie d'un Simple* ; R. Bazin, *Le Blé qui lève* ; J. Giono, *Regain* ; L. Pergaud, *Les Rustiques*), distinguer les tendances « idylliques » et les représentations « naturalistes ». Montrer que Le Roy ne cache ni les duretés, ni les grandeurs du monde paysan.

L'ADAPTATION DU ROMAN POUR LA TÉLÉVISION

1. - Utiliser les images présentées pour écrire un dialogue qui ferait apparaître nettement les antagonismes sociaux à l'œuvre dans ces scènes.

2. - Montrer que ces scènes ont une valeur générale qui dépasse le cadre du roman ; dégagez les grands archétypes du feuilleton populaire (la mère et l'enfant protégés par le père ; le meurtre du personnage puissant ; l'opposition des riches qui ont le pouvoir et des pauvres, solidaires mais soumis à la fatalité).

3. - Choisir dans les autres images du dossier celles qui pourraient servir à illustrer certains épisodes du roman. Y retrouver les mêmes généralités (les représentations de la mère et de l'enfant par exemple).

JACK LONDON
(1876-1916)

1 - MÉMENTO

« J'ai toujours été un extrémiste. » (London)

« Très tôt, "l'humiliation d'être pauvre" éveille en lui cette frénésie de réussite, credo de la société qu'il dénonce : il lira tous les livres et parcourra le monde. [...]

Jack London ne cessera d'afficher une conception mercantile de son métier et de s'imposer un travail forcé [...]. Il n'en est pas moins un maître de l'imaginaire, et peut-être le seul "écrivain du prolétariat" (pour le citer) de la littérature américaine. »

(Encyclopaedia universalis)

« Et si *(Croc-Blanc)* était seulement l'histoire d'un écrivain qui, en adoptant le point de vue d'un chien métis, [...] a trouvé l'exacte distance où il lui fallait se tenir pour observer et juger les hommes, ces animaux dangereux et imprévisibles en qui il mettait si peu son espoir et même sa confiance, qu'il choisit de leur fausser compagnie, sa vie durant dans l'alcool, puis, comme son double littéraire Martin Eden [...] par le suicide et, comme on le dit si *bêtement*, "en pleine gloire" ? »

(Préface de Maurice Mourier, p. 19.)

2 - VADEMECUM

DATES PRINCIPALES

1900   *Une Odyssée du Grand Nord, Le Fils du loup.*
1903   *L'Appel de la forêt, Le Peuple des abîmes.*
1904   *Le Loup des mers.*
1907   *L'Amour de la vie* (nouvelles).
1908   *Le Talon de fer.*
1909   *Martin Eden.*
1915   *La Peste écarlate (nouvelles), Jerry des îles, Michael chien de cirque, Trois de cœur.*

JUGEMENTS SUR L'AUTEUR

« Narrateur prolifique, il livre à ses lecteurs une matière brute où l'apparente diversité du décor et des personnages hauts en couleur ne peut masquer l'impuissance à concevoir d'autre protagoniste que lui-même et la schématisation dérisoire des rapports humains. [...] Par-delà les histoires qu'il raconte s'élabore une autre histoire, surgie d'un lieu hors du temps et de l'espace, lieu incertain où se déploie une vaste allégorie de la peur, de la faim et de la cruauté, lieu symbolique du manque absolu dont la représentation la plus adéquate est le désert blanc de l'Alaska, point de rencontre privilégié de ses errances et de ses obsessions. »

(Encyclopaedia universalis)

Dans *Croc-Blanc*, ce roman qui mord, Dieu reconnaîtra les chiens, et eux seuls. »

(Maurice Mourier, *o. c.*)

CROC-BLANC

« LIRE ET VOIR LES CLASSIQUES »
N° 6042

1 - CONTEXTE

LE CONTEXTE DE PRODUCTION :
Principaux événements en 1906

- **En littérature :** mort d'Ibsen ; Claudel, *Le Partage de midi* ; Bergson, *L'Évolution créatrice* ; Musil, *Les Désarrois de l'élève Törless*.
- **En peinture :** mort de Cézanne : début du fauvisme.
- **En musique :** Ravel, *Histoires naturelles* ; Massenet, *Ariane* ; Albeniz, *Iberia* ; Mahler, *VIIIe Symphonie* ; Schönberg, *Symphonie de chambre*.
- **Au cinéma :** Feuillade, *C'est papa qui prend la purge*.
- **En sciences et techniques :** commercialisation des « corn flakes » par les frères Kellog ; lancement du *Lusitania* ; première conférence internationale sur le cancer.

HISTOIRE ET FICTION

L'histoire commence pendant l'hiver du Grand Nord (1re partie). Croc-Blanc naît au printemps suivant (2e partie). Il demeure ensuite cinq ans chez les Indiens, à parcourir le Wild, jusqu'à l'été 1898 alors que « la ruée vers le métal jaune battait son plein » (3e partie). Ici se rejoignent histoire et fiction : cette année-là, London est chercheur d'or à Dawson. Ce point de repère permet de situer le début de l'action au cours de l'hiver 1892-1893.

Croc-Blanc passera ensuite un an (1898-1899) avec Beauty Smith (4e partie) avant de quitter définitivement le monde sauvage pour la Californie. L'action s'achève au printemps 1900 (5e partie).

2 - TEXTE

LE TITRE

Le roman se signale par une composition curieuse. Il s'ouvre en effet par une épopée humaine quasi autonome. Au cœur de l'hiver boréal, deux trappeurs s'efforcent d'atteindre un fort voisin pour échapper à une meute conduite par une louve étrange. Celle-ci attire un à un leurs six chiens pour les dévorer, avant de s'attaquer aux hommes. L'un d'entre eux périt et le deuxième est sauvé in extremis, héros apparent de cette histoire. Il ne sera plus question de lui cependant. Mais on retrouve la louve au printemps suivant qui donne naissance à une portée de louveteaux dont un seul survit à la famine (II). Ce dernier rencontre des Indiens qui reconnaissent sa mère, Kiche, et le mystère s'éclaircit : elle n'est qu'à demi louve (III). Croc-Blanc reçoit alors le nom qu'il ne quittera plus et devient, après le départ de sa mère (chap. 2), le seul héros.

L'ORGANISATION

L'allégorie du métissage, apparue plusieurs fois dans l'œuvre de London, sous-tend tout le roman. Son éloge inconditionnel, plus ou moins inconscient, se rencontre ici pour la première fois, rendu possible par le transfert de la société humaine à la société animale. Autour de Kiche, métisse, périssent hommes et animaux. Elle seule échappe aux dangers du Wild. Métis, son fils survit, seul de la portée des louveteaux, puis se joue des lois les mieux établies de la nature, traversant les cloisons qui séparent les espèces. C'est donc précisément son métissage qui fait de Croc-Blanc le héros de cette œuvre.

Les personnages humains ne sont ici que les faire-valoir des personnages animaux décrits avec amour et minutie, dans leurs rapports avec leurs semblables, les autres espèces animales, aussi bien qu'avec l'homme. Mais on n'exclura pas qu'à travers l'histoire de Croc-Blanc, London ait raconté sa propre histoire.

3 - INTERTEXTE

EXPOSÉS

1. - Les « bêtes noires » : le loup et le rat. Réel et imaginaire (textes de La Fontaine, Roby, Cendrars, pp. 325-341) — Chien, loup et chien-loup (textes de Lorenz, Kipling, La Fontaine, Roby, London, pp. 342-367).

2. - Le chien esclave de l'homme ? (textes de La Fontaine, London, Lorenz, pp. 369-406).

3. - Le chien, médiateur entre l'homme et la nature (textes de Lorenz, Curwood, pp. 407-415).

4. - La réflexion sur le chien, occasion d'un discours humaniste (textes de London, Lorenz, pp. 416-432).

TRAVAUX ÉCRITS

1. - Après avoir relevé les indications de lieu et de temps au fil du texte, représenter l'action du roman sous la forme d'un schéma qui fera apparaître distinctement le temps de l'histoire (durée en jours, semaines…) et le temps du récit (nombre de pages correspondant).

2. - Relever les différents événements qui amènent la transformation de Croc-Blanc jusqu'à l'âge adulte et jusqu'à l'état d'animal apprivoisé en notant chaque fois la transformation amenée par une situation nouvelle.

4 - PRÉTEXTE

• Le **CI** suggère plusieurs pistes d'étude :

1. - Comparaison des itinéraires de Buck et de Croc-Blanc (p. 1) à la lumière des quelques lignes de la Préface sur le sujet (pp. 16-19), à rapprocher de l'adaptation cinématographique de Fulci (pp. 14-15) où Croc-Blanc est devenu Buck.

2. - Recherche sur l'espace naturel et l'écosystème du Grand Nord menée avec la collaboration du professeur de géographie et/ou de biologie (pp. 2-3 et 10-11).

3. - Recherche et exposition sur les canidés avec le professeur de biologie (pp. 1-3, 10-11, 16 et 4e de couverture).

4. - Avec le professeur d'histoire, étude d'un événement historique et de ses conséquences : la découverte de l'or dans le Klondike en 1896, à l'origine du départ de London pour ces contrées et de sa carrière d'écrivain. Les pages 6-7 en présentent quelques vestiges : la ruée vers l'or se poursuit aujourd'hui au casino ; la pancarte d'un saloon rappelle le passage de l'écrivain. Les pages 8-9 opposent deux types d'hommes que l'on peut rencontrer au Yukon au début du siècle, les uns pacifiques, intégrés au paysage, les Indiens ; les autres prédateurs, destructeurs du paysage, apportant leur technologie et l'alcool, les Blancs. Les pages 12-13 présentent le film de Chaplin qu'il est indispensable d'avoir vu.

5. - Travail sur les adaptations cinématographiques de 1974 (pp. 14-15) et de 1991. On s'interrogera sur le sens de la place importante et nouvelle que tient l'enfant au cinéma. On pourrait comparer le roman et un ou deux films afin d'étudier les ajouts, les effacements, la place respective des épisodes et des personnages.

NICOLAS MACHIAVEL

(1469-1520)

1 - MÉMENTO

« Tanto nomine nullum par elogium » (« Aucun éloge n'est à la hauteur d'un tel nom ») : l'épitaphe du tombeau de Machiavel à Santa Croce de Florence, qui marie l'hyperbole à l'économie, plonge immédiatement le visiteur dans le « climat passionnel » qui n'a cessé d'entourer l'auteur du *Prince*, « Antéchrist pour les uns, prophète pour les autres ». Qu'on en juge...

« La fourberie et la scélératesse de Machiavel sont répandues dans cet ouvrage comme l'odeur empestée d'une voirie, qui se communique à l'air d'alentour. » (Frédéric II de Prusse, *L'Anti-Machiavel*, éd. R. Naves, Classiques Garnier, p. 110).

« (Machiavel) donne au monde des leçons d'assassinat et d'empoisonnement. » (Voltaire, *ibid.,* Préface.)

« Machiavel était un honnête homme et un bon citoyen ; mais, attaché à la maison des Médicis, il était forcé, dans l'oppression de sa patrie, de déguiser son amour pour la liberté. En feignant de donner des leçons aux rois, il en a donné de grandes aux peuples. *Le Prince* de Machiavel est le livre des républicains. » (Rousseau, *Le Contrat social,* III, VI).

Bref, « ... De quoi y fournir réponses, dupliques, tripliques, quadrupliques, et [...] infinie contexture de débats » notait déjà Montaigne vers 1580 (*Essais*, II).

En fait, il reste à lire Machiavel « hors de la transe admirative » (Préface, p. 8) comme de l'anathème, et à découvrir en lui « un penseur de la modernité, le premier à avoir fait de la science politique une science à part entière ». En ce sens Machiavel est bien « le Galilée de la politique » (Gioberti, 1843).

2 - VADEMECUM

JALONS BIOGRAPHIQUES

• **1494** : à 25 ans, Machiavel assiste à l'entrée du roi de France Charles VIII à Florence (Cahier iconographique, p. 2). Les Florentins en profiteront pour se débarrasser (momentanément) des Médicis.

• **18 juin 1498** : le bûcher de Savonarole est à peine refroidi, après l'échec d'une théocratie « intégriste » de trois années (CI, pp. 8 et 9), quand Machiavel devient, à 29 ans, secrétaire du gouvernement de Florence aux côtés du gonfalonier Piero Soderini, un démocrate modéré. Haute fonction diplomatique, qui l'emmènera pendant quinze ans en Europe.

• **1512** : les Médicis sont rétablis par les Espagnols et font la chasse aux sorcières. Machiavel est contraint à une retraite sur ses terres qui durera quatorze ans. De cet exil loin des affaires publiques il tirera ses deux chefs-d'œuvres : *Le Prince* (1513) et les *Discours sur la première Décade de Tite-Live* (1512-1516).

• **1526** : enfin rentré au service de la république, Machiavel retrouve une Florence menacée par l'invasion du connétable de Bourbon qui a trahi François 1er pour Charles Quint.

• **mai-juin 1527** : tandis que Rome connaît l'agonie d'un sac de huit jours, Florence s'offre un ultime et éphémère épisode républicain. Machiavel meurt le 22 juin.

• **1545** : Concile de Trente. *Le Prince* est mis à l'Index.

LE PRINCE

« LIRE ET VOIR LES CLASSIQUES »
N° 6036

1 - CONTEXTE

1513 : CRISE PERSONNELLE ET REMOUS HISTORIQUES

On s'est plu à souligner que *Le Prince* était d'abord un « opuscule » destiné à faire rentrer son auteur en grâce auprès des Médicis (« Je désire vivement que ces Médicis se décident à m'employer », écrit Machiavel dans une célèbre lettre du 10 décembre où il présente son traité).

Que l'ouvrage ait eu une fin utilitaire, voire alimentaire, n'enlève rien à la puissance de son analyse. Mais c'est assez dire que *Le Prince*, écrit pour agir sur l'actualité, se nourrit de l'actualité, tout en « [alléguant] les grands exemples » de l'histoire (p. 39).

Le « petit siècle » d'« histoire d'Italie » (Préface, p. 10) où puise Machiavel forme ainsi un triple arrière-plan :

● **1) l'Italie des cités**, morcelée entre cinq centres (Naples, Rome, Venise, Milan, Florence), vouée au jeu des alliances avec les puissances (France ou Espagne, et à partir de 1519, France ou Empire) ; foyer incontesté de la Renaissance humaniste, au demeurant ;

● **2) Florence**, le phare du Quattrocento, qui au XVIᵉ siècle cède la prédominance artistique à Rome, tout en poursuivant son « dialogue » tourmenté avec les Médicis ;

● **3) les guerres d'Italie (1494-1525),** toile de fond de toute la période active et créatrice de Machiavel. Justement, en 1513...

LES ÉVÉNEMENTS DE L'ANNÉE 1513

● Louis XII essuie un désastre, après l'inutile victoire de Ravenne (mais dès 1515, François 1er reprendra la couronne et la guerre).

● Jean de Médicis (fils de Laurent) devient le pape Léon X, tout en dirigeant Florence à travers son frère Julien.

● Michel-Ange vient d'achever le plafond de la Sixtine (1512) et Raphaël termine la chambre d'Héliodore. Titien a 23 ans ; refusant l'invitation de Léon X, il choisit Venise.

● L'Espagnol Nuñes de Balboa franchit le détroit de Darién et ouvre la voie du Pacifique.

2 - TEXTE

LE TITRE

(Voir aussi DHL, p. 167.)

Le titre original, latin, était *De Principatibus*, littéralement « Des principats », mais Machiavel désignait aussi son ouvrage par un titre italien, *Il Principe*, qui a prévalu. Ce glissement métonymique ne fait que déplacer le problème du référent : qu'est-ce au juste qu'un prince ? Une lecture synthétique de Littré nous ramène sur ce point au statu quo étymologique : le prince est « celui qui occupe la première place » (de *primus* + *capere*, prendre), rang qui se matérialise généralement par l'exercice d'une domination sur un territoire. Celle-ci peut procéder d'une légitimité dynastique ou d'une investiture officielle, mais ce n'est nullement obligatoire dans l'usage courant du mot. Autrement dit, l'appellation « prince » sanctionne d'abord un état de fait : l'ouvrage dès son titre nous plonge au cœur de la problématique machiavélienne.

On sait par ailleurs que l'étymon latin *princeps* a connu sa véritable fortune quand il s'est mis à désigner la personne de l'empereur. Fondateur du régime impérial à l'orée de l'ère chrétienne, Auguste réussit à instaurer le pouvoir personnel sans toucher apparemment aux institutions républicaines. Toute ressemblance avec une illustre famille gouvernant Florence derrière une parodie de république, serait-elle pure coïncidence ?...

L'ORGANISATION

Le Prince présente, après la dédicace à Laurent de Médicis, une série « ouverte » de 26 chapitres de longueur variable, qu'aucune superstructure ne vient alourdir. Le fil conducteur est énoncé avec sobriété au début du chapitre 2 : « comment l'on peut gouverner et conserver [les] monarchies ».

Il convient dès lors :

1. - d'en dresser la « typologie », sachant que le cas des républiques a été traité « ailleurs longuement » (mise en perspective capitale !) : ce sont les chapitres I à XXI, où un sort particulier est réservé au cas de la « principauté nouvelle » qui doit asseoir sa légitimité (chap. VI à X) ;

2. - de se préoccuper avant tout de la question militaire, (XII à XIV) ; elle reviendra au chapitre XX, à propos des forteresses ;

3. - il importe aussi d'envisager une morale *pratique* pour se conserver estime et réputation : c'est ici peut-être que Machiavel est le plus subversif, en subordonnant l'éthique à l'« image de marque », en faisant de la propagande l'un des instruments du pouvoir (chap. XV-XXI). Le « nouveau prince » doit enfin savoir s'entourer (chap. XXII et XXIII) ;

4. - Les trois derniers chapitres offrent une sorte de

péroraison visitée par l'allégorie de la Fortune. Revenant au sort de l'Italie, Machiavel exhorte son illustre destinataire à chasser le « barbare » Français et à se faire le « rédempteur » de la patrie.

3 - INTERTEXTE

• *Pour la lecture méthodique*, nous mettons en rapport avec le dossier dix « temps forts » de l'œuvre, dans lesquels on pourra isoler telle ou telle page particulière :

1. - **la dédicace,** pp. 19-20 (on prendra garde de vérifier, en se référant au dossier « Florence » p. 147, que les élèves ne confondent pas le « magnifique Laurent » dédicataire avec Laurent le Magnifique !) ;

2. - **les « cinq erreurs » de Louis XII,** chap. III, pp. 29-31 (DHL, pp. 216-224, sur la France) ;

3. - **la liberté : un souvenir tenace dans les anciennes républiques,** chap. V, pp. 37-38, doc. n° 16, p. 183 ;

4. - **César Borgia et la Romagne,** chap. V, pp. 46-47, à rapprocher de :

5. - chap. VIII, « du bon ou du mauvais usage des cruautés », pp. 54-55, et de :

6. - **le recours à la cruauté et la nature humaine,** chap. XVII, pp. 84-86, doc. n° 21, p. 193 ;

7. - **le danger des mercenaires,** chap. XII, pp. 69-70 ;

8. - chap. XVIII, pp. 88-90, « Comment les princes doivent tenir leur parole » (chapitre fondamental s'il en est), rapprocher de l'usage de la religion préconisé dans doc. n° 28, p. 211 ;

9. - **l'indispensable soutien du peuple,** chap. XIX, pp. 92-93, doc. nᵒˢ 18 et 19, p. 188 ;

10. - **pouvoir de la fortune,** chap. XXV, pp. 119-121, doc. n° 14, pp. 181 et 182.

• *Thèmes de recherche pouvant donner lieu à des questions de synthèse :*

1. - les grandes figures de contemporains, dans *Le Prince* : César Borgia, François Sforza, Fernand d'Aragon,

Alexandre VI, Jules II... (s'aider de l'Index des noms propres) ;

2. - **les grands modèles antiques** (même consigne que ci-dessus) ;

3. - **Machiavel le démystificateur** : le dévoilement des apparences, dans *Le Prince*.

4. - **Machiavel maître de logique** : composition arborescente des onze premiers chapitres, dynamisme binaire de la pensée, déduction et induction...

5. - **Une écriture qui n'est pas pour autant désincarnée** : art du récit, processus métaphorique, modalisations du discours (sarcasme et ironie au chap. XI, lyrisme du chapitre final...).

• *Travail sur l'argumentation :* détracteurs et partisans de Machiavel (si possible avec classement chronologique et idéologique) à partir de la rubrique « Polémiques » du dossier : on insistera en particulier sur les jugements de Jean Bodin et de Frédéric II (se demander si la rédaction de *L'Anti-Machiavel* n'est pas, précisément, un acte machiavélien par excellence).

4 - PRÉTEXTE

Le Prince, **une entrée royale (!)**
dans le XVIᵉ **siècle** *via le cahier iconographique*

Exploration de la Florence renaissante, et des rapports entre l'art, le pouvoir et l'histoire : l'épisode de Savonarole à travers l'œuvre de Botticelli (point de départ : cahier iconographique, pp. 8 et 9, 4ᵉ de couverture ; doc. n° 24 du dossier) ; Michel-Ange et Florence (pp. 3 et 13), comparaison du David de Michel-Ange avec ceux de Donatello et de Verrochio ; quand la peinture sert la propagande : l'image du prince, pp. 4, 6, 7 ; observation de la vue de Florence p. 2, et recherche sur les monuments encore visibles aujourd'hui.

GUY DE MAUPASSANT
(1850-1893)

1 - MÉMENTO

« Vrai, je ne vis plus que par les yeux : je vais, du matin au soir, par les plaines et par les bois, par les rochers et par les ajoncs, cherchant les tons vrais, les nuances inobservées, tout ce que l'École, tout ce que l'Appris, tout ce que l'Éducation aveuglante et classique empêche de connaître et de pénétrer. Mes yeux ouverts, à la façon d'une bouche affamée, dévorent la terre et le ciel. Oui, j'ai la sensation nette et profonde de manger le monde avec mon regard, et de digérer les couleurs comme on digère les viandes et les fruits. » (PP, n° 6096, pp. 257-258)

« Certes, en certains jours, j'éprouve l'horreur de ce qui est jusqu'à désirer la mort. Je sens jusqu'à la souffrance suraiguë la monotonie invariable des paysages, des figures et des pensées. La médiocrité de l'univers m'étonne et me révolte, la petitesse de toutes choses m'emplit de dégoût, la pauvreté des êtres humains m'anéantit.

En certains autres, au contraire, je jouis de tout à la façon d'un animal. Si mon esprit inquiet, tourmenté, hypertrophié par le travail, s'élance à des espérances qui ne sont point de notre race, et puis retombe dans le mépris de tout, après en avoir consacré le néant, mon corps se grise de toutes les ivresses de la vie. [...] J'aime d'un amour bestial et profond, méprisable et sacré, tout ce qui pousse, tout ce qu'on voit, car tout cela, laissant calme mon esprit, trouble mes yeux et mon cœur, tout : les jours, les nuits, les fleuves, les mers, les tempêtes, les bois, les aurores, le regard et la chair des femmes. » (*Ibid.,* pp. 258-259)

2 - VADEMECUM

DATES PRINCIPALES

1875   *La Main d'écorché* ; *À la feuille de rose, maison turque.*

1880   *Boule-de-Suif* paraît dans *Les Soirées de Médan.*

1881   *La Maison Tellier.*

1882   *Mademoiselle Fifi.*

1883   *Les Contes de la Bécasse* ; *Une vie.*

1884   *Les Sœurs Rondoli* (contes) ; *Yvette* (nouvelles).

1885   *Bel-Ami* ; *Contes du jour et de la nuit.*

1887   *Mont-Oriol* (roman) ; *Le Horla* (recueil) ; *Pierre et Jean.*

1889   *Fort comme la mort* (roman) ; *La Main gauche* (contes).

1890   *Notre cœur* (roman) ; *L'Inutile Beauté* (recueil).

JUGEMENTS SUR L'AUTEUR

« Il est de la grande lignée normande, de la race de Malherbe, de Corneille et de Flaubert. Comme eux, il a le goût sobre et classique, la belle ordonnance architecturale, et sous cette apparence régulière et pratique, une âme audacieuse et tourmentée, aventureuse et inquiète. Il a aussi le style gras, la verve bouffonne et somptueusement populacière d'un autre Rouennais moins illustre : Saint-Amant. » (José-Maria de Heredia, cité dans PP, n° 6026, p. 275)

« Une banalité consciente, voulue, créée de toutes pièces, n'est plus de la banalité, mais une écriture originale où je serais tenté de voir un masque de plus qui n'aurait rien pour nous surprendre de la part d'un romancier — ou conteur — qui, en toute circonstance, a tenu à dissimuler JE derrière L'AUTRE. » (Pierre Cogny, *ibid.,* p. 276)

« Vous êtes le seul auteur dont j'attende les livres avec impatience. » (Alexandre Dumas, Lettre à Guy de Maupassant)

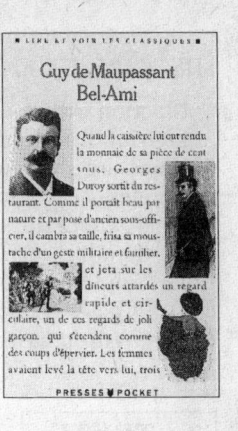

BEL-AMI

« LIRE ET VOIR LES CLASSIQUES »
N° 6025

---

1 - CONTEXTE

LE CONTEXTE DE PRODUCTION :
Principaux événements en 1885

- **En littérature :** A. Daudet, *Tartarin sur les Alpes* ; A. France, *Le Livre de mon ami* ; J. Laforgue, *Les Complaintes* ; H. Rider Haggard, *Les Mines du roi Salomon* ; É. Zola, *Germinal* (Voir la fiche n° 93).
- **En musique :** J. Brahms, *Symphonie n° 4 en mi mineur* ; A. Dvorak, *Symphonie n° 2 en ré mineur* ; J. Strauss, *Le Baron tzigane* (opérette).
- **En peinture :** P. Cézanne, *Le Jugement de Pâris* ; *Fleurs et Fruits* ; *Paul Cézanne* ; E. Degas, *Jockeys à l'entraînement* ; *Après le bain*.
- **En politique :** rivalités coloniales des nations européennes (Afghanistan, Indochine, Pacifique) ; chute de Khartoum ; guerre serbo-bulgare ; loi de répartition en Angleterre (création des circonscriptions électorales).
- **Sciences et techniques :** Invention de la première machine à additionner (W. Burroughs, États-Unis), du transformateur (W. Stanley, États-Unis), vaccination d'un enfant mordu par un chien enragé (Pasteur) ; étude des centres fonctionnels du cerveau (Charcot).

HISTOIRE ET FICTION

L'action est contemporaine de la date de la parution.
Bien qu'il ne s'agisse pas d'un roman à clé, ce dont
Maupassant s'est violemment défendu, deux événements
politiques d'envergure permettent de penser qu'il a puisé
dans la réalité du moment : l'expédition coloniale et la
chute du ministère Jules Ferry après la pseudo-défaite de
Lang Son. Rappelons quelques affaires scabreuses : les
contrats passés par Ferry avec les compagnies de chemins
de fer, Wilson et le scandale des légions d'honneur, etc.

2 - TEXTE

LE TITRE

Le titre du roman vient du surnom que donne à Georges
la petite Laurine, fille de Mme de Marelle (p. 109), qu'il
est sur le point de conquérir. Peu de titres dans la littérature sont aussi éloquents : non seulement celui-ci exprime
les qualités physiques nécessaires au Don Juan arriviste
et peu scrupuleux sur les relations affectives, mais encore
il vient du seul personnage féminin du roman qui ait de
la pureté (peut-être à cause de son jeune âge). C'est en
lui que s'affirme la nostalgie de l'auteur envers le monde
de l'enfance qu'il n'a pas eue, et qui, symboliquement,
fait un lien dans ces générations de femmes livrées au désir
de l'homme, comme charnellement ce sera le cas de
Suzanne, fille de Mme Walter, et promises à une union
catastrophique.

L'ORGANISATION

● UN RÉQUISITOIRE VIRULENT

 • *Bel-Ami* est plus qu'un roman d'apprentissage, genre
qui se caractérise par l'échec le plus souvent. Ici, on voit
une destinée s'édifier et atteindre à la considération publi-

que, alors même que la veulerie et l'inconsistance du protagoniste semblent le prédestiner à la catastrophe. Seulement l'histoire de Du Roy parvenu au faîte des honneurs sert, de façon toute négative, le réquisitoire le plus virulent dicté par le pessimisme d'un homme qui réglait quelques comptes avec un milieu et une jungle sociale fort corrompus.

• La leçon de ce roman semble claire : tant que la fausseté et l'infamie fourniront les piliers et le code de la société, il est inutile d'espérer voir aucune valeur régir les rapports entre les hommes. Pour démontrer cela, Maupassant a recours à deux thèmes majeurs : la femme, simple instrument de l'ambition, bafouée dans la mesure exacte où elle est en demande d'amour (et, au passage, l'institution du mariage est plus qu'égratignée) ; le journalisme, que Maupassant connaissait de l'intérieur, et dont il sait bien aussi la somme de prostitution d'une autre sorte qu'il suppose, si l'objectif est de flatter bassement l'opinion.

● UNE RÉFLEXION SUR LE POUVOIR

• À vrai dire, les deux thèmes, en profondeur, se rejoignent, s'entrelacent, dans une réflexion sur le pouvoir. Une investigation de type psychanalytique, même sommaire, de *Bel-Ami*, devrait tenir compte de ce passage des tout premiers paragraphes du roman où est rapporté un épisode de la guerre coloniale qui raconte comment le hussard Duroy a dépouillé des indigènes impunément (p. 23). L'anecdote prend, placée comme elle est, valeur symbolique, surtout si on la rapproche de la réflexion qui suit immédiatement : « À Paris, c'était autre chose ».

• Au fond, Duroy est, comme tous les faibles, un sadique frustré et il ne pourra exercer son moi que dans la souffrance qu'il infligera à d'autres, plus dénués que lui ; et qu'il peut martyriser par la simple exhibition arrogante de sa prétendue virilité. Là est le piège où tombent les femmes : Madame de Marelle, parce qu'elle est « canaille » et non dénuée d'une pointe d'hystérie ; Madame Walter, proie facile, l'amadou avant l'étincelle ; Madame Forestier, dont on peut s'étonner de voir la force et l'arrivisme abdiquer devant un bellâtre aux charmes frelatés.

● Mais il est peut-être inutile de chercher à nuancer, la vraie force de Maupassant n'étant pas dans les raffinements psychologiques, si justes soient-ils, pour leur donner valeur explicative. Bien avant Freud, le romancier nous offre ici la peinture d'un être à la dérive, chez lequel le corps n'épouse pas toujours la sensation, faute d'avoir en lui ses propres ressources. Bel-Ami vit d'assauts discontinus pour d'autres interposés.

● L'AMOUR, LA MORT

● L'argent, l'opinion, ces deux thèmes balzaciens par excellence, et que Zola ravale à de l'excrémentiel, Maupassant les hausse de nouveau au génital. C'est Paris que Duroy veut pour maîtresse, voir la France, comme l'indique le titre du journal. Or la sexualité est entachée de mort : scène symbolique, l'entente entre les deux époux (Bel-Ami et Madame Forestier) débouche sur l'écriture d'un article où les sexes se complètent à merveille (p. 231) et où la jouissance semble totale.

● La vie faussement heureuse de Duroy, identifié à Forestier, s'agrémente de moments, semble-t-il, de plénitude comme la promenade au Bois le soir (p. 238), mais l'inconscient parle (p. 239) : ce cortège d'amoureux peut passer pour un cortège de mort, l'association de mots se fait entre Bois et Forestier ; et Bel-Ami, envahi par le propre néant de l'amour, est à son tour un mort (p. 243), qui simplement dissimule. La hauteur de vue de Maupassant est d'avoir su donner à ce pessimisme sa véritable assise, l'idée qu'une carrière est somme toute le désir de contourner un destin, la mort.

3 - INTERTEXTE

RECHERCHES ET TRAVAUX

● EXPOSÉS
● Chronologie du récit.
● Paris dans *Bel-Ami*.

• La presse dans *Bel-Ami* (on s'aidera du DHL, pp. 433-456).

• Les clés de *Bel-Ami* (voir les pp. 407-409 du DHL pour le contexte politico-financier).

• Naturalisme ou impressionisme dans *Bel-Ami* (les caboulots, le boulevard, les fêtes, le bois, etc., voir le CI, pp. 6, 7, 8, 9).

● RECHERCHES

• La genèse de *Bel-Ami* : on s'aidera du DHL, pp. 410-425, pour comparer au roman les contes et nouvelles qui en constituent autant d'approches ou de brouillons.

• Maupassant journaliste (voir DHL, pp. 433-456).

• Le type du journaliste dans la littérature (voir l'extrait de Balzac dans le DHL, pp. 457-464 et les titres donnés en lectures complémentaires).

● DOSSIERS

• L'argent chez Balzac, Zola et Maupassant (voir les différentes fiches consacrées à ces trois romanciers).

• La réussite ou l'échec chez Flaubert et chez Maupassant (voir les fiches consacrées aux deux romanciers).

• Les femmes chez Flaubert et chez Maupassant (même recherche que ci-dessus).

• La presse dans *Illusions perdues* (cf. fiche n° 6), *Bel-Ami* et *Le Nabab* (A. Daudet).

• Julien Sorel (cf. fiche n° 77), *Bel-Ami* et quelques autres...

4 - PRÉTEXTE

1. - L'univers mondain du roman (CI, pp. 1, 2, 6, 7, 8, 9, 10, 11).

2. - Le monde de *Bel-Ami* (événements littéraires, politiques, la finance et les femmes ; cf. CI, pp. 3, 5, 12).

3. - Portraits de femmes (CI, pp. 4, 5, 6, 8).

4. - Le tourisme fin de siècle (cf. CI, pp. 10-11).

5. - Maupassant et la peinture de son temps. En vous aidant des pp. 1, 5, 7, 8, 9, 10, 11, 12, 16, du CI, comparez avec les CI de *L'Œuvre* (cf. fiche n° 96), surtout, et des autres romans de Zola.

6. - Le roman au théâtre. Se prête-t-il à une mise en scène théâtrale (CI, p. 13) ou cinématographique (voir plus bas) ?

7. - *Bel-Ami* au cinéma (CI, pp. 14-15). Pourquoi l'adaptation de L. Daquin a-t-elle eu des ennuis avec la censure ?

● LECTURES COMPLÉMENTAIRES

● Sur le personnage littéraire du journaliste (cf. *Dictionnaire des types et caractères littéraires*, Nathan, 1978, article : « journaliste »), on lira les portraits de Lousteau (*Splendeurs et Misères des courtisanes*, fiche n° 10 ; *La Muse du département*), de Cl. Vignon (*Illusions perdues*, fiche n° 6). Le reporter apparaît chez J. Verne *(Michel Strogoff*, fiche n° 81), G. Leroux *(Rouletabille)*, J. Kessel *(Tous n'étaient pas des anges)* et Hergé *(Tintin)*. Pour une peinture plus réaliste on préférera : G. Greene, *Un Américain bien tranquille* ; R. Grenier, *La Salle de rédaction*.

● On tâchera, dans la mesure du possible, d'établir des comparaisons avec des films comme *Citizen Kane* (O. Welles) ; *Profession : reporter* (M. Antonioni) ; *Édition spéciale* (B. Wilder), etc.

BOULE DE SUIF ET AUTRES RÉCITS DE GUERRE

« LIRE ET VOIR LES CLASSIQUES »
N° 6055

1 - CONTEXTE

LE CONTEXTE DE PRODUCTION :

Les contes sélectionnés pour ce recueil (et qui ne correspondent pas à une sélection de Maupassant) ont été écrits entre 1880 *(Boule de suif)* et 1887. On insistera donc davantage sur les événements des années 1880-1882, dates des deux contes les plus importants (le second étant *Mademoiselle Fifi*, paru en 1882 et qui donnera son titre à un recueil paru la même année). En fait, l'unité de ces contes est fournie par le thème : la guerre de 1870.

Principaux événements :

● **En littérature :** 1880 : P. Loti, *Le Mariage de Loti* ; L. Wallace, *Ben-Hur* ; (PP n° 2231). 1881 : G. Flaubert, *Bouvard et Pécuchet* (posthume) ; A. France, *Le Crime de Sylvestre Bonnard* ; P. Verlaine, *Sagesse* ; O. Wilde, *Poèmes*. 1882 : H. Becque, *Les Corbeaux* ; R.-L. Stevenson, *L'Île au trésor*, cf. fiche n° 78 ; J. Vallès, *L'Insurgé*. 1883 : V. Hugo, *La Légende des siècle* ; P. Loti, *Mon frère Yves* ; E. Verhaeren, *Les Flamandes* ; É. Zola, *Au bonheur des dames*, cf. fiche n° 90. 1884 : A. Daudet, *Sapho* ; J.-K. Huysmans, *À rebours* ; M. Twain, *Les Aventures d'Huckleberry Finn*.

● **En musique** : J. Brahms, *Danses hongroises*. 1881 : G. Fauré, *Ballade*. 1882 : C. Gounod, *La Rédemption*. 1883 : J. Brahms, *Symphonie n° 3 en fa majeur* ; A. Dvorak, *Stabat Mater*. 1884 : P. Tchaïkovski, *Mazeppa* (opéra).

● **En peinture** : 1880 : C. Monet, *Nature morte aux pommes et raisin* ; A. Renoir, *Baigneuse, Place Clichy*. 1881 : P. Cézanne, *Nature morte*. 1882 : E. Manet, *Pivoines dans un vase ovoïde* ; A. Renoir, *Les Deux Sœurs* ; P. Cézanne, *Autoportrait*. 1883 : A. Renoir, *Sur le rivage* ; *Le Fils de l'artiste Jean*. 1884 : P. Cézanne, *La Baie de Marseille, vue de l'Estaque*.

● **En politique** : en France, le Parlement rentre à Paris (1880) ; les Français occupent la Tunisie (traité du Bardo, 1881), s'emparent d'Hanoï (1882), de Tamatave à Madagascar (1883), difficultés intérieures (anarchistes) et extérieures anglaises (Soudan).

● **Sciences et techniques** : introduction du radiateur à gaz et confection du papier à bon marché avec de la pâte de bois (1880) ; début de la construction du canal de Panama (1881) ; découverte du bacille de la tuberculose (Koch, 1882) ; premier tramway électrique, ouverture du pont de Brooklyn à New York, fabrication de la soie artificielle (1883) ; premier métro souterrain à Londres (1884).

HISTOIRE ET FICTION

L'action se passe pendant la guerre de 1870 (voir DHL, pp. 241-243). On en rappellera rapidement ici la chronologie :

13 juillet : « dépêche d'Ems ».

19 juillet : déclaration de guerre de la France à la Prusse.

6 août : défaites françaises de Frœschwiller et Forbach.

16 août : défaite française de Gravelotte. Bazaine encerclé à Metz.

1er septembre : défaite à Sedan de l'armée de secours dirigée par Napoléon III.

2 septembre : capitulation et capture de l'empereur.

4 septembre : proclamation de la République (Gambetta, ministre de l'Intérieur).
18 septembre : les Allemands investissent Paris.
18 janvier : capitulation de Paris.
Élections : J. Grévy président de l'Assemblée réunie à Bordeaux ; Thiers chef du pouvoir exécutif négocie la paix avec Bismarck (abandon de l'Alsace-Lorraine ; 5 milliards d'indemnités de guerre).
18 mars-21 mai 1871 : Commune de Paris.

2 - TEXTE

LE TITRE

Il n'est pas possible d'expliquer tous les titres des seize nouvelles qui composent ce recueil. Contentons-nous de donner pour le titre de la plus connue d'entre elles l'explication de l'auteur lui-même : « La femme (...) était célèbre par son embonpoint précoce qui lui avait valu le surnom de Boule de suif. Petite, ronde de partout, grasse à lard, avec des doigts bouffis, étranglés aux phalanges, pareils à des chapelets de courtes saucisses, avec une peau luisante et tendue, une gorge énorme qui saillait sous sa robe, elle restait cependant appétissante et courue, tant sa fraîcheur faisait plaisir à voir » (p. 38).

L'ORGANISATION

● LA THÉMATIQUE DE LA GUERRE

Il est beaucoup question de l'armée, des filles, de la nourriture parfois, mais toujours des grands appétits sensuels, dans cet ensemble de nouvelles de Maupassant, qui, d'une façon ou d'une autre, sont des nouvelles centrées sur la guerre. Cette thématique suffit à elle seule pour fournir un fil directeur à qui souhaiterait en effectuer une lecture transversale : l'apologie de la résistance à l'occupant, l'étude des différents comportements sociaux en face de l'ennemi, les nuances du patriotisme apparentent Maupassant dans ces courts chefs-d'œuvre aux plus réussis de nos moralistes. Mais il y a plus de tendresse et plus de discernement aussi chez l'écrivain que chez un La Rochefoucauld, par exemple. Ce n'est pas encore au désenchanté d'*Une vie* ou de *Bel-Ami* (cf. fiches n° 46 et n° 39) que nous avons affaire. Nous assistons seulement à la discipline naissante qui aboutira au « regard froid », cet apanage des « libertins », c'est-à-dire de ceux qui, depuis le siècle des Lumières, s'empêchent d'embellir pour juger, et s'empêchent de juger avant de voir.

● UN SHAKESPEARE FRANÇAIS ?

Que Maupassant doive beaucoup à Balzac et à Flaubert a été dit et redit. C'est peut-être son style qui finira de se former sous ces influences, pas son tempérament. Les quelques nouvelles réunies dans ce volume peuvent, au contraire et paradoxalement au regard de la brièveté des productions, nous donner l'idée d'un Shakespeare français. Moins ample, soit, mais non pas moins grandiose, quoique moins primitif, si l'on veut. Et pourtant cela même se discute, si l'on évoque la figure de ce Père Milon, qui poursuit, non sans cruauté, une vengeance à laquelle il se doit tout entier, et ce Mohamed-Fripouille, le Turc qui, par haine des Arabes, les traite comme du gibier. Ce n'est pas que Maupassant s'attarde à nous donner les mobiles profonds des personnages et notre imagination lancée sur quelque piste, devra faire le reste en chemin. Pourquoi pas ? Pas plus que les plus grands, Maupassant n'est amateur de psychologie rudimentaire : comme le peintre, il donne à voir. Et que voit-on ? Un concentré d'humanité, comme chez le dramaturge élisabéthain, pris dans l'exaspération des valeurs en conflit, celles qu'une crise fait ressurgir. Maupassant se rapproche du théâtre par son genre d'analyse, ne nous donnant à voir que des groupes, enfermés de façon existentielle avant la lettre dans une « peste » qui est ici l'occupation prussienne, là la colonisation. L'écrivain, au moins dans ces *Contes*, ne regarde pas la classe sociale ; il fait parler la nourriture, le sang sur les dagues, le meurtre physique (cf. *Saint-Antoine* et son « cochon » de Prussien), l'humiliation morale (cf. *Boule de suif*), l'héroïne cachée (le curé de *Mademoiselle Fifi*).

● LES INGRÉDIENTS DE L'ÂME HUMAINE...

Maupassant connaît les ingrédients de l'âme humaine : un sadisme qui ne demande qu'à se libérer (cf. *Boule de suif*) parce qu'il est trop longtemps retenu sous pression par les formes sociales qui en sont comme les remparts incertains, éboulés à la première guerre. Et puis aussi cette volonté qui habite les plus humbles lorsque, en face, c'est la force aveugle qui exerce son pouvoir (ex. cette Rachel si héroïque dans *Mademoiselle Fifi*). Et partout la faim, à se demander si l'attitude de Tombouctou, qui fait la guerre non pour la gloire mais pour le gain, n'est pas la bonne, ou en tout cas la plus primitive.

3 - INTERTEXTE

RECHERCHES ET TRAVAUX

● ÉTUDES LITTÉRAIRES

● L'ironie dans *Boule de suif* (valeurs des modes grammaticaux, sens des patronymes choisis, recul de l'auteur vis-à-vis de l'héroïsme et de la foi) ; l'auteur témoin et juge.

● Une dynamique de groupe et son symbolisme (l'objet alimentaire dans la scène du repas ; sens de la « farce » de Cornudet ; portée du dernier mot du texte).

● EXPOSÉS

● Le rôle de l'ironie dans le recueil.
● Réalisme et fantastique dans le recueil.
● Thèmes et angoisses chez Maupassant.
● La guerre vue par le journaliste Maupassant (voir DHL, pp. 243-248).

• Le thème de la prostituée chez Maupassant (voir le DHL, pp. 265-266 et le recueil : *La Maison Tellier et autres histoires de femmes galantes*, cf. fiche n° 43).

• L'Algérie chez Maupassant (voir DHL, pp. 267-272). Comparer avec Daudet, *Lettres de mon moulin* (cf. fiche n° 18).

● DOSSIERS

• La guerre de 1870 dans la littérature française (voir le DHL, pp. 249-264 et les lectures complémentaires).

• Comparer la nouvelle de Zola, « l'attaque du moulin » (voir DHL, pp. 249-252), avec les nouvelles « La Mère sauvage » et « Le Père Milon ».

• Comparer « Le Prussien de Bélisaire » (A. Daudet, *Contes du lundi*, fiche n° 17) avec « Saint-Antoine ».

4 - PRÉTEXTE

1. - Portraits de Maupassant : CI, pp. 1, 2, 3. Caricature, photo, dessin. Peut-on trouver un lien commun entre les trois images ?

2. - Que penser de la p. 2 du CI et du détournement du titre du recueil ? Recherches sur Maupassant et l'antisémitisme.

3. - L'imagerie (d'Épinal) de la guerre de 1870 à travers le CI (pp. 4, 5, 9) et la 4e de couverture.

4. - La diligence : imagerie et cinéma (CI, pp. 6, 14). On oublie trop souvent que le célèbre film de J. Ford, *La Chevauchée fantastique* est inspirée par la nouvelle de Maupassant.

5. - Femmes galantes et galants militaires : imagerie obligée. Commenter les pp. 8-9 du CI.

6. - La conquête coloniale en images (CI, pp. 12-13).

7. - Images de *Boule de suif*, tirées du film de Christian-Jaque (CI, pp. 15-16).

Guy de Maupassant
Contes de la bécasse
et autres contes de chasseurs

Le vieux baron des Ravots avait été pendant quarante ans le roi des chasseurs de sa province. Mais, depuis cinq à six années, une paralysie des jambes le clouait à son fauteuil, et il ne pouvait plus que tirer des pigeons de la fenêtre de son salon ou du haut de son grand perron. Le reste du temps il lisait. C'était un homme de commerce aimable chez qui était resté

PRESSES ■ POCKET

CONTES
DE LA BÉCASSE
ET AUTRES CONTES
DE CHASSEURS

« LIRE ET VOIR LES CLASSIQUES »
N° 6096

---

1 - CONTEXTE

LE CONTEXTE DE PRODUCTION :
Principaux événements en 1883

• **En littérature :** Villiers de l'Isle-Adam, *Contes cruels* ; V. Hugo, *La Légende des siècles* ; P. Loti, *Mon frère Yves* ; E. Zola, *Au bonheur des dames* (cf. fiche n° 90) ; R.L. Stevenson, *L'Île au trésor* (cf. fiche n° 78).

• **En peinture :** A. Renoir, *Sur le rivage* ; *Le Fils de l'artiste* ; *Jean* ; *La Danse à la campagne*.

• **En musique :** J. Brahms, *Symphonie n° 3 en fa majeur* ; E. Chabrier, *España ; L. Delibes, Lakmé* (opéra comique) ; A. Dvorak, *Stabat Mater*.

HISTOIRE ET FICTION

Le narrateur apparaît souvent, sans que l'on puisse toujours le distinguer de l'auteur. Témoin de l'histoire, ou de l'histoire racontée ; il passe en ce cas le relais à un autre narrateur, voire à un troisième ou un quatrième (« La Peur »). Les faits se déroulent dans un passé assez récent, parfois daté, mettant éventuellement en scène des personnages que connaissent les narrataires, dans un lieu le plus souvent nommé, réel ou non, presque toujours la Normandie, familière à Maupassant.

---

2 - TEXTE

LE TITRE

En 1883, sous le titre *Contes de la bécasse*, Maupassant fait paraître en recueil dix-sept récits déjà publiés séparément entre avril 1882 et avril 1883. Non sans artifice, le premier, « La Bécasse », présente les suivants comme des récits de chasseurs.

L'ORGANISATION

Si le thème de la chasse n'assure qu'une cohérence artificielle aux *Contes de la bécasse*, il reste que c'est celui qu'a élu Maupassant pour ce rôle, et que ce même thème inspire encore d'autres contes (l'édition Presses Pocket en présente six), mais aussi que la plupart de ces textes ont été écrits durant la saison de la chasse (de septembre à avril). Artifice n'est pas hasard. La passion de Maupassant pour la chasse est bien réelle.

D'abord pour la jouissance que procure la lutte contre l'animal, et l'immersion dans la nature qu'elle permet, le contact fût-il aussi rude que dans « Amour ».

Pour la chaude convivialité qu'elle cristallise, la bonne chère partagée, rustique mais succulente, et l'occasion qu'elle offre de retrouver une joie enfantine dans le récit et la répétition des mêmes histoires.

Mais aussi, pour le plaisir de conter, qui y trouve toujours une place de choix. Le chasseur d'ailleurs n'apparaît-il pas, derrière le conteur Maupassant, à l'affût du petit fait pour en faire un conte ? La taille de la victime importe peu dans la réussite d'une partie de chasse...

Enfin, de toute évidence, la chasse est une métaphore de la vie et particulièrement de l'amour (cf. pp. 10, 235-236) : « J'aime la chasse avec passion ; et la bête saignante, le sang sur les plumes, le sang sur mes mains, me crispent le cœur à le faire défaillir. » (« Amour »)

3 - INTERTEXTE

● Chaque conte fera d'abord l'objet d'une lecture attentive, à l'issue de laquelle on demandera aux élèves de résumer d'une phrase (éventuellement empruntée à Maupassant) l'idée développée ou illustrée dans le conte, et de noter les thèmes rencontrés au cours de la lecture.

● Ce travail analytique pourra être repris ensuite dans une synthèse permettant un classement par thèmes (histoires normandes, inspirées par la guerre, histoires d'amour, etc.).

EXPOSÉS

1. - Maupassant paysagiste (voir pp. 257-258).

2. - Une certaine vision du monde (cf. Préface, pp. 12-14). Étude d'un conte, sous l'angle du point de vue adopté par l'auteur.

3. - Divers aspects du plaisir de la chasse : Maupassant, Tourgueniev, Daudet, Genevoix, Dumas, Calvino… (PP, pp. 218-234).

4. - Maupassant et Flaubert observateurs de la vie quotidienne en Normandie (voir pp. 237-241).

5. - Regards d'écrivains sur la condition paysanne : Maupassant, Sand, Zola (pp. 241-244).

4 - PRÉTEXTE

Le CI fixe d'abord quelques éléments du décor : paysages du pays de Caux (une affiche et un cliché assez conventionnel), une vue de Rouen par T. Ancilotti (1860-1880) et une d'Étretat. Les thèmes qui traversent le recueil sont illustrés à leur tour : des scènes de chasse par F. Grenier (1793-1867), peintre d'histoire et de genre et lithographe ; le plaisir de la bonne chère et des conversations d'après boire. À cela s'ajoutent quelques portraits pittoresques.

Les pages 12 et 13 sont consacrées aux rapports entre le cinéma de Jean Renoir et l'œuvre de Maupassant. *Partie de campagne* est une adaptation du conte de Maupassant du même titre, qui ne fait pas partie de ce recueil. Il serait néanmoins intéressant que les élèves puissent le voir en complément de l'étude des *Contes de la bécasse*, tout comme *La Règle du jeu*, qui montre un univers sensuel où la métaphore de la chasse illustre la cruauté des rapports humains, rappelant l'écriture de Maupassant. Retrouver le souvenir de Maupassant dans la partie de chasse de *La Règle du jeu* sera facilité par le document fourni pp. 235-236.

À montrer aussi, une autre adaptation, celle de *Hautot père et fils* (pp. 15-16) par Claude Santelli, auteur de nombreuses adaptations de contes de Maupassant facilement accessibles. Signalons enfin le grand intérêt pédagogique du film de recherche sur les divers aspects de l'adaptation cinématographique de textes littéraires à travers ceux de Maupassant mentionné dans la filmographie (p. 267), *Maupassant. De l'écrit à l'écran*.

Photogénique, cinégénique, télégénique, la chasse a d'abord inspiré les peintres. La quatrième page de couverture reproduit un tableau de Desportes (1661-1743), peintre de la vénerie de Louis XIV, célèbre pour ses natures mortes.

LE HORLA

« LIRE ET VOIR LES CLASSIQUES »
N° 6002

1 - CONTEXTE

LE CONTEXTE DE PRODUCTION :
Principaux événements en 1887 (date du recueil paru chez Ollendorf et portant ce titre)

- **En littérature :** Loti, *Madame Chrysanthème* ; Maupassant, *Mont-Oriol* ; Zola, *La Terre* ; Villiers, *Tribulat Bonhomet* ; Kahn, *Les Palais nomades* ; Laforgue, *L'Imitation de Notre-Dame la lune* ; Verhaeren, *Les Soirs* ; Kipling, *Simples contes des collines* ; traductions de *L'Idiot* et du *Joueur*, de Dostoïevski.

- **En peinture :** Cézanne, *Nature morte à la commande* ; Monet, *Canotiers sur l'Epte* ; Renoir, *La Partie de volant* ; Seurat, *Poseuse debout* ; Van Gogh, *Le Père Tanguy* ; Rodin, *Fugit amor* ; Ensor, *Carnaval sur la plage*.

- **En musique :** Chabrier, *Le Roi malgré lui* ; Fauré, *Clair de lune, Requiem* ; Franck, *Psyché* ; Gounod, *Messe à la mémoire de Jeanne d'Arc* ; Satie, *Sarabandes* ; Brahms, *Concerto pour violon et violoncelle* ; Verdi, *Othello* ; Janacek, *Sarka*.

- **En politique :** Démission de Grévy, élection de Sadi Carnot ; première Conférence Impériale (Angleterre).

- **Sciences et techniques :** construction de la Tour Eiffel ; Hertz, découverte de l'« effet photo-électrique ».

HISTOIRE ET FICTION

L'action se passe à l'époque contemporaine. Elle est relatée sous la forme d'un Journal intime qui est à la fois très précisément daté (du 8 mai au 10 septembre), mais lacunaire et d'une fausse précision (aucune mention de l'année). Cette confession ou cette auto-analyse d'un cas de folie et/ou de possession par une force extérieure au narrateur et malfaisante met en scène un oisif fortuné, servi par une importante domesticité, et qui vit seul, dans une maison située sur le bord de la Seine, dans la proche banlieue de Rouen. Il fera une excursion au Mont Saint-Michel, un voyage à Paris où il assistera à une troublante expérience d'hypnotisme. Nous le retrouvons, à la fin, à Rouen, logé à l'Hôtel Continental, ayant mis lui-même le feu à sa maison (et causé par là la mort de ses domestiques), pour détruire dans l'incendie le mystérieux Horla qui le tourmente. Le conte de Maupassant est inséparable du climat d'une fin de siècle partagée entre le positivisme triomplant, dont les succès philosophiques se fondent sur les avancées prodigieuses de la science moderne, et un retour en force de tout le refoulé antirationaliste (vogue mondaine du magnétisme, de l'occultisme, de la théosophie, de l'astrologie). Il faut aussi rappeler que Maupassant avait suivi avec assiduité, en 1886 et 1887, les cours du Docteur Charcot sur l'hystérie et que, dans les milieux parisiens les plus éclairés, on commençait à avoir eu vent des recherches de Freud et d'autres psychiatres viennois, recherches qui ne seront cependant vulgarisées que beaucoup plus tard.

2 - TEXTE

LE TITRE

Le titre singulier de ce conte a donné lieu à de nombreuses interprétations. On a voulu en faire, bizarrement, le génitif d'un mot russe signifiant « aigle » ; l'anagramme du surnom du médecin et ami de Maupassant Cazalis (Lahor) ; une déformation du mot « horsain », qui signifie « étranger » en dialecte normand ; enfin on a remarqué que Horlaville est un patronyme fréquent en Normandie. On peut penser plus simplement que la caractéristique principale de la puissance maléfique et invisible qui exerce, dans *Le Horla*, ses ravages sur l'esprit du narrateur est à la fois et simultanément « hors » du monde — des règles habituellement acceptées par les hommes, aux sens bien peu performants, qui peuplent ce monde-ci, — et « là », présent dans l'intimité de celui dont il bouleverse la vie. Maupassant a éprouvé depuis ses débuts une prédilection pour le genre fantastique, auquel, dans son œuvre, se rattachent plus ou moins directement, outre *Le Horla*, trente-deux contes ou nouvelles (voir plus loin). Mais *Le Horla* est le plus célèbre des textes de cette véritable constellation, et il a été préparé par deux ébauches, beaucoup plus courtes : *Lettre d'un fou* (1885) et une première version, fort différente, de notre conte, portant le même titre (1886).

L'ORGANISATION

● UN CONTE FANTASTIQUE

Le Horla qui trouve sans aucun doute son origine dans un épisode psychotique ancien (impossibilité de se voir, ou de se reconnaître dans un miroir), est d'abord un conte fantastique, dont la maîtrise est si évidente qu'il serait vain d'y chercher la trace de la « maladie » de l'auteur, tant il apparaît clairement qu'il n'a pu être élaboré et rédigé qu'en pleine lucidité créatrice.

• Il sera particulièrement intéressant d'y étudier précisément les principes esthétiques qui ont présidé à cette élaboration, puisque nous avons la chance de connaître, avec *Lettre d'un fou* et la première version de 1886, les étapes principales d'une rédaction exceptionnellement lente (Maupassant écrit généralement très vite ses contes) et soignée (l'écriture de bien des contes est plus lâche que celle du *Horla*). On montrera que *Lettre d'un fou* ne contient guère qu'un squelette, d'ailleurs très reconnaissable, de l'anecdote et de ses soubassements philosophico-scientifiques : idée de l'infiniment grand et de l'infiniment petit, également inaccessibles aux sens, de la présence, au sein de la nature, de forces que la science comprendra sans doute un jour (Maupassant est rationaliste, et en même temps nostalgique d'un temps d'ignorance et de légende), mais qui pour l'heure constituent des mystères insondables, accessibles peut-être seulement, par éclairs, à la conscience malade ou à la folie.

● LES DEUX VERSIONS DU *HORLA*

• Surtout, la comparaison entre les première et seconde versions du *Horla* permettra de montrer ce que le conte a gagné en s'étoffant de nouveaux épisodes (le Mont Saint-Michel, Paris) et surtout en substituant au couple initial (le « fou » et le médecin qui, en corroborant ses principales assertions, lui ôte pour ainsi dire complètement son statut de fou et oblige à ranger les étranges accès hallucinatoires dont il est victime sous la rubrique « phénomènes inexpliqués » (mais peut-être explicables) ou « rencontres du troisième type ») la personnalité unique du narrateur, seule garante de l'histoire, ce qui fait définitivement basculer *Le Horla* dans la sphère de l'indicible indécidable fantastique.

• Les procédés de dramatisation abondent dans la version définitive. Ils réduisent les éléments purement scientifiques ou médicaux du récit au rang de simples faire-valoir d'un suspense psychologique renforcé par les lacunes ou les pauses du Journal intime. Les questions implicites du lecteur se multiplient, à mesure qu'il pressent les arrière-plans, inconscients ou non, de la psychose dont il partage les progrès.

3 - INTERTEXTE

RECHERCHES ET TRAVAUX

● EXPOSÉS

● Maupassant auteur fantastique (on s'aidera des pp. 185-190 du DHL). On pourra compléter le DHL par deux autres textes théoriques de l'auteur sur le fantastique : « Adieu, mystères » (1881) et « Par-delà » (1884).

● Le narrateur du *Horla* et la science de son temps (voir DHL, pp. 191-197).

● Le journal intime comme support du fantastique : *Le Horla* et *Le Cœur révélateur*, d'E. Poe (on trouvera ce texte dans *Nouvelles Histoires extraordinaires*, même collection, n° 6050, pp. 79-86, voir la fiche n° 59).

● La première version du *Horla* : ressemblances et différences avec le texte définitif (voir DHL, pp. 199-206).

● DOSSIERS

● Une fin de siècle : la tentation de l'irrationnel (voir DHL, p. 177). On s'aidera aussi des lectures suivantes : Nodier, Balzac, Gautier, Mérimée, *Récits fantastiques*, même collection, n° 6087, voir la fiche n° 57 ; Villiers de l'Isle-Adam, *Contes cruels* ; Poe, *Histoires extraordinaires*, même collection, n° 6019, voir la fiche n° 58 ; J.-K. Huysmans, *À rebours*.

● On pourra aussi prendre connaissance d'autres nouvelles fantastiques de l'auteur : *Le Docteur Héraclius Gloss* (1875, publié en 1921) ; *Coco, coco, coco frais !* (1878) ; *Le Masque* (1881) ; *Suicides* (1881) ; *Histoire d'un chien* (1881) ; *Fou ?* (1882) ; *Magnétisme* (1882) ; *Rêves* (1882) ; *Le Père Judas* (1883) ; *Mademoiselle Cocotte*

(1883) ; *L'Enfant* (1883) ; *Solitude* (1884) ; *Promenade* (1884) ; *La Peur* (1884) ; *La Tombe* (1884) ; *L'Auberge* (1886) ; *L'Endormeuse* (1889).

4 - PRÉTEXTE

1. - Une première approche de Maupassant pourra se faire avec la double page 2-3 du CI (portrait de l'auteur ; caricature ; lieux familiers).

2. - On complètera l'étude des influences littéraires par la double page 4-5 du CI : portraits d'écrivains fantastiques, Tourgueniev, Hoffmann, Poe.

3. - Les pp. 6-9 du CI insistent particulièrement sur le contexte scientifique : travaux de l'astronome Flammarion, auteur de romans d'anticipation et vulgarisateur scientifique ; recherches de Charcot dont Maupassant, comme Freud, suivit les leçons à la Salpétrière ; vogue du spiritisme depuis 1850 ; influence du philosophe Schopenhauer (voir « Auprès d'un mort », 1883).

4. - L'inspiration fantastique dans l'art se retrouve à travers l'œuvre d'E. Munch ou celle de J.-H. Füssli (le célèbre « Cauchemar ») ; CI, pp. 10-11.

5. - Le cinéma fantastique. On n'aura que l'embarras du choix pour travailler sur ce thème. On pourra se concentrer, avec l'aide du CI, pp. 12-16, sur l'adaptation américaine du *Horla* (*L'Étrange histoire du juge Cordier*, R. Le Borg, 1962) et, davantage, sur le court métrage de 38 minutes de J.-D. Pollet (1966), avec Laurent Terzieff.

● BIBLIOGRAPHIE COMPLÉMENTAIRE

Le Naturalisme, 10/18, 1978 (voir en particulier l'article de M.-C. Ropars-Wuilleumier, « La lettre brûlée (écriture et folie dans *Le Horla*) ».

LA MAISON TELLIER ET AUTRES HISTOIRES DE FEMMES GALANTES

« LIRE ET VOIR LES CLASSIQUES »
N° 6067

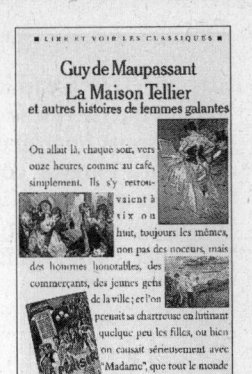

1 - CONTEXTE

LE CONTEXTE DE PRODUCTION :
Principaux événements en 1881

Les textes sélectionnés pour ce recueil (et qui ne correspondent pas à une sélection de Maupassant) ont été écrits entre 1881 *(La Maison Tellier)* et 1891.

• **En politique :** indépendance du Transvaal ; mort du tsar Alexandre II ; traité du Bardo ; mort de Billy the Kid.

• **Littérature et idées :** mort de Dostoïevsky ; *Bouvard et Pécuchet* (posthume) ; Verlaine, *Sagesse* ; Wilde, *Poèmes* ; Verga, début du cycle *Les Vaincus* ; Lafargue, *Le Droit à la paresse.*

• **En peinture :** Manet, *Bar aux Folies-Bergères.*

• **En musique :** Fauré, *Ballade* ; Offenbach, *Contes d'Hoffmann.*

HISTOIRE ET FICTION

L'action de ces histoires est contemporaine de l'écriture. Elle n'est datée avec précision que dans deux récits : « Les Sœurs Rondoli » et « Le Port ». Dans nombre d'autres

cas elle réfère explicitement au temps de la narration,
quand bien même le récit est fait à la troisième personne.
Neuf récits sur quatorze situent le moment crucial de
l'action à Paris du côté des Boulevards ou sur la Seine non
loin du pont de Chatou, dans les lieux qu'a hantés
Maupassant, qui nous emmène parfois cependant en
province : en Normandie, à Limoges, à Marseille.

2 - TEXTE

LE TITRE

En 1881, Maupassant publie un recueil de nouvelles sous
le titre de la première d'entre elles, *La Maison Tellier*. « La
Femme de Paul » fait partie de ce recueil. Le titre de
Maupassant a été conservé ici pour présenter un choix de
quatorze récits « qui sont, explicitement, tout entiers
consacrés — et ce dès le titre — à une ou à des ''filles'',
ou à un élément spécifique et distinctif de leur univers. »
La dernière nouvelle, « Les Tombales », appartient à la
réédition de *La Maison Tellier* en 1891.

L'ORGANISATION

Au fil de ces nouvelles, Maupassant décrit avec exactitude les mœurs, la vie quotidienne, la psychologie, l'histoire de ces filles et les établissements où elles exercent,
dans toute leur variété. Certes l'auteur a mis à contribution pour cela, son expérience personnelle, et elle n'est pas
mince — « trop de putains », s'inquiétait Flaubert à son
sujet —, mais il a aussi probablement puisé aux sources
documentaires de son époque avant de renseigner à son
tour les sociologues, historiens des mentalités et autres
chercheurs qui se sont intéressés à cet aspect de la vie au
XIXe siècle.

Mais ces récits nous intéressent bien au-delà de leur

richesse documentaire. La fille, au XIXe siècle, est souvent objet de scandale et de discours moralisateurs. Ici au contraire, Maupassant dénonce l'hypocrisie régnante, et la caricature des filles — derrière laquelle transparaît sa pitié — sert de contrepoint à celle, impitoyable, des notables. Enfin et surtout la fille fascine par le mystère qu'elle représente, qui tend à l'homme le miroir de sa propre énigme, celle de son désir. Désir de mort, car la fille (l'amour) et la mort, réelle et symbolique, ont partie liée.

3 - INTERTEXTE

EXPOSÉS

1. - Maupassant et l'art de la caricature dans « La Maison Tellier ».

2. - Les métaphores du sexe féminin dans les récits de ce recueil.

3. - La fille, miroir de l'homme, homme-fille.

4. - Rencontre du thème de la fille et du thème de la mort.

DOSSIERS

1. - Le Paris de Maupassant dans la peinture de son époque.

2. - Le thème du bâtard dans l'œuvre de Maupassant.

3. - Le personnage de la prostituée dans la littérature du XIXe siècle. Le DHL (pp. 299-344) fournit, pour cette étude, de larges extraits de Barbey d'Aurevilly, *Les Diaboliques*, « La Vengeance d'une femme » ; Baudelaire, *Le Peintre de la vie moderne* ; Dumas fils, *La Dame aux camélias* ; Goncourt, *La Fille Élisa* ; Huysmans, *À Rebours* ; J. Lorrain, *La Maison Philibert* (que l'on pourra comparer avec « La Maison Tellier ») ; Zola, *Nana*.

4 - PRÉTEXTE

Une très grande partie — les trois quarts — du CI est consacrée à la peinture. Et on constate que les « filles », les bords de Seine ne sont pas seulement, au XIXe siècle, un thème littéraire. Les rencontres entre l'œuvre de Maupassant et la création picturale contemporaine sont frappantes et laissent parfois penser que l'une a directement inspiré l'autre. C'est pourquoi il serait souhaitable d'élargir la perspective avec la collaboration du professeur d'arts plastiques et d'approfondir chez les élèves la connaissance de deux peintres éminents représentés ici par plusieurs de leurs œuvres : Toulouse-Lautrec (1864-1901) et Renoir (1841-1919). Si l'on peut se rendre facilement à Paris, Toulouse ou Albi, la visite au musée s'impose. Les crédits photographiques (p. 16) indiquent où se trouvent les œuvres reproduites.

D'autres peintres viennent compléter ce panorama de la société artistique dans laquelle s'épanouit l'œuvre de Maupassant : Constantin Guys (1805-1892), « le peintre de la vie moderne » selon Baudelaire (cf. pp. 302-305) ; Steinlen (1859-1923) illustrant ici le recueil de *La Maison Tellier* ; Seurat (1859-1891) ; Courbet (1819-1877) et Hanoteau (1823-1890) ; Bouguereau (1825-1905) enfin qui illustre ici la réaction académiste.

La fin du cahier complète la filmographie donnée à la page 347 dont la richesse, tant par le nombre de nouvelles adaptées au cinéma que par le prestige de leurs adaptateurs, atteste l'actualité de ces histoires. Actualité encore soulignée — et immédiatement perceptible aux costumes des personnages — par Godard quand il prend le parti de situer son action au XXe siècle. Outre qu'il serait souhaitable que les élèves puissent voir un ou plusieurs de ces films, on pourrait les faire réfléchir aux raisons qui ont pu pousser les cinéastes à adapter telle nouvelle plutôt que telle autre (trois adaptations pour *Yvette*).

PIERRE ET JEAN

« LIRE ET VOIR LES CLASSIQUES »
N° 6020

---

1 - CONTEXTE

LE CONTEXTE DE PRODUCTION :
Principaux événements en 1888

- **En littérature :** R. Kipling, *Trois soldats* ; G. Moore, *Confessions d'un jeune homme* ; R.-L. Stevenson, *La Flèche noire* ; G. Courteline, *Le Train de 8 h. 47* ; Villiers de l'Isle-Adam, *Nouveaux Contes cruels*.
- **En musique :** Rimski-Korsakov, *Shéhérazade* (suite symphonique) ; Tchaïkovski, *Cinquième symphonie en mi mineur*.
- **En peinture :** P. Cézanne, *La Paysanne à la robe bleue* ; V. Van Gogh, *Tournesols* ; *La Mousmé* ; *Pont de l'Anglois* ; G. Monet, *Cap d'Antibes*.
- **En politique :** popularité croissante du général Boulanger en France ; Frédéric III (mars-juin) puis Guillaume II empereurs d'Allemagne ; convention de Constantinople qui déclare le canal de Suez ouvert à la navigation internationale ; Jack l'éventreur tue six femmes à Londres.
- **Sciences et techniques :** Hertz identifie les ondes sans fil comme étant de la même famille que les ondes lumineuses ; perfectionnement du pneu Dunlop, du phonographe et de la photographie.

HISTOIRE ET FICTION

L'action est contemporaine de la date du roman.

---

2 - TEXTE

LE TITRE

Le titre, dans sa nudité, indique bien le thème principal du roman : Pierre et Jean sont les fils de M. et Mme Roland. Un jour Jean hérite seul de la fortune de Léon Maréchal, un ami de la famille. Pierre, après enquête, découvre que Jean est le fils de Maréchal. Pierre quittera sa famille pour devenir médecin à bord d'un transatlantique tandis que Jean épousera la jeune veuve que son frère et lui convoitaient.

L'ORGANISATION

● UNE PRÉFACE CAPITALE

On ne connaît en général le roman de Maupassant que par sa préface sur le roman. En fait le terme de « préface » est impropre : il s'agit d'une « étude sur le roman » que Maupassant avait publiée dans « le supplément littéraire du *Figaro* », le samedi 7 janvier 1888. Mais le texte ayant été coupé de façon maladroite, Maupassant réagit vivement et menaça le journal d'un procès.

Il s'explique là-dessus : « Mon étude sur le roman est si peu une préface que j'ai empêché Ollendorf (son imprimeur) de se servir de ce mot préface et de l'imprimer. Depuis longtemps je voulais dire les idées sur mon art, afin de ne plus laisser de prétextes à des méprises et à des erreurs sur mon compte. » (Lettre à Émile Strauss).

En fait, dans cette fameuse étude, Maupassant, disciple de Flaubert et de Zola, indique ses idées sur le romanesque et sur le réalisme dans la littérature romanesque. Se pose donc une nouvelle fois le problème du réalisme. Est-ce la représentation de la vision de l'artiste dont le monde est plus vrai que le réel ? Est-ce, au contraire, le refus d'une plate réalité, tant qu'elle n'a pas été transformée par le style de l'auteur ?

En définitive la justification que donne fort adroitement Maupassant du réalisme en art détruit la légende d'un auteur incapable de manier les idées. Maupassant reconnaît à l'artiste le droit de choisir, d'organiser, de faire illusion. Il distingue le roman d'analyse pure du roman d'idées. Mais, surtout, par-delà des analyses fort raisonnables, on perçoit chez lui une confiance fort raisonnée dans l'art et une grande foi dans le travail. Certes la vie est absurde (on sent l'influence de Schopenhauer), mais si l'art ne peut complètement la transfigurer, du moins, le travail aide-t-il à vivre.

● UN ROMAN DIVERSEMENT APPRÉCIÉ

Considéré comme le meilleur roman de Maupassant, *Pierre et Jean* est, paradoxalement, un des moins connus. Il n'a eu ni le succès tapageur de *Bel-Ami* ou d'*Une vie* ni la défaveur du public comme *Fort comme la mort*. Petit roman, à peine plus long qu'une longue nouvelle, *Pierre et Jean* est « l'essence du meilleur de l'art de Maupassant » (Francis Steegmuller).

● LES THÈMES DU ROMAN

● Les frères ennemis : c'est là un thème cher à Maupassant. Ici, le moteur est la jalousie, l'objet de cette jalousie, l'héritage et son origine, la liaison avec Maréchal. L'ensemble est le résultat d'une enquête subjective menée par Pierre et qui aboutit à son départ ailleurs, loin de cet univers médiocre et borné où, désormais, la jeune veuve qu'a épousée Jean viendra compléter le quatuor dissous.

● La mère et la mer : bien entendu — et il faudrait chercher dans la vie de Maupassant l'origine du thème — la mer qui ouvre et ferme le roman est omniprésente. Cette mer est liée à l'autre, la mère (on se reportera au chapitre I, notamment) dont on se sépare, en définitive, pour la retrouver fantasmatiquement (la mer).

• L'argent : thème récurrent chez Maupassant ; l'argent qu'on gagne, celui qu'on perd, celui qu'on envie surtout.

3 - INTERTEXTE

RECHERCHES ET TRAVAUX

● EXPOSÉS

• Établir la chronologie du roman.

• L'art du portrait chez Maupassant à partir des personnages du roman.

• Le thème du double chez Maupassant à partir du roman, puis plus largement, à partir de l'ensemble de son œuvre (on pensera surtout au *Horla*, voir fiche n° 42).

● DOSSIERS

• La mer dans les romans et les nouvelles de Maupassant (cf. DHL, pp. 273-277).

• L'argent dans les romans et les nouvelles de Maupassant (cf. DHL, pp. 246-250 ; 257-262).

• La famille chez Maupassant (cf. DHL, pp. 251-256 ; 263-272).

● RECHERCHES

Elles porteront exclusivement sur la préface :

• Dans les premiers paragraphes de la préface, Maupassant brosse un portrait contrasté de deux types de romanciers. Éclaircissez les allusions. Que vaut, aujourd'hui, cette position ? (cf. DHL, pp. 281-288).

• Quelle a été l'attitude des grands romanciers du passé en face de la réalité (soumission, dédain, etc.) ? Songez aussi à la littérature étrangère pour nourrir votre recherche (cf. DHL, pp. 283-288).

• Le type de roman que décrit et souhaite Maupassant est particulièrement susceptible d'être transcrit par un cinéaste. Et, de fait, Maupassant a souvent inspiré les metteurs en scène. Faites le relevé systématique des adaptations cinématographiques et télévisées de son œuvre (on s'aidera des fiches n° 35 à 46).

• On ajoutera à la bibliographie : J. Verrier, « Questions sur une lecture de *Pierre et Jean* », dans *Le Français dans le monde*, n° 146, juillet 1979.

4 - PRÉTEXTE

1. - L'univers de Maupassant : cabinet de travail (rue Montchanin, à Paris) ; « La Guillette », à Étretat où l'auteur écrivit *Pierre et Jean* entre juin et septembre 1887 ; son voilier le « Bel-Ami » (CI, pp. 2-3).

2. - L'univers du roman : les plages à la mode, Trouville et Étretat (CI, pp. 6, 7, 9), sujet d'inspiration pour les peintres (CI, pp. 4, 5, 8, 16).

3. - Le roman au cinéma (CI, pp. 10-11) et à la télévision (CI, pp. 11-15). On tentera de se procurer les deux films et de les comparer (dates de réalisation, 1943 et 1973) : emploi du noir et blanc et de la couleur ; portrait démonstratif chez Cayatte ; fidélité (et platitude ?) chez Favart. Travail sur les photos du CI (identification aux personnages ; cadre).

● LECTURES COMPLÉMENTAIRES

• Sur le thème de la jalousie entre deux frères et sur celui, inverse (mais au fond n'est-il pas un peu le même ?), de l'amour passionné entre frères et sœurs, on lira les histoires de Caïn et d'Abel (la *Génèse*), de Romulus et Rémus (Tite Live, *Histoire romaine*) mais aussi quelques contes de fées comme *Cendrillon* et *Le Petit Poucet*. Mais on n'oubliera pas, bien sûr, quelques classiques comme : *Les Frères Karamazov* ou *Les Frères Corses* (A. Dumas).

• Sur le thème de la paternité, dans le roman dramatique : *Le Fils naturel* (Dumas fils).

LE ROSIER DE MADAME HUSSON ET AUTRES CONTES ROSES

« LIRE ET VOIR LES CLASSIQUES »
N° 6092

1 - CONTEXTE

En 1887 (première publication du *Rosier de Mme Husson*)...

● **Politique et société** : la République des Jules connaît des années agitées. Elle redoute la popularité du général Boulanger, envoyé à Clermont-Ferrand. Le président Jules Grévy doit démissionner en raison du trafic de décorations où est impliqué son gendre. Sadi Carnot lui succède. L'affaire Schnaebelé, un grave incident de frontière, fait naître des menaces de guerre entre la France et l'Allemagne. La première Bourse du travail est créée.

● **Art et culture** : Le naturalisme est en crise. *La Terre* de Zola fait l'objet d'un polémique « Manifeste des cinq ». Edmond de Goncourt entame la publication du *Journal* qu'il a tenu avec son frère. Parmi les œuvres importantes, on note *En Rade* de Huysmans, *Les Lauriers sont coupés* de Dujardin, où Joyce affirmera avoir trouvé l'origine de de monologue intérieur de son *Ulysse*, *Tribulat Bonhomet* de Villiers de l'Isle-Adam, *Les Xipéhuz* de Rosny aîné, l'*Album de vers et de prose* et les *Poésies* de Mallarmé.

HISTOIRE ET FICTION

Même quand ils relèvent du genre fantastique (voir *Le Horla*, fiche n° 42), les contes de Maupassant sont ancrés dans la réalité quotidienne parisienne et provinciale (particulièrement la Normandie, comme le montre le DHL). Influencés par le réalisme et le naturalisme, fondés sur l'observation, ces récits privilégient les types : les paysans normands roublards, les employés, les petits bourgeois, les gentilhommes campagnards, les notables, les prostituées... Maupassant vise à dévoiler la vérité des êtres. Tout est alors affaire de tonalité : contes roses, noirs, angoissants, sordides, légers, malicieux, satiriques, cruels... S'il est possible de repérer des thématiques favorites (la guerre, les filles, la chasse, la Normandie, l'adultère, l'eau, la paternité incertaine, la maladie, le refus de l'enfant, le double, la folie...), il importe de souligner qu'à la structure ordonnée, Maupassant, ce Protée de la forme brève, préfère pour ses contes la bigarrure.

2 - TEXTE

LE TITRE

Titre d'une nouvelle parue le 15 juin 1887, *Le Rosier de Mme Husson* joue sur un double sens. Le Rosier désigne l'arbuste à fleurs, et semble nous orienter vers un récit bucolique et/ou sentimental où la femme et la fleur entretiendront des rapports métaphoriques. Mais nous apprendrons que l'expression est le surnom générique donné à Gisors aux ivrognes. L'énigme motive alors le récit explicatif. Le rosier est le masculin de la rosière, la jeune fille à qui l'on remettait solennellement une récompense (souvent une couronne de roses) pour sa grande réputation de vertu. Mme Husson a fait attribuer ce prix à un certain Isidore, qui s'enivre abominablement.

Contes roses n'est pas un titre dû à Maupassant, mais, tout en s'alliant subtilement avec « rosier », l'expression permet de rassembler par affinité des récits de tonalité proche. Couleur symboliquement plaisante et coquine, le rose renvoie alors à la légèreté, à l'humour, au comique, mais aussi à l'érotisme piquant, voire croustillant ou salace, et à la galanterie. Le rose a parti lié avec le rire, ou, à tout le moins, le sourire. Mais le gris, voire le noir, se laissent deviner.

L'ORGANISATION

Les textes rassemblés dans l'édition sont regroupés en rubriques : histoires normandes, histoires grivoises, adultères mondains et bourgeois, farces et farceurs. Cette pratique courante opère des coupes transversales dans les recueils de Maupassant, ce qui ne trahit nullement leur composition. Maupassant en effet ne les concevait pas en fonction d'une cohérence thématique, et leur donnait pour titre celui du récit inaugural. Les contes de cette édition appartiennent à onze recueils : *Mlle Fifi* (1882), *Clair de lune* (1883), *Les Sœurs Rondoli* (1884), *Monsieur Parent, Contes du jour et de la nuit* (1885), *Toine* (1886), *Le Horla* (1887), *Le Rosier de Mme Husson* (1888), *La Main gauche* (1889), *L'Inutile beauté* (1890), *Le Père Milon* (1899, posthume). Quelques-uns n'ont pas été mis en recueil par Maupassant.

3 - INTERTEXTE

SUGGESTIONS POUR UN PARCOURS MÉTHODIQUE

Le classement proposé définit très commodément les pistes de lecture. Outre les analogies thématiques, et surtout les proximités de registre, il permet d'étudier l'art de la variation, les différences (technique du récit, structure, tonalité, types, etc.).

On insistera en particulier sur le déploiement de l'arsenal du comique, de la grosse ficelle à la subtile finesse : comique de situation, quiproquo, gestuelle, comique de langage, ironie, satire... On relèvera les marques de l'oralité dans les contes avec narrateur.

La thématique normande se déploie selon les paysages, les lieux et les protagonistes (notables, paysans et paysannes). La grivoiserie met en scène la sensualité et favorise le commentaire égrillard par le choix des situations scabreuses. L'adultère des marquises ou des épouses de fonctionnaires donne de la femme une image traditionnelle de légèreté et de rouerie. La rubrique « farces et farceurs » distille une véritable défense et illustration de la farce, ce plaisir délicieux, sinon raffiné, qui consiste à duper également les imbéciles et les malins. L'on ajoutera que bien des contes pourraient appartenir à plusieurs rubriques.

DOSSIER HISTORIQUE ET LITTÉRAIRE

Le DHL se concentre sur le « normandisme » de Maupassant. Paysages et décors, Normands et Normandes, mœurs normandes : autant de rubriques qui rassemblent la perception de la réalité normande par Maupassant, cette rhétorique du réel, qui privilégie une écriture simple extrêmement travaillée. Suggérer l'atmosphère, choisir les détails caractéristiques, aller vite, ciseler les images : c'est une écriture de l'effacement au rythme rapide et redoutablement efficace, fondée sur une philosophie amère, un art de la sensation et de la vision.

Une comparaison obligée est rendue possible par des extraits de cet autre grand écrivain de la Normandie : Barbey d'Aurevilly. Un choix de passages de *L'Ensorcelée* (1854) permet de comparer le traitement du paysage et celui des types.

4 - PRÉTEXTE

● MAUPASSANT ET LE CINÉMA

On sait que l'œuvre de Maupassant a été souvent adap-
tée au cinéma (voir les CI des autres œuvres de l'auteur)
et surtout à la télévision. Dans le cas présent (pp. 1, 14,
15, 16), on notera que le cinéma a demandé à deux comiques parmi les plus populaires, Fernandel et Bourvil, d'être
« le rosier ». Si l'on ne peut comparer les deux versions
de l'adaptation de la nouvelle (celle de Jean Boyer et celle
de Bernard Deschamps), on tentera alors de rapprocher
les deux héros à travers leur filmographie.

● MAUPASSANT ET LA NORMANDIE

Le CI est, dans sa plus grande partie consacrée au paysage normand. On fera d'abord la recherche de tous les
aspects de ce paysage à travers les CI de toutes les œuvres
de Maupassant éditées dans la collection. On tentera
ensuite d'établir un lien entre les peintres sur lesquels on
fera une enquête (pp. 6, 7, 8, 9, 10) et des photographies
d'époque.

Quelles remarques peut-on faire sur les types présentés
en pp. 5, 7, 8, 9, 10 ?

● LES PERSONNAGES DES NOUVELLES À TRAVERS LE CI

Trouver des liens entre les nouvelles et les croquis des
pp. 4, 5, 13, 14.

● MAUPASSANT ET LA FEMME

Visages féminins chez Maupassant (pp. 11-12). En chercher d'autres dans les autres CI.

● L'ÉTUDE DES MŒURS

La férocité de l'auteur s'adresse à toutes les classes sociales. Ici (pp. 12-13), il s'agit de la justice. Enquête sur Daumier (p. 13) et la caricature au temps de Maupassant.

UNE VIE

« LIRE ET VOIR LES CLASSIQUES »
N° 6026

---

1 - CONTEXTE

LE CONTEXTE DE PRODUCTION :
Principaux événements en 1883

- **En littérature :** V. Hugo, *La Légende des siècles* ;
P. Loti, *Mon frère Yves* ; E. Verhaeren, *Les Flamandes* ;
É. Zola, *Au bonheur des dames*, fiche n° 90.
- **En musique :** J. Brahms, *Symphonie n° 3 en fa mineur* ; A. Chabrier, *España* ; L. Delibes, *Lakmé* (opéra comique) ; A. Dvorak, *Stabat Mater*.
- **En peinture :** A. Renoir, *Sur le rivage* ; *Le Fils de l'artiste* ; *Jean*.
- **En politique :** Expansion coloniale française (prise de Majungo et de Tamatave à Madagascar ; protectorat sur l'Annam ; guerre avec la Chine) ; union des légitimistes et des orléanistes ; difficultés intérieures (anarchistes) et extérieures anglaises (Soudan) ; mort de Karl Marx à Londres.
- **Sciences et techniques :** premier tramway électrique ; ouverture du pont de Brooklyn à New-York ; fabrication de la soie artificielle.

HISTOIRE ET FICTION

L'action se passe entre 1819 et les années 1842-1845. C'est le 3 mai 1819 (p. 17) que commence le roman. Si la chronologie reste serrée entre 1819 et 1824 (mariage de Jeanne, naissance de Paul, mort de Julien), en revanche les années 1824-1842 sont décrites rapidement par le romancier (pp. 204-fin). Le livre s'achève à une date indéterminée, après 1842 (dernière indication, p. 222).

Ainsi, durant l'espace d'une vie où il se passe si peu de choses ou si banales (mariage, naissance, adultère, mort), la France aura connu au moins trois régimes, la Restauration, la monarchie de Juillet, la Seconde République, peut-être le Second Empire. Plusieurs révolutions, dont les politiques (1830, 1848) ne sont peut-être pas les plus importantes, ont agité le pays. La révolution romantique littéraire (*Hernani,* 1830), musicale (*La Symphonie fantastique*, 1830), picturale (E. Delacroix) a modifié profondément les sensibilités ; la révolution industrielle (chemin de fer, 1830 ; machine à coudre, 1830 ; turbine, 1832 ; bateau à vapeur, etc.) et la révolution scientifique (Faraday, Gauss, McCormick, Morse, Daguerre, Joule, etc.) vont transformer les structures sociales et les mentalités.

2 - TEXTE

LE TITRE

Au début d'*Une vie*, un père cherche sa fille ; à la fin, celle-ci est grand-mère d'une petite fille, que le romancier ne dénomme même pas (elle n'existe que depuis une page, c'est la bonne Rosalie qui l'a ramenée de Paris). Peut-être n'a-t-elle pas besoin de nom : elle donne déjà son titre au livre, avec cet article indéfini qui en dit long. « Une vie ne vaut rien, rien ne vaut une vie » — avant Malraux, Rosalie-Maupassant nous le fait entendre, et le *une* du titre est peut-être à prendre comme le numéral, cette unité qui est totalité, parce qu'elle résume toutes les diversités. Quelle différence, en effet, entre une vie et la vie ? Mais Maupassant a-t-il pensé jusqu'au bout l'équivoque de son titre, et, y mettant encore un autre sens, ne s'est-il pas contenté de nous donner *une* « biographie » banale, cherchant par la gageure d'un moraliste à représenter le général sous le particulier ?

L'ORGANISATION

● LE GENRE

Si le roman d'apprentissage est quasiment reconnu en littérature comme un genre avec ses lois propres, on n'avait pas, du moins parmi les héritiers du romantisme, promu le genre à la dignité féminine. À peine si Flaubert avait réglé ses comptes avec les livres par l'intermédiaire d'Emma Bovary, niant justemnt que ce fût là un apprentissage. On conçoit qu'*Une vie* ait pu surprendre, et choquer. Recentrer sur la femme ce type de roman, c'était prendre à rebours le problème des attachements qu'on n'appelait pas encore œdipiens, c'était l'aborder par Hélène ou par Jocaste, deux positions où le romancier n'étant, par la force des choses, ni fille ni mère, aurait dû se sentir mal à l'aise. S'en est-il si mal tiré ? C'est au sortir du couvent que commence donc le roman. Passage obligé, qui laisse béante la lacune entre, si l'on peut dire, la fin et le début : la petite-fille de Jeanne nous quitte quand elle a trois jours, et nous avons connu Jeanne adolescente, presque à la veille de se marier. La boucle est presque refermée : mais non cette béance en âge absolu. C'est le jeune garçon, Paul, qui la remplit dans la chronologie ; c'est lui que nous voyons grandir, longtemps fils, puis père un jour. À vrai dire, pour le couvent de Jeanne, qu'y a-t-elle appris, et ces années, ont-elles compté ? L'obsession de la « table rase » chez le romancier, chez le dramaturge des bourgeois !

● LE THÈME

Le temps, celui qui dévore ses enfants, est au centre de cette histoire. N'est-il pas significatif que la leçon qui en est tirée vienne de Rosalie ? Seul personnage en mutation positive, dernière descendante des serfs, elle a eu, une fois et bien malgré elle, l'occasion d'exploiter le désir du Maître, qu'elle dépossède finalement de sa jouissance. Elle en a un fils, qui assurera l'ascension sociale. L'exploitation n'est pas terminée pour autant, Maupassant n'est pas si naïf, mais au moins les valeurs ont changé de main ; une aristocratie se défait, qui n'est pas liée au sang ; une autre se constitue, qui provient de l'acharnement et d'une « saine gestion ».

● LES PERSPECTIVES SOCIALES

Il sera facile, pensons-nous, d'intéresser les jeunes lecteurs aux perspectives sociales du texte. Comment des gens éclairés, charitables, généreux à leur façon, organisent la fermeture et la sclérose d'une classe dont les déboires sont prévisibles parce que le cœur est égoïste. De sa mère Adélaïde au cœur hypertrophié (beau symbole), Jeanne hérite d'être toujours grosse de son fils, en quelque sorte, de vouloir toujours le porter en elle.

● LE PERSONNAGE CENTRAL

D'où un autre regard sur le personnage central. Certes elle a été mal mariée. Mais peut-être son volage de mari a-t-il agi simplement en homme soucieux de ne pas mourir étouffé. Il a seulement eu le tort de ne pas pouvoir l'exprimer et d'en rester à cette angoisse informe. Mais les hommes ne sont pas intéressants ici, rejetés qu'ils sont du noyau principal du drame, loin derrière les figures féminines. Un riche quatuor féminin : Lison et Rosalie, des esquisses, brouillons des protagonistes, sont rigoureusement *niées* ; mais Lison, discrète ombre et parente pauvre, ne s'en sortira pas, Rosalie, si. Autour de Jeanne, la Félicité de Flaubert (« Un cœur simple », dans *Trois Contes*, fiche n° 23) s'est éclatée en deux figures. Quant aux traits maternels, ils sont répartis sur trois figures, toutes bonnes, ce qui est suspect.

● UN ROMAN À LA TROISIÈME PERSONNE

Pour dire cela, Maupassant écrit un roman à la troisième personne qui accomplit le tour de force d'être toujours une énonciation subjective, comme on dit au cinéma d'un plan qu'il est subjectif. Ce sont les yeux de Jeanne qui regardent les paysages, les autres, les événements. Ses sens sont tous dans le filtre de cet art de romancier où rien n'est dit dans l'intervalle d'une absence que l'héroïne laisserait sur la scène ; le lecteur est toujours attaché à ses pas, à ses sens, à ses réactions. Même le temps du roman, autant que son espace, est ramené à la dimension de sa conscience, qui le rend élastique, vif et allègre quand elle est heureuse.

3 - INTERTEXTE

RECHERCHES ET TRAVAUX

● EXPOSÉS

  ● Le cadre chronologique d'*Une vie*.
  ● Maupassant et la religion (les deux figures du curé).
  ● Les classes sociales dans *Une vie*.
  ● Maupassant et Flaubert (voir le DHL, pp. 267-268).
  ● Reflets d'*Une vie* dans les contes et nouvelles de Maupassant (on s'aidera du DHL, pp. 269-270, en essayant de lire les textes cités).

● DOSSIERS

  ● Maupassant et le paysage normand (voir DHL, pp. 275-280).
  ● Les femmes et la sexualité dans la littérature (on se contentera des textes cités dans le DHL, pp. 281-286 : *Effi Briest* ; *Madame Bovary*, fiche n° 22 ; *La Faute de l'abbé*

Mouret ; *La Fille aux yeux d'or*, fiche n° 5 ; *Histoire des Treize*, fiche n° 5).

● RECHERCHES

● Maupassant peintre de la mer (on s'aidera du DHL, pp. 279-280 et des autres textes de Maupassant, fiches n° 39 à n° 46).

● Le thème de l'argent dans l'œuvre de Maupassant.

4 - PRÉTEXTE

1. - Un couple (CI, pp. 1 et 10) ou une femme (CI, pp. 2, 5, 611) ?

2. - La photo de mariage : commentaire de la p. 1 du CI.

3. - La mère ou la femme (CI, p. 2) ?

4. - Le père ou le maître (CI, p. 3) ?

5. - Le roman et la vie. Rapprochements avec Zola (CI, p. 4).

6. - Comment la sensualité vient aux femmes : commentaire de la p. 5 du CI.

7. - Maupassant et Mérimée : un rapprochement inattendu (CI, p. 6).

8. - Les paysages de Maupassant (CI, pp. 7, 14, 4e de couverture).

9. - La ville et ses mythologies (CI, pp. 9, 16).

10. - Jeanne, petite sœur d'Emma (CI, pp. 11, 12, 13).

PROSPER MÉRIMÉE

(1803-1870)

1 - MÉMENTO

« Le personnage de Saint-Clair, dans *Le Vase étrusque*,
lui ressemble comme un frère : ''Il était né avec un cœur
tendre et aimant, mais à un âge où l'on prend trop facilement des impressions qui durent toute la vie, sa sensibilité
trop expansive lui avait attiré les railleries de ses camarades'' [...]. Dès lors il se fit une étude de cacher tous les
dehors de ce qu'il regardait comme une faiblesse désho-
norante... »

(Pascaline Mourier-Casile,
Préface de *Colomba*.)

« Le masque rassurant de l'archéologue, tout comme
celui du fonctionnaire modèle que n'a cessé d'arborer son
créateur, semble ne tenir que par de bien fragiles attaches.
Il n'en est que d'autant plus nécessaire, pour cacher un
visage bien autrement inquiétant... Quand ''tout est dit''
(Aragon), l'archéologue — et Mérimée aussi bien —
rajuste le masque, renoue avec l'érudition et la caution
de respectabilité qu'elle fournit à ses fidèles. Mais pour
laisser toute la place [...] aux hommes noirs et à leur langue
de rebelles et d'errants [...], qui narguent conjointement
— et réduisent au silence — ''la bonne compagnie'' qui
les méprise et les craint, mais qu'ils fascinent, ''En close
bouche n'entre point mouche''. »

(Pascaline Mourier-Casile,
Préface de *Carmen*.)

2 - VADEMECUM

DATES PRINCIPALES

1825	*Théâtre de Clara Gazul.*
1827	*La Guzla*, « choix de poésies illyriques ».
1829	*Chronique du règne de Charles IX.*
1829-1830	*Mateo Falcone* ; *L'Enlèvement de la Redoute* ; *Tamango* ; *Le Carrosse du Saint-Sacrement.*
1833	*La Double Méprise.*
1837	*La Vénus d'Ille.*
1840	*Colomba.*
1845	*Carmen.*
1869	*Lokis.*

JUGEMENTS SUR L'AUTEUR

« Le paysage était plat comme Mérimée... » (Hugo)

« Mérimée avait presque toutes les qualités qui font un excellent écrivain : de l'imagination, de la mesure, de l'audace et du goût, de la pénétration, l'art d'observer la vie sans en avoir l'air ; mais il avait peu de style. » (Gourmont)

« La peur de tomber dans la rhétorique le jette [...] trop souvent dans l'excès contraire qui frise la stérilité [...]. (Sainte-Beuve)

« Mon défaut à moi a toujours été la sécheresse, je faisais des squelettes... » (lui-même)

« Je ne suis pas trop sûr de son cœur, mais je suis sûr de son talent. » (Stendhal)

« Simplicité de la fable, choix habile des détails, merveilleuse sobriété d'exécution. Ses images, toujours pleines de vérité et de vie, sont plutôt suggérées que développées et c'est avec un goût tout hellénique qu'il dirige l'attention du lecteur. » (Pouchkine)

CARMEN ET AUTRES HISTOIRES D'ESPAGNE

« LIRE ET VOIR LES CLASSIQUES »
N° 6030

1 - CONTEXTE

LE CONTEXTE DE PRODUCTION :
Principaux événements en 1845

- **En politique :** soumission du Panjâb par l'Angleterre ;
Nouvelle-Zélande : rébellion maori contre l'Angleterre.
- **Vie intellectuelle et littéraire :** E. Sue, *Le Juif errant* ;
E. Poe, parution d'un grand nombre d'*Histoires extraordinaires* ; F. Engels, *La Situation des classes laborieuses en Angleterre* ; V. Hugo pair de France ; Vigny à l'Académie française.
- **Vie artistique :** caricatures de Daumier ; réhabilitation du paysage par l'école de Barbizon ; Wagner, *Tannhäuser*.

HISTOIRE ET FICTION

Deux pièces du *Théâtre de Clara Gazul*, publiées en 1825, sont présentées dans cette édition. L'action des *Espagnols en Danemark* se situe en 1808, dans l'île de Fionie ; celle de *Une femme est un diable*, « à Grenade pendant la guerre de Succession ». Le choix de l'Espagne et de certaines époques de son histoire sont autant de moyens pour parler, aussi, de la France des années 1820, des dangers du cléricalisme, et pour promouvoir une conception nouvelle (romantique) du théâtre. Quant à l'action de *Carmen*, elle est contemporaine du premier voyage réel de Mérimée en Espagne (1830), invitant à rapprocher le narrateur-archéologue de l'auteur et authentifiant ainsi le récit. Vingt ans après, Mérimée est moins intéressé par le contexte politique qu'il n'est fasciné par ces étrangers de l'intérieur, basques et surtout gitans, mis au ban de la bonne société.

2 - TEXTE

LE TITRE

L'Espagne et son théâtre ouvrent la carrière littéraire de Mérimée : quelques articles non signés, puis *le Théâtre de Clara Gazul*, dix pièces attribuées à une comédienne espagnole fictive et traduites par un certain Joseph L'Estrange derrière qui se cache, mal, notre auteur. Très librement inspiré d'un fait-divers (« Il s'agissait d'un *jaque* de Malaga qui avait tué sa maîtresse... »), *Carmen* clôt l'œuvre « espagnole » de son auteur. Entre ces deux œuvres, vingt ans, deux voyages, une amitié (avec Mme de Montijo) et de nombreuses lectures. Gitanes toutes deux, Clara Gazul et Carmen encadrent cette période mais n'épuisent pas le sujet qui occupera Mérimée jusqu'à sa mort.

L'ORGANISATION

• Le *Théâtre de Clara Gazul* est l'œuvre d'un Mérimée nourri de littérature espagnole et qui y multiplie les références. Dans les œuvres du Siècle d'Or, paradoxalement, il trouve la source d'idées nouvelles sur le théâtre ; dans l'histoire récente de l'Espagne, l'écho de ses idées libérales d'alors ; dans l'évocation de la vieille Espagne, le moyen d'exprimer son inquiétude quant aux libertés menacées. Clara Gazul double du Mérimée de 1825 ?

• C'est l'« Espagne réelle » au contraire que montre *Carmen*, l'Espagne devenue familière à un voyageur érudit dont l'intérêt se focalise sur l'étrangeté, la « couleur locale ». D'une œuvre à l'autre l'accent s'est déplacé pour faire des caractères singuliers, violents, passionnés, voire primitifs de ces personnages marginaux, de la désespérance de l'amour, le sujet même de l'histoire. En contrepoint, le narrateur. L'auteur ? Mais « il vivait masqué... » (Tourgueniev).

3 - INTERTEXTE

EXPOSÉS

1. - L'Espagne du *Théâtre de Clara Gazul*.
2. - L'Espagne de *Carmen*.
3. - La couleur locale dans l'œuvre espagnole de Mérimée.
4. - La femme et le diable.
5. - Étude comparée de l'*Histoire de Don Pèdre 1er* (pp. 374-380) et de *Carmen*.
6. - Le narrateur de *Carmen* ; son portrait et son rôle dans la composition de l'œuvre.
7. - Carmen et Clara Gazul, deux portraits de femmes.
8. - Le personnage de Don José.
9. - Mérimée du romantisme au réalisme.

4 - PRÉTEXTE

Le CI s'ouvre sur le frontispice de la partition de l'opéra de Bizet, représentant la mort de Carmen, et jouant ainsi un rôle analogue à celui de la citation de l'*Anthologie palatine* en exergue au roman. C'est une bonne occasion de parler de l'importance de l'opéra dans la genèse du mythe, qui vit provisoirement ses derniers avatars derrière la caméra de Francesco Rosi en 1984. On fera identifier les personnages, les éléments du décor ; on étudiera la composition de l'ensemble. Le tout contrastant violemment avec la scène de la page suivante, qui représente le premier public de cette histoire d'amour et de mort.

Les pages 4 et 5 illustrent la couleur locale : *majos, manolas*, gitans et voleurs. Louis Boulanger (1806-1867), auteur du tableau reproduit p. 5, est un peintre de l'école romantique qui fut très lié à Victor Hugo et représenta plusieurs scènes de *Notre-Dame de Paris* (PP, n° 6004, CI, p. 14). On fera remarquer que la mode espagnole dépasse le cadre littéraire (musique, peinture). Elle est encore représentée ici par Manet (1832-1883), le portraitiste J.-S. Sargent (1858-1925) et d'autres peintres moins célèbres. Sans parler de Goya...

Les pages 6 et 7 sont consacrées à la tauromachie et fournissent un complément iconographique à la première des *Lettres d'Espagne* (pp. 227-247).

La fin du cahier présente un certain nombre d'actrices et cantatrices célèbres qui, de la Galli-Marié à Julia Migenes-Johnson, ont prêté leurs traits et leur voix à Carmen. Visages, costumes, maquillages, poses en disent long sur les interprétations du personnage de Mérimée. On pourra consulter sur ce sujet le *Dictionnaire des personnages du cinéma*, Bordas, 1988.

COLOMBA, MATEO FALCONE : NOUVELLES CORSES

« LIRE ET VOIR LES CLASSIQUES »
N° 6011

1 - CONTEXTE

LE CONTEXTE DE PRODUCTION :
Principaux événements de 1840

- **En politique** : traité de Londres (soutien européen aux Turcs contre l'Égypte) ; coup d'état manqué de Louis-Napoléon Bonaparte ; retour des cendres de Napoléon ; autonomie du Canada.
- **Vie intellectuelle et littéraire** : Balzac, *Z. Marcas* ; Hugo, *Les Rayons et les Ombres* ; Poe, *Histoires extraordinaires* (1840-1846).
- **Vie artistique** : mort de Paganini ; Mérimée confie à Viollet-Le-Duc la restauration de la basilique de Vézelay.

HISTOIRE ET FICTION

L'anecdote qui sert d'intrigue à *Mateo Falcone* n'est pas pure invention de Mérimée (cf. DHL, pp. 281-287). La version mère date de 1771. En 1829 cette histoire paraît encore représentative des mœurs et du tempérament corses à en juger par les nombreuses mises en récit dont elle est l'objet. Mérimée place l'action « un certain jour d'automne » 18.., et en resserre le cadre spatial et temporel :

toute l'action se déroule à proximité de la maison de Mateo Falcone, en l'espace de quelques heures. L'histoire de *Colomba* s'inspire d'une vendetta bien réelle qui a abouti, en décembre 1833, à la mort de trois hommes — dont celle de l'unique fils de Colomba Bartoli —, mais l'action de la nouvelle se déroule entre « les premiers jours du mois d'octobre » 1819 et « une belle matinée d'avril » de l'année suivante.

2 - TEXTE

LE TITRE

Le premier des deux récits, *Mateo Falcone* raconte l'histoire — qui court dans maint livre de la même époque — d'un berger qui a dénoncé, pour de l'argent, un fugitif, et que son père, Mateo Falcone, se considérant comme déshonoré, exécute pour prix de sa trahison. *Colomba* porte le nom de l'héroïne de cette histoire de vendetta, tirée du récit recueilli par Mérimée lui-même lors de son séjour en Corse en 1839, et qui servit assez fidèlement de trame à la nouvelle : le personnage a conservé le prénom de son modèle, Colomba Bartoli, mais doit aussi certains de ses traits à Catherine Bartoli, fille de Colomba.

L'ORGANISATION

S'il est concentré sur un seul épisode, la vengeance de Colomba et de son frère Orso, le récit est organisé, malgré sa concision et son resserrement, de façon complexe : des retours en arrière rompent plusieurs fois la stricte linéarité du récit ; l'histoire des deux bandits fait l'objet d'une courte digression. Comme dans le théâtre classique, l'effet maximal est obtenu par divers procédés de concentration : peu de personnages, peu d'événements ; tout est épuré, dans les dialogues et dans les descriptions, de manière à donner au récit le « plus fort coefficient de nécessité » (A. Bragance).

La nouvelle privilégie généralement la position du narrateur qui se confond ici avec l'auteur, commentateur ironique et omniscient, s'adressant parfois au lecteur de manière appuyée, sans la solennité d'un Balzac ou d'un Hugo, mais toujours de façon narquoise et faussement désinvolte. Un deuxième point de vue est subtilement apporté à la fois sur la Corse et sur les données de l'intrigue, par certains personnages eux-mêmes : si Mérimée s'amuse à donner au colonel Nevil et à sa fille Lydia le regard ébahi de deux « civilisés » sur un monde « barbare », il ne les accrédite pas pour autant aux yeux du lecteur.

3 - INTERTEXTE

EXPOSÉS

1. - Étude comparée de *Mateo Falcone* et de ses sources (pp. 281-287).

2. - La Corse d'après *Colomba* et *Mateo Falcone*.

3. - La femme corse (voir aussi le CI).

4. - Les personnages secondaires dans *Colomba* (en particulier les bandits. Comparer avec ce qu'en dit Flaubert pp. 295-297).

5. - Le narrateur : relever les interventions de l'auteur ; humour et ironie ; effets de distanciation.

6. - Romantisme et réalisme dans *Colomba*.

DOSSIERS

1. - Description de la langue corse à partir des textes de *voceru* donnés aux pages 306-310.

2. - Conte, roman, nouvelle aux XVIIIe et XIXe siècles.

3. - Électre, Antigone et Colomba.

4. - A. Houssaye juge ainsi Mérimée : « Il ne subit aucune école, n'est ni romantique, ni classique, ni naturaliste, ni idéaliste ; il prend des écoles ce qui lui paraît valoir. L'exagération déplaît à son esprit mesuré, chercheur d'élégance et de perfection. » Cette citation peut servir de point de départ à la connaissance des principaux mouvements ou écoles littéraires au XIXe siècle.

DISSERTATION (second cycle)

J. Autin écrit à propos de *Colomba* : « il y a dans cette œuvre du Voltaire narquois, du La Fontaine bonhomme, du Rabelais truculent, du Molière psychologue. Plus encore, il y a du Mérimée, observateur et narrateur, du meilleur. Si Colomba avait le mauvais œil, lui savait voir. » Développez ces réflexions, discutez-les éventuellement.

4 - PRÉTEXTE

Le **CI** suit le plan suivant, à faire découvrir aux élèves : l'auteur et ses amis ; *Colomba* en images ; paysages corses ; images de bandits corses.

• Les pages 1 à 3 sont l'occasion de mieux cerner la personnalité de Mérimée en relation avec deux figures célèbres : Stendhal qu'il accompagne en Italie en 1836 — *La Chartreuse de Parme* et les *Chroniques italiennes* datent de 1839 —, et Viollet-Le-Duc avec qui il parcourt la France.

• Sur le modèle des pages 4 à 11, un montage d'images (découpées, reproduites, inventées) sur *Colomba* ou *Mateo Falcone* permettra de réfléchir au découpage de l'action, aux critères du choix des scènes, aux spécificités de l'image fixe et de l'image filmée. Il serait souhaitable de compléter un tel travail par l'étude comparée d'une nouvelle et de son adaptation cinématographique. Le personnage d'Adémaï, page 16, pourrait être pris en compte dans l'exposé n° 4.

• Aux pages 12-13, les lithographies et gravure, contemporaines du voyage de Mérimée en Corse, d'inspiration romantique (voir les nuages qui roulent dans les ciels), contrastent avec les photos et invitent à une réflexion sur l'image de la Corse au XXe siècle. Dans le même esprit, on pourrait comparer les représentations des pages 14-15 avec des cartes postales ou des dépliants touristiques actuels.

MOLIÈRE
(1622-1673)

« Molière ! Un seul nom qui dit tout et qui fait rêver »
(Balzac). « Homme de théâtre complet, à la fois directeur
de troupe, dramaturge, metteur en scène très pontilleux,
acteur voué par son physique ingrat, grosse tête, taille
courte, buste trop long, aux spécialités du burlesque » (*Dom
Juan*, préface, p. 7), « il fait rire sur le dos de l'humanité
distinguée, instruite, sentimentale, sacrée » (Audiberti).
Pour ses contemporains, dévots et rivaux jaloux de ses succès, il est l'homme à abattre, « impie et libertin, démon
vêtu de chair » (*Le Tartuffe*, DHL, p. 154), « un tartuffe
achevé et un véritable hypocrite » (*Dom Juan*, DHL,
p. 147). Il aurait fait du théâtre « une école d'athéisme »
(Prince de Conti) ou « de mauvaises mœurs » (Rousseau).

Mais le XIXᵉ siècle le voit en penseur pessimiste, romantique avant la lettre, précurseur des Encyclopédistes. « Le
comique de Molière, par sa profondeur, si j'ose dire par
sa tristesse, se rapproche de la dignité tragique » (Chateaubriand), c'est « une solennelle déclaration de l'âme
du Tiers-État » (Gautier). Il est désormais encensé comme
le chantre de l'esprit national (Taine), « un moment de
la conscience humaine » (France).

Enfin le XXᵉ siècle loue le « peintre clairvoyant et
critique raisonnable de l'homme social » (Bénichou).
« Molière a épinglé l'animal-homme comme un insecte et,
avec une pince délicate, il fait jouer ses réflexes (Anouilh) ;
il « met à nu la carcasse sonore du langage, le transformant en mécanique à faire rire » (Ionesco).

2 - VADEMECUM

● L'ILLUSTRE-THÉÂTRE

« Fou de théâtre, un jeune bourgeois parisien — Jean-Baptiste Poquelin — que tout conduisait à embrasser la confortable profession paternelle se jette sur les routes, et de tréteaux en salles de province se forge une belle réputation d'amuseur. » (*Le Tartuffe*, préface, p. 3). Années d'errance, difficiles et exaltantes, où, avec un pseudonyme promis à la célébrité, le « pitre » fait son apprentissage d'auteur-acteur-directeur de la troupe qu'il a fondée.

● SUCCÈS ET SCANDALES

Il produit une vaste œuvre dramatique qui lui vaut la faveur du roi et l'hostilité fanatique de ses détracteurs : 34 pièces dont 15 comédies ballets (ou pièces mêlées de chants et danses) [A], 9 « grandes » comédies dites « de mœurs et de caractères » [B], 4 dites « d'intrigue » [C], 4 farces [D], et 2 comédies en forme de critiques [E].

1655	*L'Étourdi* [C].
1659	*Les Précieuses ridicules* [B].
1661	*L'École des femmes* [B].
1663	*L'Impromptu de Versailles* [E].
1664-1669	*Le Tartuffe* [B].
1665	*Dom Juan* [B].
1666	*Le Misanthrope* [B]. *Le Médecin malgré lui* [D].
1668	*Amphitryon* [C]. *George Dandin* [B]. *L'Avare* [B].
1669	*Monsieur de Pourceaugnac* [A].
1670	*Le Bourgeois gentilhomme* [A].
1671	*Les Fourberies de Scapin* [C].
1672	*Les Femmes savantes* [C].
1673	*Le Malade imaginaire* [A].

● OMBRES ET LUMIÈRES

Labeur exténuant, critiques violentes et intrigues incessantes, difficultés conjugales, ennuis de santé assombrissent les dernières années. Mais sept ans après sa mort, sa troupe donnera naissance à la Comédie Française.

L'AVARE

« LIRE ET VOIR LES CLASSIQUES »
N° 6125

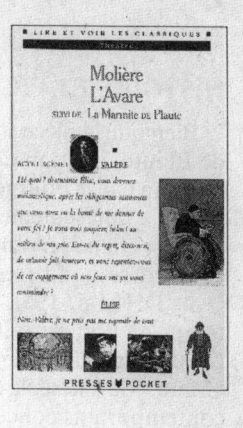

---

1 - CONTEXTE

LE CONTEXTE DE PRODUCTION : 1668

Après *Amphitryon*, en janvier, puis *Georges Dandin*, en juillet, le 9 septembre 1668, Molière crée *L'Avare*. Écrite en prose, la pièce déconcerte le public et n'aura que neuf représentations. Elle commencera à connaître le succès à sa reprise en décembre.

- **En littérature** : Racine, *Les Plaideurs*. La Fontaine : le premier recueil des *Fables*. Un important arrêt du Conseil du Roi décide qu'un noble peut dorénavant, sans déroger, être comédien : l'ambassadeur du tsar à Paris assiste à la représentation d'*Amphitryon*. Mort de la Du Parc, la créatrice des rôles de Racine.
- **En peinture** : Mort de Mignard, l'ami et le portraitiste de Molière.
- **En politique** : Le traité d'Aix-la-Chapelle met fin à la guerre franco-espagnole (la guerre « de dévolution »). La « paix de l'Église » met momentanément un terme à la querelle janséniste et donne quelque espoir pour la représentation du *Tartuffe*.
- **En sciences** : L'italien Redi démontre que les asticots de la viande ne proviennent pas d'une génération spontanée, mais bien d'œufs de mouches.

HISTOIRE ET FICTION

Bien que la pièce soit reprise directement de *La Marmite* de Plaute, l'action de *L'Avare* se situe très concrètement dans un cadre bourgeois contemporain de Molière : Harpagon a non seulement un intendant mais deux valets, un cocher, et une servante. Le souper évoqué par Maître Jacques correspond très précisément aux mœurs du temps (voir DHL, p. 195). Le costume d'Harpagon rappelle le temps où l'on portait des fraises : autrement dit, c'est un personnage démodé à l'apogée du règne de Louis-le-Grand. Mais la seule allusion plus précise à des événements contemporains concerne, avec un léger anachronisme, la révolte de Sicile (voir DHL, p. 194).

2 - TEXTE

LE TITRE

Alors que la pièce de Plaute est intitulée *La Marmite* (autrement dit : « la cassette »), ce qui met l'accent sur l'intrigue, Molière, lui, veut représenter l'éternité de l'âme humaine : son héros est un type.

Harpagon apparaît aussi comme une variation autour du personnage de Sganarelle, toujours avare et prêt à sacrifier son entourage à sa passion (cf. *L'Amour médecin*, I, 5, « je veux garder mon bien et ma fille pour moi »). Le rôle a été créé par Molière qui lui a donné, comme à Sganarelle, la démarche ingrate, une silhouette rendue comique par une barbe et une fraise ridicules aux yeux des jeunes élégants (voir DHL, p. 213). De Sganarelle, il a les emportements qui le font se précipiter avec un bâton sur quiconque le contredit. Son drame est au fond de ne savoir plaire à personne : dans la galerie des avares célèbres (voir DHL, p. 204), il est peut-être le plus tragique. On peut l'opposer, en particulier, à Grandet qui a au moins la jouissance physique de manipuler son or.

L'ORGANISATION

• La pièce a une simplicité classique : Harpagon se méfie durant trois actes d'un voleur qui finit, bien sûr, par arriver. En même temps, comme les autres pères coupables des pièces de Molière (cf. les homophonies : Orgon, Argan, Harpagon), le père avare envisage tranquillement un mariage disproportionné pour sa fille. L'intrigue oppose d'un côté les deux passions juvéniles sympathiques au spectateur et de l'autre les ridicules d'un amour sénile et pingre. Le dieu des amoureux s'appelle *deus ex machina* : il fait tout rentrer dans l'ordre au dernier acte. Le personnage comique, comme d'habitude, est renvoyé à son délire : il tient dans ses bras sa chère cassette.

• Une des originalités de la pièce réside certainement dans la composition de l'entourage d'Harpagon : plus nombreux que d'habitude, les enfants, leurs amoureux et les serviteurs ont aussi plus de force et peut-être plus d'ambiguïté : aucun n'est réellement innocent et c'est peut-être de là que chacun tire son énergie pour résister au vieillard qui les tyrannise. Ces figures secondaires sont moins fades que les jeunes soupirants que l'on trouve souvent dans les familles molieresques. (Voir dans le DHL, les appréciations de Rousseau et d'Anouilh, pp. 192 et 193).

3 - INTERTEXTE

Harpagon dans la galerie des pères de famille de Molière

• Harpagon, Orgon, Chrysale, Argan, tous joués à l'origine par Molière lui-même, comme d'ailleurs Alceste et Sganarelle. Les points communs sont multiples. Plusieurs costumes portent une « fraise à l'antique » que l'on retrouve dans l'inventaire de 1673.

• Orgon, Harpagon et Chrysale sont en noir (le dévot, l'avare, le vieillard démodé) ; Harpagon s'irrite contre les habits qui « ne servent » à rien et sont coûteux et, par-là, se rapproche même d'Alceste avec son obstination à porter des « rubans verts ». Il y a chez Harpagon le reflet de l'idéal de Chrysale (« *Former aux bonnes mœurs l'esprit de ses enfants / et règler la dépense avec économie* », jusqu'à celui d'Alceste : le regret d'une antique simplicité, du ton vigoureux de nos pères ; tous ces personnages ont le souvenir du temps où la sagesse était l'austérité, la rigueur était la franchise. On retrouve comme chez Arnolphe la hantise des « damoiseaux » et autres « freluquets ». Bref, ces bourgeois un peu démodés refusent l'atmosphère brillante de la vie de cour imposée par Louis XIV. Tous maladroits lorsqu'il s'agit de faire leur cour (cf. le jeu de scène des lunettes pour mieux apercevoir les charmes de Marianne), ils ont les mêmes fureurs impuissantes (voir les colères de M. Jourdain ou d'Argan) qui leur font monter à la bouche les injures du temps passé (« pendard », « coquin », etc.).

L'Avare et *La Marmite*

Au-delà de l'étude des emprunts faits par Molière (voir DHL, p. 8), on peut comparer : les relations avec le public (voir le rôle du prologue dans la pièce latine) ; les différents portraits de l'Avare faits par l'entourage ; les formes de comique ; les scènes burlesque ou de farce ; la composition des intrigues ; la présentation et la caricature des mœurs de l'époque.

4 - PRÉTEXTE

L'Avare au théâtre

• Étude comparée de trois lieux scéniques et des conventions théâtrales propres à chaque époque (pp. 3, 4, 14 du CI) : le théâtre en plein air de l'antiquité, le palais classique, le décor bourgeois du XXᵉ siècle (voir le DHL, p. 199 pour le théâtre classique, p. 183 pour le théâtre romain).

• L'affiche de théâtre : place et taille du nom de l'auteur ; programme des représentations. Comparaison de la première page de *L'Avare* dans une édition du XIXᵉ et dans la présente édition.

• Du côté des acteurs : qui sont les « comédiens du roi » ? Les acteurs célèbres : les effets de leur personnalité ou de leur notoriété sur les attentes du public, sur l'interprétation du rôle (cf. DHL, p. 212 et sv.).

• Le rôle d'Harpagon : chercher dans le texte ce qui justifie les constantes repérables sur les gravures et les photographies (âge, costume, accessoires, mimiques et jeux de scènes). Classer les interprétations de la plus comique à la plus tragique.

Les variations sur le thème de l'attrait de l'argent

De Bosch à Walt Disney : du thème religieux du mauvais riche au rêve américain, les différentes représentations de la passion de l'or. La figure de *L'Avare*, pp. 2, 6 et 9, puis 14, 15, 16 : les constantes dans la représentation (l'angoisse du visage, la maigreur, les gestes des mains, opposer à la représentation du riche (pp. 6 et 7) pour voir les similitudes et les différences ; étude de tous les détails symboliques de chacune des représentations.

Étude des conventions picturales de chaque époque

Bosch, le réalisme des figures et le fantastique médiéval ; au XVIᵉ siècle : l'allégorie et le réalisme de la peinture d'un intérieur ; Vignon (XVIIᵉ) : l'anachronisme dans la représentation de l'Antiquité ; la figure majestueuse du roi en (bon ?) gestionnaire ; XIXᵉ siècle : la caricature des bourgeois.

La vie mondaine

Préciser son rôle dans la pièce ; dater les gravures des pages 10 et 11 ; opposer les figures de courtisans et l'allure et le costume d'Harpagon.

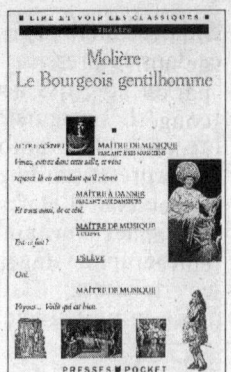

LE BOURGEOIS GENTILHOMME

« LIRE ET VOIR LES CLASSIQUES »
N° 6095

1 - CONTEXTE

EN 1670...

● ARTS ET CULTURE

Vif succès d'un roman héroïque hispano-mauresque, en deux volumes, *Zaïde*, écrit par Madame de La Fayette sous le nom de Segrais. Port-Royal donne la première édition des *Pensées* de Pascal. En février, représentation de la comédie-ballet *Les Amants magnifiques* à Saint-Germain. Le 14 octobre, création du *Bourgeois gentilhomme* devant le roi à Chambord ; la pièce est reprise dès le 23 novembre au théâtre du Palais-Royal. En novembre Racine fait jouer *Bérénice* et Corneille *Tite et Bérénice*. Claude Perrault achève la colonnade du Louvre, tandis que se construit l'Hôtel des Invalides. Mansard succède à Le Vau pour édifier le palais de Versailles.

HISTOIRE ET FICTION

Les Turcs étaient à la mode depuis la réception par Louis XIV de l'émissaire musulman Soliman Aga en décembre 1669. Le roi avait tenu à recevoir la délégation turque vêtu d'un costume oriental somptueux, assis sur un trône d'argent dressé sur une haute estrade, et entouré de nombreux gentilshommes habillés à son image. Outré par ce faste ostentatoire, l'envoyé de la Grande Porte prit congé le 30 mai 1670. Le chevalier d'Arvieux, qui fut l'interprète royal, le « truchement » de cette farce vécue, fut sollicité pour apporter sa collaboration à la comédie-ballet que Molière et Lulli composèrent aussitôt, à la demande du roi désireux de faire un divertissement de cette entrevue manquée (voir DHL, p. 167).

2 - TEXTE

LE TITRE

Selon le Dictionnaire de l'Académie, bourgeois signifie « citoyen d'une ville » et « comprend, dans sa définition, les artisans, les propriétaires, les rentiers, les négociants, les fonctionnaires, les hommes adonnés aux professions libérales [...], à distinguer des ouvriers, des petits marchands, de la noblesse » (Lexique, p. 187). Or le riche « bourgeois » M. Jourdain, entiché de noblesse, poursuit son idée fixe : entrer dans une classe sociale qui n'est pas celle donnée par la naissance, mais que peut lui gagner son argent car « tout gentilhomme est noble, mais tout noble n'est pas gentilhomme » *(ibidem)*. En effet la noblesse n'est plus race privilégiée, légitimement auréo-lée du prestige d'ancêtres valeureux « gentilhommes », mais elle peut s'acquérir par lettres ou par offices. Molière, pour plaire au roi, se moque de tous ceux qui, rêveurs obstinés, font choix comme idéal d'un groupe social démonétisé, la petite noblesse, récente ou ruinée, désormais sans crédit. L'alliance volontairement paradoxale des termes est donc, dès le titre, source de comique mais aussi de réflexion sur les caractères par l'opposition insurmonta-ble des essences masquées par les apparences.

LA STRUCTURE DRAMATIQUE

« C'est le mouvement d'une farce, l'allure d'un opéra
et le style d'une comédie » (Brisson), « La structure de
la pièce, comme celle du *Malade imaginaire*, est d'un seul
bloc : les entractes ne sont ménagés que pour faire place
aux divertissements, l'intrigue est continue » (Descotes).
De fait, par deux fois, le ballet remplace l'entracte (fin
des actes II et III), si bien que la comédie semble à la représentation
ne comporter que trois actes ; les trois ballets
les plus importants (fin des actes I, IV et V) sont ainsi
distincts de la progression dramatique, le premier étant
considéré comme la répétition générale des deux autres,
qui ont le plus de danseurs et de déploiements spectaculaires.
On peut déceler une cohérence dramatique et
psychologique profonde dans l'organisation même de la
comédie : M. Jourdain est « bourgeois », élève de bonne
volonté mais de peu de moyens qui reçoit les leçons de
ses maîtres (actes I et II), puis « gentilhomme » qui tente
d'appliquer les préceptes de sa nouvelle éducation (actes
III, IV et V) ; sa famille et ses domestiques représentent
le bon sens populaire, tandis que Dorante et Dorimène
exploitent son ridicule désir de noblesse.

3 - INTERTEXTE

Suggestions pour une lecture méthodique permettant
une réflexion sur la cohérence générale de la pièce :

• la scène d'ouverture en apparence « non préparée »
(I, 1) peut être analysée comme une très habile mise en
abyme du principe même de la comédie-ballet : dialogues
avec les maîtres de musique puis de danse (I,2), à rapprocher
de la technique de présentation de l'*Impromptu de
Versailles*.

• la mise à nu de la « carcasse sonore du langage »
(Ionesco) dans une série de scènes complémentaires : la

leçon du maître de philosophie (II, 4), mise en œuvre en III, 3 ; le « sabir » (mélange de français, d'italien, d'espagnol et d'arabe, parlé dans les ports méditerranéens d'Afrique du Nord et du Levant) : IV, 3, 4 et 5 et ballet final dit « des nations ».

• la ridicule crédulité du « gentilhomme » (II, 5).

• la traditionnelle scène de « dépit amoureux » (III, 10) dont les effets comiques sont renforcés par la mise en parallèle des couples (les maîtres « doublés » par les valets), à rapprocher des scènes 2 et 3 de l'acte II d'*Amphitryon* utilisant le même procédé.

• le dénouement : le conventionnel « tout est bien qui finit bien » par l'annonce d'un triple mariage (V, 6).

Pour accompagner la lecture de l'œuvre, le DHL permet une analyse thématique aussi bien qu'un parcours historique et intertextuel. Quelques propositions :

• **« le pouvoir de la bourgeoisie »**, DHL, pp. 150-166. Plutôt qu'« attaquer une pratique d'ordre social, celle qui a permis à un Colbert de devenir baron de Seignelay, à un Le Tellier de devenir baron de Louvois, à tant d'autres de passer de la bourgeoisie à la noblesse », Molière « veut ridiculiser les bourgeois qui, au lieu de s'affirmer comme tels, rêvent d'entrer dans un ordre qu'ils croient supérieur ; ceux qui, au lieu de prendre conscience de leur valeur comme classe, du pouvoir que leur confère l'argent, s'abandonnent aux prestiges d'une classe qui ne les vaut plus » (Philippe Van Tieghem) — à mettre en relation avec la vertueuse tirade de l'honnête Cléonte : ... il y a de la lâcheté à déguiser ce que le Ciel nous a fait naître... » (III, 12).

En collaboration avec le professeur d'histoire (étude de la bourgeoisie du XVIIe au XIXe siècle), on pourra prolonger la réflexion par d'autres témoignages littéraires sur les ambitions sociales de cette classe « montante » : ainsi la comédie de Lesage *Turcaret* (1709), *Le Rouge et le Noir* de Stendhal (1830), mais aussi Beaumarchais *(Le Mariage de Figaro)* et Voltaire *(Jeannot et Colin)*.

• **« l'attrait de l'Orient »**, D.H.L., pp. 167-174. Recherche sur la mode des « turqueries », des récits de voyages aux ouvrages qu'ils ont pu inspirer, en passant par l'influence considérable exercée par la traduction des *Mille et une nuits* ; *Zaïde* de Madame de La Fayette (voir Contexte), *Zadig* de Voltaire, les *Lettres persanes* de Montesquieu, entre autres.

• **la comédie-ballet :** étude d'un genre hybride, renouvelé par Molière en étroite collaboration avec Lulli, et haussé au rang de chef d'œuvre (DHL, pp. 175-176). Recherche sur les témoignages antérieurs à Molière : *Le Jeu de Robin et de Marion* d'Adam de la Halle (XIIIe siècle), sur le canevas traditionnel de la pastorale, auquel vont succéder les pièces « à machines » (*Andromède* de Corneille, 1650) qui flattent le goût de luxe de la cour par le faste des costumes et des décors. On pourra également étudier l'importance sans cesse croissante de ce genre dans l'œuvre de Molière et ses innovations dramatiques et scéniques qui lui permettent un habile trait d'union entre « comédie » et « ballet », entre pantomime et farce proprement dites.

4 - PRÉTEXTE

RÊVES BOURGEOIS ET PLAISIRS ROYAUX

Sur un arrière-plan de fastes et de fêtes qui constituent le décor permanent d'une jeune cour éprise de divertissements (pp. 4-5), selon le bon plaisir de son monarque (pp. 8-9), le CI permet de multiplier les jeux de prisme de l'illusion, humaine et théâtrale. Ainsi les divers visages d'un bourgeois « fleuri », enrubanné et enturbanné (pp. 1, 10-11, 12-13, 14-15, 16) — une analyse du costume peut être menée en relation avec les travaux de mise en scène (DHL, pp. 177-182) ; les chatoyants aspects des turqueries alors à la mode, avec l'imagerie attachée à la représentation de l'Orient (pp. 6-7, 8-9) ; l'héritage de la farce et des « parades de plein vent » (p. 2) qui ont pu nourrir la verve créatrice du taciturne Molière (p. 3), lui-même fils de bourgeois (p. 1).

DOM JUAN

« LIRE ET VOIR LES CLASSIQUES »
N° 6079

1 - CONTEXTE

EN 1664 ET 1669...

● ARTS ET CULTURE

Comme son *Tartuffe* a été interdit à la suite de la première représentation (12 mai 1664), Molière n'a plus aucune pièce nouvelle de sa composition à présenter dans son théâtre du Palais-Royal ; il improvise rapidement une comédie sur un canevas à la mode : *Dom Juan* est joué pour la première fois le 15 février (Molière joue Sganarelle), mais disparaît de l'affiche après 15 représentations seulement.

Boileau achève sa troisième *Satire*, La Fontaine publie le premier recueil de *Contes* signé de son nom et La Rochefoucauld ses *Maximes*. Claude Perrault commence la construction de la colonnade du Louvre.

HISTOIRE ET FICTION

Personnages et intrigue renvoient le spectateur à l'illusion d'une action contemporaine, voire familière, par le choix de certains patronymes répandus en France au milieu du XVIIᵉ siècle (ainsi Monsieur Dimanche) comme par la représentation du milieu paysan. La scène est située en Sicile, alors qu'elle était à Naples, puis à Séville chez Tirso de Molina ; la localisation espagnole, dans la capitale andalouse, est de tradition chez les prédécesseurs français.

2 - TEXTE

LE TITRE

Le titre de « Don » tiré du latin *dominus*, « seigneur », est répandu dans la noblesse espagnole et portugaise ; la graphie « Dom » qu'adopte Molière est en usage en France au XVIIᵉ siècle, comme l'atteste aussi sa comédie *Dom Garcie de Navarre* (1661) : c'est une marque de respect qui se donne encore aujourd'hui aux religieux de certains ordres. L'orthographe moderne est réservée au nom du personnage : Don Juan. « Quant à l'absurde sous-titre ''le festin de Pierre'', qui n'aurait de sens en français que si le Commandeur s'appelait Pierre, il résulte simplement d'un contresens des premiers imitateurs français du *Convitato di pietra* de l'Italien Cicognini, qui imitait lui-même *El Burlador de Sevilla y convidado de piedra* de l'Epagnol Tirso de Molina, où *convitato/convidado* signi-fie ''convié'', ''convive'' et désigne fort clairement la statue en pierre du Commandeur que Don Juan invite à dîner. Comme chacun sait, un contresens fixé par la tra-dition devient sacré » (note 1, p. 17). Molière ne se soucie guère de cette impropriété que ses prédécesseurs français (Dorimond, Villiers, Rosimond) avaient contournée en appelant le commandeur « Dom Pierre » !

LA STRUCTURE DRAMATIQUE

Le sujet est sans doute plus le produit d'une nécessité que le fruit d'une création originale : le besoin d'une com-position nouvelle pour remplir son théâtre, après l'inter-

diction de la première version de *Tartuffe*, impose à
Molière la hâte d'une improvisation sur un thème et un
personnage à la mode, le séducteur puni. Sous le titre du
Festin de pierre, plusieurs pièces avaient connu le succès,
et la dernière en date avait été jouée par les comédiens
italiens qui partageaient le théâtre du Palais-Royal avec
la troupe de Molière. Cependant on trouve dans cette
comédie en prose, au-delà du simple souci de concurrencer les Italiens, une œuvre d'une audace stupéfiante, qui
prolonge la réflexion morale entamée avec *Tartuffe* et qui
se poursuivra avec *Le Misanthrope* (juin 1666) dont la
composition absorbe précisément Molière en cette année
1665. « *Dom Juan* est une tragi-comédie transformée en
une sorte de farce [...]. C'est ce caractère complexe, c'est
cette fusion originale de deux plans, cette transposition
farcesque d'une pièce fantastique et romanesque, qui font
le mystère de l'œuvre, son caractère énigmatique, inquiétant, génial » (A. Adam in *Histoire de la littérature française au XVIIe siècle* ; voir DHL, pp. 179-184). « Si
Molière a en effet bâti son *Dom Juan* comme un substitut à *Tartuffe*, ce n'est nullement pour boucher un trou,
mais, comme on avance, afin de remplacer une machine
de guerre dont l'emploi se trouve momentanément impossible, une autre machine de guerre, d'une conception
nouvelle mais dirigée contre le même ennemi : la cabale
des dévots qui le harcelait » (préface, p. 7).

3 - INTERTEXTE

Avec la lecture de l'œuvre, le DHL permet une analyse
thématique aussi bien qu'un parcours historique et intertextuel. Quelques suggestions :

pour une lecture méthodique :

les confidences de Sganarelle à Gusman (I, 1, « le plus
grand scélérat que la terre ait jamais porté ») ; les scènes
à la campagne où l'introduction des paysans avec leur

langage dialectal et familier peut se voir comme une concession à la traditionnelle farce italienne doublée d'une parodie de la pastorale à la mode (ensemble de l'acte II) ; la fameuse « scène du pauvre », amputée dès la deuxième représentation pour en atténuer la portée subversive (III, 2) ; le dénouement merveilleux et terrible par l'intervention d'un « *deus ex machina* » exemplaire (V, 5 et 6).

pour une étude comparative :

une analyse des diverses sources qui ont pu inspirer Molière permet de dégager « la magistrale vigueur avec laquelle il a coupé dans ses modèles immédiats, presque toujours languissants, et leur a fait suivre une cure d'amaigrissement spectaculaire » (p. 115). Voir DHL, pp. 105-146. Quant à la postérité immédiate de la pièce, elle montre quelle « purge » bien pensante lui fut infligée après une condamnation digne de la plus belle « tartufferie » (DHL, pp. 147-174).

pour une réflexion thématique :

• **mauvais fils et méchant époux**, les rapports du héros avec son père et avec sa femme. En développant le rôle de Dom Louis et en créant celui d'Elvire, Molière enrichit la comédie d'une dimension pathétique, voire tragique, le plus souvent ignorée de ses prédécesseurs. Dans cette perspective, on peut suivre la double démarche paternelle (IV, 4 ; V, 1) et conjugale pour ramener le héros sur la voie de la vertu, et, plus particulièrement, l'itinéraire amoureux de Done Elvire, femme séduite et abandonnée, offensée puis résignée (I, 3 ; IV, 6) — à mettre en relation avec Madame de Tourvel dans *Les Liaisons dangereuses* de Laclos et Mariana, la religieuse dont Guilleragues fait l'auteur fictif des *Lettres portugaises*.

• **le credo du libertinage** ; comment Don Juan affirme selon un effet de crescendo une véritable « profession de foi » sentimentale et intellectuelle qui le conduit du parjure au blasphème : le séducteur (I, 2, « Je me sens un cœur à aimer toute la terre », p. 24), le rationaliste (III, 1,

« Je crois que deux et deux font quatre »), l'hypocrite (V, 2, « L'hypocrisie est un vice à la mode »).

● **le valet complice et/ou victime :** derrière « l'athée qui blasphème », le plus dangereux ne serait-il pas « l'athée qui se cache » ? « On détermine les intentions profondes de Molière moins en pénétrant le personnage de Don Juan que celui de Sganarelle » (Georges Couton *in* édition Gallimard/Folio, 1973). Dans cette perspective, on peut étudier l'ensemble du rôle de Sganarelle — en particulier son « credo » personnel en forme d'exercice apologétique (III, 1) — à rapprocher d'autres figures célèbres de valet/ confident au théâtre : Scapin, Sosie *(Amphitryon)* chez Molière, Figaro chez Beaumarchais, Dubois chez Marivaux *(Les Fausses Confidences).*

● **« une école d'athéisme »** ; cette condamnation du prince de Conti, le protecteur d'autrefois, qui s'est converti de façon fort dévote après une jeunesse très peu édifiante (derrière les portraits de divers hypocrites de haute noblesse, il est sans doute à l'origine de bien des traits du personnage de Don Juan), illustre l'un des points fondamentaux de la pièce : faut-il comprendre la punition du « pécheur endurci » comme une apologie sincère de la foi après le tumulte de « l'affaire Tartuffe » (voir DHL, *Le Tartuffe*, même collection, n° 6086) ou comme l'expression ultime d'un « penser double » qui fait de cette œuvre sulfureuse un véritable « grimoire », selon les termes de G. Couton *(o.c.).* Molière ne chercherait-il pas à faire de son « grand seigneur méchant homme » (I, 2, p. 21) le défenseur d'une suprême sagesse humaine par son cynisme élégant ? Libertin et philosophe : peut-être une réflexion sur la liberté de l'homme dégagé de la foi et de ses superstitions. Cette ambiguïté de la finalité même de l'œuvre constitue une perspective de lecture pour l'ensemble de la pièce, mais aussi pour la postérité qui fait de Don Juan un véritable mythe : de *L'Athée foudroyé* au « calme héros » de Baudelaire se construit l'image d'un personnage subversif précurseur d'un bouillonnement intellectuel dont le romantisme fera une figure de prédilection (voir l'ensemble du DHL, pp. 175-184 et 207-215). À ce titre, les extraits du livret de l'opéra-bouffe *Don Giovanni* de Mozart sont révélateurs d'un premier traitement romantique à travers une extraordinaire « réinvention » du mythe (pp. 185-206).

4 - PRÉTEXTE

L'ÉTERNEL SÉDUCTEUR

Par la multiplicité des visages, le CI offre du personnage de Don Juan l'image d'interprétations très diverses : la stature imposante et satanique de l'inimitable Louis Jouvet (pp. 12-13), le romantisme sombre d'un aristocrate fragile et torturé avec Pierre Arditi (pp. 1, 8-9), l'austérité de Niels Arestrup (p. 14), le clown triste outrageusement maquillé en petit marquis ou raidi dans l'hypocrisie d'un Tartuffe avec Philippe Avron (pp. 4 et 6), la parodie populaire à travers Douglas Fairbanks ou Fernandel (pp. 14-15), le cynisme hautain de l'élégant Ruggero Raimondi en Don Giovanni (p. 15). De Sganarelle, on retient les silhouettes si proches du créateur, Molière, et de son émouvant successeur au XXe siècle, Daniel Sorano (pp. 2 et 12). Costumes et décors permettent aussi de dessiner l'évolution d'une mise en scène sensible aux goûts d'une époque : de la tradition italienne issue de la commedia dell'arte (pp. 2-3) à l'arlequinade de la farce (pp. 4-5), reprise par les bouffonneries « kitsch » du cinéma (p. 16), de la profusion romantique (pp. 6-7) au dépouillement d'une vision contemporaine (p. 14), sans oublier l'enrichissement du mythe par l'opéra (pp. 10-11) ou la littérature populaire (p. 12).

LE MALADE IMAGINAIRE

« LIRE ET VOIR LES CLASSIQUES »
N° 6104

1 - CONTEXTE

EN 1673...

La pièce, la dernière qu'ait écrite et jouée Molière, date de 1673, à l'époque où le classicisme français produit ses plus grands chefs-d'œuvre.

- **En musique :** Quinault et Lully : *Cadmus et Hermione*, le premier opéra français.
- **En architecture :** La colonnade du Louvre (Claude Perrault) a été achevée en 1670. Les portes Saint-Martin et Saint-Denis, arcs de triomphe célébrant les triomphes militaires en Hollande, viennent d'être construites (1672).
- **En sciences :** Van Leeuwenhoek repère des bactéries.
- **En politique :** La colonisation du Canada se poursuit. En Angleterre : le Bill of Test exige que ceux qui travaillent dans la fonction publique soient anglicans.

HISTOIRE ET FICTION

L'intrigue se situe dans le Paris de la deuxième moitié du XVIIe siècle. Aucun détail ne permet de situer plus précisément l'action. Chacun des personnages s'exprime dans la langue courante du temps : Argan donne du très bour-

geois « Mamour » à sa femme ; Toinette s'exprime leste-
ment, comme une servante ; Angélique a le raffinement
d'une demoiselle de bonne maison ; les médecins, apothi-
caires et notaires, utilisent leur jargon.

On verra à l'aide du DHL que la véritable situation dans
l'histoire est donnée par le thème de la médecine ; loin
d'être une reprise d'une satire éternelle, tradition comique
dont Molière s'est abondamment servi, et qu'il caricature
encore lorsque Toinette se déguise en médecin, Molière
attaque ses contemporains sur des points très précis qui
ont surpris à l'époque. On est peut-être à un tournant et
même le sceptique Béralde prend des précautions : « les
ressorts de notre machine sont des mystères *jusques ici...* »
(Acte III, scène 3). Le terme même de « ressorts » évoque
des querelles philosophiques à propos de notre « machine ».

2 - TEXTE

LE TITRE

Argan n'a pas comme Tartuffe ou Dom Juan l'honneur
de donner son nom à l'œuvre : comme Monsieur Jourdain, Harpagon ou Alceste, il est d'emblée un cas de folie,
ici celle de se croire malade. Molière renouvelle le thème
satirique des médecins prétentieux et incompétents : s'ils
sont aussi grotesquement tout puissants, c'est qu'il y a des
fous qui aiment se sentir malades, au point de menacer
l'équilibre familial. Argan, rejoignant l'univers délirant
de la médecine, devenant à son tour médecin, donnera la
preuve supplémentaire du néant des prétentions médicales. C'est ce que l'on trouve déjà dans plusieurs comédies,
entre autres *L'Amour médecin* et *Le Médecin malgré lui*
(voir Préface, p. 10).

Mais Molière, lui, est réellement malade, déguisant sous
une toux bouffonne le mal qui l'emporte à la quatrième
représentation de la pièce (voir DHL, p. 152 sq.). On peut

y voir un phénomène de dénégation : comme Dom Juan selon la formule de Sganarelle, il serait décidément « *impie en médecine* ». On peut aussi rappeler la conscience qu'il avait de ses devoirs : en tant que chef de troupe, il utilise son meilleur acteur, lui-même, au mieux de ses possibilités (cf. DHL, pp. 156 et 163).

L'ORGANISATION

Le Malade Imaginaire nous plonge dans le drame familial classique : un père, complètement égaré, faisant obstacle au bonheur de sa fille, veut la marier pour satisfaire sa propre passion des médecins. Mais ce n'est pas le drame bourgeois : prologue, intermède et ballet final, chants, ballets, pantomimes exaltent les forces triomphantes de la vie et plongent la pièce dans une atmosphère de spectacle total : les personnages réalistes se déguisent, les médecins sont déjà travestis ; c'est par une mise en scène que Toinette, la sympathique servante, à la fois dénoue l'intrigue secondaire (en révélant la traîtrise de la belle-mère) et mène le délire d'Argan à son paroxysme, en le convaincant de se faire lui-même médecin. La pièce mêle le plus intimement possible analyse psychologique et divertissement (voir Préface, pp. 13 et 15).

3 - INTERTEXTE

Du grand art théâtral

Nombreux sont dans la pièce les thèmes liés au spectacle : les scènes de déguisements (Toinette en médecin, Argan en mort, les amoureux en bergers précieux, le thème du carnaval).

La médecine elle-même est à la fois mise en scène et farce (lavement, prise de pouls, spectacle de dissection) qui débouche naturellement sur la cérémonie d'investiture.

Spectacle aussi, la représentation du corps avec ses

réalités et son imaginaire : le corps comique, le corps obs-
cène, le corps répugnant ou attirant, le corps disséqué. Ces
figures ne sont jamais innocentes : il y aurait même « danger à contrefaire le mort ».

La médecine dans *Le Malade imaginaire*

À l'aide du DHL, on étudiera très précisément les réalités que Molière a utilisées dans la pièce :
- la représentation et le classement des maladies ;
- les études et la formation médicales ;
- l'argent et la maladie. La comparaison avec *L'Avare*
complète cette perspective ;
- le jargon (voir dans le DHL le lexique médical,
p. 179).

Cette satire ouvre plus largement sur tous les problèmes que pose le pédantisme (comparer avec les autres
pièces qui ridiculisent le langage savant : *Les Précieuses
ridicules*, bien entendu *Les Femmes savantes, Le Misanthrope, Dom Juan*) :
- l'attirail et les instruments ; les cérémonies ;
- le débat philosophique sous-jacent (cf. débat
Gassendi-Descartes dans le DHL, p. 141 sq.).

Ce travail permettra de mieux apprécier l'humour et,
la fantaisie dans la mise en œuvre de la satire des médecins : on peut situer Molière dans une tradition qui va de
Rabelais à *Knock*, sans oublier de nombreux films
comiques.

4 - PRÉTEXTE

La médecine au XVIIᵉ siècle :

- l'étude des gravures (attitude des personnages, objets
symboliques ; inscriptions), appuyée sur les textes du
DHL, dégagera de façon précise les réalités historiques de
la médecine ;
- connaissances livresques et expérimentation ; le rôle
de l'Église ;

• les médecins : un monde d'hommes. Du côté des malades, surtout des femmes ; est-ce le cas dans la pièce ? Distinguer les médecins et leurs assistants ; commenter leur tenue ;

• les pratiques : identifier les instruments représentés et préciser leurs usages ; gestes ou attitudes que la médecine moderne proscrirait ; caractéristiques de la clientèle ;

• les progrès. Préciser les dates des grands personnages évoqués dans le CI : Hippocrate ; Ambroise Paré, Guy Patin. Qu'ont-ils apporté à la médecine ?

Molière, la médecine et la maladie

• Retrouver dans les différentes images les aspects de la médecine que Molière conteste le plus.

• Molière a-t-il reconnu les progrès ? Quel rôle, par exemple, attribue-t-il à la dissection ?

• Le rire comme traitement de l'atrabilaire ; Molière et sa mort. Opposer la sculpture représentant Molière et les différentes figures de la mélancolie (gestes ; caractéristiques du visage ; valeur symbolique des objets). Étude historique des figures de la mélancolie (cf. CI, p. 152 et sv.).

Les mises en scène du *Malade imaginaire*

• Classer les différentes mises en scène : celles qui créent le plus un climat de farce (avec quels moyens ?) ; celles qui tirent la pièce vers le réalisme.

• Relever les constantes de toutes les mises en scène présentées.

• Situation du malade : le fauteuil ; les personnages situés de part et d'autre.

Publics et lieux scéniques

• Préciser les espaces scéniques représentés : du théâtre de l'époque classique (voir DHL, p. 178) au théâtre à l'italienne ; évoquer d'autres dispositions, plus modernes.

• Étudier l'influence du lieu de la représentation sur la mise en scène : l'espace prévu pour le ballet.

LE TARTUFFE

« LIRE ET VOIR LES CLASSIQUES »
N° 6086

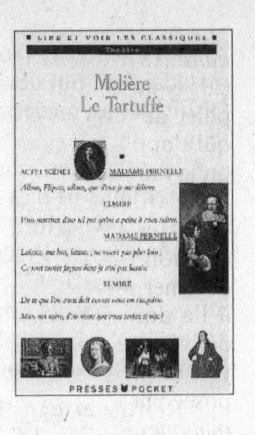

1 - CONTEXTE

EN 1664 ET 1669...

Voir fiche n° 51.

HISTOIRE ET FICTION

Personnages et intrigue relèvent d'une représentation contemporaine immédiate où le spectateur peut trouver l'illusion référentielle du quotidien : la scène est à Paris, dans un intérieur bourgeois ; l'action fait intervenir des représentants du pouvoir judiciaire et royal (l'huissier Monsieur Loyal et l'Exempt).

2 - TEXTE

LE TITRE

Molière a sans doute emprunté le nom du personnage éponyme de sa pièce à la comédie italienne où l'on trouve le surnom de *Tartufo*, « truffe », sur lequel Littré précise : « *Tartufo* se trouve dans le *Malmantile* de Lippi (1603-1669), avec le sens d'homme méchant » (*Diction-*

naire, 1878). Mais le mot « tartuffe » existait déjà en français comme nom commun, ainsi qu'en témoigne un pamphlet de 1609 où il est associé au terme « happelourde » qui s'applique à une pierre fausse que l'on fait passer pour un joyau précieux — d'où au figuré une personne à l'apparence trompeuse, un hypocrite. De même le vieux verbe « truffer » signifie « tromper ». Dès 1664, à partir de la création de la comédie, il fait figure d'antonomase pour désigner un faux dévot ; si Molière n'a pas inventé le mot, il l'a donc enrichi d'un sens nouveau d'où sont issus les dérivés *tartuffier* (plaisante création de l'auteur lui-même au vers 674) et *tartufferie*. Signalons une autre explication proposée par l'auteur anonyme d'un recueil d'*Anecdotes dramatiques* (1775, t. II) : Molière, en visite chez le nonce apostolique, voit un ecclésiastique, dont l'air mortifié dissimule mal la gourmandise, se jeter sur les plus belles truffes qu'un serviteur apporte, tout en s'écriant « Tartufoli » ! Si elle apparaît d'une authenticité douteuse, l'anecdote n'en révèle pas moins un plaisant effort de justification a posteriori. Quant au titre corrélatif, *L'Imposteur*, il insiste sur l'audacieuse ambition du personnage en dénonçant une usurpation d'identité et de fonction avec préméditation ; en ce sens il paraît plus prestigieux que l'appellation d'*Hypocrite* qui constitua aussi l'un des titres de la comédie au XVIIe siècle.

LA STRUCTURE DRAMATIQUE

Le premier *Tartuffe* ne comportait que trois actes et constituait sans doute un simple canevas de farce sur lequel les circonstances poussèrent Molière à élaborer une véritable comédie « de mœurs et de caractères » en cinq actes et en vers : le divertissement est devenu une œuvre « ambitieuse et mille fois plus dangereuse » (préface, p. 9). Il est particulièrement intéressant de voir comment à partir de ce noyau primitif réduit s'est bâtie la pièce définitive dont le triomphal succès ne suscitera plus le scandale (*ibid.*, De *Tartuffe* à *Tartuffe*, pp. 6-10). Ainsi Molière désamorcet-il la bombe initiale par l'ajout d'un dénouement néces-

sairement heureux, qui donne au pouvoir royal le rôle de
régulateur social idéal (V, 7), et par une édulcoration du
texte, dont la portée critique reçoit un habile contrepoint
avec *Dom Jan* (15 février 1665) — même collection,
n° 6079. *Le Tartuffe* apparaît désormais comme une pièce
classique régie par ses règles les plus strictes, ainsi celle
des fameuses « trois unités » (*ibid.*, pp. 10-11).

3 - INTERTEXTE

La bataille autour du *Tartuffe* commence dès avant la
première représentation par une tentative d'étouffement :
la puissante et secrète Compagnie du Saint-Sacrement-de-
l'Autel, dont Bossuet est un membre très actif, est déci-
dée à tout faire pour éliminer cette « méchante comédie »
dont des indiscrétions font courir le bruit d'un contenu
scandaleux. La lutte sera longue et âpre : la préface de
Molière, ses placets successifs au roi (pp. 15-27), et le DHL
permettent d'en suivre le déroulement (p. 154 sq.).

Par un choix de lectures méthodiques, on peut dégager
les principaux traits du rôle titre, « véritable artiste en corruption », expert en rhétorique amoureuse « mêlant superbement la langue du confessionnal et celle du boudoir »
(préface, p. 9) — voir la tentative de séduction d'Elmire
(III, 3 et IV, 5) à rapprocher de celles de Dom Juan —,
comme en argumentation casuistique. Celle-ci tend à présenter la conduite de Tartuffe comme édifiante puisque,
même par des voies très douteuses, elle essaie d'amener
toute la maisonnée d'Orgon à l'austérité chrétienne. Si,
comme le dit La Rochefoucauld, l'hypocrisie est un hommage que le vice rend à la vertu, certains complètent aisément en ajoutant que l'hommage rendu à la vertu peut
susciter la vertu ! La « direction d'intention » chère aux
jésuites conduit au laxisme qui endort la conscience morale
(IV, 1 et IV, 5 vers 1489-1492, à mettre en relation avec
Les Provinciales de Pascal). À compléter par divers points
de vue : « Le personnage de Tartuffe vu par la critique »,
DHL, pp. 169-172.

• **de *L'Imposteur* au *Tartuffe*** : *La Lettre sur la comédie de l'Imposteur* (pp. 165-168) permet de comprendre les remaniements que Molière dut apporter à sa création entre 1667 et 1669. Quant à *La Critique du Tartuffe* (pp. 127-148), elle « demeure un étonnant témoignage » de son exceptionnel succès.

• **du fabliau à la comédie de mœurs** : par certains aspects (dénonciation des vices sous l'illusoire parure de la religion : luxure, hypocrisie, duperies en tous genres), l'œuvre de Molière peut être rapprochée d'une longue tradition issue des vieux fabliaux, reprise aussi bien par le théâtre comique que par la nouvelle (voir l'*Heptaméron* de Marguerite de Navarre). Les moines paillards, goinfres et grossiers, dissimulant mal leur violence sous l'habit monacal qui leur permet les pires exactions, semblent bien préfigurer le personnage de Tartuffe, même si le parasite se cache sous l'austérité ajustée « d'un homme du monde » (voir Prétexte). Molière exploite cette veine farcesque et satirique, mais viole aussi un tabou religieux et social devenu extrêmement puissant ; en 1669, Tartuffe n'apparaît plus que comme un laïc qui « s'est mis dans la réforme ».

• **la dénonciation de l'hypocrisie,** ou comment condamner l'ambiguïté d'un vice admis comme un comportement social établi. Molière attaque l'hypocrisie en moraliste laïque (voir « la juste nature » — vers 340 — défendue par un Cléante plus philosophe rationaliste que chrétien convaincu — I, 5), d'où un malentendu inévitable et irréductible avec les autorités religieuses qui la jugent comme un péché véniel dépendant du seul jugement divin. Dans cette perspective, on peut étudier les éléments qui relèvent de la comédie de caractères s'attaquant à un vice intemporel et universel (« Petite histoire de l'hypocrite : les sources et les avatars du *Tartuffe* », DHL, pp. 161-164) et ceux que suscite la polémique engagée dans un contexte politique précis (DHL, pp. 154-155, à rapprocher du dossier « La réception de *Dom Juan* de Molière » *in* DHL de *Dom Juan*, pp. 147-156).

• **la querelle sur la moralité du théâtre :** les ennemis de

Molière ont voulu en faire la « brebis galeuse » d'un genre,
le théâtre, dont on condamne l'immoralité. On peut donc
s'interroger sur le monde de l'illusion cher à une esthétique
baroque volontiers dénoncée comme une éthique corrup-
trice : dans un « ordre familial factice [...], tous ces
masques ne cessent de se donner la comédie [...] si l'on
redonne au mot *hypocrite* son sens premier, celui d'*acteur*,
tous les protagonistes du *Tartuffe* sont des hypocrites, et
le faux dévot est, peut-être, de tous ces imposteurs, le
moins habile à cacher son jeu » (préface, p. 12). Voir les
reproches de Madame Pernelle (I, 1), l'intermède du dépit
amoureux (II, 4), la coquetterie d'Elmire.

4 - PRÉTEXTE

PERVERSION ET SUBVERSION

Confusion subtile des désirs et des intentions par le biais
du double langage : l'image dangereuse de la séduction
peut servir de guide à travers le cahier iconographique,
Tartuffe (pp. 1, 14, 15 et 16) s'incrivant dans une lignée
littéraire qui conduit du rusé Renart à la diabolique Merteuil (p. 12). Diverses illustrations permettent aussi une
réflexion sur les tensions politiques et sociales qui marquent le milieu du XVIIe siècle, entre pouvoirs spirituel
(l'Église, pp. 8-9) et temporel (un jeune roi amateur de
fêtes à Versailles, p. 5) : d'un côté la dévotion austère qui
confine à la bigoterie (pp. 6, 7, 10 et 11), de l'autre les
plaisirs fastueux d'une cour éprise de divertissements
(pp. 4-5). Quels que soient les choix de mise en scène, on
peut enfin reconnaître l'uniforme qui range d'emblée
Tartuffe dans la catégorie sociale très active des dévots :
le « petit collet », aisément reconnaissable dès la première
apparition comme un postulant aux bénéfices ecclésiastiques, sinon comme un membre du clergé (pp. 1, 11, 13,
15 et 16), condamne les fanfreluches des jeunes mondains
(pp. 1, 4, 5, 10 et 14).

MONTESQUIEU

(1689-1755)

UN ESPRIT LIBRE ET MODÉRÉ

« Si je savais une chose utile à ma nation qui fût ruineuse à une autre, je ne la proposerais pas à mon prince, parce que je suis homme avant d'être Français, ou bien parce que je suis nécessairement homme et que je ne suis Français que par hasard !

Si je savais quelque chose qui me fût utile, et qui fût préjudiciable à ma famille, je la rejetterais de mon esprit. Si je savais quelque chose utile à ma famille, et qui ne le fût à ma patrie, je chercherais à l'oublier. Si je savais quelque chose utile à ma patrie et préjudiciable à l'Europe, ou bien qui fût utile à l'Europe et préjudiciable au genre humain, je la regarderais comme un crime.

Je suis un bon citoyen ; mais, dans quelque pays que je fusse né, je l'aurais été tout de même.

Je suis un bon citoyen, parce que j'ai toujours été content de l'état où je suis, que j'ai toujours approuvé ma fortune, et que je n'ai jamais rougi d'elle, ni envié celle des autres.

Je suis un bon citoyen, parce que j'aime le gouvernement où je suis né, sans le craindre, et que je n'en attends d'autres faveurs que ce bien infini que je partage avec tous mes compatriotes ; et je rends grâce au ciel de ce qu'ayant mis en moi de la médiocrité en tout, il a bien voulu en mettre un peu moins dans mon âme ».

Montesquieu, *Mes Pensées*.

2 - VADEMECUM

L'ŒUVRE DE MONTESQUIEU

Montesquieu est l'auteur de discours académiques (*Dissertation sur la politique des Romains dans la religion*, 1716), de mémoires scientifiques (« Sur les causes de l'écho », 1718), de récits de voyage (*Voyage de Gratz à La Haye*, 1728), d'ouvrages d'inspiration poétique (*Le Temple de Gnide*, 1725), d'un *Essai sur le goût* (destiné à *L'Encyclopédie,* tome VII, 1748), etc., sans parler de trois gros cahiers de fragments (publiés seulement en 1899 et 1901) sous le titre *Mes pensées* dans lesquels l'auteur laisse entrevoir sa personnalité. Mais les trois ouvrages essentiels de Montesquieu restent naturellement les *Lettres persanes* (1721) ; *Considérations sur les causes de la grandeur des Romains et de leur décadence* (1734) ; *L'Esprit des lois* (1748).

BIBLIOGRAPHIE

Montesquieu dont les idées ont largement inspiré la pensée politique française a suscité l'intérêt, voire l'admiration d'hommes aussi divers que D'Alembert (*Encyclopédie,* tome V, 1759), le révolutionnaire Marat (*Éloge de Montesquieu,* présenté à l'académie de Bordeaux le 28 mars 1785), ou encore le père de la sociologie, Émile Durkheim qui lui consacra une thèse en latin en 1892. Au XXe siècle, on notera que Paul Valéry ne dédaigne pas d'écrire une *Préface aux Lettres persanes* (insérée dans *Variété II*, 1930) et que le philosophe marxiste Louis Althusser a publié un essai sur *Montesquieu, la politique et l'histoire* (P.U.F., 1959).

Mais l'ouvrage le plus synthétique et le plus remarquable reste le *Montesquieu par lui-même* de Jean Starobinski paru en 1953 aux éditions du Seuil.

LETTRES PERSANES

« LIRE ET VOIR LES CLASSIQUES »
N° 6021

---

1 - CONTEXTE

LE CONTEXTE DE PRODUCTION :

Les *Lettres persanes* ont été écrites en pleine période de la Régence. En réaction contre l'austérité de la fin du règne de Louis XIV marquée par une triple crise religieuse, politique et sociale, l'interrègne du duc d'Orléans libère les mœurs en même temps qu'il libéralise le régime.

La France est secouée par l'arrivée d'un financier écossais imaginatif, John Law, qui s'assure rapidement le contrôle de la monnaie et de l'économie. Victime de l'imprudence et de la spéculation, le système s'effondre et provoque la fuite du superintendant Law (1720).

Parmi les fortes personnalités de la Régence, l'intrigant abbé Dubois, vénal et libertin, mais habile diplomate, fait une ascension fulgurante : ministre des Affaires étrangères (1718), il obtient après l'archevêché de Cambrai et le chapeau de cardinal, le titre de Premier ministre (1722).

À l'étranger, Pierre Le Grand poursuit son entreprise de construction autoritaire de la Grande Russie, Frédéric-Guillaume 1er, dit le Roi-Sergent, règne sur la Prusse depuis 1713 en s'appuyant sur la caste militaire, tandis que l'Angleterre libérale voit revenir au pouvoir Robert Walpole en 1720 : il y restera jusqu'en 1742, instituant définitivement la responsabilité du Premier ministre devant le Parlement.

• **Dans les lettres et les arts :** ouverture du club de L'Entresol (1720-1731) que fréquente Montesquieu. Débuts de Marivaux (*Arlequin poli par l'amour*). Mort de Watteau.

HISTOIRE ET FICTION

L'action du roman est contemporaine de la date de parution. La première lettre est datée de 1711, la dernière de 1720.

De nombreuses allusions à l'actualité nationale et internationale contribuent à l'ancrage de la fiction orientaliste dans la réalité de l'époque (cf. DHL pp. 354-357 et repères chronologiques pp. 367-375).

2 - TEXTE

LE TITRE

Le titre ne révèle qu'en partie la teneur de l'ouvrage : le lecteur ignore qu'il s'agit d'un roman et que l'objet des *Lettres* est une critique de la société française de l'époque.

La formule connut aussitôt un très vif succès (cf. *Quelques réflexions sur des Lettres persanes*, pp. 19-21) et suscita une émulation durable : *Les Lettres Chinoises*, du marquis d'Argens (1735), *Lettres d'une Péruvienne* de Mme de Graffigny (1748), *Lettres d'Amabeb* de Voltaire (1769), jusqu'en Espagne : *Cartas marruecas (Lettres marocaines)* de José Cattalso (1793).

Que l'Orient soit à la mode n'explique pas tout ; on devine aisément le plaisir que peut prendre un intellectuel à regarder son époque avec les yeux d'un étranger (sur les sources orientales des *Lettres persanes* et le modèle de l'étranger visiteur, cf. pp. 345-354).

Mais le choix de Montesquieu s'explique aussi par le souci de ruser avec la censure. L'auteur (qui ne dit pas son nom) prétend ainsi n'être que le traducteur d'une correspondance que lui auraient confiée des Persans avec lesquels il vivait ; c'est là une « explication » qui ne peut donner que l'apparence du change ; le pseudo-traducteur le reconnaît par un clin d'œil : « Il y a une chose qui m'a souvent étonnée : c'est de voir ces Persans quelquefois aussi instruits que moi-même des mœurs et des manières de la Nation... » (pp. 23-24).

L'ORGANISATION DU TEXTE

● LE ROMAN ORIENTAL ET LIBERTIN

La trame exotique et licencieuse plut beaucoup au public de la Régence. En fait, cette lointaine et confuse histoire de sérail, où la couleur locale est assez pauvre et superficielle, semble n'être que le prétexte de l'œuvre.

● LA SATIRE DE LA SOCIÉTÉ PARISIENNE

Les lettres se croisent d'Ispahan à Paris en passant par Smyrne et Venise. Leurs auteurs ont bien sûr l'œil, l'intelligence et la sensibilité de Montesquieu, le démiurge de ce chassé-croisé ; ce qui est essentiel, c'est, à partir de la lettre 24, un regard critique sur la réalité parisienne : satire des caractères, satire des mœurs, satire sociale, mais surtout satire des institutions : Montesquieu a horreur du despotisme qui lui semble s'être incarné en Louis XIV (lettres 24, 37, 138) ; il est sévère envers la cour (lettre 98), le Parlement (lettre 140), le clergé (lettre 57) et le pape enfin, « une vieille idole qu'on encense par habitude » (lettre 29). Le ton s'élève et le persiflage se fait plus amer pour céder le pas à l'indignation devant les abus qui minent la société française.

Au passage, Montesquieu brosse le tableau allégorique d'une république idéale fondée sur la vertu (histoire des Troglodytes : lettres 11-14).

3 - INTERTEXTE

• Les différents thèmes pourront être illustrés à l'aide de références et de citations que l'on retrouvera aisément à l'aide de la table des matières (pp. 299-307) et de l'index alphabétique (pp. 308-337) ainsi que du cahier iconographique. Pour un exposé sur les idées religieuses de Montesquieu, par exemple, une lecture cursive de l'index permet de repérer des entrées comme Adam, Alcoran, Brachmanes, Casuistes, etc.

• La satire des caractères invite à voir en Montesquieu le continuateur des moralistes du Grand Siècle (pp. 352-354). On pourra, dans cet esprit, comparer la *Satire* VI de Boileau (sur les embarras de Paris) avec la lettre 24, ou pour apprécier les différences de style, mettre en parallèle le portrait d'Arrias, de la Bruyère (*Caractères* V, 9), et celui du décisionnaire (lettre 72).

• Montesquieu révolutionnaire ? (pp. 363-366)

L'examen des différents jugements et des recensions du mot *révolution* dans les *Lettres persanes* conduira à s'interroger sur les audaces de ce réformiste libéral qu'était Montesquieu. On pourra réexaminer le roman oriental à la lecture de cette grille : et si l'intrigue du sérail n'était après tout qu'une métaphore de la vie politique où les ministres (des eunuques !) se montrent impuissants à maintenir l'ordre et à éviter la révolution ?

4 - PRÉTEXTE

CAHIER ICONOGRAPHIQUE

Page 1 : la seule édition vraiment contrôlée par Montesquieu est celle, revue et corrigée, de 1754, qui comprend onze lettres supplémentaires. On remarquera ici la sobriété de la mise en page et surtout l'absence du nom de l'auteur.

Page 2 : le portrait de Montesquieu a été rendu célèbre par nos actuels billets de 200 F. On y observe sur une face le château de La Brède (situé à 17 km au sud de Bordeaux) et une référence au *Dialogue de Sylla et d'Eucrate* (1722), où s'opposent deux conceptions du pouvoir ; sur l'autre, les armoiries familiales et un blason où sont symbolisés la Justice et les Lumières qui ont inspiré *L'Esprit des lois* (1748).

Page 3 : à l'origine de la vogue orientaliste, le *Journal de voyage du chevalier de Chardin en Perse* — « un pays que nous pouvons appeler un autre monde, soit pour la distance des lieux, soit par la différence des mœurs et des maximes » (1686), et le succès de la traduction des *Contes des mille et une nuits* par Galland (1704-1717).

Pages 4 et 5 : Usbek et Rica, la Perse et la France, tout dans les *Lettres Persanes* fonctionne sur le mode de la dualité des regards. Regards d'ethnologues extérieurs sur notre propre société (même inversion des rôles, p. 16, avec une photo du film *Petit à petit*, où ce sont des regards africains qui se portent avec humour sur notre civilisation occidentale). Mais le voyage et la distanciation permettent aux Persans de prendre conscience de leurs contradictions : ils savent qu'il n'y a pas de bonheur sans liberté alors que leur pouvoir repose sur un système particulièrement répressif, voué à l'échec (cf. la mort de Roxane). Voir aussi pp. 12 à 15.

Pages 8 à 10 : rechercher les passages où Montesquieu évoque la personnalité de Louis XIV et les événements qui ont suivi sa mort. Expliquer en quoi l'héritage et la succession du Roi Soleil ont été particulièrement difficiles.

Page 9 : la banqueroute de John Law. La rue Quincampoix était alors l'équivalent de Wall Street. Comment le krach boursier de 1929 est-il évoqué au cinéma ?

ALFRED DE MUSSET
(1810-1857)

1 - MÉMENTO

« Les promenades à cheval étaient à la mode parmi ses amis ; il loua des chevaux. On jouait gros jeu ; il joua. On passait des nuits blanches ; il veilla. Quand je lui parlais du jour redoutable où le tailleur présenterait le mémoire de tant d'habits neufs, il me répondait : *"J'ai besoin de tout connaître et je veux tout apprendre par expérience et non par ouï-dire. Je sens en moi deux hommes, l'un qui agit et l'autre qui regarde. Si le premier fait une sottise, le second en profitera".* »

Paul de Musset,
Biographie d'Alfred de Musset.

« Mais qu'importe le bruit et qu'importe la gloire ?
Est-on plus ou moins mort quand on est embaumé ?
Qu'importe un écolier, sachant trois mots d'histoire,
Qui tire son bonnet devant une écritoire,
Ou salue en passant un marbre inanimé ?
Être admiré n'est rien ; l'affaire est d'être aimé. »

Musset, *Après une lecture.*

2 - VADEMECUM

CHRONOLOGIE DES ŒUVRES

1833	*Rolla.*
	Publication des *Caprices de Marianne.*
1834	*On ne badine pas avec l'amour.*
	Lorenzaccio.
1835-1837	*Les Nuits.*
1836	*Lettre à Lamartine.*
	La Confession d'un enfant du siècle.
1836-1837	*Lettres de Dupuis et Cotonet.*
1838	*Dupont et Durand.*
1847	*Il faut qu'une porte soit ouverte ou fermée.*
1853	Édition des poésies regroupées par Musset en deux parties *Premières poésies* (jusqu'à *Rolla*), *Poésies nouvelles.*

« La réussite de Musset, et c'est en cela qu'il peut prétendre rivaliser avec Shakespeare, c'est... d'avoir su articuler en un même chef d'œuvre organique un tragique individuel et des questionnements collectifs fondamentaux, qui étaient d'une actualité brûlante dans les années 1830... et le demeurent aujourd'hui. »

Préface de l'édition PP de Lorenzaccio.

« Peu d'œuvres ont avec le caractère de l'auteur, un contact plus constant ; ce théâtre doit sa variété à la complexité et à la richesse de ce caractère. »

Philippe Van Tieghem.

« Indifférent aux stratégies littéraires, classique de goût, Musset est le seul qui ait vécu corps et âme le tourment romantique, le seul qui ait retrouvé le secret de la profonde fantaisie shakespearienne, ouverte sur la nature et le mystère. »

Robert Pignarre,
Histoire du théâtre, 1959.

LORENZACCIO

« LIRE ET VOIR LES CLASSIQUES »
N° 6081

1 - CONTEXTE

LE CONTEXTE DE PRODUCTION

En 1834, le mouvement romantique a déjà triomphé partout, au théâtre en particulier, depuis la bataille d'Hernani (1830).

- **En littérature :** Sainte-Beuve, *Volupté* ; Balzac, conception d'ensemble de *La Comédie humaine*, *La Recherche de l'absolu* ; Stendhal, *Lucien Leuwen* ; Bulwer-Lytton, *Les Derniers Jours de Pompéi* ; Michelet, premiers tomes de *L'Histoire de France*.
- **En musique :** Schumann, *Les Études symphoniques*.
- **Mouvement des idées :** Lamennais, *Paroles d'un croyant* ; Flora Tristan, *Nécessité de faire bon accueil aux femmes étrangères*.

HISTOIRE ET FICTION

L'action se déroule en 1537 à Florence, dans une république dont les familles aristocratiques se partagent le pouvoir sous la protection pesante du Pape ou de Charles Quint. Le duc Alexandre de Médicis règne dans une atmosphère de débauche qui scandalise le peuple et les milieux républicains. Le héros, Lorenzo de Médicis, descend de Côme l'Ancien. On comprend petit à petit que s'il s'est fait le compagnon des frasques du duc c'est pour pouvoir l'assassiner : mais cette révolution-là est confisquée par avance et les républicains ne sauront pas saisir l'occasion.

La Florence des Médicis conserve encore le prestige de la Renaissance : on y retrouve le goût de l'art, le climat politico-religieux qu'avait su imposer à la fin du quinzième siècle Laurent dit le Magnifique (voir DHL, p. 259).

2 - TEXTE

LE TITRE

La pièce, comme dans le théâtre classique, porte le nom du héros principal ou plutôt son surnom : Lorenzaccio est en effet le surnom méprisant que donne le peuple à celui que sa mère appelle encore son « Renzo ». La déchéance du personnage, le drame de l'individu sont donc au cœur de l'action, bien plus que l'interrogation politique sur l'efficacité de la révolution.

L'ORGANISATION

Comme tout le théâtre de Musset, la pièce n'avait été écrite que pour être lue *(Spectacle dans un fauteuil).* Elle est d'ailleurs à peu près injouable intégralement et les metteurs en scène doivent régulièrement choisir ce qu'ils sacrifient.

Elle est en effet composée d'une multitude de tableaux qui nous présentent successivement tous les aspects de la vie florentine et les drames vécus par un grand nombre de personnages.

À l'intérieur de chaque scène, en rupture avec la tradition classique, il arrive que divers moments se succèdent au fur et à mesure que les personnages entrent et sortent. D'autre part certains personnages restent sur la scène et assistent, presque en spectateurs, à un épisode différent de celui qui les avait mis au premier plan. On a donc une composition très riche et souple.

Pourtant l'ensemble reste d'un équilibre tout classique : les cinq actes se répartissent autour d'une longue scène parfaitement centrale (Acte III, scène 3) au cours de laquelle le héros finit par exposer complètement le drame qu'il a vécu et le projet qui l'anime et qu'il conduira jusqu'au bout.

Une série d'actions secondaires (la conquête de la marquise par le duc, le drame vécu par la famille Strozzi, les espoirs et les regrets de la mère de Lorenzo) restent subordonnées au drame de Lorenzo ou plutôt s'ordonnent autour de lui.

Le peuple de Florence perpétuellement présent (le frère de la jeune fille séduite par le duc, les marchands qui discutent, le jeune peintre) forment une sorte de chœur qui commente en permanence, s'indigne ou espère, sans que le ou les héros daignent partager avec lui ses angoisses.

La ville de Florence n'est pas seulement le cadre ou l'enjeu du drame : elle est souvent présentée comme un personnage à part entière, la mère que l'on respecte ou bafoue.

3 - INTERTEXTE

LA PISTE HISTORIQUE

On travaillera sur la double série des références :
• La Florence de 1537 ;
• La France de 1834.
On ne se contentera pas de déceler quelques allusions politiques. On cherchera les comportements, les enjeux, les réflexions qui renvoient à chacune des deux sociétés : la Florence de la Renaissance et le Paris aristocratique du faubourg Saint-Germain des années 1830 (tel par exemple qu'il est représenté dans Balzac). Le thème de la débauche, l'opposition entre religion et vie de plaisir, en particulier, peuvent fournir un point de départ.

LES PROBLÈMES DE LA MISE EN SCÈNE

Il est très éclairant de représenter sur un tableau synoptique à double entrée la présence en scène des personnages (en abscisse, les numéros des actes et des scènes ; en ordonnées, la liste des personnages au fur et à mesure de leur entrée). On peut avec des couleurs différentes montrer comment les diverses intrigues s'entremêlent, signaler toutes les scènes qui présentent le climat de Florence, ou distinguer celles qui présentent le peuple et celles qui se passent dans les milieux aristocratiques.

LES AVATARS D'UN PERSONNAGE HISTORIQUE

Le DHL permet une comparaison systématique entre plusieurs textes écrits sur le personnage de Lorenzo.

• La dimension politique du tableau écrit par George Sand. Étudier comment Musset a développé les éléments en germe dans le texte de George Sand en leur donnant une orientation plus romantique autour du drame personnel du héros.

• Dégager l'orientation toute différente du texte de Marguerite de Navarre : l'art du récit ; la problématique galante ; l'orientation sur le personnage féminin.

• Le thème du double et du masque : le personnage romantique. Deux pistes :

— le rapport entre l'auteur et son personnage ; étude de *Lorenzaccio* comme autoportrait ;

— le romantisme du personnage : le désespoir tragique ; le masque devenu une seconde peau ; le refus de l'action ; le thème satanique.

LECTURE POLITIQUE DE *LORENZACCIO*

Situer le drame de Lorenzo sur l'éventail des positions politiques et philosophiques possibles. On peut comparer avec d'autres pièces qui mettent en scène l'assassinat politique (Camus, *Les Justes*), qui posent le problème des rapports de l'action et de la réflexion (Sartre, *Les Mains sales*).

4 - PRÉTEXTE

DOCUMENTS DE MISE EN SCÈNE

• **L'atmosphère de l'Italie de la Renaissance :**
— En portant une grande attention à la date des documents du CI, chercher à les faire correspondre au texte comme s'il s'agissait d'une documentation pour une mise en scène possible : déterminer dans le texte certains passages précis, certains personnages, certaines évocations et rédiger sur ces points particuliers un projet de mise en scène s'inspirant des documents.
— Dans les photographies de mise en scène, déterminer les éléments qui viennent de documents de l'époque ; préciser les différences ; souligner les anachronismes ; à quelle intention correspondent-ils ?
— En cachant les dates de référence, faire des hypothèses sur les différentes dates de ces mises en scène. Les justifier. Établir divers classements de ces représentations : selon les goûts, selon la force tragique, en dégager les orientations psychologiques, voire philosophiques.

• **Les personnages :**
— les identifier et commenter l'interprétation du rôle ;
— inversement, faire varier les personnages : commenter par exemple une photographie représentant le duc ou Tebaldeo comme si c'était le rôle de Lorenzaccio. Y a-t-il des impossibilités ?
— retrouver dans le texte le ou les passages précis correspondant au jeu de scène photographié ; imaginer les intonations et les gestes qui précèdent et suivent ;
— chercher dans les images de l'acteur ou de l'actrice jouant ce rôle ce qui renvoie à Musset et ce qui correspond bien à Lorenzaccio.

GÉRARD DE NERVAL

(1808-1855)

1 - MÉMENTO

« Fou, non pas d'une folie en quelque sorte purement organique et n'influant en rien sur la nature de la pensée [...] Chez Gérard de Nerval la folie naissante et pas encore déclarée n'est qu'une sorte de subjectivisme excessif, d'importance plus grande pour ainsi dire, attachée à un rêve, à la qualité personnelle de la sensation... »

(Proust, *Contre Sainte-Beuve*, « Gérard de Nerval ».)

« Sa fascination pour un syncrétisme religieux qui ne se satisfait pas des trop faciles solutions romantiques, sa hantise de la mort de Dieu, son recours désespéré à la magie, sa folie même marquent une cassure que la plupart des écrivains de l'époque refusent encore de voir. [...] Nerval, Rimbaud, Artaud : tous trois poussèrent la poésie aussi loin qu'elle pouvait aller, mais ne trouvèrent jamais la poésie *suffisante*. »

(Y. Vadé, *L'Enchantement littéraire*, Gallimard, p. 194.)

« Tout se passe bien comme si, en 1850, Nerval inventait son mode original d'écriture en même temps que l'histoire manifeste ses insuffisances. La révolution et la reprise en mains politique et sociale désignent un échec qui rend caduc un certain confort de la littérature bourgeoise : le monde bouleversé appelle une représentation de la réalité que les cadres anciens du récit ne peuvent assumer. »

(Préface, pp. 9 et 10.)

2 - VADEMECUM

NERVAL EN SIX PAYSAGES
(cf. aussi DHL, n° 10)

● **L'Allemagne, « terra matris », terre matrice**. Nerval : inversé, le pseudonyme de Gérard donne « Lauren(t) », nom de la mère morte et enterrée en Silésie quand il avait deux ans (1810). Plus tard, Nerval sera le romantique français le plus familier du « Sturm und Drang ». C'est ainsi qu'en 1827, il se fait connaître en traduisant le *Faust* de Goethe.

● **Le Valois, terre d'enfance, pureté puerpérale (1810-1814)**. En attendant le retour de son père, qui est médecin de la Grande Armée, Gérard séjourne à Mortefontaine : terre d'élection, le Valois figurera bientôt le paradis perdu dont l'évanescence même est source d'inspiration.

● **Paris, théâtre du monde** : des bancs du Collège Charlemagne à ceux de la Comédie Française où il défend *Hernani* (1830), Nerval devient « Jeune-France », comme son ami Gautier. Les journaux lui ouvrent leurs colonnes, tandis que sa fascination de la scène prend des formes multiples : critique, création dramatique, et surtout passion malheureuse pour l'actrice Jenny Colon (1836-1838).

● **Les routes d'Europe (1834-1838)**. Parallèlement, il rejoint l'élite des écrivains voyageurs : Italie, Allemagne bien sûr, Belgique, Autriche... tout un florilège géographique qui sera celui des *Filles du Feu* et de *Pandora*.

● **L'Orient (1843)** : dans cet ailleurs tant fantasmé par son siècle, le poète va naître (voir l'étymologie d'« Orient ») à toutes les formes du paganisme pré-chrétien, d'où il tirera une véritable gnose personnelle.

● **Grand-œuvre et folie (1851-1855)**. À partir des *Faux-Saulniers* (1850 ; cf. préface, p. 9) et du *Voyage en Orient* (1851), jusqu'à son suicide, Nerval se donne tout entier dans « une création visionnaire arrachée au délire » (au double sens du participe)... Du vertige de ces cinq dernières années émergent une œuvre-somme, *Les Filles du Feu* (1854), et deux textes fondamentaux : *Pandora* (1854) et *Aurélia* (1855).

LES FILLES DU FEU

« LIRE ET VOIR LES CLASSIQUES »
N° 6090

Gérard de Nerval
Les Filles du Feu
suivi de Pandora

En 1851, je passais à Francfort. — Obligé de rester deux jours dans cette ville, que je connaissais déjà, — je n'eus d'autre ressource que de parcourir les rues principales, encombrées alors par les marchands forains. La place du Rœmer, surtout, resplendissait d'un luxe inouï d'étalages : et près de là, le marché aux fourrures était des dépouilles d'animaux sans nombre, venues se

PRESSES POCKET

1 - CONTEXTE

Les Filles du Feu et *Pandora* paraissent en 1854, mais les textes regroupés par le premier ouvrage s'échelonnent sur quelque quinze ans. Le cadre événementiel « moyen » est donc celui du demi-siècle.

TOURNANT DE L'ŒUVRE, TOURNANT DU SIÈCLE

- **2 décembre 1851** : coup d'état de Louis-Napoléon Bonaparte. Après la révolution (1848), c'est au tour de la république d'être confisquée.
- **en janvier 1852, début du Second Empire** : autoritarisme (jusqu'en 1860), essor économique (la révolution industrielle est alors un phénomène international), et politique coloniale (guerre de Crimée et siège de Sébastopol en 1854).

Le grand élan romantique n'est plus. Victor Hugo s'exile : en 1853 paraîtront *Les Châtiments*. Gautier choisit l'Art pour l'Art : quand en 1852 il donne *Émaux et Camées*, et Leconte de Lisle ses *Poèmes antiques*, tous deux ignorent qu'ils viennent d'inventer le Parnasse. Baudelaire traduit Edgar Poe et fréquente l'atelier de Courbet, qui sera rejeté de l'Exposition universelle de 1855.

Hors des thébaïdes artistiques se forme une idéologie scientiste bientôt dominante. Beaucoup et souvent mal lus : Auguste Comte (1852 : *Catéchisme positiviste*) et Claude Bernard, qui démontre en 1853 la fonction glyco-génique du foie.

• **Quant au temps des *Filles du Feu* et de *Pandora*** il semble s'inscrire dans un passé sagement autobiographique. En fait, le processus de remémoration est ici une lutte permanente contre toute espèce de temps linéaire : travail que la forme poétique des *Chimères* permet pleinement d'accomplir. D'autre part trois textes en prose, dépourvus de narrateur intradiégétique, font exception : « Jemmy », qui se situe dans un Far-West contemporain d'*Atala* ; « Émilie », récit placé sous la Révolution, et « Corilla », drame court dans la Naples du XVIIIe siècle. Cas intermé-diaire, « Isis » fait se succéder le document d'archéologie religieuse sur Pompéi (cité disparue sous les cendres en 79 après J.-C.), le carnet de voyage et la méditation syncrétiste.

2 - TEXTE

LE(S) TITRE(S)

On rapprochera les pp. 6 et 7 de la Préface du texte n° 1 du DHL, pour la « symbolique du feu » (exposée au cen-tre du *Voyage en Orient*), synthèse d'une tradition à la fois kabbalistique, persane, et alchimiste. Si l'on schématise :

• **le feu est d'abord énergie vitale et créatrice :** les « fils du feu » (au nombre desquels Nerval se rangeait), se donnent pour les descendants de Caïn sur qui plane la malédiction d'Adonaï-Jéhovah : « supérieurs aux hom-mes, ils en seront les bienfaiteurs et se verront l'objet de leurs dédains » — mystiquement, Prométhée et le Desdi-chado, ces autres avatars nervaliens, ne sont pas loin ;

• **cette énergie souvent procède du divin ou y conduit** (le feu dans beaucoup de religions matérialise la divinité) : les figures féminines qui en sont les dépositaires auront tendance à se faire déesses, prêtresses, étoiles... en tout cas médiatrices (voir « Les chimères » aussi bien qu'« Isis »).

• **une telle médiation ne néglige pas le passage par l'embrasement amoureux,** qui pour Nerval n'a rien d'une poussiéreuse catachrèse (voir J.-P. Richard, *op. cit.*, pp. 44-45). On sait d'ailleurs que le poète songeait à d'autres titres : *Les Amours passées*, ou encore *Les Amours perdues*.

Enfin, la pluralité des figures féminines rapportées à une seule origine ignée induit une dynamique de la récurrence (voir le vers d'« Artémis » :

    « La Treizième revient... C'est encor la première. »)

En ce sens « Les filles du feu », « personnages et textes », peuvent être considérées comme autant de « projections d'un énonciateur qu'anime un embrasement intérieur » (Préface, p. 6).

Avec *Pandora*, qui évoque la première femme envoyée aux hommes en châtiment, dans la mythologie grecque, le don du feu n'est plus que source de « supplice ». En choisissant pour double métaphorique un Prométhée dont Pandore est la propre créature, le soupirant-démiurge réduit sa fascination pour une actrice, étoile de la scène viennoise, à une aliénation dont la seule alternative est la fuite. La Pandora est une sœur « noire » des filles du feu : Nerval l'écarta finalement du recueil après l'y avoir incluse.

STRUCTURE(S)

On consultera pour une étude en profondeur, L. Cellier et J. Geninasca (Cf. Bibliographie). Limitons-nous ici aux évidences : sept nouvelles, couronnées par douze sonnets (le chiffre magique du renouvellement cyclique débouche sur celui de la perfection cosmique).

Si les sonnets, de par leurs titres et leurs thèmes, s'organisent en 6 + 5 + 1, les nouvelles de leur côté esquissent une répartition 3 + 3 + 1. « Angélique » et « Sylvie » disent la remontée aux sources (historiques puis ontologiques) du

Valois ; suit un récit-pastiche situé en extrême-Occident, dans l'Amérique des pionniers : « Jemmy ». « Octavie », « Isis » et « Corilla » forment un trio italien travaillé en son centre par l'Orient, tandis qu'« Émilie » conclut tragiquement le recueil en ramenant l'Allemagne comme un remords (celui-là même qui tuera le personnage principal).

Ce rapide survol omet fatalement bien d'autres paramètres :

• **la longueur des textes,** extrêmement variable : les nouvelles du Valois occupent plus de volume à elles deux que l'ensemble des autres, tandis qu'« Octavie », par sa brièveté, la synthèse des expériences et les ellipses narratives qu'elle opère, peut se lire comme une page qu'on tourne, une transition au sens fort du terme ;

• **les correspondances multiples, par symétrie** (le livre s'ouvre sur l'Allemagne et se referme sur elle) analogie, ou contraste (forme proche, mais tons opposés de « Jemmy ») ? Une telle richesse constitue l'unité de l'œuvre en objectif primordial de lecture.

3 - INTERTEXTE

Dans ce texte protéiforme qui est à lui-même son propre intertexte, Nerval organise le parcours initiatique de son lecteur. L'édition Presses Pocket, en fournissant la totalité et la genèse de l'œuvre, permet d'en donner une idée...

1. - Introduction à l'imaginaire et à la polyphonie des F.F. Épicentre trop souvent négligé, « Chansons et danses du Valois » peuvent fournir un agréable départ « in medias res ». Ex. : le passage pp. 188-189 : « Est-ce donc... Burger », illustré par « la chanson du roi Renaud » (interprétation disponible par Cora Vaucaire), et le lied de Schubert : « Le Roi des Aulnes ». Tout de suite apparaît la richesse discursive : chant dialogué mère-bru de la ballade (père-enfant dans le lied évoqué), alternant lui-même avec la voix du narrateur.

On peut à partir de là explorer synthétiquement :

2. - L'exceptionnelle variété des régimes énonciatifs dans l'œuvre, en confiant à une lecture autonome des élèves les récits de facture apparemment traditionnelle : « Jemmy », « Émilie », « Isis ». Occasion de répartir des fiches de lecture à orientation documentaire : importance historique du Valois, imaginaire du Far-West au XIXᵉ siècle (cf. Chateaubriand et F. Cooper), événements et romans de 1793-1799 (cf. *Les Chouans* et *Quatrevingt-Treize*, de 1874), Isis de l'Égypte à Apulée, Pompéi (cf. C. Aziza, *Pompéi*, Presses de la Cité, coll. Omnibus).

3. - Le réseau des « métaphores obsédantes » (Ch. Mauron). La forme dramatique présente l'intérêt de l'exhiber : une lecture dirigée globale de « Corilla » dégagera comment on passe du double masculin (le rival) au double féminin (la femme désirée, finalement unique derrière ses deux incarnations antithétiques), puis à l'interrogation sur la nature de l'amour (l'être aimé, réalité ou fantasme ?) et enfin sur soi : retour au double masculin, mais cette fois intériorisé (le moi est opaque à lui-même).

C'est le moment d'enchaîner avec la lecture méthodique des pages « incontournables » : le « squelette thématique » de « Corilla » va s'enrichir du retour vers le passé et de la confusion des strates temporelles, rendue possible par l'alchimie du rêve, qu'il soit éveillé (rêverie, hallucination) ou nocturne, tandis que se superposent les figures de femmes, et que d'Aurélie à Pandora grandit le mythe de l'actrice. Citons dans « Sylvie » : « Nuit perdue », du début à « l'ordre des temps », p. 142 ; « Adrienne », du début à « en paradis », p. 147 ; « Chaâlis », pp.- 160-162 (« C'est par là qu'un soir… une obsession peut-être ! ») ; « Dernier feuillet », in extenso — ces quatre passages étant longs, on y pratiquera les découpages qu'on juge opportuns. Dans « Octavie », la lettre centrale, surtout à partir de « Que vous dirai-je ? » (p. 230) est à étudier, pour le travail de condensation opéré, en regard du texte n° 7 du DHL ; cette condensation devient transfiguration lorsqu'on passe des « Amours de Vienne » (DHL n° 9) qui cultivent l'anecdote libertine sur fond de couleur locale, à *Pandora*, en particulier le récit du rêve (pp. 318-319) ou l'accelerando final (depuis « La Pandora... », p. 320). À présent armés de culture nervalienne, les élèves pourront aborder la trans- mutation ultime : celle qu'opère l'écriture poétique.

4. - « Les Chimères », aboutissement des *F.F.* Deux entrées simples pour les cinq premiers sonnets :

• *l'entrée référentielle*, l'identification du « matériau » narratif repris aux nouvelles (les roses de Sylvie, le baiser d'Adrienne, le Pausilippe d'Octavie, etc., démarche ini- tiée par Proust : cf. DHL pp. 406-407), et

• *l'entrée linguistique* — entre autres : présence/absence du « je », délimitant souvent ton lyrique et ton épique, présence/absence de temps historique, observation des déterminants (rôle des détails définis ou absents dans la quête d'identité...). L'association des deux entrées permet de se faire une première idée du travail de stylisation et d'abstraction qui élabore ici une esthétique symboliste avant la lettre. C'est dire aussi que le son fait sens, de même que la structure métrique et strophique (on ne man- quera pas d'exploiter le fait que les quatrains de « Del- fica » et les tercets de « Myrtho » proviennent, mutatis mutandis, de l'« éclatement » du sonnet « À J.-Y. Co- lonna » (DHL pp. 368-369).

Reste à opérer un retour tout nervalien au début du livre, avec « Angélique », « celle qui annonce »... et dont l'étude rend nécessaires quelques compléments.

4 - PRÉTEXTE

RECHERCHES À PARTIR DU CAHIER ICONOGRAPHIQUE

L'art et la poésie des ruines : pp. 10, 12, 13 du C.I., et pp. 118-119, 160-162, 242-244 des *F.F.* ; **le paysage élé- giaque :** C.I., pp. 1, 6, 7, 9 et *F.F.*, pp. 78-79, 146-148, 150-153, 167 ; **le XIXe siècle et la jeune fille :** C.I., pp. 8-9, 11 ; **la scène à l'italienne :** C.I., pp. 14-15.

CHARLES NODIER[1]
(1780-1844)

| 1 - MÉMENTO |

« Que n'aurais-je pas échangé contre un peu de fantastique, surtout quand j'ai connu le vrai de ce monde ! »

Charles Nodier.

« Ce qui m'étonne, c'est que le poète éveillé ait si rarement profité dans ses œuvres des fantaisies du *Poète Endormi*, ou du moins qu'il ait si rarement avoué son emprunt. »

Charles Nodier,
Sur quelques phénomènes du sommeil.

« Derrière ce romantisme ostentatoire et agité se cachent une incroyable culture, un véritable encyclopédisme : Nodier avait la fièvre du savoir, comme les érudits de la Renaissance qu'il admirait ou comme Diderot. »

X. Darcos, B. Agard et M.F. Boireau,
Le XIXᵉ siècle en littérature,
Hachette, Coll. Perspectives et confrontations.

---

1. On trouvera ailleurs les fiches des autres auteurs du recueil : Balzac, Gautier, Mérimée.

2 - VADEMECUM

1803 *Le Peintre de Salzbourg, journal des émotions d'un cœur souffrant.*

1804 *Essais d'un jeune barde* (poèmes).

1808 *Dictionnaire raisonné des onomatopées françaises.*

1818 *Jean Sbogar.*
      Édition commentée des *Fables* de La Fontaine.

1821 *Smarra ou les démons de la nuit.*

1822 *Trilby.*
      Publication des œuvres de Byron.

1829 Début de la parution des *Souvenirs et portraits de la Révolution et de l'Empire.*

1830 *Histoire du roi de Bohème et de ses sept châteaux* (comprenant : *Le Chien de Brisquet*).

1832 Parmi d'autres contes : *La Fée aux miettes.*

1833 *Jean-François les bas-bleus.*

1837 *Inès de Las Sierras.*

BIBLIOGRAPHIE

L'œuvre très abondante, très variée de Nodier, qui a joué un si grand rôle dans le mouvement romantique, n'est pas très facilement accessible et n'a même pas été complètement publiée. La meilleure édition des contes est celle de P.G. Castex parue aux éditions Garnier (Paris 1961). On trouvera un choix de ces contes, dont les plus célèbres *(Smarra, Trilby, La Fée aux miettes, Jean-François les bas-bleus, Inès de las Sierras)* dans l'édition Garnier-Flammarion.

Les mélanges de littérature et de critique ont été réédités par Slatkine Reprints, Genève.

• Pour découvrir cet auteur : H. Juin, *Charles Nodier*, Seghers, 1970 (avec un choix de textes) ; H. Nelson, *Charles Nodier*, New-York, 1972.

• Sur les récits et contes : Miriam S. Hamenachem, *Charles Nodier, Essai sur l'imagination mythique*, Paris, Nizet, 1972.

RÉCITS FANTASTIQUES

« LIRE ET VOIR LES CLASSIQUES »
N° 6087

1 - CONTEXTE

LE CONTEXTE DE PRODUCTION :

- **Les récits datent de deux époques :**

« Inès de Las Sierras », « Le Chef-d'œuvre inconnu »,
« La Vénus d'Ille » et « La Morte amoureuse », ont été
publiés vers 1836-1837 en pleine période romantique. On
y trouve :

1. - le goût de la couleur locale (châteaux en Espagne,
brigands et danseuses) ; retour sur le passé européen : le
XVIIe siècle ; folklore populaire ;

2. - l'atmosphère des romans noirs : orages, ruines.

3. - le tragique et le dramatique : la fatalité de la passion qui dévore le héros romatique ; l'amour et la mort.

« Avatar » et « Lokis » sont un peu plus tardifs (1856
et 1869). Avec les mêmes caractéristiques, ils utilisent de
nouvelles sources de dépaysement : l'Inde et ses textes
sacrés ; les thèmes de l'Europe de l'Est, plus originale que
l'Espagne et l'Italie, un peu éculées. Une rationalité presque scientifique s'affirme à mesure qu'on avance dans le
siècle : le docteur Charbonneau, un savant, travaille en
plein Paris et le docteur allemand de « Lokis » est un phi-
lologue en voyage d'études.

Le héros d'« Avatar » est proche du dandy ; celui de « Lokis », un hobereau des provinces baltes, évoque plutôt Tourgueniev.

HISTOIRE ET FICTION

● **Chaque récit se situe dans un cadre historique précis :**

« Inès de Las Sierras » : l'invasion de l'Espagne par les armées de Napoléon en 1808.

« Le Chef-d'œuvre inconnu » : en 1612, le peintre Nicolas Poussin est confronté à son aîné Porbus dit le Jeune (1970-1622).

« La Vénus d'Ille » : la société provinciale de 1830 avec ses notables satisfaits, mariant leurs filles pour des questions d'argent, fiers de l'érudition qui les distingue du peuple. Les femmes, bien pensantes, sont incultes et dévotes.

« La Morte amoureuse » évoque Venise au XVIIIᵉ siècle.

« Avatar » se situe dans le Paris aristocratique : de riches oisifs y fréquentent le Jockey club, se battent en duel.

« Lokis » présente la Lituanie du milieu du XIXᵉ siècle.

2 - TEXTE

LE TITRE

On a groupé les six nouvelles sous le titre de *Récits fantastiques* qui met l'accent sur les modalités narratives indispensables au fonctionnement du genre fantastique.

« Le fantastique, c'est l'hésitation éprouvée par un être qui ne connaît que les lois naturelles face à un événement en apparence surnaturel. » (Todorov)

LE MERVEILLEUX ET L'ÉTRANGE

Cette définition permet d'étudier la différence entre le fantastique, le merveilleux (« *le surnaturel accepté* », selon Todorov) et l'étrange *(« le surnaturel expliqué »)* qui caractérise, par exemple, la résolution de l'énigme à la fin des romans policiers, ou à la fin de textes qui n'assument pas jusqu'au bout le parti pris fantastique.

De ce point de vue, on peut étudier dans chacune des six nouvelles, soit prises séparément, soit étudiées simultanément (par exemple dans un tableau à double entrée) :

Les circonstances de la narration :
- la présentation d'une énigme à résoudre ;
- le serment de ne rien dire ;
- tout ce qui prédispose le lecteur à une interprétation hors norme ;
- les personnages qui dans le texte représentent plus ou moins le lecteur ;
- le héros est-il le narrateur ?

La création d'un climat favorable à l'impression d'étrangeté :
- le récit préalable évoquant une légende ou un épisode troublant ;
- des circonstances exceptionnelles, naturelles ou psychologiques : l'orage, la nuit, la guerre, le climat d'une passion désespérée, la mort d'un être cher.

La succession des épisodes préparatoires :
- les signes du destin (les noms prédestinés, la date anniversaire, l'accident causé par la statue, la conduite étrange d'un ours) ;
- les menaces, les rêves prémonitoires, les serments imprudents, les inquiétudes exprimées ou latentes, autrement dit, tout ce qui projette dans l'avenir ou dans le passé et donc bouleverse la référence au temps causal...
- les rencontres suggestives (la vieille femme ; le mystère entretenu par un vieux fou proche de la mort) ;
- les étapes de l'intervention surnaturelle (le personnage croit voir, puis voit réellement).

Les temps et les lieux du récit qui favorisent les glissements d'un univers dans un autre :
- les dérapages dans le temps (ellipses, moments forts, remplacement du temps de la réalité par celui du rêve) ;
- les modifications de l'espace (illusion d'optique, déplacements et pertes de repères ; pénétration dans des lieux interdits ou fermés) ;

• on relèvera en particulier les références abondantes à des textes du passé, à des philosophies anciennes ou lointaines, plus ou moins ésotériques (Pythagore, etc.), à des textes antiques suggestifs, à des événements plus ou moins mystérieux de l'histoire, déjà connus du lecteur.

L'événement fantastique, lui-même :

• décrire l'événement en dégageant les implicites du texte (le comte est le fils de l'ours, en fait, c'est un vampire ; la statue se considérant comme l'épouse du héros est venue consommer le mariage) ;

• distinguer les textes qui jouent sur le sous-entendu et ceux qui présentent directement l'événement surnaturel (le médecin a délibérément interverti les deux corps) ;

• chercher dans le texte tout ce qui rattache cet événement à une série causale différente de celle à laquelle pensent les témoins (Inès est-elle un fantôme ou une actrice ? la métempsycose est-elle ou non maîtrisable scientifiquement ? le comte a-t-il hérité de la folie de sa mère ou est-il un vampire ?).

La conclusion du récit :

• Fin heureuse ? tragique ? pour qui ?

• Comment le narrateur a-t-il pu revenir sur cette affaire ?

• Y a-t-il résolution de l'énigme ?

• Distinguer la conclusion que tire le lecteur de celle que tirent les témoins dans l'histoire.

3 - INTERTEXTE

LES THÈMES DU FANTASTIQUE

1. - Le portrait et ses ambiguïtés.

2. - La religion, le rituel, et les cérémonies, dans leur rapport avec le fantastique.

3. - L'exotisme, le goût du dépaysement dans le temps et l'espace.

4. - Le thème de la bestialité : la transgression des lois naturelles ; le personnage du chasseur, sa fonction dans les contes.

5. - Le cadre du fantastique : les ruines, les montagnes, la forêt, la mer ; opposer cet univers à la société mondaine, au cadre de l'ordre social.

6. - Les objets favoris du fantastique : le crucifix ; l'arbre mort, les chevelures, et les toisons ; les masques et les déguisements.

HOMMES ET FEMMES

• Les hommes : les héros qui vivent ces aventures et les personnages qui sont pris à témoin, plus ou moins sceptiques.

• Les femmes : elles sont les supports de la passion fatale, mais aussi l'occasion ou la cause (et finalement les victimes) des événements suspects qui se produisent. Les figures magiques, angéliques ou diaboliques sont toutes féminines. Déterminer sur les images les points forts de ce dysmorphisme sexuel.

L'ART ET LES PROBLÈMES ESTHÉTIQUES

Les textes qui complètent le dossier permettent de voir la permanence et la récurrence de certains thèmes. Le thème de la création artistique en particulier dépasse le cadre du fantastique. On dégagera les différentes représentations de la beauté ; les esthétiques qui mettent en avant le mystère de l'inspiration et celles qui privilégient le travail, le respect des codes.

4 - PRÉTEXTE

Le CI permet d'étudier la représentation de réalités sociales, historiques, d'étudier les références avec le maximum de précision.

Puis chercher l'autre niveau de réalité, en utilisant la puissance de suggestion des images, une des sources de la littérature fantastique.

Classer les images en allant des plus réalistes aux plus fantastiques. Lesquelles appartiennent le plus nettement à l'une ou à l'autre de ces deux catégories ? Pour lesquelles y a-t-il hésitation ?

EDGAR ALLAN POE
(1809-1849)

1 - MÉMENTO

« Je suis excessivement paresseux et merveilleusement actif, par accès... J'ai ainsi perdu des mois entiers à errer et à rêver, pour me réveiller enfin à une sorte de folie de la composition. Alors je gratte du papier tout le jour et lis toute la nuit. Tant que cette maladie dure.

... Je suis trop conscient de l'évanescence transitoire des choses temporelles pour accorder aucune attention continue à rien, pour être logique en rien. Ma vie n'a été que caprice — impulsion — passion — désir de solitude — mépris de toutes choses présentes, et soif de l'avenir.

Je suis très sensible à la musique, et à certains poèmes, en particulier ceux de Tennyson, qu'avec Keats, Shelley, Coleridge (parfois) et quelques autres de la même veine et du même style, je considère comme étant les SEULS poètes. »

(Lettre publiée dans le *Graham's Magazine*, 1844)

2 - VADEMECUM

DATES PRINCIPALES

1831 « Manuscrit trouvé dans une bouteille » (in *H.E.*).

1835 « Aventure sans pareille d'un certain Hans Pfaall », « Morella » (in *H.E.*).

1836 « Metzengerstein » (in *H.E.*).

1838 « Ligeia » (in *H.E.*).

1841 « Double assassinat dans la rue Morgue » (in *H.E.*).

1842 « Une descente dans le Maelstrom » (in *H.E.*).

1843 « Le Scarabée d'or » (in *H.E.*).

1844 « la Lettre volée », « Le Canard au ballon », « Révélation magnétique », « Souvenirs de M. Auguste Bedloe » (in *H.E.*).

1845 « La Vérité sur le cas de M. Valdemar » (in *H.E.*) ; *Le Corbeau.*

1848 *Eurêka.*

1856 Parution en France des *Histoires extraordinaires.*

« Ce n'est pas par ses miracles matériels [...] qu'il lui sera donné de conquérir l'admiration des gens qui pensent, c'est par son amour du Beau [...]. » (Baudelaire, cité in *Histoires extraordinaires*, PP, n° 6019, p. 358).

« Aérolithe », « stellaire de foudre », « le cas littéraire absolu » ; « l'ange » qui donna « un sens plus pur aux mots de la tribu ». (Mallarmé, *Médaillons et Portraits* et *Le Tombeau d'Edgar Poe*).

Un « esprit complet ». (Valéry)

« N'a-t-il pas réellement créé une forme nouvelle dans la littérature, forme provenant de la sensibilité de son cerveau *excessif* [...]. » (Verne, cité *ibid.*, p. 368).

Mais « il suffit de traverser l'Atlantique ou la Manche pour entendre un tout autre son de cloche. Sauf exception [...], aucun jugement positif n'est sans réserve. » (*o.c.,* Préface, p. 7).

HISTOIRES EXTRAORDINAIRES

« LIRE ET VOIR LES CLASSIQUES »
N° 6019

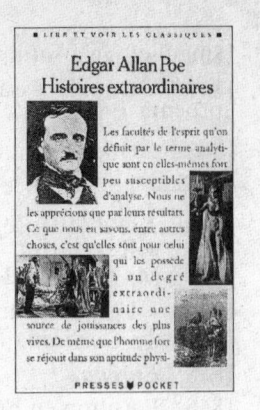

1 - CONTEXTE

LE CONTEXTE DE PRODUCTION :
(Parution en France : 1831, 1845, 1856)

Voir fiches n° 4. 8. 10.

HISTOIRE ET FICTION

Chacune des nouvelles ayant son propre cadre historique, sa couleur pseudo-réaliste ou légendaire, son économie narrative, est étudiable séparément. L'action se passe généralement en un lieu, à une époque, et met en scène des personnages que le narrateur dit avoir bien connus, à Paris (« Double assassinat dans la eue Morgue », « La Lettre volée ») ou à Charleston (« Souvenirs de M. Auguste Bedloe »), en Norvège (« Une descente dans le Maelstrom ») ou sur les bords du Rhin (« Ligeia »). L'histoire tourne toujours autour d'un cas ou d'une affaire sur lesquels le conteur apporte des révélations ou des preuves qu'il est seul à posséder. Mais, s'il fournit parfois des précisions extrêmement détaillées sur un décor (« l'île Sullivan » dans « Le Scarabée d'or »), il lui arrive de faire état d'absences singulières (« À quoi bon mettre une date à l'histoire que j'ai à raconter ? », dans « Metzengerstein »). L'ensemble procure donc une impression d'« inquiétante étrangeté ».

2 - TEXTE

LE TITRE

Est inséparable de la traduction de Baudelaire, introducteur en France de l'œuvre de Poe, dont il publia « Révélation magnétique » en revue dès 1848, un an avant la mort du poète américain. Celui-ci n'ayant jamais pu faire éditer aux États-Unis un recueil complet de ses textes courts, nous ne connaissons de lui que les titres collectifs de ses deux publications partielles : *Tales of the Grotesque and Arabesque* (1840), approximativement repris par Baudelaire en 1865 *(Histoires grotesques et sérieuses)* et *Tales* (1845). *Histoires extraordinaires* est donc une création de Baudelaire, dont on a par ailleurs prétendu (à tort) qu'en transposant de façon plus nerveuse et plus sombre la langue impeccable et le plus souvent retenue de Poe, il avait plus fait pour la gloire de celui qu'il considérait comme son *alter ego* du Nouveau Monde que Poe lui-même. Le livre parut à Paris en 1856. Il contenait un choix de treize contes originellement publiés en revue entre 1831 (« Manuscrit trouvé dans une bouteille ») et 1845 (« La Vérité sur le cas de M. Valdemar »), mais regroupés par Baudelaire suivant un ordre thématique et non pas chronologique.

L'ORGANISATION

Guidé par le choix thématique de Baudelaire, on étudiera l'extrême diversité des contes sous cinq rubriques : 1. Poe inventeur du roman policier et maître du système de l'énigme (les trois premiers contes). 2. Poe inventeur de la science-fiction (les quatre suivants). 3. Poe analyste « scientifique » des phénomènes inconnus (les trois textes « magnétiques »). 4. La poésie de l'amour et de la mort (« Morella », « Ligeia »). 5. Le conte fantastique (« Metzengerstein »).

La même diversité se retrouve, quoique dans une moindre mesure, dans l'écriture du conteur. On étudiera le réalisme (ou le pseudo-réalisme) dans « Double assassinat... » ; la fantaisie ironique dans « Le Canard... » ; le lyrisme sombre dans « Ligeia » ; le resserrement dramatique dans « Valdemar ».

La culture de Poe était immense et de première main. On traquera le savoir géographique dans « Le Maelstrom » ; le goût de la Science dans « Hans Pfaall » ; l'érudition du passionné de la Kabbale dans « Valdemar ».

On se demandera quel est le principe secret d'unification qui transcende diversité du conteur virtuose et culture de l'initié. Serait-ce que, comme l'écrit Poe, « l'horreur », qui forme le soubassement commun à la plupart de ses contes, ne venait pas « de l'Allemagne, mais de (son) âme » ?

3 - INTERTEXTE

EXPOSÉS

1. - « Le Scarabée d'or » lu par Jean Ricardou (voir pp. 373-374).

2. - Lectures de « La Lettre volée » (voir pp. 369-372 et J.-C. Milner, « Retour à *La Lettre volée* » in *Détections fictives,* Le Seuil, « Fiction et Cie », 1985).

3. - Jules Verne, lecteur de Poe (voir pp. 367-368).

4. - « Valdemar », lu par Roland Barthes (« Analyse textuelle d'un conte d'Edgar Poe », in *Sémiotique narrative et textuelle*, Larousse Université, 1973).

5. - La parodie chez Poe.

6. - Le fantastique chez Poe.

7. - Poe critique de son temps.

8. - Quête-fuite de la femme dans l'œuvre de Poe.

4 - PRÉTEXTE

• Le **CI** permet de resituer l'œuvre d'Edgar Poe dans une généalogie d'événements et d'autres œuvres.

En amont des *Histoires extraordinaires*, la biographie de l'écrivain (pp. 2-3) d'une part, à compléter avec le livre de Claude Delarue (Bibliographie, p. 378). Le commentaire suggère un rapprochement entre la vie et l'œuvre de Poe, comme l'a fait, par exemple, M. Bonaparte, de façon contestée, dans sa lecture psychanalytique (Préface, pp. 11-13). L'écrivain s'inspire d'autre part des œuvres de son temps, éventuellement pour les parodier (portrait d'Hoffmann, p. 4).

Vient ensuite l'œuvre elle-même, évoquée dans sa traduction, qui est déjà une réécriture (pp. 1 et 4). On remarquera la ressemblance entre Poe et son traducteur, dont ce dernier était d'ailleurs conscient (pp. 2 et 4).

Les illustrations de Méaulle (pp. 8 et 9) recréent, sur le mode graphique, l'univers et l'ambiance du *Scarabée d'or*.

Une nouvelle étape est encore franchie avec la transposition cinématographique. Les images données ici permettent d'amorcer une réflexion sur les choix qu'elle a entraînés : choix d'une femme, au lieu d'un homme, pour *Metzengerstein* ; choix de réunir certaines nouvelles sous le titre *Tales of Terror* (à mettre en rapport avec ce que dit Barbey d'Aurevilly, p. 366) ; choix de modifier les titres : *La Tombe de Ligeia* ou encore *Phantom of the Rue Morgue* ; choix des motifs retenus pour les affiches (pp. 13 et 15).

On a dit enfin que Poe était l'inventeur de la littérature policière et de la science-fiction. C'est ce qu'illustrent les pages 6 et 7 et la page 5 (voir DHL pp. 367-368).

NOUVELLES HISTOIRES EXTRAORDINAIRES

« LIRE ET VOIR LES CLASSIQUES »
N° 6050

1 - CONTEXTE

LE CONTEXTE DE PRODUCTION :
Principaux événements en 1845, date de la parution de
Tales, voir fiches n° 4, 8, 10, 47, 58 et les pp. 333-336 du
DHL.

HISTOIRE ET FICTION

Sur vingt-trois nouvelles, treize relatent des faits explicitement contemporains (« William Wilson », « Le Diable
dans le beffroi », « Petite discussion avec une momie »)
ou que l'on peut supposer tels. Notamment celles qui encadrent le recueil : les sept premières et les deux dernières.
La plupart des autres histoires se déroulent dans un passé
plus ou moins daté : l'entrée des troupes du général Lasalle
dans Tolède, en 1808 (« Le Puits et le Pendule »), l'antiquité grecque (« Ombre ») ; « l'époque où… les bouffons
de profession n'étaient pas tout à fait passés de mode à la
cour (d'Angleterre) » (« Hop-Frog ») ; « vers minuit environ, pendant une nuit du mois d'octobre, sous le règne che-
valeresque d'Édouard III » (« Le Roi Peste ») ; « en

l'an du monde trois mil huit cent trente » (« Quatre bêtes en une ») ; lors d'une épidémie de peste septicémique — la peste de Londres en 1655 ? — (« Le Masque de la mort rouge »). Mais dans « Silence », le Démon conteur s'affranchit du temps réel. Quant aux trois dialogues philosophiques, regroupés par Baudelaire, ils se déroulent après la destruction de la Terre.

2 - TEXTE

LE TITRE

Publiées par Baudelaire en 1857, les *Nouvelles Histoires extraordinaires* offrent des textes plus variés que les *Histoires extraordinaires*, accordant une plus large part aux pastiches et récits satiriques, et l'ensemble est plus représentatif de l'œuvre d'Edgar Poe. Par la composition du recueil, Baudelaire nous propose aussi sa lecture de l'écrivain américain.

L'ORGANISATION

À quelques rares exceptions près, ces contes se présentent comme autant de variations sur un thème : la mort. Mort qui clôt le récit, souvent. Mort qui ouvre et ferme le recueil.

Mort donnée d'abord, souvent violente.

Donnée souvent *parce que* redoutée. Pour soi, mais aussi pour l'être aimé, dont la mort viendrait trancher *notre vie*. Indissociable couple Eros-Thanatos : « Il grandit, cet amour, et avec lui grandissait dans nos cœurs la terreur de l'heure fatale qui accourait pour nous séparer à jamais ! » (« Colloque »).

Mort enfin dont on sonde indéfiniment le mystère, passée l'horreur qu'elle inspire : à quel instant exact en franchit-on le seuil ? — combien d'ensevelis vivants dans

ces contes, jusqu'aux embaumés vivants « *à dessein* » de
« Petite discussion avec une momie » qui exorcisent cette
angoisse ! — Et qu'advient-il après ? Tout aussi nécessaire
que la mort apparaît la résurrection. Dans les dialogues
d'après la fin du monde, toute angoisse levée, l'homme
peut enfin s'élever avec sérénité aux grands problèmes de
la connaissance, de la Divinité, de l'amour et de la mort,
du Progrès, de la science, etc. « Puissance de la parole »
et de la poésie...

3 - INTERTEXTE

Certains de ces contes pourront être proposés à des élèves de premier cycle, mais on attendra le second cycle pour
étudier de façon fructueuse l'ensemble du recueil.

EXPOSÉS

1. - « Bérénice » et « Metzengerstein ». On s'appuiera
sur la présentation de « Bérénice » par Baudelaire dans
Edgar Poe, sa vie et ses ouvrages (pp. 311-312).

2. - « La Chute de la Maison Usher » : Poe et Debussy
(pp. 313-315).

3. - « La Chute de la Maison Usher » lue par Jean
Ricardou.

4. - Bradbury admirateur de Poe dans les *Chroniques
martiennes* (pp. 315-320).

5. - L'humour d'Edgar Poe.

6. - Échos d'Edgar Poe dans *Le Portrait de Dorian
Gray* d'Oscar Wilde (voir pp. 345-348 et PP n° 6066).

7. - Visages de la folie dans « Bérénice », « La Chute
de la Maison Usher », « Le Portrait ovale », « Morella »,
« Ligeia », « Le système du docteur Goudron et du professeur Plume » (pp. 325-348), etc.

8. - La femme dans l'œuvre d'Edgar Poe.

9. - Edgar Poe critique de son époque.

4 - PRÉTEXTE

L'abondance de la filmographie (pp. 361-363) invite à une étude comparée de différentes adaptations d'une même nouvelle. Dans la mesure où certains films combinent différents contes, il serait judicieux, non seulement de faire lire ces contes aux élèves avant de leur montrer les films, mais aussi de leur faire opérer préalablement des rapprochements entre ces contes.

On pourra d'autre part chercher des explications à la fécondité de certaines périodes en transpositions cinématographiques de l'œuvre de Poe, les années 60 par exemple.

En avant-goût, ou à défaut de pouvoir montrer les films, on recourra au CI pour constater l'influence de l'époque, des possibilités techniques dont dispose le réalisateur, de sa personnalité, sur la mise en images, et pour comparer les moyens de la littérature, du cinéma et du dessin ou de la peinture pour créer le fantastique.

Ce cahier permet encore, assorti à la filmographie, un travail sur les titres et leurs traductions. On observera par exemple comment « Le puits et le pendule » devient, dans la version allemande, *La Fosse aux serpents et le pendule*, puis *Le Vampire et le sang des vierges* dans la traduction française de cette version ! L'affiche du même film, p. 9, a en outre singulièrement peuplé la nouvelle de Poe où ne figurait que le seul narrateur ! Ailleurs, p. 8, le même conte est devenu *La Chambre des supplices* et la présence d'une femme, sadique ? vient corser la scène.

Sans prétendre épuiser les ressources de ce cahier, notons enfin que son auteur nous invite à rapprocher, pour les opposer, le Prospero de *La Tempête* et celui du « Masque de la mort rouge ».

ABBÉ PRÉVOST
(1697-1763)

1 - MÉMENTO

« Un traité de morale, réduit agréablement en exercice, [...] on y trouvera peu d'événements qui ne puissent servir à l'instruction des mœurs », voilà comment l'auteur lui-même prend soin de présenter son livre dans son *Avis* liminaire (pp. 25-26). Mais l'ouvrage ne tarde pas à acquérir le prestige ambigu d'un « étonnant mélange d'innocence et de scandale » (préface, p. 10), ainsi qu'en témoigne le jugement de Montesquieu dans ses *Mémoires* (VI, 1) : « Je ne suis pas étonné que ce roman, dont le héros est un fripon et l'héroïne une catin qui est menée à la Salpêtrière, plaise, parce que toutes les mauvaises actions du chevalier ont pour motif l'amour, qui est toujours un motif noble, quoique la conduite soit basse ». Cependant que Voltaire plaint l'abbé « d'avoir manqué de fortune » et souhaite « qu'il eût fait des tragédies, parce que la langue des passions est sa langue naturelle » (*Correspondance,* 1735), Diderot se fait un plaisir de railler son goût pour les aventures baroques et sanglantes, dont il refuse la facilité au nom du réalisme dans *Jacques le Fataliste*.

La critique moderne a fait de « cette tragédie qui ressemble constamment à une comédie qui tourne mal », selon l'expression de Charles Mauron, un « chef-d'œuvre de l'illusion romanesque » où un « narrateur habile, comédien et sermonnaire, expert en plaidoyers pathétiques et en mauvaise foi, maître de la parole romanesque, est parvenu à faire croire à des générations successives — et à s'en persuader lui-même en premier — que son aventure pitoyable de fils de famille dévoyé avec une charmante et inconsciente catin fut un des grands mythes d'amour de l'Occident » (R. Virolle).

2 - VADEMECUM

LA VIE EST UN ROMAN

« Parce qu'il fut sanguin, tumultueux, désordonné, mais surtout parce qu'il vécut au confluent du siècle de la Grâce et du siècle de la Nature », Antoine-François Prévost, fils d'un notable d'Hesdin en Artois, « fut constamment déchiré, divisé » et c'est dans la fiction romanesque qu'il trouva « une unité de mélancolie [...] où l'intensité, la sincérité laissent deviner une grande part d'autobiographie » (R. Virolle). « Élève turbulent des jésuites, soldat volontaire et déserteur, novice bénédictin en perpétuelle rupture de ban, exilé couvert de dettes, écrivain hardi, séducteur comblé et imprudent [...], l'abbé Prévost est fort présent dans son texte, comme celui qui tient les deux bouts de la chaîne : assez proche encore de la jeunesse pour entrer avec enthousiasme dans ses folies, assez mûr et averti déjà pour en reconnaître les illusions et les dangers » (Préface p. 12 ; DHL pp. 317-323).

Ordonné prêtre en 1726 et devenu prédicateur mondain, il a en effet entrepris la rédaction de son œuvre maîtresse, *Mémoires et Aventures d'un homme de qualité* (le marquis de Renoncour) pour « pénétrer dans le cœur, qui passe pour impénétrable », car « des routes secrètes, ménagées par la nature, en ouvrent l'accès à ceux qui peuvent les découvrir », écrira-t-il dans *Le Monde moral,* en 1759, peu avant sa mort. Après une fugue en Angleterre où il commence à rédiger *L'Histoire de Monsieur Cleveland, fils naturel de Cromwell,* c'est en Hollande qu'il écrit et publie en 1731 le tome VII des *Mémoires et aventures...,* intitulé *L'Histoire du chevalier des Grieux et de Manon Lescaut,* condamné au feu à Paris en 1733, et qui fera l'objet d'une édition séparée en 1753, revue et corrigée par l'auteur.

LIRE ET VOIR LES CLASSIQUES

Abbé Prévost
Manon Lescaut

Je suis obligé de faire remonter mon lecteur au temps de ma vie où je rencontrai pour la première fois le chevalier des Grieux. Ce fut environ six mois avant mon départ pour l'Espagne. Quoique je sortisse rarement de ma solitude, la complaisance que j'avais pour ma fille m'engageait quelquefois à divers petits voyages, que j'abrégeais autant qu'il m'était possible. Je revenais un jour de Rouen, où

PRESSES ♥ POCKET

MANON LESCAUT

« LIRE ET VOIR LES CLASSIQUES »
N° 6031

1 - CONTEXTE

LE CONTEXTE DE PRODUCTION :
Principaux événements en 1731

● **Politique et société** : malgré la paix de 1730, la guerre turco-persane reprend. À la suite d'un premier traité de paix, de commerce et d'alliance entre les grandes puissances maritimes européennes (1725), un deuxième « traité de Vienne » est signé le 16 mars (Angleterre/Autriche), puis un troisième le 22 juillet (Espagne/Autriche). Après la fondation des colonies anglaises des Carolines et la révolte de la tribu indienne des Natchez à La Louisiane (1729), la nouvelle Compagnie des Indes qui était chargée de coloniser son territoire, pour lequel elle était allée jusqu'à recruter des vagabonds (voir D.H.L., pp. 202, 203), est réorganisée par Philibert Orry : elle cède la Louisiane au roi cependant que Dupleix est nommé gouverneur de Chandernagor. Les Français s'installent au Canada (lac Champlain). Le cardinal de Fleury, premier ministre farouche défenseur de l'absolutisme royal (il a déjà réduit au silence le jansénisme ecclésiastique), fait disperser le Club de l'Entresol, première société politique française (dont fait partie Montesquieu) fondée en 1724, influencée par les courants anglais et fénelonien.

En mars Prévost quitte Amsterdam pour La Haye où il rencontre Hélène Eckhardt, dite « Lenki », une aventurière qui va contribuer à sa ruine.

• **Arts et culture** : À Paris, le salon de Madame du Deffand acquiert la célébrité. Voltaire écrit *L'Histoire de Charles XII* et Marivaux *La Vie de Marianne*.

Ludvig Holberg publie son *Théâtre danois*. William Hogarth commence à peindre ses tableaux satiriques contre la corruption des mœurs de la noblesse anglaise. Le physicien anglais John Hadley invente le sextant de navigation ; l'encyclopédie allemande de Zedler en 64 volumes est en cours de parution (1722-1760).

HISTOIRE ET FICTION

Les cadres chronologiques et géographiques du roman sont présentés de façon très détaillée par le DHL, pp. 197-203. L'histoire telle qu'elle est rapportée est pratiquement contemporaine de son écriture : Renoncour rencontre des Grieux sur la route du Havre en février 1715 et Manon, que le chevalier a vue pour la première fois à Amiens en juillet 1712, meurt en Louisiane en février 1716. La colonisation française des territoires américains est alors en pleine expansion.

2 - TEXTE

LE TITRE

« En 1731, Prévost a trente-quatre ans, un âge qui le situe entre les deux héros de sa fiction » (préface, p. 11), et « le titre, finalement, fait échapper le roman au marquis comme au chevalier pour le restituer à l'abbé : *Histoire du chevalier des Grieux et de Manon Lescaut* » (p. 6), transformant les événements de l'histoire « en un spectacle dont la régie est toujours soigneusement contrôlée »

(p. 12). Très vite cependant, sous l'effet de la célébrité, le titre le plus connu du roman devient *Manon Lescaut* (édition séparée de 1753), souvent encore réduit à *Manon* dans ses transpositions théâtrales, lyriques et cinématographiques, privilégiant ainsi la première « fille » de la littérature française. La section « onomastique » du D.H.L. (p. 218 sq.) explicite les noms propres des héros comme des divers personnages. Remarquons encore le choix symbolique du prénom Manon, diminutif de Marie et de Madeleine, qui ne peuvent manquer de rappeler la célèbre pécheresse des Évangiles, et le rapprochement (en forme de clin d'œil d'auteur ?) du patronyme Lescaut avec celui de l'héroïne de De Foe, prostituée scandaleuse et honorée, Moll Flanders, tous deux renvoyant à la géographie des Flandres et de l'Artois, patrie de Prévost, dont l'Escaut est un fleuve.

LA STRUCTURE ROMANESQUE

« Une structure d'intégration nouvelle — et, en son temps, inouïe — redistribue des éléments traditionnellement réservés, dans la stricte hiérarchie séparatrice des genres, à la tragédie, à la comédie, au roman, aux mémoires ou au lyrisme ». La multiplication de l'instance narrative et/ou littéraire (des Grieux/Renoncour/Prévost) introduit « une disposition plurielle de la parole. [...] Un véritable chœur d'hommes assure le récitatif, dont l'unité est à son tour assurée par l'effet que produit, sur tout ce qui est masculin, le personnage de Manon » (préface, pp. 11-12). L'action dramatique dont on a souvent vanté la concentration et le dépouillement tragiques s'organise en cinq ensembles d'une symétrie impeccable : un prologue, suivi de quatre actes avec enchaînements récurrents de « thèmes » et de « motifs », de « grands airs » et de « tableaux » selon « une esthétique de la réitération » (voir analyse détaillée dans la préface, pp. 14-18). Une originale composition dramatico-lyrique se développe ainsi sur le mode de l'opéra, alors en pleine période d'invention pour répondre à la sensibilité du public du XVIIIe siècle.

3 - INTERTEXTE

Pour un choix de lectures méthodiques, il est conseillé de se reporter à l'ensemble de la préface dont l'analyse retient de nombreuses pages, ainsi quelques « incontournables » :

• La rencontre : la première apparition de Manon à Amiens (pp. 36-39), réitérée par la visite à Saint-Sulpice (pp. 57-59), à rapprocher d'autres topiques sur ce thème du premier regard (cf. le fameux « Ce fut comme une apparition » de Flaubert dans L'Éducation sentimentale).

• « La visite à l'infidèle » (pp. 139-142).

• La mort de Manon et son ensevelissement (pp. 187-189).

On peut aussi lire la « conclusion » du récit (pp. 189-192) comme une concession de l'auteur au succès : alors que des Grieux était « récupéré » par Dieu dans l'édition qui fit scandale en 1733, il revient ici simplement à ses devoirs sociaux, avec l'aide de son fidèle ami Tiberge.

Pour une recherche thématique et intertextuelle :

• Une situation d'énonciation polyphonique qui renforce la perspective tragique par l'habile introduction d'une héroïne déjà morte, à rapprocher de la même démarche choisie par Bernardin de Saint-Pierre pour Paul et Virginie (voir les fiches « structure romanesque » des deux ouvrages) ; autres éléments de comparaison entre les deux grands romans à succès du siècle : l'exotisme, la corruption de la vieille civilisation symbolisée par l'univers parisien et la régénération sur une terre « vierge ».

• Un roman d'apprentissage : définition et typologie d'un genre à succès (schéma actantiel, étapes initiatiques d'une quête spirituelle).

• Du réalisme romanesque anglais (Daniel De Foe, Henry Fielding, Samuel Richardson si cher à Diderot et dont le roman épistolaire *Clarisse Harlowe* est traduit par Prévost lui-même sous le titre *Lettres anglaises*) à la « confession » édifiante (en 1735, une nouvelle édition de son œuvre est saisie à Paris sous prétexte de jansénisme) : l'écriture comme fixation et justification du passé, prélude aux *Confessions* de son ami Rousseau et au romantisme. « Le papier n'est point un confident insensible, comme il le semble ; il s'anime en recevant les expressions d'un cœur triste et passionné ; il les conserve fidèlement, au défaut de la mémoire ; il est toujours prêt à les représenter ; et non seulement cette image sert à nourrir une chère et délicieuse tristesse, elle sert encore à la justifier » *(Cleveland)*.

• Manon ou la femme mythique et fatale : portrait d'une héroïne réduite à une idole idéale (« beaux yeux », « charmante créature », « maîtresse de mon cœur ») sur laquelle chaque lecteur peut projeter ses propres fantasmes : « sphinx étonnant ! véritable sirène ! » pour Musset *(Namouna,* I), elle enthousiasme Sainte-Beuve, Alexandre Dumas, Anatole France, Maupassant et Flaubert. L'image de la prostituée que Prévost découvre dans les fait divers comme dans la littérature anglaise pendant son séjour à Londres (voir De Foe, *Moll Flanders,* 1722, et *Lady Roxana ou l'Heureuse Catin,* 1724), est promise au plus grand succès : même si elle est régénérée par l'amour, la femme « dévoyée » reste un dangereux objet de luxe et de luxure (de Marguerite Gautier, la « Dame aux camélias » d'Alexandre Dumas fils, devenue « La Traviata » de Verdi, à Odette de Crécy chère à Swann chez Proust, en passant par Marion Delorme, dans le drame de Victor Hugo, et Nana, dans le roman de Zola).

4 - PRÉTEXTE

LES ROUTES SECRÈTES DU CŒUR

Les illustrations du CI prêtent à l'énigmatique Manon les traits innocents et « adorablement pervers » de ses interprètes modernes au cinéma : blondeur symbolique et lèvres pulpeuses de Cécile Aubry et Catherine Deneuve, robe sage et fragile frivolité (pp. 12- 13, 14-15, 16). On peut apprécier la transposition du cadre romanesque du Paris champêtre du XVIIIᵉ siècle (pp. 4-5) à la scène lyrique du XIXᵉ siècle (costumes d'époque, intérieurs somptueux, p. 10), puis au Paris de la Libération avec le film de Clouzot qui choisit le romantisme d'après guerre (la « boîte de nuit » et le costume-cravate ont remplacé les fastes d'antan, pp. 13, 14), enfin au Paris « soixante-huitard » où la table de café « démocratise » un esprit de fête libérée (avec la cigarette comme signe d'émancipation, p. 15). On peut aussi retrouver les épisodes marquants du drame avec les diverses scènes qui illustrent ses tragiques étapes : de la rencontre fatale à la mort de Manon (pp. 6-7, 8-9), ainsi le fameux « perfide Manon ! Ah ! perfide ! perfide ! » (texte p. 58) de la visite à Saint-Sulpice (p. 7). On mesure le succès de l'œuvre à travers ses diverses éditions et l'évolution significative de son titre (pp. 2-3).

MARCEL PROUST

(1871-1922)

1 - MÉMENTO

« En amour, il est plus facile de renoncer à un sentiment que de perdre une habitude. »

La Prisonnière.

« Il vaut mieux rêver sa vie que la vivre, encore que la
vivre, ce soit encore la rêver. »

Les Plaisirs et les Jours.

« En art il n'y a pas d'innovateur, de précurseur... Chaque individu recommence pour son compte la tentative
artistique et littéraire. »

Contre Sainte-Beuve.

« Je suis bien obligé de tisser ces longues soies comme
je les file, et si j'abrégeais mes phrases, cela ferait des petits
morceaux de phrase, pas des phrases. »

Correspondance, V, 1905.

« À tous les moments de notre vie, nous sommes les descendants de nous-mêmes, et l'atavisme qui pèse sur nous,
c'est notre passé conservé par l'habitude. »

Correspondance, II, 20 août 1896.

« Longtemps, je me suis couché de bonne heure... »

Incipit de *La Recherche, Combray.*

2 - VADEMECUM

« Proust nous demande d'accompagner son héros au fond du labyrinthe et de faire avec lui l'exploration complète de l'amour. »

Jean Rousset, *Forme et Signification.*

« Le salon Verdurin est une dictature frénétique ; la Patronne est un chef d'état totalitaire qui gouverne par un savant dosage de démagogie et de férocité ».

« Le salon de Verdurin, chauvin, immoral et bourgeois est un mauvais lieu fascinant au sein de ce mauvais lieu plus vaste qu'est la France également chauvine, immorale et bourgeoise ».

« Des esprits aussi divers que Jean-Paul Sartre et Paul Valéry se sont trouvés d'accord pour reprocher à Marcel Proust la frivolité de son personnage. »

René Girard,
Mensonge romantique et Vérité romanesque.

« Il dépasse Flaubert par l'intelligence comme il dépasse Balzac par les qualités littéraires et Stendhal par la compréhension de la vie et la beauté... Il a agrandi le domaine de l'âme humaine, il a embelli notre vie à tous ».

Ernst Robert Curtius, *Marcel Proust.*

UN AMOUR
DE SWANN

« LIRE ET VOIR LES CLASSIQUES »
N° 6101

---

1 - CONTEXTE

LE CONTEXTE DE PRODUCTION

Principaux événements en 1913 :

Poincaré président de la République ; Einstein, *Sur la théorie de la relativité restreinte et générale* ; Freud, *Totem et Tabou* ; Alain-Fournier, *Le Grand Meaulnes* ; Apollinaire, *Alcools* ; Barrès, *La Colline inspirée* ; Jules Romains, *Les Copains* ; Raymond Roussel, *Locus solus* ; Apollinaire, *Méditations esthétiques* ; Blaise Cendrars et Sonia Delaunay, *La Prose du Transsibérien* ; Georges Braque, *Femme à la Guitare* ; Robert Delaunay, *Les Fenêtres* ; fondation du Vieux-Colombier par Copeau ; Stravinski, *Le Sacre du Printemps* ; Debussy, *Jeux*.

HISTOIRE ET FICTION

Les événements relatés dans le roman sont un retour en arrière par rapport à *Combray*, la première partie de *Du côté de chez Swann* dont *Un amour de Swann* constitue la deuxième partie, et *Noms de pays : le Nom*, la troisième partie. Ils relatent la rencontre entre Swann et Odette de Crécy, la demi-mondaine qui est déjà apparue dans *Combray* comme une personne que les parents du narrateur enfant ne reçoivent pas, malgré son mariage avec Swann, un de leurs amis. Des repères chronologiques sont fournis par les événements parisiens qui jalonnent le récit : la fête Paris-Murcie (1879), la première représentation de *Francillon* (1887), *Serge Panine* créé en 1882 et *Le Maître de forges* en 1884. Ces références font donc planer une certaine incertitude sur le moment de l'action, étant donné que d'après la chronologie interne au roman, celui-ci s'étend approximativement sur deux ans (compte tenu de la croisière des Verdurin qui dure un an).

2 - TEXTE

LE TITRE

Placé au centre de la première partie de *La Recherche, Un amour de Swann* ne prend tout son sens que par rapport à l'ensemble de l'œuvre. C'est à la fin de *La Recherche* que l'on comprend que cet épisode prépare la fusion de milieux initialement séparés, le clan des Verdurin et le côté de Guermantes. Mais il a aussi une existence indépendante, comme récit d'une passion amoureuse et de sa fin apparente. Swann est déjà apparu fugitivement aux lecteurs de *Combray* : il est l'ami élégant des parents du narrateur, qui le reçoivent dans leur maison de vacances. *Un amour de Swann* revient sur une période antérieure, celle où il a rencontré Odette. Mais la fin d'*Un amour de Swann* ne peut laisser imaginer que de cette femme légère, il aura fini par faire son épouse. Le modèle principal de Proust pour ce personnage a vraisemblablement été Charles Haas, fils et petit-fils d'agents de change juifs, inspecteur des Beaux-Arts, brillant dandy et membre des coteries les plus élégantes.

L'ORGANISATION

• **Le salon des Verdurin :** la « patronne du petit clan » Verdurin a su faire de son salon l'un des plus réputés de Paris, bien que cette bourgeoise ne fasse pas partie du grand monde qu'elle affecte de mépriser. Soirées, dîners, matinées se succèdent comme des institutions. C'est l'occasion d'une cruelle analyse du snobisme et de la comédie mondaine.

• **La passion amoureuse :** libre de tout souci financier et de toute préoccupation de carrière, Swann peut se consacrer tout entier aux délices et aux tourments de l'amour. Odette ne mérite pas d'être aimée, mais elle est aimée, malgré sa vulgarité, son inculture, ses infidèlités, et bien qu'elle ne soit pas le genre de femme qui plaît habituellement à Swann. Face aux visages changeants et contradictoires d'Odette, livré au ridicule des quiproquos et de la jalousie, Swann apparaît comme la figure de la conscience aliénée par l'amour.

• **Le rôle de l'art :** annonces discrètes de ce qui deviendra un thème majeur de *La Recherche*, la transfiguration du réel par l'art, musique et peinture jouent un rôle important dans le roman. C'est parce qu'il trouve qu'Odette ressemble à la Zéphora de Botticelli que Swann commence à l'aimer véritablement. Plus tard la petite phrase de la sonate de Vinteuil est « l'hymne national » de l'amour entre Swann et Odette.

3 - INTERTEXTE

Le DHL, d'un intérêt exceptionnel, fournira de nombreuses directions de travail, après avoir facilité la lecture du roman par son « Dictionnaire encyclopédique » (pp. 271-294). Différents exposés pourront être l'occasion d'une véritable réflexion sur la genèse de l'œuvre.

• **Le lien entre la vie et la littérature :** dans ses lettres à Reynaldo Hahn (pp. 295-301), Proust apparaît livré comme Swann à l'inquiétude, à la passion, à la jalousie.

• **La peinture de l'amour dans la littérature classique :** Sthendhal, autre théoricien de l'amour, en a une idée que ne partage pas totalement Proust (pp. 302-305).

• **Deux nouvelles de Proust :** (*L'Indifférent* et *Un Dîner en ville*, pp. 305-323), publiées en 1896, permettront de

mesurer les modifications apportées par Proust entre
l'ébauche et la réalisation.

• **Les salons :** une des chroniques mondaines que Proust
écrivait pour *Le Figaro* sera l'occasion d'une comparaison
entre Madame Verdurin et Madeleine Lemaire (pp. 323-
330).

• *Jean Santeuil, Contre Sainte-Beuve* et *Swann :*
(pp. 321- 336) un rapprochement page à page pourra être
effectué à partir des six extraits de *Jean Santeuil* (pp. 321-
336) qui font retour dans *Un amour de Swann*, et à partir
des huit extraits du *Contre Sainte-Beuve* (pp. 336-344), où
apparaissent le nom de Swann et des Verdurin, et le rôle
de la musique.

Il sera également tout à fait nécessaire d'utiliser largement le « kaléidoscope proustien » (pp. 352-394) qui
donne de riches aperçus sur le devenir des personnages
d'*Un amour de Swann* dans *La Recherche* (Swann, Odette
et… la sonate de Vinteuil), ce qui permettra aux élèves de
se livrer à une découverte attrayante de l'évolution du récit,
et donc d'aborder la complexité de l'univers proustien.

4 - PRÉTEXTE

Le CI offre à méditer des portraits de Proust (pp. 3 et
5) et de ses modèles, Charles Haas, Laure de Sade (p. 4),
Madame Straus (p. 5), Madeleine Lemaire (p. 6), Laure
Hayman (p. 7) ou amis, Louisa de Mornand (p. 7) ; des
photographies tirées de l'adaptation cinématographique
de Volker Schlöndorff *Un Amour de Swann* (1984) (pp. 1,
5, 6, 16), dont le dossier (pp. 344-349) donne la transcription d'une séquence, ce qui sera l'occasion de réfléchir sur
la concentration — et la défiguration ? — par le scénario
d'éléments séparés dans l'écriture. Enfin les reproductions
de tableaux de peintres chers à Proust ou à Swann : Ver-
meer (pp. 8-9), Bellini, Botticelli (p. 10), Gustave Moreau
(p. 11), Mantegna (p. 12) permettront d'aborder la question du rôle de l'art comme transfiguration du réel.

FRANÇOIS RABELAIS
(1483 ou 1484 -1553)

1 - MÉMENTO

En 1534, « Rabelais est un étrange érudit de cinquante ans qui, au sortir de vingt ans de vie monastique, a repris des études de grec et de médecine, mène une vie laïque entre Hôtel-Dieu et éditeurs lyonnais, se met au service d'un personnage officiel, le cardinal du Bellay. Carrière étonnante et atypique, qui laisse présager une formation multiple, et qui est aussi un choix que n'expliquent ni les pesanteurs familiales ni les dominantes sociologiques. »

Préface de M.-M. Fragonard.

« Rabelais fut, sans le savoir, le miracle de son temps. Dans un siècle de raffinement, de grossièreté et de pédantisme, il fut incomparablement exquis, grossier et pédant. Son génie trouble ceux qui lui cherchent des défauts. Comme il les a tous, on doute avec raison qu'il en ait aucun. Il est sage et il est fou. [...] Par le style, il est prodigieux et, bien qu'il tombe souvent dans d'étranges aberrations, il n'y a pas d'écrivain supérieur à lui, ni qui ait poussé plus avant l'art de choisir et d'assembler les mots. »

Anatole France,
article paru dans *Le Temps*, du 21 avril 1889,
repris dans *La Vie littéraire* en 1892.

2 - VADEMECUM

CHRONOLOGIE DES ŒUVRES

1532   *Pantagruel.*
1533   *Pantagrueline Prognostication.*
1534   Rabelais écrit *Gargantua*, publié au début de 1535.
1546   Le *Tiers Livre.*
1548   Publication partielle du *Quart Livre.*
1552   Le *Quart Livre.*
1564   Parution du *Cinquième Livre* en entier.

JUGEMENTS SUR L'AUTEUR

« Comme penseur, il fonde ce qui avait déjà paru avec Jean de Meung, et qui ne pouvait recevoir toute sa force et son sens que de l'humanisme seul : il fonde le culte anti-chrétien de la nature, de l'humanité raisonnable et non corrompue [...]. Enfin, par son impartiale représentation de la vie, dont nulle étroitesse de doctrine, nul scrupule de goût, nul parti pris d'art ne l'empêche de fixer tous les multiples et inégaux aspects, il est et demeure la source de tout réalisme. »

Gustave Lanson, *Histoire de la Littérature française*, 1894.

« Marot et Rabelais sont inexcusables d'avoir semé l'ordure dans leurs écrits : tous deux avaient assez de génie et de naturel pour pouvoir s'en passer, même à l'égard de ceux qui cherchent moins à admirer qu'à rire dans un auteur. Rabelais surtout est incompréhensible. Son livre est une énigme, quoi qu'on veuille dire, inexplicable. [...] C'est un monstrueux assemblage d'une morale fine et ingénieuse et d'une sale corruption. Où il est mauvais, il passe bien loin au-delà du pire, c'est le charme de la canaille ; où il est bon, il va jusques à l'exquis et à l'excellent, il peut être le mets des plus délicats. »

La Bruyère, *Les Caractères*, I.

GARGANTUA

« LIRE ET VOIR LES CLASSIQUES »
N° 6089

---

1 - CONTEXTE

LE CONTEXTE DE PRODUCTION :
Principaux événements en 1534

- **En politique :** François Ier règne depuis 1515. Traité d'Augsbourg entre François Ier et les princes protestants. Affaire des Placards. Schisme anglican : Henri VIII rompt avec Rome. Fondation de l'ordre des Jésuites par Ignace de Loyola. Jacques Cartier prend possession du Canada au nom de François Ier.
- **En littérature :** Luther, Bible allemande complète.
- **En peinture :** Michel-Ange, fresques de la chapelle Sixtine. Le Primatice et Benvenuto Cellini décorent Fontainebleau.

HISTOIRE ET FICTION

« Les deux récits (*Pantagruel* et *Gargantua*) s'ancrent dans une sorte de non-temps immémorial, représenté par le mythe, décrit en généalogie fabuleuse remontant à l'avant-déluge, et, comme pour les rois, créant autour du héros un mythe de la lignée, agrandi ici au récit cosmologique (les géants, nos créateurs ou nos ancêtres...). Mais le temps contemporain interfère avec la légende : des allusions claires à l'actualité de 1530 [...] rapprochent la légende des temps historiques et même du temps vécu du lecteur. »

Préface, p. 8.

2 - TEXTE

LE TITRE

Après le fils, le père. Après les exploits de Pantagruel, ceux de Gargantua. Le personnage vient du folklore, et des populaires *Chroniques de Gargantua*, qui racontent les aventures d'un géant débonnaire au service du roi Artus. (Voir DHL p. 445 sq.). Le nom du héros n'est donc pas une invention de Rabelais : on y retrouve une racine « Gar » désignant la gorge. « Cependant, c'est moins la "grandeur" du gosier qui constitue, croit-on, le sens principal de la racine utilisée dans le nom de Gargantua, que l'idée d'horreur — *gorgos*, en grec, signifie effrayant —, l'idée de dévorant », écrit G.-E. Paillard dans *Le Vrai Gargantua*. Le géant serait donc, à l'origine, moins un goinfre qu'un avaleur.

Fabuleux destin néanmoins que le sien, puisque Rabelais fait de ce personnage folklorique une figure royale, et même christique. (Voir préface, pp. 17-19).

L'ORGANISATION

La structure de *Gargantua* est celle d'un roman de chevalerie. On y retrouve « le schéma médiéval de l'initiation du chevalier : naissance, révélation des capacités, éducation, exploits qualifiants, triomphe attesté. Il n'y manque, pour un schéma courtois, que la Dame inspiratrice. » Mais l'action n'est pas le but du récit. « Au récit proprement dit se substituent des expansions de thèmes, promouvant la naissance, la beuverie, le savoir, les débats, les énigmes et interrogations discursives. Ce pourquoi progressivement le "roman" rabelaisien tend à s'écarter de l'écriture romanesque pour être le soutien d'une réflexion sur le monde. » (Préface, p. 7).

À ce schéma romanesque s'ajoutent des fragments divers : poèmes, listes, conversations, discours...

Voir aussi deux lectures de la composition de *Gargantua*, pp. 470-471.

3 - INTERTEXTE

Rabelais est traditionnellement étudié en classe de seconde. Mais pourquoi ne pas le sortir de l'enfer des morceaux choisis, et le proposer, en œuvre complète, à une classe de première (de préférence avec de nombreux latinistes) ?

EXPLICATION DU TEXTE

1. - Début du prologue, p. 35 sq. (v. DHL pp. 467-469).
2. - Naissance de Gargantua, pp. 74-79.
3. - Première éducation de Gargantua, pp. 130-135.
4. - L'enseignement de Ponocrates, chap. XXI.
5. - L'origine de la guerre, chap. XXIII.
6. - Exploits de frère Jean, pp. 225-233.
7. - Gargantua mange des pèlerins, chap. XXXVI.
8. - Politique de Grandgousier, pp. 355-357.
9. - Thélème, chap. LI.
10. - La règle des Thélémites, chap. LV.

INITIATION AUX DIFFICULTÉS DE LA TRADUCTION

La lecture simultanée du texte original et de la traduction met en évidence les difficultés rencontrées par un traducteur : comment rendre plaisanteries et jeux de mots ? comment rendre compte de l'usage de plusieurs niveaux de langues ? comment traduire le passage du français au latin, et même du latin correct au latin de cuisine ? (Il y a là de petits exercices très amusants pour des latinistes, même débutants !) On pourra étudier dans cette optique les joyeux propos des pages 66 et suivantes, et le discours de maître Janotus (pp. 160-165).

ÉTUDES THÉMATIQUES

1. - Le gigantisme, formes et fonctions.

2. - Mauvaise et bonne éducation : la réflexion pédagogique dans *Gargantua*. Cf. DHL, p. 461 sq.

3. - L'art de bien gouverner selon Grandgousier et Gargantua.

4. - Picrochole et la satire du mauvais roi.

5. - Le personnage de frère Jean.

6. - L'idéal thélémite.

7. - Rabelais et l'héritage médiéval.

8. - Les jeux de l'écriture : pastiches et parodies.

ÉTUDES COMPARATIVES

1. - Comparaison entre la table des matières de *Gargantua* et celles des *Grandes et Inestimables Chroniques*, pp. 447-448.

2. - Comparaison des deux récits contant la naissance du héros (p. 72 sq. et pp. 448-449).

3. - Quelles parentés (stratégies, formes, thèmes) lient le roman de Rabelais aux textes présentés pp. 453-458 ?

4 - PRÉTEXTE

ÉTUDE COMPARÉE DES ILLUSTRATIONS

Relevez les différentes illustrations proposées dans le CI. Datez-les. Quels épisodes illustrent-elles ? Quels aspects de l'œuvre chacune d'elles souligne-t-elle ? Pourquoi Rabelais convenait-il tout particulièrement au talent de Gustave Doré (1832-1833) ?

RABELAIS ET LA PEINTURE DE SON TEMPS

L'univers de Pierre Brueghel (1525-1569) est souvent rapproché de celui de Rabelais. Voir dossier, p. 10. On recherchera des reproductions d'autres tableaux de ce peintre, ainsi que des œuvres de Jérôme Bosch (1462-1516). Pourquoi l'esthétique de ces deux artistes évoque-t-elle le monde de Rabelais ?

SCÉNOGRAPHIE

Le cahier iconographique évoque deux adaptations scéniques de *Gargantua*. À quels problèmes spécifiques se heurte toute mise en scène de Rabelais ? On cherchera des passages du roman qui se prêtent néanmoins aisément à une telle transposition.

JEAN RACINE

(1639-1699)

1 - MÉMENTO

Une œuvre qui fascine les metteurs en scène, un auteur élevé au rang de mythe — sinon de tabou ! — par l'École et la Critique : que l'on mette en lumière sa stratégie de poète courtisan ou sa sensibilité érudite et tourmentée de disciple janséniste, Racine demeure le maître « classique » de l'alexandrin à la « petite musique » inimitable. La formule de son succès — « La principale règle est de plaire et de toucher. Toutes les autres ne sont faites que pour parvenir à cette première. » (*Préface de Bérénice*) — est devenue la devise universelle du théâtre. « Railleur, inquiet, jaloux et voluptueux » selon son ami Boileau, « fourbe, traître, ambitieux, méchant » selon Diderot, il suscite les délicieux frissons de la passion mêlée d'effroi, à l'image de ses drames : « La cruauté est partout dans Racine. » (Ch. Péguy, *Victor-Marie, Comte Hugo*). « Si on ne l'admirait pas tant, on le haïrait. [...] C'est un tigre enragé. » (J.-L. Barrault, *Mon Racine*).

« Violent, mais pudique » pour R. Picard, un génie dont « nous avons perdu le secret » et qui « se délecte à se simplifier » pour F. Mauriac dans sa *Vie de Jean Racine*, jusqu'à la conclusion en guise de provocation du *Sur Racine* de R. Barthes : « Si nous voulons garder Racine, éloignons-le », notre virtuose de la tragédie serait-il devenu un intouchable « lauré et vétuste », « Le dernier bastion de la clarté, le dernier symbole de la grandeur, [...] une chasse jalousement gardée », selon l'expression amusée de S. Doubrovsky *(Pourquoi la nouvelle critique ?)* ?

2 - VADEMECUM

LA QUINTESSENCE DU TRAGIQUE

● L'ORPHELIN DE PORT-ROYAL

Issu d'une modeste famille de la bourgeoisie provinciale, recueilli par l'abbaye janséniste de Port-Royal, Racine se nourrit d'érudition humaniste et d'ambition littéraire. Quelques poèmes galants et *Odes* pour la famille royale marquent ses débuts d'auteur.

● POÈTE ET COURTISAN

Dans le Paris mondain, Racine mène une carrière de dramaturge adulé de la Cour, jalousé de ses rivaux et condamné de ses maîtres jansénistes. Après neuf tragédies inspirées de l'antiquité grecque [A], de l'histoire romaine [B] et ottomane [C], et une seule comédie [D], deux sujets bibliques consacrent le nouveau souci de dévotion de la Cour.

1664   *La Thébaïde* [A].
1665   *Alexandre le grand* [A].
1667   *Andromaque* [A].
1668   *Les Plaideurs* [D].
1669   *Britannicus* [B].
1670   *Bérénice* [B].
1672   *Bajazet* [C].
1673   *Mithridate* [B].
1674   *Iphigénie* [A].
1677   *Phèdre* [A].
1689   *Esther*.
1691   *Athalie*.

● UNE RETRAITE GLORIEUSE ET ÉDIFIANTE

Devenu l'historiographe du Roi, Racine a achevé son ascension sociale et spirituelle ; il meurt réconcilié avec les jansénistes pour qui il a rédigé un *Abrégé de l'histoire de Port-Royal*, après des *Cantiques spirituels*.

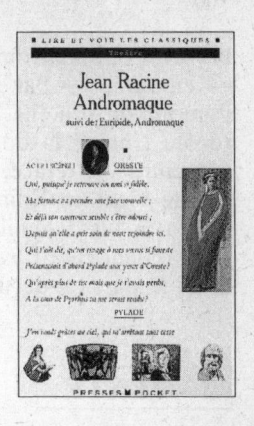

ANDROMAQUE

« LIRE ET VOIR LES CLASSIQUES »
N° 6094

1 - CONTEXTE

EN 1667...

● ARTS ET CULTURE

Le 18 janvier, Bossuet prononce l'oraison funèbre
d'Anne d'Autriche, mère du roi, morte à 65 ans (1666).
La Fontaine obtient le privilège d'impression de son premier recueil de *Fables* et écrit son roman *Psyché* (parution en 1668) ; Boileau publie les *Satires* VIII et IX,
l'Anglais Milton son poème biblique *Le Paradis perdu*.
Construction de l'Observatoire par Claude Perrault et de
la colonnade de la place Saint-Pierre à Rome par le Bernin.

Au théâtre : le 4 mars, Corneille fait jouer sa tragédie
Attila au Palais-Royal ; le 5 août, représentation unique
du *Tartuffe* de Molière, aussitôt interdit par le président
Lamoignon. 17 novembre : première représentation
d'*Andromaque* dans l'appartement de la reine.

HISTOIRE ET FICTION

« Un an après la destruction de Troie, l'éclat de son
embrasement dans la nuit hante encore les mémoires des
témoins comme un décor baroque, sublime et sinistre à

la fois. Pour Andromaque, la morte maintenue en survie
— en sursis — par le souvenir de son mari Hector et
l'amour de son fils Astyanax, la célébration du temps
révolu trompe la douleur du présent comme l'absence
d'avenir. » (Préface, p. 10). Au nom de tous les Grecs,
Oreste vient en Épire demander à Pyrrhus, « le flam-
boyant » fils d'Achille, de leur livrer l'enfant survivant
qu'il retient captif avec sa mère. Le ressort du chantage
et de la passion déçue est tendu.

2 - TEXTE

LE TITRE

« Après le début de notoriété que lui ont gagnée ses deux
premières pièces, *La Thébaïde* et *Alexandre le Grand*,
Racine s'inspire encore de l'antiquité grecque pour écrire
une *Andromaque* dont le succès immédiat consacre sa
jeune gloire grandissante. Il est amoureux de la célèbre
comédienne Mlle du Parc. [...] Elle a trente-quatre ans ;
elle mourra l'année suivante, mais en cet instant, Racine
a pour elle les yeux de Pyrrhus. [...] Le rôle titre est pour
elle : les 232 vers qu'il comporte sur les 1648 de la pièce
vont suffire à créer un mythe. » (Préface, pp. 6-7 ; voir
D.H.L., pp. 166 *sq.*). C'est à *Euripide* que Racine a
emprunté le titre de sa tragédie et certains éléments de
l'intrigue (chantage exercé sur Andromaque et son fils,
jalousie d'Hermione, meurtre de Pyrrhus par Oreste), mais
les modifications sont importantes (voir « Intertexte »).

LA STRUCTURE TRAGIQUE

« Andromaque domine la spirale amoureuse — A aime
B qui ne l'aime pas, B aime C qui ne l'aime pas, etc. —,
qui lie les quatre protagonistes, selon le mécanisme de ces
idylles où bergers et bergères dissertent de l'amour depuis

l'illustre modèle du roman pastoral, *L'Astrée* d'Honoré d'Urfé (1607). L'originalité de Racine est d'y introduire un dérèglement tragique parce qu'insoluble : les deux pôles sont nécessairement sources de déséquilibre par l'excès du tout ou du rien et vont fatalement dynamiter l'engrenage en lui imposant une dynamique de forces antagonistes, le mouvement et l'inertie. ''À l'extrémité la plus inconfortable de la chaîne des amours, Oreste, le seul à aimer sans être aimé, le plus démuni de tous, il n'a, objectivement, rien à perdre, puisqu'il n'a rien. Il ose les expériences que les autres n'osent pas.'' (Jacques Scherer in *Racine et/ou la cérémonie*). À sa fin, Hector, figé par la mort dans l'immobilité de la perfection. En effet, ''c'est la pastorale pervertie qui structure la pièce'', mais ''le jeu des quatre coins de la galanterie'', qui pourrait ''faire deux mariages à la fin, se bloque, et dès lors la passion d'aimer devient jalousie''. (Alain Viala in *Racine, la stratégie du caméléon)* », (Préface, pp. 16-17).

3 - INTERTEXTE

La mise en parallèle de la tragédie de Racine avec celle d'Euripide, dont on trouve ici le texte intégral accompagné d'un dossier sur son auteur et sur le théâtre grec (p. 145 sq.), permet une analyse intertextuelle originale des sources comme des variations du mythe avant et après son traitement classique, largement enrichie par l'ensemble du D.H.L. consacré à **la figure exemplaire d'Andromaque**. Quelques pistes à parcourir :

• **Des flammes de Troie aux feux de la passion** ou comment Racine renouvelle le thème des horreurs de la guerre (Homère, Euripide, Sénèque) et la métaphore galante de l'amour précieux par la double isotopie de l'incendie destructeur des corps et des cœurs. Voir en particulier les vers 173-220 ; 281-372 ; 992-1038. Amour et héroïsme, en apparence compatibles selon le code courtois, sont désormais en concurrence insurmontable, si ce n'est pas la transgression et/ou la mort.

Lecture complémentaire : « La revanche troyenne » in *Les secrets témoins* de J.-D. Hubert (voir Bibliographie, pp. 159-161).

• **Le dilemme tragique :** Racine puise chez Euripide la « cruelle alternative » imposée à la mère pour sauver son fils au péril de sa vie (p. 121 sq.). Mais, devenue de force la concubine du fils d'Achille, dont elle est le butin de guerre après la chute de Troie, Andromaque tremble ici pour un fils bâtard, Molossos. C'est à Sénèque que Racine doit l'odieux chantage qui met en jeu sa fidélité d'épouse d'Hector et de mère d'Astyanax (pp. 198-199). Pour définir ce qui fait « l'essence éthique du conflit tragique », voir « Structure de la tragédie racinienne » in *Racine* de L. Goldmann *(o.c.)*.

• **Les désordres de la jalousie :** Racine affirme dans ses deux préfaces (pp. 25-29) devoir fort peu à l'*Andromaque* d'Euripide, mais il reconnaît lui avoir emprunté les « emportements » d'Hermione. Ainsi la fille d'Hélène, devenue l'épouse de Pyrrhus, profite de l'absence du roi pour laisser éclater sa fureur contre la concubine, qu'elle rend responsable de sa stérilité (p. 115 sq.). On peut analyser la pathologie de la jalousie (des mobiles aux comportements des deux rivales), puis tenter de définir une conception de la femme et de l'amour, dans l'antiquité grecque et au XVIIe siècle. **Lecture complémentaire :** « une révolution dans la psychologie de l'amour » in *Morales du grand siècle* de P. Bénichou.

• **Une figure mythique exemplaire :** « à la source où se croisent mythe et épopée, les meilleurs ingrédients de la tragédie » (Préface, pp. 7-9), Homère, le premier, confère à Andromaque la prestigieuse immortalité de « la femme d'Hector » ; voir la scène des « adieux » (pp. 187-193). Après Racine, qui élève la captive troyenne au rang de parangon d'épouse et de mère, la postérité littéraire transfigure le personnage en lui conservant son essence tragique.

On pourra retrouver quelques jalons de ce parcours exemplaire dans l'ensemble du DHL (p. 201 sq.) : cygne déchu (Baudelaire), mère chrétienne (Chateaubriand), épouse amoureuse (Giraudoux), « beauté éthérée » (Lockie), admirée (Matzneff) ou parodiée (Fourest), c'est « une femme si bien », comme le dit Léopold, le cafetier amoureux de la « veuve de guerre » (M. Aymé) !

4 - PRÉTEXTE

LE CHANT DU CYGNE

« Chaque tragédie de Racine consiste en la répétition et en la continuation inéluctable du passé dans le présent [...] *Andromaque* est, par excellence, le drame du recommencement. [...] Phénomène gigantesque de mémoire, par lequel ressuscitent non pas seulement les sentiments, mais les existences.[...] (G. Poulet, voir « Histoire et fiction »). En rapport étroit avec les lectures du DHL, le CI invite à une réflexion sur le champ/chant de la mémoire dans ce « drame de la deuxième génération » (voir « Fils de quelqu'un » in *Racine et/ou la cérémonie* de J. Scherer) : de l'épopée des « pères » (p. 1) au combat homérique (pp. 6-7), du départ d'Hector à la prise de Troie grâce au trompeur cheval de bois (pp. 8-9). Ainsi se dessine un portrait d'Andromaque « otage du passé », prêtresse du souvenir » (Préface, pp. 12-13), comme la retrouve Énée (voir DHL pp. 199-204) qui a fui Troie en flammes (p. 8). Pathétique regard de l'épouse et de la mère meurtrie, détresse du dernier adieu sur scène comme dans la peinture ou au cinéma (pp. 10-14). Chaîne de l'amour, brisée par la guerre, qui unissait au temps du bonheur la célèbre triade familiale : bras et mains tendus, noués ou dénoués introduisent une circularité du geste éminemment pathétique (pp. 11, 13, 14).

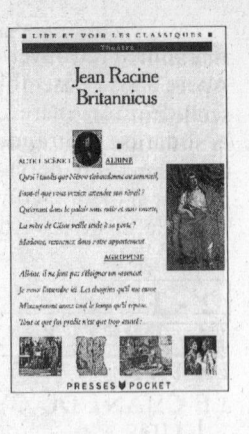

BRITANNICUS

« LIRE ET VOIR LES CLASSIQUES »
N° 6126

---

1 - CONTEXTE

Principaux événements en 1669

- **Politique et société :** Prise de Candie par les Turcs : les Vénitiens sont entièrement chassés de Crète. Michel Korybut est élu roi de Pologne. Guillaume d'Orange est admis aux États Généraux ; révolte de Don Juan en Espagne. Colbert est nommé secrétaire d'État à la Maison du Roi, il crée la Compagnie du Nord. Déclaration limitant la portée de l'édit de Nantes et Ordonnance des Eaux et Forêts.

- **Arts et culture :** Boileau publie son *Épître X* et La Fontaine, *Psyché*. Première de *Britannicus* le 13 décembre à l'Hôtel de Bourgogne.

HISTOIRE ET FICTION

L'assassinat de Britannicus eut lieu à Rome, au cours d'un banquet offert par Néron dans son palais pour la clôture des Jeux Palatins, en 55. En 54, ce dernier avait été acclamé empereur par l'armée, à dix-sept ans, grâce à sa mère Agrippine qui empoisonna Claude et écarta

Britannicus du trône (voir ci-dessous et acte IV, scène 2).
Après « trois ans de vertus » (vers 462), le jeune homme
scelle ainsi son pouvoir par le meurtre. Dans le cadre de
la situation historique de l'intrigue, on pourra préciser les
liens familiaux complexes qui unissent les personnages en
traçant la généalogie de la dynastie julio-claudienne.

2 - TEXTE

LE TITRE

La tragédie porte le nom du fils légitime de l'empereur
Claude et de Messaline, Britannicus. Né en 41, héritier pré-
somptif de l'empire, il a été écarté du pouvoir par Agrippine, deuxième épouse de Claude, au profit de Néron, fils
que celle-ci a eu d'un premier lit. Son surnom — « le Breton » — rappelle les succès romains en (Grande) Bretagne,
où son père conduisit une expédition victorieuse qui lui
valut le triomphe en 43.

« Le lecteur ou le spectateur d'aujourd'hui a quelque
mal à comprendre pourquoi Racine a choisi de donner le
nom de Britannicus à sa pièce. Son discours amoureux
nous semble bien fade [...], sa myopie, sinon sa cécité politiques frôlent le ridicule [...]. Par certains côtés le personnage nous apparaît un peu comme un pastiche de héros
cornélien égaré dans une tragédie racinienne [...]. En fait,
pour comprendre le choix racinien, il faut replacer la pièce
dans son époque [...] : le héros tragique est un héros pathétique, il doit faire pleurer. Voltaire considère encore que
Britannicus est le héros central de la pièce » (Préface de
l'édition PP). Même s'il affirme dans sa seconde *Préface*
que sa « tragédie n'est pas moins la disgrâce d'Agrippine
que la mort de Britannicus », Racine a nettement choisi
de placer le « jeune prince » au centre de l'intrigue : c'est
par son meurtre que Néron « naît » à la monstruosité et
inaugure une longue chaîne maudite qui le conduira au
matricide et, enfin, au suicide.

LA STRUCTURE DRAMATIQUE

La décision de Néron de se débarrasser de Britannicus et son exécution constituent donc le nœud du drame (voir ci-dessus) : « c'est parce qu'il doit épouser Junie que Néron la fait enlever, c'est parce qu'il complote avec Agrippine (et qu'il est aimé de Junie) que Néron le fait tuer » (Préface de l'édition P.P.). Unité d'une action mûrie au plus secret des cœurs et du palais, dans les limites fatidiques de la journée : « Avant la fin du jour je ne le craindrai plus », confie Néron à Burrhus (vers 1312). Unité symbolique du règne de la terreur, annoncé par Agrippine dès les premiers vers — « L'impatient Néron cesse de se contraindre ; /Las de se faire aimer, il veut se faire craindre. » (v. 11 et 12) — et redouté par Burrhus, selon le principe de l'ironie tragique du destin, par le dernier vers — « Plût aux dieux que ce fût le dernier de ses crimes ! » (v. 1758).

3 - INTERTEXTE

Quelques suggestions de lectures méthodiques dans le cadre d'une analyse thématique et intertextuelle d'ensemble en liaison avec le DHL :

• **Le personnage de Junie** (voir les lectures critiques de Barthes et de Goldmann) : sa relation à Britannicus (cf. III, 7, la traditionnelle scène du dépit amoureux) ; objet involontaire de la passion de Néron (cf. II, 2, v. 382-409 : analyse de la naissance de l'amour, mise en scène des rapports troubles qui unissent le « farouche » bourreau à sa « timide » victime ; à rapprocher des « couples » Pyrrhus/Andromaque, fiche n° 63, et Achille/Ériphile, fiche n° 65).

• **Agrippine, « Moi, fille, femme, sœur et mère de vos maîtres »** (v. 156) : portrait d'une intrigante ambitieuse et d'une « mère castratrice » à étudier à travers les liens ambigus qui l'unissent à son fils, rapport de dépendance quasi incestueuse fondé sur la peur et la fascination — I, 1, v. 31-58 et 88-114 (Agrippine) ; II, 2, v. 496-512 (Néron) ; III, 4, v. 879-894 (Agrippine craignant une rivale) ; IV, 2 (le face à face attendu mère/fils) ; V, 6 (la prédiction du matricide) — lecture complémentaire : *Mémoires d'Agrippine* de Pierre Grimal, 1992.

• **Naissance d'un monstre, Néron face à l'histoire** : portrait d'un empereur mégalomane, du mythe à la tragédie. Une tradition à revoir à travers les travaux des historiens contemporains : faut-il réhabiliter Néron ? (voir, entre autres, *Néropolis* d'Hubert Montheillet, Julliard, 1984, et l'article « Néron » dans l'ouvrage de Jacques Gaillard, *Beau comme l'Antique*, Actes Sud, 1993). Au-delà du *paraître*, le drame racinien est l'histoire d'une accession à l'*être* où le héros-bourreau est lui-même « orphelin », victime de l'hérédité et de la déréliction janséniste, exclu de l'amour humain et divin (à rapprocher de *Phèdre*, fiche n° 66) ; dans cet itinéraire individuel, la décision politique (selon la fameuse formule « oderint dum metuant » — « Heureux ou malheureux, il suffit qu'on me craigne » v. 1046) n'est que l'expression d'une crise intérieure.

• **Du meurtre au suicide, chronique de morts annoncées** : le destin de chacun des personnages est parfaitement connu du public lettré amateur de tragédie — comparer les situations au début puis à la fin de la pièce (récit du « meurtre inaugural », V, 5, v. 1609-1636) et relever les allusions aux « coups » à venir (cf. v. 1666). La représentation dramatique joue donc sur l'illusion d'une éphémère liberté : Britannicus se réfugie dans la naïveté vertueuse, Agrippine dans la quête du pouvoir, Néron dans l'exercice de la terreur et Junie dans le choix de la retraite, mais aucun ne peut échapper à la fatalité de l'Histoire.

• **La « romanité » dans la tragédie classique** : comparer *Britannicus* avec *Horace* (voir fiche n° 16) et *Cinna* de Corneille (voir document C dans l'« intertexte » du DHL) ; d'un côté, un univers ouvert, foncièrement optimiste, dont les sentiments moteurs sont l'admiration et le respect, de l'autre un champ clos étouffant, régi par l'étonnement et la terreur. « Pour Corneille le politique et l'historique sont deux dimensions fondamentales du *faire humain* », affaire de gloire et de vertu, pour Racine ils « sont le lieu de l'illusion et de l'inauthenticité » (Préface de l'édition PP). Racine s'abrite derrière celui qu'on considère comme le plus grand des historiens romains, Tacite, pour justifier ses choix et polémiquer avec ses détracteurs (voir sa *Préface* de 1670 et les extraits des *Annales* dans le DHL). À compléter par la lecture de Suétone (*La Vie des douze Césars*, « Néron », livre VI).

• **Histoire et politique : espace de gloire ou d'illusion ?** En liaison avec le thème de réflexion précédent, comparer les personnages de Burrhus — la voix de la vertu et de l'innocence passée ; IV, 3, v. 1327-1375 — et de Narcisse — la voix de la cruauté et du crime à accomplir ; IV, 4, v. 1422-1469 — ainsi que la ligne de conduite qu'ils incarnent (voir textes de Machiavel et de Pascal, la lecture de Bénichou dans le DHL ; la dénonciation de la *vanité* du monde des princes chez Bossuet).

4 - PRÉTEXTE

Avec quelques portraits antiques des représentants de la dynastie julio-claudienne (Auguste, le fondateur, et Claude, le prédécesseur de Néron, p. 2), le CI permet d'imaginer les figures mythiques des deux « monstres » parmi les plus célèbres de l'histoire romaine : la mère Agrippine (p. 3) et le fils Néron (p. 2) que le théâtre se plaît à affronter dans un véritable face à face de fauves (pp. 1 et 14) qui s'achèvera dans le crime (p. 16). Face au couple maudit, la timide et innocente Junie représente la vertu romaine bafouée (pp. 4-5, 12). Le « meurtre inaugural » de Britannicus imaginé par Chauveau (p. 6) illustre le pathétique d'une scène de banquet (p. 7) que Racine ne peut que faire rapporter par Burrhus (V, 5). Les attitudes et les costumes des pp. 10-11 et 12-13 donnent un aperçu de la « romanité », telle que le XVIIIe siècle se l'imagine, avant que le cinéma ne donne enfin à l'histoire romaine les couleurs de la fantaisie (p. 4, 15).

IPHIGÉNIE

« LIRE ET VOIR LES CLASSIQUES »
N° 6138

1 - CONTEXTE

Principaux événements en 1674

- **Politique et société :** L'Angleterre signe la paix avec la Hollande. Guerre entre la Suède et le Danemark. Insurrection de Messine en Italie. Jean Sobieski est élu roi de Pologne. La France conquiert la Franche-Comté. En mai, la Diète germanique déclare la guerre à Louis XIV. Condé est victorieux à Seneffe (11/8). Les Impériaux envahissent l'Alsace où Turenne fait campagne ainsi que dans le Palatinat (il mourra à Salzbach l'année suivante). Les Hollandais s'emparent de la Martinique ; les Français s'installent à Pondichéry. Refonte des monnaies.
- **Arts et culture :** Corneille fait représenter *Suréna*. Boileau publie son *Épitre VII* et l'*Art poétique*, Malebranche, *De la recherche de la vérité*. Mort du poète anglais John Milton. Construction de la porte Saint-Martin, à Paris, par Bullet.

HISTOIRE ET FICTION

Comme pour sa précédente tragédie *Andromaque* (voir fiche n° 63), Racine a choisi un épisode dramatique célèbre lié aux péripéties de la guerre de Troie, immortalisée par l'épopée homérique (voir fiche n° 27), puis par la tragédie grecque (voir intertexte). Comme le fait remarquer Georges Poulet dans ses « Notes sur le temps racinien » : « *Andromaque* et *Iphigénie* évoquent l'une et l'autre la totalité historique d'une époque, toute là longueur de durée d'un grand sujet épique [...], l'une se situe juste avant que l'action historique ne commence, l'autre juste après qu'elle se termine ».

Les valeureux guerriers grecs, rassemblés par Agamemnon dans le port d'Aulis, attendent impatiemment depuis trois mois le vent favorable qui doit conduire leurs vaisseaux vers le rivage troyen. Sans lui, « la guerre de Troie n'aura pas lieu », ni « ce triomphe heureux qui s'en va devenir/L'éternel entretien des siècles à venir ». (Racine, vers 387-388.)

2 - TEXTE

LE TITRE

> « Fille d'Agamemnon, c'est moi qui la première,
> Seigneur, vous appelai de ce doux nom de père. »
>
> (v. 1193-1194.)

Racine reprend mot pour mot l'affirmation de l'héroïne d'Euripide qui, selon la version la plus répandue de la légende, serait donc la fille aînée du « roi des rois » et de Clytemnestre, la sœur d'Électre et d'Oreste. Une simple mention dans l'*Iliade* des enfants d'Agamemnon (chant IX, vers 145 et 287). Trois filles : Chrysothémis, souvent ignorée par la suite, comme chez Euripide, qui suppose pourtant la présence de deux filles laissées au palais par leur mère et leur sœur parties pour Aulis ; en revanche, Sophocle la place aux côtés d'Électre dans sa tragédie *Électre*. Iphianassa, dont l'identification à Iphigénie est contestée dès l'antiquité puisqu'Homère ne fait aucune allusion au sacrifice. Laodice, reconnue par les poètes postérieurs comme Électre. Et un fils « dernier-né », Oreste. À partir des tragiques grecs, Iphigénie devient la figure de la victime innocente sacrifiée à l'ambition paternelle (voir dossier « Les Atrides » dans le DHL). Le titre de la pièce d'Euripide, *Iphigénie à Aulis* (ἐν Αὐλίδι), met la jeune fille au cœur de l'intrigue et insiste sur la localisation du drame, dont les péripéties se situent avant celles d'une tragédie antérieure, *Iphigénie en Tauride*, qui évoque le destin de l'héroïne après le sacrifice (voir DHL « Iphigénie d'Aulis en Tauride »). Racine transcrit litté-ralement ce titre par *Iphigénie en Aulide*, peut-être par homophonie avec *Tauride*.

LA STRUCTURE DRAMATIQUE

Au chapitre XIV du livre XI de son roman *Gil Blas de Santillane*, Lesage raconte comment un docte poète défi-nit l'intérêt dramatique de l'*Iphigénie* d'Euripide : « C'est le vent ! » (voir DHL, document 16, « Le prix du vent »). Ce simple propos de fin de repas, marqué par des plai-santeries d'un goût douteux, manifeste bien le souci de fonder la crise tragique sur cet élément moteur — dans tous les sens du terme ! — : poussé par son armée impa-tiente, le chef de l'expédition doit obtenir le vent nécessaire à la navigation vers Troie. L'oracle du devin Calchas, véri-table « Arlésienne » de la tragédie, toujours absent et tou-jours menaçant, chez Racine comme chez Euripide, vient rappeler régulièrement l'impératif du sacrifice humain pour apaiser la colère de la déesse qui immobilise ainsi l'action. Les hésitations et revirements d'Agamemnon, qui doit offrir sa propre fille, constituent donc la trame drama-tique de la tragédie, tandis que Racine dispose habilement une succession d'indices pour préparer la substitution du dénouement.

3 - INTERTEXTE

La mise en parallèle de la tragédie de Racine avec celle d'Euripide, dont on trouve ici le texte intégral avec un dossier sur son auteur et sur le théâtre grec, permet une analyse intertextuelle originale des sources comme des variations du mythe à enrichir par les nombreuses lectures proposées par le DHL sur le thème du sacrifice. Quelques pistes à parcourir :

• **La prière d'Iphigénie :** la lecture comparée des textes d'Euripide (4e épisode) et de Racine (IV, 4) offre l'occasion d'une réflexion sur imitation et création littéraires à mettre en relation avec les positions de Racine dans sa *Préface* comme dans celle de ses autres tragédies inspirées de l'Antiquité (voir fiches n° 63, 64 et 66).

• **Eriphile, création de Racine :** comment l'invention de ce personnage permet à la fois d'éviter le merveilleux peu crédible du dénouement d'Euripide et d'introduire les ravages de la passion amoureuse dans les ressorts de l'intrigue (voir la Préface de l'édition et celle de Racine). Rapprocher la figure d'Eriphile des autres grandes jalouses du théâtre racinien : Hermione (fiche n° 63) et Phèdre (n° 66). À inscrire dans une réflexion sur le mythe de « la cruauté racinienne » liée à la perspective janséniste — voir l'analyse de Charles Péguy dans « Solvuntur objecta » in *Victor-Marie, Comte Hugo,* 1934.

• **Le conflit des chefs :** étudier comment Racine reprend la tradition épique et tragique pour opposer le personnage d'Agamemnon aux autres princes grecs — son propre frère Ménélas chez Euripide, Ulysse et, surtout, « le bouillant » Achille dont la colère s'inspire de l'*Iliade* (voir en particulier les chants I, IX et XIX avec la dispute à propos de la captive Briséis).

• **La malédiction des Atrides :** à l'aide du dossier « Les Atrides », retrouver les principales étapes du destin des membres de cette famille maudite qui sont liés à la légende d'Iphigénie — recherche littéraire à développer à travers les nombreux textes proposés par le DHL — ; apprécier la façon dont Racine réinvestit cette longue tradition mythologique venue de l'épopée et du théâtre antiques.

• **Roi et/ou père ? le dilemme tragique :** pour une réflexion sur l'essence éthique du conflit tragique, comparer la situation d'Agamemnon à celle d'Andromaque — épouse et/ou mère ? (voir intertexte de la fiche n° 63).

• **Dénouement et temps tragique :** « Le moment racinien est le point de rencontre fatal de la ligne qui vient du passé et de celle qui vient du futur. Point où se heurtent et se confondent cause efficiente et cause finale. » (G. Poulet, o.c. voir ci-dessus.) Comparer les dénouements dans les deux pièces — le subterfuge de la substitution, animale ou humaine — et montrer comment ils ménagent un avenir inéluctable.

• **Le sacrifice :** le DHL permet une réflexion intertextuelle sur les pratiques et la valeur de cet acte fondamental dans les religions antiques, païennes comme biblique. Échange intéressé ou oblation suprême, il instaure les règles d'un contrat entre l'homme et la divinité (voir « Noces de sang : vierges à sacrifier » et « Le règlement du contrat »).

Une lecture complémentaire peu connue : le drame d'André Obey, *Une Fille pour du vent* (1953), qui, avec un parti pris de « modernité », mêle la trivialité du quotidien à la noblesse de la tradition héroïque et tragique, non sans rappeler les pièces de Giraudoux et d'Anouilh (*Paris-Théâtre*, « Spécial Comédie-Française », n° 73, juin 1953).

4 - PRÉTEXTE

Le CI propose d'illustrer les parcours littéraires suggérés par les textes et le DHL :

• La cérémonie du sacrifice d'Iphigénie, telle que se la représente la tradition antique — voir p. 1 et la célèbre fresque de Pompéi en p. 2, à rapprocher des récits dans le dénouement d'Euripide puis de Racine, avec les notes aux deux textes (commenter la mise en place de tous les éléments dramatiques : la douleur d'Agamemnon voilé devant l'autel de la déesse, la perplexité de Calchas, le couteau à la main, à l'apparition dans les airs d'Artémis/Diane, armée de son arc, et de la biche qui doit être substituée à la victime) ; pour l'anecdote, on pourra retrouver cette même fresque avec Iphigénie chastement « rhabillée » dans le manuel des *Lettres latines* (Morisset/Thévenot, Magnard, I, p. 97). À comparer ensuite avec la mode du pathétique pictural au XVIIIe siècle (Tiepolo p. 7 ; 4e de couverture) et avec d'autres cérémonies de sacrifice (pp. 10-11).

• La malédiction des Atrides : la mort d'Agamemnon (p. 2) et la vengeance d'Électre (p. 5) dans le site légendaire de Mycènes (pp. 4-5), l'expédition d'Oreste en Tauride (p. 3).

• Le dénouement choisi par Racine : la mort d'Eriphile (p. 6), sans le merveilleux de la « dea ex machina » à mettre en relation avec le frontispice où Chauveau ne manque pas de présenter la déesse en majesté (p. 6 et dossier « Les représentations d'*Iphigénie* »).

• L'affrontement d'Agamemnon et d'Achille qui préfigure l'*Iliade* (pp. 8-9).

• Les mises en scène des tragédies (pp. 8, 12) jusqu'aux très récentes représentations de la Comédie-Française et de la Cartoucherie (pp. 8, 13, 14), sans oublier la superbe adaptation filmée de la pièce d'Euripide par Michaël Cacoyannis (pp. 15, 16).

PHÈDRE

« LIRE ET VOIR LES CLASSIQUES »
N° 6080

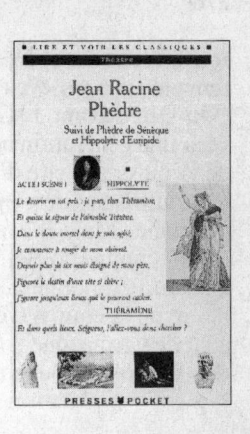

1 - CONTEXTE

EN 1677...

● ARTS ET CULTURE

Phèdre, représentée pour la première fois le 1ᵉʳ janvier sur la scène de l'Hôtel de Bourgogne, suscite de nouvelles polémiques ; une cabale puissante soutient la tragédie rivale de Pradon sur le même sujet et Boileau publie sa septième *Épître*, « À Racine, sur l'utilité des ennemis », pour réconforter son ami. Mais Racine, profondément affecté par cette querelle, renonce au théâtre profane ; il est nommé, avec Boileau, historiographe personnel de Louis XIV. Suprême consécration de l'auteur tragique désormais personnage en vue à la Cour du « Roi-Soleil » et changement de mode de vie : réconciliation avec Port-Royal ; mariage (30 mai) avec Catherine de Romanet, riche bourgeoise parisienne, dont il aura sept enfants. Quinault donne sa tragédie lyrique *Isis* sur une musique de Lulli. Spinoza publie son *Éthique*.

HISTOIRE ET FICTION

Comme pour *La Thébaïde* (1664), *Andromaque* (1667) et *Iphigénie* (1674), c'est encore la mythologie grecque qui fournit le cadre et les personnages de la tragédie. Mais elle renvoie ici à un cycle plus ancien que la guerre de Troie (XIIᵉ siècle avant J.-C.), puisque Thésée passe pour avoir vécu une génération avant elle. Le célèbre héros fondateur de la puissante cité d'Athènes est rentré victorieux de son expédition en Crète où il a vaincu le Minotaure avec l'aide d'Ariane. Mais il a abandonné la princesse, fille du roi Minos, pour épouser sa propre sœur Phèdre. À Trézène, ville du Péloponnèse, « loin du tumulte pompeux d'Athènes et de la cour » (vers 32), Hippolyte, le fils que Thésée a eu de l'Amazone Antiopé, se désespère de la disparition de son père, introuvable « depuis plus de six mois » (vers 5).

2 - TEXTE

LE TITRE

Le titre d'Euripide met au centre de l'action le personnage d'Hippolyte « porte-couronne » (Préface, pp. 6-9), mais avec Sénèque, le drame se déplace sur celui de *Phèdre* (pp.- 9-12). L'ascendance solaire de « la fille de Minos et de Pasiphaé » (vers 36) est attestée par l'étymologie même de son nom : Phaedra, « la Rayonnante, la Brillante » est bien la petite fille du Soleil dont la lumière la fascine (v. 169-172). « Dans *Phèdre*, Racine, peut-être inspiré par le sens étymologique du nom de son héroïne, a fait du feu le symbole du sentiment de Phèdre [...] elle sera un oxymoron incarné, une sombre lumière déclinante, une « flamme noire » qui tient autant de Minos que d'Hélios » (L. Spitzer, « L'effet de sourdine dans le style : Racine » in *Études de style*, Gallimard, 1970). Une généalogie symbolique qui traduit une « double fatalité : l'héritage de la passion et de la violente justice » (Maulnier in *Lecture de Phèdre*, Gallimard, 1943) puisque Minos devient aux Enfers l'un des trois juges inflexibles. Phèdre est l'ultime « monstre » (v. 1 445-1 446) dans une famille génératrice de monstruosités (le Minotaure, le monstre marin suscité par la malédiction de Thésée).

LA STRUCTURE TRAGIQUE

La tragédie s'ordonne autour du noyau central et incandescent de la passion : après les deux aveux d'amour (acte I), suivis des deux déclarations parallèles (acte II), le retour de Thésée (acte III) précipite la condamnation d'Hippolyte (acte IV) qui provoque sa mort et le suicide de Phèdre (acte V). Cette nécessaire concentration tragique conduit au chant lyrique intérieur : « (les autres personnages) ne vivent que le temps d'exciter les ardeurs et les fureurs, les remords et les transes d'une femme typiquement aliénée par le désir [...]. Ils ne survivent pas, mais Elle survit. L'œuvre se réduit dans le souvenir à un monologue ; et passe en moi de l'état dramatique initial à l'état lyrique pur — car le lyrisme n'est que la transfiguration d'un monologue. » (P. Valéry, « Sur Phèdre femme » in *Variété V*, Gallimard, 1945). Cependant pour J.-L. Barrault « *Phèdre* n'est pas un concerto pour femme ; c'est une symphonie pour orchestre d'acteurs » (*Mise en scène de Phèdre*, *o.c.*, p. 214).

3 - INTERTEXTE

La mise en parallèle de la tragédie de Racine avec celles d'Euripide et de Sénèque, dont on trouve ici l'intégralité des textes, permet une analyse intertextuelle originale des sources comme des variations du mythe. Le dossier sur les auteurs ainsi que sur les représentations donne un large aperçu du théâtre antique et classique (pp. 171-192). Quelques suggestions de lectures méthodiques :

• **L'aveu de Phèdre :** « Dire ou ne pas dire ? Telle est la question [...] ce n'est pas sa culpabilité qui fait problème, c'est son silence : c'est là qu'est sa liberté. Elle dénoue ce silence trois fois : devant Œnone (I, 3), devant Hippolyte (II, 5), devant Thésée (V, 7) », Barthes, *o.c.*, p. 214. Scènes de déclaration à rapprocher d'Euripide

(l'aveu à la nourrice pp. 99-102 dont Racine a gardé tex-
tuellement le fameux « C'est toi qui l'as nommé », v. 264)
et de Sénèque suivi de très près dans l'aveu à Hippolyte
(pp. 145-150) : « je retrouve sur votre visage toutes les grâ-
ces de votre père »).

• **La déclaration d'Hippolyte à Aricie** (II, 2) : « Il y a
lieu de faire ressortir ce parallélisme de situation (avec
l'aveu de Phèdre à Hippolyte), qui marquera d'autant plus
la différence de qualité de ces deux sortes d'amour. »
(A. Gide in *Interviews imaginaires*, Gallimard, 1942).

• **L'affrontement père/fils** (IV, 2) et la nécessité de la
transgression (voir Préface p. 14 et F. Orlando in *Lecture
freudienne de « Phèdre »*, Les Belles Lettres, 1986).

• **Les tourments de la jalousie** (IV, 6) : l'intervention
de l'amour d'Hippolyte pour Aricie permet d'introduire
le « tourment » de la jalousie (v. 1 226) dans la passion
de Phèdre, à rapprocher d'Hermione (*Andromaque*,
IV, 5) et d'Ériphile (*Iphigénie*, IV, 1).

• **Le récit de Théramène** (V, 6) : la mise en scène de la
mort d'Hippolyte par la narration, conventions et vraisemblance.

Une étude comparative de l'ensemble des trois pièces
permet de dégager la continuité des thèmes tragiques ainsi
que la spécificité de l'œuvre racinienne : « chez Racine,
la Phèdre d'Euripide a honte de celle de Sénèque »
(J. Pommier). « Sa Phèdre est l'héroïne à la conscience
sévère d'Euripide parce qu'il se refuse à ce qu'elle soit seulement l'héroïne luxurieuse de Sénèque [...] Cette Phèdre
composite est autre chose qu'une somme : la conjonction
de la culpabilité et de la pureté, qui est aussi leur double
exclusion, est un paradoxe qui définit un être original »
(P. Bénichou, « Hippolyte requis d'amour et calomnié »,
o.c., p. 214).

Pour une réflexion thématique :

• Étude de personnages : « Hippolyte, sous le voile
païen, [...] un martyr de la pureté » (P. Claudel in *Conversation sur J. Racine*, Gallimard, 1956) ou un « boy-scout

cornélien [...] absurde et sympathique, le type même du costaud vertueux que Racine ne fut jamais » (A. Hoog, « Notre mère Phèdre » in *Littérature en Silésie*, Grasset, 1944) ?

Aricie, un alibi d'honnêteté et d'ingénuité inventé par Racine : amoureuse du fils de son pire ennemi (II, 1), comme Ériphile, une autre création de Racine (*Iphigénie*, II, 1) ; voir « Aricie entre l'ancienne et la nouvelle critique » in *Pourquoi la nouvelle critique ?* de S. Doubrovsky, Denoël-Gonthier, 1966.

• La légende de la Tentatrice-Accusatrice, illustrée par de nombreux exemples : voir Intertexte I (pp. 193-201).

• Le dieu de Racine : tradition stoïcienne et inspiration janséniste.

• Après G. Fourest (pp. 208-210), une parodie très irré-vérencieuse : la *Phèdre* de P. Dac, citée in *Pierre Dac*, Seghers-Humour, 1977.

4 - PRÉTEXTE

LA FLAMME NOIRE

Le CI offre l'occasion de rappeler les grandes étapes du mythe crétois, de la mosaïque antique à la BD moderne en passant par la peinture « académique » : un roi illustre entouré de sa femme et de ses deux filles (p. 10), un monstre terrassé par un vaillant héros (p. 11), une épouse languissante (pp. 8-9). Le janséniste Racine (pp. 1 et 4-5) n'oublie pas ses devanciers (p. 3) et le rôle de Phèdre devient « le » rôle tragique féminin par excellence : on y admire Rachel (p. 12), Sarah Bernhardt (pp. 1 et 13) ou encore Catherine Sellers (p. 16), comme Viviane Romance et Mélina Mercouri dans des transpositions cinématographiques du mythe tragique (pp. 12 et 15).

RAYMOND RADIGUET
(1903-1923)

1 - MÉMENTO

« Tous ceux qui ont connu Radiguet nous parlent d'un petit myope, habituellement silencieux, qui promenait son visage de marbre au milieu des conversations et des rires. Il portait une canne pour se vieillir. Il haïssait le métier d'enfant prodige. Il refusait d'être admiré en raison de son âge. On l'accusait d'avoir le cœur sec.

Pourtant, il suffit de relire ses œuvres complètes. Elles désignent clairement les deux principaux intérêts de sa vie : l'amour et l'intelligence. Il est vrai qu'il mourut à vingt ans, sans avoir découvert les passions de la vieillesse, comme l'ambition, ou celle de la maturité qui se nomme le bridge. »

Roger Nimier, *Journées de lecture*,
Gallimard, 1965.

« Sagacité de l'analyse, concision du style, maîtrise d'un appareil romanesque qui se ressource aux classiques tout en renouvelant le roman psychologique confèrent à Raymond Radiguet le statut de phénomène des Lettres françaises. »

Pierre Boisseau.

2 - VADEMECUM

CHRONOLOGIE DES ŒUVRES

Entre 1918 et 1920, Radiguet travaille à des reportages,

des poèmes, collabore à *Dada*, puis à *Littérature* entre autres revues d'avant-garde.

1920   *Les Joues en feu* (recueil de poèmes).
1923   *Le Diable au corps*.
1924   Parution posthume : *Le Bal du Comte d'Orgel*.

« Sans doute il y a quelque gêne pour l'auteur à se voir changé en enfant prodige. Mais (qu'on me pardonne ma hardiesse) la faute n'en est-elle pas à tous ceux qui veulent voir un miracle, pour ne pas dire une monstruosité dans ces mots bien inoffensifs : un roman écrit à dix-sept ans ? »

Raymond Radiguet, *Les Nouvelles littéraires*,
10 mars 1923.

BIBLIOGRAPHIE

Les *Œuvres complètes* de Raymond Radiguet ont été publiées par Grasset en 1952. Rééditées par Slatkine Reprints (Genève, 1981).

Les deux romans de Radiguet, composant l'essentiel de son œuvre, ont connu dès leur parution un succès considérable. Ils ont été à plusieurs reprises illustrés par de grands artistes (voir DHL p. 203) et traduits dans de nombreuses langues étrangères.

• Sur l'auteur :

C. BORGAL, *Raymond Radiguet*, Éditions Universitaires, Paris, 1969. L'étude la plus synthétique et la plus complète.

• Sur *Le Diable au corps* :

M.-C. BERTOLETTI, *Le Diable au corps, Structures narratives spatio-temporelles*, La Nueva Italia, Florence, 1981.

LE DIABLE AU CORPS

« LIRE ET VOIR LES CLASSIQUES »
N° 6044

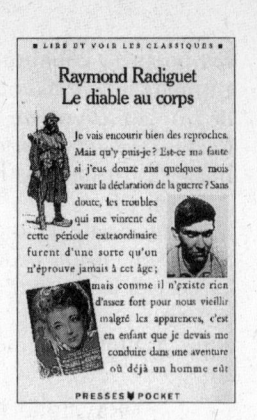

1 - CONTEXTE

LE CONTEXTE DE PRODUCTION :
Principaux événements en 1923

- **En littérature :** J. Cocteau, *Thomas l'imposteur* ; J. Conrad, *Le Vagabond* ; M. Proust, *La Prisonnière* ; J. Romains, *Knock ou le Triomphe de la médecine* ; F. Mauriac, *Genitrix* ; A. Breton, *Clair de terre*. L'éclatement du groupe Dada date de 1922 et le *Premier Manifeste du Surréalisme* de 1924.
- **Au cinéma :** René Clair, *Paris qui dort* ; Jean Epstein, *Cœur fidèle* ; Buster Keaton, *Les Lois de l'hospitalité*.
- **En musique :** Gabriel Fauré, *Trio pour piano, violon et violoncelle* ; Érik Satie lance l'École d'Arcueil.
- **En peinture :** Max Ernst, *Pietà ou la Révolution la nuit* ; Pablo Picasso, *La Femme en blanc*.

HISTOIRE ET FICTION

Le roman se passe pendant la guerre de 1914-1918 et si la guerre est à peu près absente des pensées des personnages comme de leur vie, c'est cet arrière-plan à peine évoqué qui donne au roman son insolence fondamentale. Le héros déclare tranquillement dans l'introduction qui sonne comme une provocation : « Ce que fut la guerre pour tant de très jeunes garçons : quatre ans de grandes vacances. » On ne saurait affirmer plus clairement le mépris du conformisme cocardier de l'époque d'après-guerre.

Le climat correspond à celui qu'a connu l'auteur : un milieu de petits bourgeois vivant repliés sur eux-mêmes dans leurs pavillons de banlieue.

2 - TEXTE

LE TITRE

Le titre initial du récit, *Cœur vert*, mettait l'accent sur l'immaturité du héros ; le titre définitif marque davantage la sensualité juvénile qui unit les deux amants et peut-être aussi la réprobation qu'ils encourent de la part des adultes bien-pensants. Aucune trace de sentiment religieux ou même de sens des convenances dans ce roman que beaucoup jugèrent scabreux : le Diable n'est présent qu'à titre métaphorique.

L'ORGANISATION

Le roman est écrit à la première personne, par le héros qui n'est pas nommé (il est seulement précisé que son enfant portera son nom, et si bien des lecteurs croient — de bonne foi — qu'il s'appelle François, c'est parce qu'ils ont vu le film d'Autant-Lara !).

Après une rapide évocation de sa famille, après le récit d'un épisode emblématique qui nous montre la bonne des voisins montée sur le toit dans un accès de folie, alors que ses patrons restent terrés chez eux, le héros se consacre à l'histoire d'une passion violente qui l'unit malgré son très jeune âge à la femme d'un soldat parti au front. À la mort de Marthe, à la naissance de l'enfant de ces amours coupables, avec le retour du mari qui ignorera toujours ce qui s'est passé, tout rentre dans l'ordre et le héros conclut son récit de façon tout aussi cynique qu'il l'avait commencé, en affirmant : « Mon fils aurait une existence raisonnable ».

Le récit est ponctué de scènes dont la finesse réside dans la qualité de l'analyse psychologique : on y lit l'audace mais aussi, parfois, l'embarras d'un jeune adolescent qui ne peut ni prendre ses responsabilités ni renoncer à sa passion ; on le voit découvrir l'amour, la jalousie ; il nous fait part de ses difficultés dans de très courts chapitres qui lui servent à analyser très lucidement, mais de façon rétrospective, ce qu'il a vécu.

Le point de vue adopté est toujours celui du héros. Comme dans bien d'autres romans, les pensées de l'héroïne ne sont rapportées qu'à travers les paroles de l'homme qui l'aime.

3 - INTERTEXTE

LA PISTE AUTOBIOGRAPHIQUE

Le dossier, très détaillé sur ce point, permet de voir que ce récit correspond à une expérience personnelle de l'auteur. Il est intéressant d'analyser de façon précise, d'une part, les différences (la fin du roman) et, d'autre part, ce qu'il a fait de ce qui aurait pu n'être qu'un souvenir très émouvant, traité de façon romantique en raison de l'intensité des sentiments vécus. La sobriété du ton, la finesse des analyses, le recul cynique qui n'exclut pas l'émotion, donnent au contraire au texte une portée toute classique.

L'ANALYSE HISTORIQUE

Bien que Radiguet n'ait nullement songé à faire œuvre réaliste, on trouvera dans le roman, par petites touches, la satire très précise d'un milieu petit-bourgeois, bien loin de l'atmosphère parisienne de ce que l'on appelle « les années folles ». On dégagera les caractéristiques de la société présentée ; on opposera le conformisme bien-pensant du voisinage et l'insolence affichée par le héros. Dans les deux cas, on notera que les valeurs prônées par les uns comme par les autres restent hypocritement sous-entendues : personne n'assume ses choix (comparer à *L'Immoraliste* de Gide, par exemple, ou aux romans de Mauriac ; évoquer le désir de provocation si vivace dans les débuts du mouvement surréaliste).

L'ANALYSE PSYCHOLOGIQUE

L'étude du héros, de sa psychologie d'adolescent (comparer avec Colette, *Le Blé en herbe*) peut être complétée par une étude méthodique de la façon dont le personnage de Marthe est, en quelque sorte, occulté ; une comparaison très fructueuse peut être menée de ce point de vue avec d'autres romans comme *Adolphe* de Benjamin Constant, ou *Manon Lescaut* de l'Abbé Prévost (PP n° 6031), dans lequel la jeune femme ne s'exprime pas plus directement.

L'étude des temps et des lieux du roman permettra de définir le monde clos de la passion et d'opposer les valeurs symboliques des différents endroits et des différents moments vécus : lycée, maison familiale, appartement de Marthe, Paris pour une soirée, sans oublier les nouvelles du front.

4 - PRÉTEXTE

Lectures historiques des images :
• Opposer dans les images le monde de la guerre de 1914-1918 et le climat contrasté des « Années folles ». Définir le milieu littéraire représenté.
• Confronter plus précisément les images de la guerre de 1914 à son évocation dans le roman.

La piste autobiographique :
- Choisir dans les portraits de l'auteur ceux qui permettent d'illustrer le roman. Que peut-on y ajouter ?
- Rapprocher chacune des images ou des photos représentant Radiguet du texte de la page 159.

Les films :
- Commenter de façon détaillée l'affiche publicitaire du film de Claude Autant-Lara. Quel en est le personnage principal ? Pourquoi cette couleur ? Quelle place tient le nom de l'auteur du livre ?

Figure des héros :
- Commenter le choix des acteurs. Comment ce choix a-t-il évolué avec les années ?
- Tous les acteurs semblent-ils avoir l'âge du rôle ? Pourquoi ces choix ? (On peut faire un rapprochement avec le film qui avait été tiré du livre de Gabrielle Russier, *Mourir d'aimer* dans lequel la barbe du héros servait, semble-t-il, à atténuer le scandale de l'image presque incestueuse d'un adolescent dans les bras d'une femme plus âgée.)
- Après avoir analysé l'extrait de l'adaptation cinématographique présenté dans le dossier (p. 186 sq.), travailler à une rédaction équivalente pour les différentes scènes correspondant aux photos extraites des films qui figurent dans le dossier (pp. 13, 14 et 15) ainsi que sur la quatrième page de couverture.

Prolongements possibles :
- Le contraste entre le climat de guerre et l'histoire d'amour vécue par un adolescent peut se retrouver dans le roman de Roger Boussinot, *Les Guichets du Louvre* (avec la référence possible au film de Michel Mitrani).
- On trouvera dans le roman d'Ernest Maria Remarque, *À l'Ouest rien de nouveau*, un contraste frappant avec la situation évoquée par Radiguet : les jeunes lycéens sont très brutalement confrontés à la guerre, au front, alors qu'ils étaient en classe de première.

JULES RENARD
(1864-1910)

1 - MÉMENTO

« *Faire très gai de surface et tragique en dessous.* »

Jules Renard, *Journal*, 3 août 1892.

« *Je voudrais être un grand écrivain pour le dire avec des mots si exacts qu'ils ne paraîtraient pas trop naturels.* »

Jules Renard, *Journal*, 18 octobre 1896.

« *Je peux dire que grâce à* Poil de Carotte, *j'ai doublé ma vie.* »

Jules Renard, *Journal*, 22 février 1894.

« Renard n'a pas été un homme heureux par la disposition de son esprit, car c'est cela le bonheur, une affaire de nature d'esprit, bien plus que d'événement ou de circonstances ; mais il a dû avoir de grandes jouissances à observer ainsi les gens et à noter ainsi sans ménagements, même pour lui...

Le seul côté vraiment intéressant, c'est le dédoublement de l'homme et de l'écrivain, à tout moment, même dans les moments de souffrance. »

Léautaud, *Journal*.

2 - VADEMECUM

De 1887 à 1910, il écrit son *Journal*, qui ne sera publié qu'en 1925.

1888   *Les Cloportes* (ne sera publié qu'en 1919). On trouve dans ces quelques scènes l'atmosphère de la famille Lepic.

1890   *Sourires pincés*, recueil de neuf récits où paraît pour la première fois Poil de Carotte.

1892   *L'Écornifleur.*

1893   *Coquecigrues.*

1894   *Poil de Carotte* (première version).

1896   *Les Bucoliques*, recueil de nouvelles qui ne sera publié qu'en 1898.
       Histoires Naturelles.

1897   *Le Plaisir de rompre* (comédie en un acte).

1898   *Le Pain de ménage* (comédie en un acte).

1900   *Poil de Carotte* est porté au théâtre.

1909   *Nos frères farouches*, recueil de nouvelles.
       La Bigote, pièce où réapparaît Mme Lepic.

« Il n'avait pas, contre la médiocrité générale de la vie, les emportements romanesques de Flaubert ; mais, au fond, il la ressentait plus douloureusement et aussi avec plus d'espérance. »

Jaurès, *L'Humanité*, 23 mai 1910.

« C'est la beauté et la jouissance de l'art que Jules Renard met au premier rang de ses soucis. »

Jean-Paul Sartre, *Situations I.*

BIBLIOGRAPHIE SUCCINCTE

L. GUICHARD, *Renard*, Gallimard, « La Bibliothèque idéale », 1951. M. POLITZER, *Jules Renard, sa vie, son œuvre*, La Colombe, 1956. P. SCHNEIDER, *Jules Renard par lui-même*, Le Seuil, « Écrivains de toujours », 1956. M. AUTRAND, *L'Humour de Jules Renard*, Klincksieck, 1978.

POIL DE CAROTTE

« LIRE ET VOIR LES CLASSIQUES »
N° 6051

1 - CONTEXTE

LE CONTEXTE DE PRODUCTION :
Principaux événements en 1894

● **En politique** : malgré l'assassinat du président Sadi-Carnot, les attentats anarchistes (1892-1894), les revendications ouvrières, la IIIᵉ République est bien installée. Condamnation du capitaine Alfred Dreyfus en décembre 1894, mais « l'Affaire Dreyfus » n'éclate qu'en 1896 lorsque le colonel Picquart découvre que la condamnation a été établie grâce à un faux. « J'accuse » de Zola : 13 janvier 1898 (voir DHL, p. 253). Nicolas II monte sur le trône de Russie en 1894.

● **En sciences** : les progrès de la révolution industrielle continuent d'émerveiller : premier vapeur à turbine, découverte de l'argon ; les frères Lumière inventent le cinématographe ; Röntgen travaille à la découverte des rayons X (1895). Les historiens datent de 1890 le renouveau économique qui permet de parler de « Belle Époque ».

● **En littérature** : le siècle s'achève dans les échos et remous des périodes naturalistes, du symbolisme et des mouvements décadents. Pendant que petite et moyenne bourgeoisies lisent Anatole France (1894, *Le Lys rouge*),

Rudyard Kipling *(Le Livre de la Jungle)*, s'indignent des audaces d'Oscar Wilde *(Une femme sans importance)*, s'élaborent aussi les œuvres de Freud, Bergson, Nietzsche, Dostoïevski.

● **En peinture** : Premier Salon de l'Art nouveau à Paris en 1895.

● **En musique** : Claude Debussy, *Prélude à l'après-midi d'un faune.*

HISTOIRE ET FICTION

L'enfance de Poil de Carotte, correspondant à celle de l'auteur, se situe dans les années 1875-1880. On se trouve au début de la IIIe République dans une France rurale très inégalitaire. La petite et moyenne bourgeoisie tient à affirmer par son mode de vie (par exemple, par l'emploi de domestiques — au moins d'une bonne à tout faire) qu'elle est nettement distincte du peuple ; elle cultive avec un conformisme étroit l'épargne, les vertus familiales et le souci du « qu'en-dira-t-on ».

2 - TEXTE

LE TITRE

Le nom du héros renvoie à un détail autobiographique : le roux ardent de la chevelure de Jules Renard lui-même. Ce sobriquet souligne que cet enfant est le mal-aimé de la famille, celui que sa mère, Mme Lepic, persécute littéralement sous l'œil complaisant de ses aînés.

L'ORGANISATION

Une suite de 49 chapitres, nettement distincts les uns des autres, quelquefois indépendants, quelquefois regroupés pour former un épisode, met en scène Poil de Carotte et l'un ou l'autre des membres de sa famille. Chacun a son titre (voir table des matières, p. 345). Ces sortes d'instantanés, d'anecdotes, prises dans la chronique de la vie de la famille Lepic, esquissent un drame : celui de Poil de Carotte, méprisé et maltraité, qui essaie bien, dans les derniers épisodes, de se révolter, mais subit surtout des rebuffades répétitives.

● L'ÉCRITURE

Tout le roman est à la troisième personne du singulier, au présent de l'indicatif. Loin de partager les inquiétudes de l'auteur, qui affirmait dans son *Journal* en septembre 1894 : « *Poil de Carotte* est un mauvais livre, incomplet, mal composé, parce qu'il ne m'est venu que par bouffées. [...] On pourrait indéfiniment le réduire ou le prolonger », le lecteur apprécie cette structure très souple, très libre, et sans doute très moderne.

Le style assure l'unité de l'œuvre ; la concision et la simplicité sont sensibles à tous les niveaux : minceur des anecdotes, rapidité des esquisses, fermeté des répliques, vivacité des fins.

● LES PERSONNAGES

Les membres de la famille Lepic, flanqués des servantes (la vieille Honorine, puis Agathe) sont parfaitement caractérisés, ce qui assure la cohérence psychologique.

Mme **Lepic** : un grand nombre d'épisodes illustrent son aigre tyrannie. Elle martyrise son troisième enfant, mais terrorise aussi son mari, et rudoie les servantes avec une mesquinerie ignoble.

M. Lepic : petit bourgeois effacé, s'occupe de ses enfants avec une sorte de tendresse (La trompette, p. 66), mais n'ose défendre son dernier rejeton. Nous ne savons pas grand chose de sa propre vie, sinon qu'il n'aime guère sa femme.

Grand frère Félix et **sœur Ernestine** : les deux aînés, présents dans de nombreux épisodes, égoïstes et bornés, profitent sans vergogne de la préférence maternelle.

Poil de Carotte : centre de toutes les anecdotes, n'est pas une figure angélique incarnant l'innocence martyrisée. Il lui arrive d'être cruel avec les animaux (La taupe, p. 55 ; Le chat, p. 129), dissimulé ou menteur. Le lecteur partage les angoisses et le ressentiment de cet enfant dont le dernier mot est : « Personne ne m'aimera jamais, moi. »

3 - INTERTEXTE

● La piste autobiographique

Le dossier permet de mesurer les difficultés qu'a causées à l'auteur la confusion, très rapidement établie, entre le climat de sa propre enfance et celui qu'il crée autour de son personnage.

● Réalisme historique et fiction

On cherchera dans le livre tout ce qui caractérise la petite bourgeoisie rurale du début de la IIIe République : cadre de la vie quotidienne, valeurs affichées, méthodes éducatives, rapports entre les catégories sociales, situation des femmes et des filles (sans oublier les servantes).

● Deux systèmes d'écriture

La comparaison entre le roman et la pièce de théâtre, intitulée elle aussi *Poil de Carotte*, conduit à une réflexion sur les genres : nécessité de créer une sorte d'intrigue ou de progression pour structurer la pièce ; tri dans les personnages ; caractéristiques des dialogues.

● Élargissements possibles

Comparaison avec d'autres œuvres romanesques présentant la condition enfantine (Charles Dickens : *David Copperfield* ou *Les Grandes Espérances* ; Charlotte Brontë : *Jane Eyre* ; Victor Hugo : *Les Misérables*) ; dossier d'instruction civique sur les droits de l'enfant ; psycholecture de l'œuvre : l'affection maternelle ou familiale.

4 - PRÉTEXTE

Le CI permet de travailler :

• **Sur la typologie et la nature des documents eux-mêmes**, caractéristiques de leur époque. Faire dater avec précision les documents ; établir la liste des moyens d'expression utilisés : gravures, photographies, affiches, documents publicitaires ; déterminer le public visé (théâtre, cinéma). Étudier les différentes tonalités : caricature, plus ou moins violente, illustration sentimentale ; vision romanesque évoquant presque le roman-photo. Les documents oscillent entre l'humour et la satire, le mélo et la tragédie. Déterminer les éléments des images produisant ces effets.

• **Sur les références possibles du texte** : quelles images du XIXe siècle a-t-on retenues ? Lesquelles renvoient à l'auteur ? à son époque ? Lesquelles évoquent, au-delà du personnage, le temps de la fiction ? Les documents eux-mêmes ont un style qui renvoie non au temps de l'histoire mais à leur propre époque. Repérer les anachronismes possibles.

• **Sur les différentes représentations du personnage** : on peut, en particulier, étudier les âges différents de Poil de Carotte et comparer avec l'évolution du personnage au cours du roman ; les variations sociales sont elles-mêmes intéressantes.

• **Sur la représentation des figures qui entourent Poil de Carotte** : ambiguïté des regards portés sur la mère ; connivences possibles avec le père ; différentes figures paternelles.

• **Sur les éléments iconographiques producteurs de sens** : les plans des représentations, la hiérarchie des figures ; le rôle du décor, les couleurs et leur rapport avec le titre.

• **Sur l'évolution d'une œuvre dans ses rapports avec le public** : la publicité finale permet de réfléchir à l'indépendance qu'acquiert finalement un titre dans l'esprit du public ; chercher les connotations exploitées : celles qui respectent l'œuvre ; celles qui la négligent totalement.

ARTHUR RIMBAUD

(1854-1891)

> « *Tu ne connaîtras jamais bien Rimbaud.* »
>
> André Breton.

« C'est Verlaine qui, le premier, a lancé le qualificatif qui allait faire fortune : "poète maudit", dont l'œuvre est "une prodigieuse autobiographie psychologique" et, très vite, la légende s'empare de celui en qui l'on veut voir "un voyou", "un potache détraqué" ou "un mystique à l'état sauvage", "un merveilleux introducteur au christianisme" comme "un athée amoral" (voir DHL, pp. 339-341). À la lecture d'extraits de Mallarmé, Ségalen, Aragon, Breton et Borer (pp. 375-394), on mesure l'effort toujours renouvelé pour tenter de fixer "les visages de Rimbaud". »

« Désormais — et pour toute notre modernité — la poésie cesse d'être une forme d'expression pour devenir un état de l'esprit. [...] Ici s'ouvrent dans l'exaltation — et sans doute, il est vrai, une certaine confusion adolescente — les voies de la poésie moderne. Qui sera métaphysique, onirique ou révolutionnaire. Et parfois le tout ensemble. » (Préface, p. 18) Le scandale, dénoncé par les uns et glorifié par les autres, est peut-être d'avoir osé dire, et donné à lire dans un destin fulgurant, que la littérature, loin d'être gardienne du Sens, pouvait se faire dévoilement et instauration d'un Non-Sens perturbateur et angoissant.

> « *L'homme aux semelles de vent.* »
>
> Paul Verlaine.

« Au départ, il y a Charleville, "supérieurement idiote

entre les petites villes de province'', dont Rimbaud devait dire à seize ans qu'on s'y ''décompose dans la platitude, dans la mauvaiseté, dans la grisaille'' [...] qui demeure cependant le seul point fixe de ses errances, le lieu où il revient toujours. » (p. 10)

« Il y a ensuite un *premier* Rimbaud, celui qui ne rêve que d'avoir ''une petite place entre les Parnassiens''. Bon élève des maîtres reconnus, grand lecteur, imitateur et pasticheur de talent, prenant (pillant ?) son bien où il le trouve, maniant le vers avec maîtrise et allégresse. » Mais il désavoue rapidement ces premiers poèmes qu'il ordonne même de brûler ! « Au cours de ses brèves années de vie poétique, Rimbaud n'a cessé ainsi de rompre. Et d'abord avec lui-même, avec sa propre parole poétique. Dans une perpétuelle fuite en avant qui le situe toujours déjà ailleurs que là où on l'attend. » (p. 15)

« La voix qui se fait entendre après ''Ma bohême'' est désormais celle d'un révolté, d'un ''voyou'' qui a choisi lucidement de s'encrapuler, qui se dresse avec violence et sarcasme contre toutes les formes d'ordre (moral, religieux, social, politique, esthétique) où il ne veut voir qu'un seul et même Ordre. Mortifère. » (p. 17) Puis vient la rencontre décisive, à Paris, avec le « compagnon d'enfer », le « pitoyable frère » : « quelques mois d'errances — d'errements ? — avec Verlaine vont précipiter, cristalliser, ce qui n'était encore que projet diffus en un ''verbe poétique'' qui, à se vouloir ''accessible à tous les sens'', refuse de s'assigner au *sens* » (p. 20).

D'escales en petits métiers à travers l'Europe et les grands ports du Moyen-Orient, Rimbaud égrène enfin les éclats dispersés des *Illuminations*. Le silence définitif le prend au soleil du désert d'Aden et du Harar. ''Amputé'' vivant de son génie, devenu trafiquant, il rejoint la France pour y mourir de la gangrène.

ŒUVRES
Des Ardennes
au Désert

« LIRE ET VOIR LES CLASSIQUES »
N° 6037

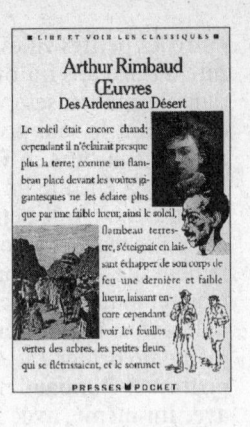

---

1 - CONTEXTE

EN 1873...

• **Politique et société** : Un krach à Vienne marque le début d'une crise économique mondiale. L'Angleterre procède à une réforme judiciaire et fonde la fédération nationale des employeurs. En Belgique, le bilinguisme est institué dans le domaine de la justice. Alors que reprennent les guerres carlistes, Amédée Ier d'Espagne abdique et la république est proclamée. Les troupes allemandes évacuent la France le 16 septembre.

• **Arts et culture** : Guizot publie son *Histoire de France* et le physiologiste allemand Wundt son traité des *Éléments de psychologie pathologique*. Renan écrit *L'Antéchrist* et Tolstoï commence la rédaction d'*Anna Karénine* qu'il achèvera en 1877.

C'est l'année « charnière » pour Rimbaud : celle de la composition d'*Une saison en enfer*, commencée à Roche, près de Vouziers, en mai, achevée au cours de l'été et imprimée en octobre chez Poot à Bruxelles ; celle du meurtre manqué de Bruxelles le 10 juillet (voir DHL, pp. 343-349). Double rupture : avec Verlaine et avec la fadeur de la poésie subjective qu'il incarne désormais pour celui qui définit une nouvelle *Alchimie du Verbe.*

2 - TEXTE

LE(S) TITRE(S) ET LA STRUCTURE POÉTIQUE

« Des Ardennes au Désert » : un itinéraire géographique et spirituel qui conduit le Voyant de l'enfance au silence. « L'œuvre poétique » de Rimbaud se résume (si l'on excepte quelques « poèmes en prose » inclassables et quelques fantaisies — « conneries » ? — plus ou moins inavouables et d'ailleurs longtemps refoulées des *Œuvres complètes*), à quatre minces plaquettes — *Poésies, Derniers Vers, Une saison en enfer, Illuminations* — dont une seule a vraiment été voulue, de bout en bout *composée* par son auteur.

Depuis 1891, date de leur première publication, la tradition éditoriale rassemble sous le titre *Poésies* les poèmes versifiés écrits par Rimbaud, depuis « les Étrennes des orphelins », paru dans la *Revue pour tous* le 2 janvier 1870, jusqu'au « Bateau ivre », dernier poème composé à Charleville avant le départ pour Paris, à la mi-septembre 1871 (Préface, pp. 13-14).

« Derniers vers. Autre recueil factice où l'on a regroupé les poèmes de 1872 [...] peut-être conviendrait-il de le nommer plutôt *Vers nouveaux... derniers*, en effet, ces vers ne le sont que relativement. Pour Rimbaud : les derniers qu'il ait écrits. » (p. 20)

Une saison en enfer clame sa damnation : « Je me crois en enfer, donc j'y suis ». [...] À proprement parler, c'est le seul recueil que Rimbaud ait jamais composé, dont il ait élaboré l'architecture interne, imposé le parcours de lecture. [...] Il avait envisagé d'autres titres : « Je fais de petites histoires en prose, titre général : *Livre païen* ou *Livre nègre*. C'est bête et innocent. » écrit-il à Delahaye en mai 1873 (voir p. 328), après avoir quitté Verlaine à

Londres, mais c'est après le drame de Bruxelles qu'il
« trouve le titre définitif de ce qui est à la fois le bilan de
l'entreprise magique du Voyant et la confession d'une
expérience amoureuse » (pp. 25-26).

« Commencées sans doute avant *Une saison en enfer*,
les *Illuminations* se prolongent au-delà de cette année
charnière. [...] Du titre sous lequel ce recueil nous a été
transmis, Verlaine a dit qu'il était bien celui choisi par
Rimbaud. Mais il n'apparaît sur aucun des feuillets manuscrits. [...] Ces proses témoignent du dernier état de la
poétique rimbaldienne : textes énigmatiques (et ce dès le
titre dont le sens exact a fait beaucoup gloser)... D'une
éblouissante opacité. » (pp. 31-32)

3 - INTERTEXTE

Quelques jalons pour se laisser porter par la vague poétique et onirique :

• « Le Bateau ivre » (p. 153) : « forme typiquement
rimbaldienne de la liberté : la dérive », selon l'expression
de J.-P. Richard — à rapprocher du poème « Les Poètes
de sept ans » (p. 124) : « pressentant violemment la
voile ! »

• « Je est un autre » ; un point de rupture dans l'histoire de la poésie : la lettre à Paul Demeny (pp. 314-320)
où Rimbaud donne à son ami « une heure de littérature
nouvelle » définit le poète « voyant », moderne Prométhée « voleur de feu » (voir R. Barthes, *Le Degré zéro de
l'écriture*, Points/Seuil, 1953, p. 34 : « La Poésie n'est
plus alors une Prose décorée d'ornements ou amputée de
libertés. Elle est une qualité irréductible et sans hérédité.
Elle n'est plus attribut, elle est substance. »).

• « Alchimie du Verbe » (p. 211) : la définition d'un
nouvel art poétique qui affirme la dislocation du vers —
voir « Qu'est-ce pour nous mon cœur... » p. 176,
« Entends comme brame... » p. 177, « Rêve » p. 183 —

et s'épanouit dans « l'audition colorée » du fameux sonnet des « Voyelles » (p. 137).

• On peut encore étudier le texte de clôture d'*Une saison en enfer*, « Adieu » (p. 223), qui invite à un nouveau départ, pour en dégager la structure d'ensemble du recueil, livre de haine et de colère, voyage au bout de l'enfer sur terre, qui procède par évocations et reprises de l'Évangile : « soit que revienne comme une tentation, comme une faiblesse, l'acquis de la ''sale éducation d'enfance'' ; soit que Rimbaud tourne en dérision un message qu'il voudrait nier pour lui substituer un contre-Évangile, le sien » (P. Brunel *in Dictionnaire des Littératures de langue française*).

De nombreux groupements de textes permettent aussi de parcourir l'ensemble de l'œuvre poétique ; quelques suggestions :

• Errance et rêveries d'enfance : « Sensation » (p. 77), « Au Cabaret-Vert » (p. 110), « Ma Bohême » (p. 113), « Mémoire » (p. 180), « Enfance », strophe IV (p. 246), et « Départ » (p. 252) — voir également René Char, « Fureur et Mystère », *La Fontaine narrative* (Gallimard, 1948) : « Tu as bien fait de partir, Arthur Rimbaud ! »

• Éducation sentimentale et femmes : « Première Soirée » (p. 98), « Les Reparties de Nina » (p. 99), « Roman » (p. 105), « Rêvé pour l'hiver » (p. 108), « Mes Petites Amoureuses » (p. 120), « Les Sœurs de charité » (p. 135), « Les Déserts de l'amour » (p. 187), « Angoisse » (p. 267), « Dévotion » (p. 279).

• « La Crevaison pour le monde qui va » (« Démocratie », p. 280), contre les tenants de l'ordre : la dénonciation de l'immobilisme religieux dans « Le Mal » (p. 107), « Les Pauvres à l'église » (p. 126), « L'Homme juste » (p. 138), « Les Premières Communions » (p. 147), « Suite évangélique » (p. 190), « Les Lèvres closes. Vu à Rome » (p. 290) ; celle de l'immobilisme social, contre lequel se dresse la Commune, dans « Chant de guerre parisien » (p. 119), « Le Cœur volé » (p. 128), « L'Orgie parisienne ou Paris se repeuple » (p. 129), « Les Mains de Jeanne-Marie » (p. 132).

4 - PRÉTEXTE

« *une puberté perverse et superbe* »
Mallarmé.

Le CI illustre l'itinéraire du *génie impatient* (H. Mondor) au *magicien désabusé* (P. Debray). Les divers visages du « poète maudit », interprétés ou « éclairés » par la peinture et le dessin (pp. 2-3, 7, 16), figés par l'instantané de la photographie (p. 14) ou la transposition du cinéma (p. 10), permettent d'imaginer les errances de la « bohême », des Ardennes au Désert, des eaux glauques et morbides de la vieille Europe (p. 5), de ses villes inhumaines (pp. 10-11) aux fastes coloniaux de l'Afrique (pp. 14-15). Rencontres et ruptures déterminantes pour l'adolescent de Charleville qui rêve de la gloire des Parnassiens sous la férule de son professeur (p. 4) : Paris et la flambée de la Commune (p. 6), Verlaine et les Vilains Bonshommes (p. 7, 10, 12). De poèmes en « fraguemants en prose » (texte p. 329), le Voyant trace ses modernes et brillantes enluminures (pp. 1, 8-9, 13), que suggère le titre même d'*Illuminations* selon le sens du mot en anglais.
Outre l'abondante bibliographie proposée aux pp. 395-399, on peut consulter *L'Expérience de la marche et du mouvement dans l'œuvre de Rimbaud* de J. Plessen (Mouton, 1967), *Arthur Rimbaud* de L. Rey (Seghers, Poètes d'aujourd'hui, 1976), *La Poésie éclatée* de G. Poulet (P.U.F., 1980), *Le Vertige de Rimbaud* de P. Lapeyre (La Baconnière, 1981) et *Rimbaud, poèmes et prose* de D. Rincé (Nathan, « Intertextes », 1984).

EDMOND ROSTAND
(1868-1918)

1 - MÉMENTO

Le triomphe de Rostand réside dans l'héritage littéraire qu'il assume : le romantisme, dont il donne une version flamboyante. Couleur, panache, virtuosité, mélange du sublime et du grotesque : Edmond Rostand apparaît comme un Hugo superbe, un Hugo qui mettrait en scène les symboles d'une France qui vit dans une tension propice à l'exacerbation du sentiment patriotique. Cyrano, l'Aiglon et le coq Chantecler ont en partage la vaillance et la générosité. À cette image valorisante, Rostand confère les prestiges d'une esthétique brillante, clinquante, baroque.

2 - VADEMECUM

1888 *Le Gant rouge*, vaudeville.
1890 *Les Musardises*, recueil poétique, qui rencontre un succès d'estime. *Les Deux Pierrots*, bluette.
1893 *Les Romanesques*.
1895 *Princesse lointaine*, drame lyrique.
1897 *La Samaritaine*, mystère médiéval.
1897 *Cyrano de Bergerac*, joué à la Porte Saint-Martin.
1900 *L'Aiglon*, interprété par S. Bernhardt et L. Guitry.
1910 *Chantecler* (Porte Saint-Martin) : c'est l'échec.
1916 *Le Vol de la Marseillaise*, poèmes patriotiques.
1922 *La Dernière Nuit de Don Juan*, poème dramatique.
Cantique de l'Aile, dédié aux aviateurs.

CYRANO DE BERGERAC

« LIRE ET VOIR LES CLASSIQUES »
N° 6007

---

1 - CONTEXTE

EN 1897...

• **Politique et société** : le gouvernement Méline est au pouvoir depuis 1896. L'événement marquant est l'incendie du Bazar de la Charité. La Turquie attaque la Grèce, un traité de paix met fin au conflit. Le colonialisme anglais s'étend en Afrique. Dans un an, ce sera Fachoda. À Bâle, le premier congrès israélite institutionnalise le sionisme de Herzl. Les sciences et techniques accentuent leurs progrès : Ader effectue le premier vol en aéroplane, Marconi entreprend la première communication sans fil, le premier moteur Diesel fonctionne.

• **Art et culture** : si la fin de siècle semble s'éterniser, l'année connaît une intense production littéraire. Barrès, *Les Déracinés* ; Gide, *Les Nourritures terrestres* ; Bloy, *La Femme pauvre* ; Huysmans, *En Route* ; Loti, *Ramuntcho* ; Mallarmé, *Un coup de dés jamais n'abolira le hasard* ; H.G. Wells, *L'Homme invisible* ; Kipling, *Capitaines courageux* ; Pissarro peint ses *Vues de Paris*.

HISTOIRE ET FICTION

S'inspirant du livre de P.-A. Brun, *Savinien de Cyrano de Bergerac, sa vie et ses œuvres* (1893). Rostand date les quatre premiers actes de 1640 et le dernier de 1655. À la documentation historique s'ajoute la référence au cycle dumasien des Mousquetaires et aux autres bretteurs de la littérature populaire : Lagardère et Pardaillan. Nul doute également que Rostand se tourne vers *Le Capitaine Fracasse* de Gautier (fiche n° 24). *Cyrano* est donc imprégné des représentations littéraires d'un XVIIe siècle théâtral et romanesque. Pièce sur l'héroïsme, mettant en scène un héros grandiloquent, généreux, amoureux, tout en poses et en effets, *Cyrano* célèbre l'enthousiasme, le courage, le désintéressement, la noblesse, la passion, le sacrifice, la beauté morale. Mêlant habilement la comédie héroïque, la tragédie cornélienne, le drame romantique et le mélodrame, Rostand offre à un public avide d'identité une image éblouissante des vertus censées être les plus françaises.

2 - TEXTE

LE TITRE

Conforme à l'un des fonctionnements les plus classiques du titre au théâtre, il désigne le héros principal. Mais il s'agit d'abord du nom d'un personnage historique (1619-1655). Né à Paris, Savinien de Cyrano n'ajouta que plus tard à son nom celui de Bergerac, un village de la vallée de Chevreuse (voir sa biographie, p. 372). Savamment entretenue, la confusion géographique permet d'attribuer au personnage les connotations stéréotypées du Gascon, qui s'ajoutent à la mémoire culturelle : le soldat, l'écrivain dramatique et philosophique, le libertin — au sens du XVIIe siècle — la mort mystérieuse, et peut-être aussi l'homosexuel.

L'ORGANISATION

La pièce comporte cinq actes titrés. Si le décor est multiple, l'action fort nourrie se résume aisément : le beau mais fade Christian aime la précieuse Roxane, l'épouse malgré le comte de Guiche et meurt. Roxane se retire au couvent. Le laid mais brillant Cyrano, qui aime depuis toujours Roxane, et qui s'est sacrifié pour Christian, meurt lentement au monde, avant d'être assommé. C'est que l'essentiel de la pièce réside dans l'héroïsation du personnage titulaire et dans la virtuosité du vers. « Une représentation à l'Hôtel de Bourgogne » situe l'action en 1640 dans ce célèbre théâtre du Paris d'Ancien Régime. Morceaux de bravoure : la ballade du duel et la tirade des nez (scène 4). « La rôtisserie des poètes » se déroule dans la boutique de Ragueneau, ami de Cyrano. Morceaux de bravoure : le poème sur les cadets de Gascogne (scène 7), la tirade des « Non merci » (scène 8) et l'affrontement entre Cyrano et Christian (scène 9). « Le baiser de Roxane » nous entraîne sous le balcon de la dame. Morceau de bravoure : la déclaration de Christian dictée par Cyrano (scène 7). « Les cadets de Gascogne » nous plonge dans la guerre au siège d'Arras. Morceau de bravoure : la tirade aux Gascons (scène 3). « La gazette de Cyrano » nous ouvre le couvent des Dames de la Croix à Paris, en 1655. Morceau de bravoure : la mort de Cyrano (scène 6).

3 - INTERTEXTE

Suggestions pour un parcours méthodique

Le plus simple, le plus commode, mais aussi le plus conforme sans doute à l'esprit même du théâtre de Rostand consiste à privilégier les tirades.

Le DHL permet de situer la pièce de Rostand dans son contexte et le personnage historique de Cyrano dans son époque.

• Après l'évocation du « bouillonnement d'inventions, de passions et de conquêtes » (pp. 343-344), l'on passe à la situation du théâtre en France dans ces années de l'extrême fin du siècle (pp. 345-348). C'est sur ce fond de production abondante, diverse et marquée à la fois par des tentatives de renouvellement de la mise en scène et de la forme même des pièces que s'impose le triomphe éclatant de *Cyrano de Bergerac*. Cet événement littéraire est évoqué par le texte de Max Favalelli racontant la première du 27 décembre 1897 (pp. 350-356).

• L'accueil de la critique fait l'objet d'un parcours allant de l'année 1897 à 1988, permettant de mesurer l'extraordinaire fortune d'un texte devenu quasi mythique, appartenant au panthéon de la littérature, ou plutôt à l'imaginaire français.

• Un texte de Gautier (pp. 369-371) sert de transition avec les documents consacrés au vrai Cyrano. Une notice biographique (pp. 372-373), le portrait qu'il traça du duelliste (pp. 374-375), des extraits significatifs de ses Lettres (pp. 376-378). Du galant, l'on passe au romancier de science-fiction (p. 379), au satirique (pp. 380-381) et au libertin (pp. 382-383). Un tableau de la société française des années 1640-1655 (soit les années de référence de la pièce) complète l'ensemble.

• L'on pourrait ajouter des extraits de *L'Aiglon* et *Chantecler*, ainsi qu'une recherche sur les héros de cape et d'épée.

4 - PRÉTEXTE

S'il évoque le Cyrano du XVIIᵉ siècle (pp. 2-3), Edmond Rostand et les femmes de sa vie privée ou littéraire (pp. 4-5), le CI se concentre surtout sur le héros de théâtre. Nous le voyons tel que l'imaginait Rostand (p. 1), tel que les spectateurs le découvrirent, sur l'affiche ou sur la scène (pp. 1, 7 et 11), tel que les générations successives ont pu l'admirer selon les acteurs qui l'incarnèrent (pp. 6,

7, 10, 11-16), de 1938 à 1983. L'on y ajoutera l'interprétation plus récente de J.-P. Belmondo. Le choix des scènes permet un parcours de la pièce. Depuis le duel (pp. 10-11) jusqu'à la mort (pp. 14 et 16) en passant par la scène du balcon (pp. 12-13) se donnent à voir certains éléments et principes directeurs des différentes mises en scène. Outre une galerie de nez (pp. 6-7), l'on peut ainsi apprécier l'art de la pose, du geste, des attitudes. Le cinéma s'est, bien entendu, annexé un personnage aussi prestigieux. Les versions de M. Gordon et d'A. Gance sont évoquées (pp. 3, 8-9). L'on ajoutera celle de J.-P. Rappeneau avec G. Depardieu (4e de couverture).

Un tel assemblage permet d'énumérer les ingrédients d'un mythe. L'opposition et la complémentarité du sublime et du grotesque font de Cyrano un héros romantique. La bravade, la faconde, le panache rappellent à la fois le Cid et Matamore. L'intensité de la passion amoureuse le fonde comme héros romanesque. C'est un personnage nécessairement excessif, comme ceux du mélodrame. Porteur d'une imagerie qui le tire vers le roman de cape et d'épée, praticien époustouflant du verbe, virtuose de l'arme blanche, héros du corps et de l'esprit, imbu de sa supériorité et de sa noblesse d'âme et de cœur, Cyrano est un aristocrate selon le vœu démocratique de la République nationaliste. Chantre de la galanterie, il plaît aux dames (et son nez n'est en rien un obstacle, surtout si l'on veut bien comprendre le symbole) ; exhibitionniste du courage, il enchante les hommes ; célébrant le culte de la belle langue, il titille les Français.

JEAN-JACQUES ROUSSEAU
(1712-1778)

1 - MÉMENTO

« Celui qui, franchissant l'étroite prison de l'intérêt personnel et des petites passions terrestres, s'élève sur les ailes de l'imagination au-dessus des vapeurs de notre atmosphère, celui qui sans épuiser sa force et ses facultés à lutter contre la fortune et la destinée sait s'élancer dans les régions éthérées et s'y soutenir par de sublimes contemplations, peut de là braver les coups du sort et les insensés jugements des hommes. »

Rousseau juge de Jean-Jacques (cité p. 334).

2 - VADEMECUM

1750	*Discours sur les sciences et les arts.*
1753	*Lettre sur la musique française.*
1755	*Sur l'origine et les fondements de l'inégalité parmi les hommes.*
1758	*Lettre à d'Alembert sur les spectacles.*
1761	*La Nouvelle Héloïse.*
1762	*Lettres à M. de Malesherbes.*
	Du Contrat social.
	Émile ou De l'éducation.

1764	*Lettres écrites de la Montagne.*
1765-1170	*Les Confessions* (édition posthume de 1782 à 1789).
1772-1776	*Rousseau juge de Jean-Jacques.*
1776-1778	*Les Rêveries du promeneur solitaire* (édition posthume en 1782).

« Pour qui Rousseau écrit-il ses *Rêveries* ? pour lui-même, pour lui seul. De quoi s'entretient-il dans cette œuvre ultime ? De sa destinée. L'auteur, qui s'est pris pour destinataire, se prend aussi lui-même pour thème de son discours. La parole ne poursuit plus aucune fin externe, elle décline toute référence à un auditoire possible. »

Jean Starobinski, *Jean-Jacques Rousseau,*
La transparence et l'obstacle.

(Il faut) « rappeler que l'autobiographie de Rousseau a contribué au premier chef à transformer le concept même de littérature, centré désormais, non plus sur l'œuvre, être ou objet existant pour soi, mais sur l'auteur, et moins sur l'auteur que sur l'homme avec son drame personnel et sa figure irremplaçable. »

Marcel Raymond, préface aux *Écrits*
autobiographiques de J.-J. Rousseau,
La Pléiade.

« Promenade et herborisation, tels furent les principaux aspects chez Rousseau, du culte et de la culture de l'imagination [...]. L'essentiel était d'être seul, éloigné du tumulte social, aveugle et sourd à tout ce qui pouvait rétablir un contact douloureux avec la réalité ou remettre en train le mécanisme néfaste de la machine à penser. »

Georges May, *Rousseau par lui-même.*

LES RÊVERIES DU PROMENEUR SOLITAIRE

« LIRE ET VOIR LES CLASSIQUES »
N° 6069

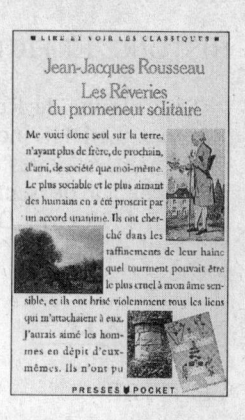

1 - CONTEXTE

LE CONTEXTE DE PRODUCTION :

- **Événements politiques et scientifiques :**

1776	Indépendance des États-Unis.
1778	Traité d'amitié et de commerce avec les États-Unis.
	Création de l'Académie de Médecine.

- **Beaux-arts et musique :**

1776	Gluck, *Alceste*.
	Pigalle : Mausolée du comte d'Harcourt.
1778	Gluck, *Iphigénie en Tauride*.
	Mozart, *Symphonie concertante*.

- **Littérature et philosophie :**

1776	D'Holbach, *La morale universelle*.
1773-1778	Diderot, *Paradoxe sur le comédien*.
	Parny, *Poésies érotiques*.
	Voltaire, *Irène* (tragédie).
1779	Restif de la Bretonne, *La Vie de mon père*.

HISTOIRE ET FICTION

Toute la vie de Rousseau se lit en filigrane dans *Les Rêveries*. Le DHL indique avec précision (pp. 185-188) les événements évoqués dans l'œuvre. Quant à la composition, elle va de septembre ou début octobre 1776 au 12 avril 1778 (voir DHL, p. 167).

2 - TEXTE

LE TITRE

« Ma vie entière n'a guère été qu'une longue rêverie divisée en chapitres par mes promenades de chaque jour » : Rousseau a noté, sur une carte à jouer (voir DHL, p. 368), son penchant à la rêverie associée à la marche à pied. Rêver, c'est, pour lui, penser en suivant son imagination, sollicitée par la contemplation d'objets extérieurs, en un mouvement d'expansion de l'âme.

« Mais ce qui est nouveau, à partir de l'été 1776, est la transformation d'une tendance psychique, plutôt vécue jusqu'alors comme faiblesse constitutive, naïveté chimérique, exaltation spéculative ou compensation imaginaire, en une technique de vie et d'écriture » (Pierre Malandain).

• Des *Confessions* aux *Rêveries* :
Toute l'œuvre autobiographique de Rousseau repose sur un besoin de justification, indispensable pour assurer la continuité entre sa personne et le système philosophique : le moi de Rousseau doit se constituer comme la preuve de la réalité de l'état de nature. Rousseau entreprend de dire la vérité sur lui pour se montrer l'irrécusable témoin de la nature. Les *Lettres écrites de la Montagne* (1764), engageant une polémique philosophique, répondaient à la condamnation du Parlement et des Églises. Mais une fois personnellement mis en cause par un libelle de Voltaire, révélant l'abandon de ses cinq enfants, il se devait de dire

toute la vérité et de prouver qu'aucune contradiction ne pouvait être établie entre l'homme et son système : placé en situation d'accusé, Rousseau répond par *Les Confessions*. Le mécanisme de l'apologie personnelle le conduit à avouer publiquement tout le mal qu'il parvient à découvrir en lui-même afin que le reste lui soit imputé à crédit. L'obsession du « complot », terme par lequel il désigne le foyer de trahisons et de malfaisances qui l'isolent, l'amène, une fois démontés ses mécanismes dans les *Confessions*, à publier les *Dialogues*, dans lesquels il organise une véritable dialectique de la disculpation, puis *Les Rêveries*, dont il tire l'apaisement et qui lui permettent de reconquérir l'innocence.

• Une œuvre sans destinataire :

Les Rêveries marquent l'aboutissement du projet autobiographique de Rousseau, mais présente aussi, avec les œuvres précédentes des différences considérables. Les *Confessions* s'adressaient à un lecteur et tentaient d'établir avec lui une communication susceptible de dissiper le malentendu dont Rousseau s'estime la victime. C'est une instance plus haute que vise l'autel des *Dialogues* : il ne peut plus guère que s'adresser à Dieu, d'où la tentative (manquée) de déposer son manuscrit sur l'auteur de Notre-Dame. Dans les *Rêveries*, Rousseau ne parle plus qu'à lui-même : « Me voici donc seul sur la terre ». Son ultime recours consiste à élaborer, par l'écriture, son propre mythe afin d'entrer, vivant, dans sa propre légende.

3 - INTERTEXTE

Exposés, travaux, recherches :
   • Rousseau à la recherche de lui-même.
   • Le bonheur d'après la 5e *Promenade* (comparer avec *Les Confessions*, XII).
   • La solitude.
   • Les promenades de Rousseau (voir DHL, p. 170).

- Nature et préromantisme.
- Rousseau et les enfants (voir aussi *Les Confessions*, VI, pp. 286-289).
- La scène du ruban volé : 4ᵉ *Promenade* et *Les Confessions*, II (p. 274).
- La rêverie (voir carte à jouer, p. 334).
- La botanique (voir DHL, p. 189).
- Figures féminines dans *Les Rêveries* (voir aussi pp. 272-274 et le CI).
- Étude d'une période : extrait de la 5ᵉ *Promenade* (voir étude des pp. 376 et 377).

De larges extraits des *Confessions* et des *Dialogues* sont donnés dans le dossier. Leur lecture est indispensable pour une étude approfondie des *Rêveries*. On peut même conseiller la lecture intégrale de la première partie des *Confessions* (livres I à VI).

Pour une étude thématique de l'autobiographie, Rousseau précurseur des grandes autobiographies du XIXᵉ siècle (Chateaubriand, Stendhal, Musset).

4 - PRÉTEXTE

Le peintre G.F. Meyer, qui résidait à Ermenonville, a laissé quelques émouvants dessins de Rousseau à l'extrême fin de sa vie : l'un d'eux est reproduit p. 1. Il fut très largement reproduit après la mort de Rousseau.

Le célèbre tableau de Quentin de La Tour (p. 2) avait été exposé au Salon de 1753, et les « ennemis » de Rousseau ironisèrent sur l'expression douce et courtoise du visage. Ainsi Marmontel :

« À ces traits par le zèle et l'amitié tracés,
Sages, arrêtez-vous ; gens du monde, passez. »

Ainsi Diderot : « J'y cherche le censeur des lettres, le Caton et le Brutus de notre âge ; je m'attendais à voir Épictète en habit négligé, en perruque ébouriffée [...], et je n'y vois que l'auteur du *Devin du village*, bien habillé, bien peigné, bien poudré et ridiculement mis sur une chaise de paille. »

Quentin de La Tour réalisa lui-même trois copies de ce tableau que Rousseau affectionnait : « M. de La Tour est le seul qui m'ait fait ressemblant... Je préférerai toujours la moindre esquisse de sa main aux plus parfaits chefs-d'œuvre d'un autre. »

Les pp. 4 et 5 (ainsi que la p. 3 où l'on peut voir Thérèse) sont consacrées aux figures féminines, fictives ou réelles : dans l'exposé sur ce sujet, on commentera le caractère romantique des gravures en couleurs.

La bataille entre Voltaire et Rousseau alimente les pp. 6 et 7 : « Jean-Jacques est un méchant fou qu'il faut oublier. C'est un chien qui a mordu ceux qui lui ont présenté du pain » (Voltaire, lettre de 1765). « Je ne vous aime point, Monsieur, vous m'avez fait les maux qui pouvaient m'être les plus sensibles, à moi votre disciple et votre enthousiaste » (Rousseau, dernière lettre à Voltaire, 1760).

La p. 12 reproduit la couverture du traité de botanique composé par Rousseau. La fin du cahier est consacrée aux derniers endroits fréquentés par Rousseau, devenus lieu de pèlerinage après sa mort, comme le montrent la p. 16 et la quatrième de couverture.

BERNARDIN DE SAINT-PIERRE

(1737-1814)

1 - MÉMENTO

Héritier de la pensée philosophique et morale du début de son siècle, Bernardin de Saint-Pierre, comme l'abbé Pluche dans son *Spectacle de la nature* (1732), est guidé par la volonté de démontrer l'existence de la Providence divine qui pourvoit à tous les besoins de l'homme par « les merveilles de la nature ». L'influence de l'auteur de *La Nouvelle Héloïse* (1761) et de *L'Émile* (1762) est particulièrement déterminante : en exaltant le rêve du bonheur fondé sur une éducation naturelle et le mythe de la pureté éternisée par la mort, Bernardin de Saint-Pierre s'affirme comme un disciple de Rousseau à qui il porte une vénération fervente. Son œuvre constitue l'illustration d'un précepte idéal : « Notre bonheur consiste à vivre suivant la nature et la vertu » (p. 215).

Si ses théories supposées « scientifiques » prêtent à sourire — comme celle concernant les melons, qui « sont divisés par côtes et semblent être destinés à être mangés en famille » ! —, ses qualités littéraires se manifestent dans la composition de vastes tableaux où l'évocation des beautés terrestres se fond dans l'harmonie des sentiments humains. Comme il l'affirme lui-même, « l'art de rendre la nature est si nouveau que les termes n'en sont pas encore inventés » et la critique lui reconnaîtra les talents d'un véritable peintre : « il a le moral du Poussin, la lumière du Lorrain... il a des mollesses et des blancheurs du Guide » (Sainte-Beuve). Disciple de Rousseau, Bernardin de Saint-

Pierre annonce ainsi les plus belles pages de Chateaubriand et les romantiques « correspondances » de l'homme vibrant au spectacle changeant de la nature.

2 - VADEMECUM

LES VOLUPTÉS DE LA MÉLANCOLIE

Né au Havre, Jacques-Henri Bernardin de Saint-Pierre a éprouvé très tôt les charmes puissants d'un lieu qui invite au voyage en « entretenant dans l'âme le goût du rythme et de la beauté » (Baudelaire, *Le Port*) : « Dans mon enfance, j'allais souvent seul sur le bord de la mer [...] ces mouvements perpétuels plongeaient mon âme dans de douces rêveries ». (*Harmonies de la Nature,* III). Il s'exalte en lisant *Robinson Crusoé* et *La Vie des Saints,* découvre la Martinique à douze ans. Élève des Jésuites de 1750 à 1757, il obtient le brevet d'ingénieur militaire en 1758.

Après de nombreux voyages (Malte, Amsterdam, Moscou, Varsovie, Berlin), sa carrière itinérante le conduit à l'île de France (cédée à l'Angleterre en 1814, elle deviendra l'île Maurice) où il séjourne de 1768 à 1770 comme capitaine ingénieur du roi. Il en tire la substance d'un *Voyage à l'île de France* (1773), apprécié de Rousseau dont il a fait la connaissance en 1772.

Il connaît la gloire en 1784 avec les *Études de la Nature* où il révèle un exotisme pittoresque et un sens des nuances très novateur. Ses romans *Paul et Virginie* (1787), également nourri des souvenirs nostalgiques de son séjour dans l'île de France, et *La Chaumière indienne,* paru en 1790, comblent les aspirations de ses contemporains qui rêvent d'un âge d'or sentimental et champêtre. En 1792, Bernardin, élu à la Convention, est nommé Intendant du Jardin des Plantes, puis professeur de morale à l'École Normale Supérieure (1794) et à l'Institut. Devenu bonapartiste, il prépare *Les Harmonies de la Nature*, qui seront publiées un an après sa mort en 1814.

PAUL ET VIRGINIE

« LIRE ET VOIR LES CLASSIQUES »
N° 6041

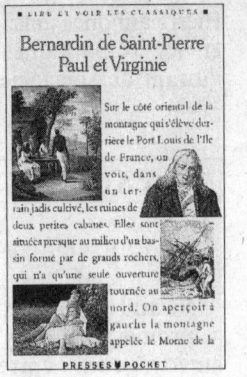

---

1 - CONTEXTE

LE CONTEXTE DE PRODUCTION :
Principaux événements en 1787

● **Politique et société :** Les Anglais s'installent en Australie tandis qu'une association se forme pour l'abolition de la traite des esclaves. Un conflit éclate entre la Russie et la Turquie (13/8) ; à la suite d'un incident, la Prusse envahit les Pays-Bas (13/9). La Convention américaine se réunit et vote la Constitution (27/9) ; la « Charte de l'Ouest » fixe l'organisation politique de l'ouest américain. En France, l'Assemblée des notables se réunit le 22 février. À la chute de Calonne (8/4), Loménie de Brienne lui succède à la direction des Finances. Les notables sont renvoyés (12/5) et le Parlement exilé (27/7), puis rappelé à Paris à la suite des émeutes du 17 août. En novembre un édit accorde un état civil aux protestants. Des municipalités rurales sont établies et les assemblées provinciales sont instituées dans tout le royaume. Signature d'un accord franco-annamite et d'un traité de commerce franco-russe.

● **Arts et culture :** Le mathématicien Lagrange publie son traité de *Mécanique analytique* qui unifie les fondements de la mécanique. Goethe donne sa deuxième version d'*Iphigénie en Tauride* et Schiller son *Don Carlos*. David peint *La Mort de Socrate* ; Mozart compose *Don Giovanni*. *Paul et Virginie* paraît dans la troisième édition des *Études de la nature*, en supplément au tome IV. Vu l'énorme succès que rencontre ce récit, il fera l'objet d'une publication séparée dès 1789.

HISTOIRE ET FICTION

L'aventure des personnages débute en 1726 (p. 91) avec l'arrivée dans l'île de France des parents de Virginie, qui naîtra quelques mois plus tard. Elle s'achève avec la mort de l'héroïne au cours du naufrage du bateau, le Saint-Géran, qui la ramène de France à la veille de Noël 1744 (p. 175). Le cadre — cette île paradisiaque de l'Océan Indien, décrite par un poète indigène comme le « Jardin qu'un Dieu sans doute a posé sur les eaux » — est fourni par les souvenirs personnels de l'auteur. Ces « familles heureuses ont vraiment existé, et leur histoire est vraie dans ses principaux événements. Ils m'ont été certifiés par plusieurs habitants que j'ai connus à l'île de France. Je n'y ai ajouté que quelques circonstances indifférentes, mais qui, m'étant personnelles, ont encore en cela même de la réalité » (p. 215).

2 - TEXTE

LE TITRE

Dans la plus pure tradition des idylles « pastorales » instaurée par le roman grec de Longus, *Daphnis et Chloé* (IIIe siècle après J.-C.), popularisé en France par la traduction d'Amyot (1559), Bernardin de Saint-Pierre associe les noms de ses héros « enfants de la nature », comme les deux jeunes amoureux antiques abandonnés, puis recueillis et élevés par des bergers. Il unit ainsi par l'immortalité d'un titre emblématique le couple que la cruauté du destin a séparé : au panthéon de l'amour idéal où la mort épargne les vicissitudes d'un désir vécu au quotidien, Paul et Virginie (dont le nom même affiche la virginité triomphante, celle de la Vierge, mère divine, dont Paul fut l'apôtre, père de l'Évangile) rejoignent Tristan et Iseut ou Roméo et Juliette. À noter pour l'anecdote que la paternité littéraire s'épanouira dans la paternité naturelle (voir l'allusion p. 27) : du premier mariage de l'auteur, naîtront deux enfants, prénommés Virginie (née en 1794) et Paul (né en 1798).

LA STRUCTURE ROMANESQUE

Ce « petit ouvrage », resté longtemps à l'état de projet, sert d'abord d'illustration aux théories énoncées dans les *Études de la nature*. Ajouté au tome IV, il est présenté par l'avant-propos comme « une espèce de pastorale » (p. 215), dont il reprend le genre, très prisé au siècle précédent, par le choix de l'idylle amoureuse et de son cadre.

Le récit s'ouvre sur un « on » anonyme qui situe, décrit et nomme un paysage de mer et de montagnes (p. 89). Le « je » du narrateur qui surgit enfin (p. 90), comme engendré par la beauté de l'endroit, ne semble intervenir que pour contempler ces lieux et écouter une histoire : c'est un homme âgé, témoin direct du drame survenu, qui prend ainsi le relais du récit. Cette entrée en matière originale commande l'ensemble de la structure dramatique et en souligne la nouveauté : la description du paysage précède une narration dont elle annonce le dénouement tragique par l'évocation même des noms (Baie du Tombeau, Cap Malheureux) et, lorsqu'à la dernière page ces noms réapparaissent « donnés à quelques parties de cette île, qui éterniseront la perte de Virginie » (p. 201), le récit renvoie au lieu ce qu'il lui avait apporté en ouverture. La nature demeure bien le mythe de la nature : le paradis n'est retrouvé que pour être perdu.

3 - INTERTEXTE

Quelques lectures méthodiques permettent de dégager la spécificité de l'œuvre romanesque :

• analyse de l'ouverture et de la clôture du récit (voir ci-dessus « la structure romanesque ») : aux raisons esthétiques qui imposent d'emblée « la vision de la vierge naufragée » (Jean Fabre, *o.c.*), s'ajoutent les raisons morales énoncées dans l'*Avis* de 1789 : « il est dangereux de n'offrir à la vertu d'autre perspective sur la terre que le bonheur, et il faut apprendre aux hommes non seulement à vivre, mais encore à mourir » (p. 224). Ainsi la Vertu est à l'épreuve de la Providence car « il y a des maux si terribles et si peu mérités, que l'espérance même du sage en est ébranlée » (p. 183) ;

• le paradis de l'innocence ou jamais l'un sans l'autre (pp. 97-99) ;

• la nouvelle Arcadie ou le bonheur de la vie naturelle : la vie d'une petite société vertueuse, image d'une utopie condamnée (pp. 119-126) ;

• la découverte de l'amour ou « les symptômes d'un mal inconnu » (pp. 129-130) et les adieux de Paul et Virginie (pp. 142-145) ;

• une intéressante inscription du dialogue entre Paul et le narrateur dans la narration menée par le vieillard lui-même (pp. 161-174) permet de réfléchir sur les divers modes d'insertion du récit et sur sa théâtralisation par le discours (à comparer avec une présentation similaire dans le *Préambule*, pp. 36-45) ;

• l'amour brisé par la mort (pp. 181-184) : « Ô jour affreux ! Hélas ! Tout fut englouti » (p. 182). On peut étudier la dimension religieuse d'un dénouement qui met en scène toute une dramaturgie de la mort — de la déploration à la méditation lyrique, à rapprocher de « La Jeune Tarentine » d'André Chénier et de *La Nouvelle Héloïse* de Rousseau — et annonce le romantisme (Chateaubriand, *Atala*, voir pp. 277-281 ; Lamartine, *Le Lac*) ;

• sans oublier un original (et amusant !) hymne à la femme, parée de toutes les beautés de la vertu (Préambule, pp. 73-79) : « la première fondatrice d'une société humaine fut une mère de famille » (p. 74).

En parcourant les nombreuses pistes suggérées par la présentation du D.H.L. (pp. 205-207), on pourra compléter l'étude du roman par des recherches thématiques et intertextuelles :

• La vogue de la pastorale : en partant de l'archétype du genre, *L'Astrée* d'Honoré d'Urfé (1607), on peut caractériser un genre littéraire dont Florian, lui-même auteur de pastorales (*Galatée*, 1783 ; *Estelle et Némorin*, 1788), fixe les règles dans son *Essai sur la pastorale* (1787), contemporain de *Paul et Virginie*. Décor rustique, personnages à la simplicité naïve car native, vivant dans la Nature et la Vertu, autant d'éléments à définir dans l'œuvre de Bernardin de Saint-Pierre.

• Le premier grand roman exotique français, à situer dans un courant d'intérêt pour les récits de voyage particulièrement sensible dans un siècle où s'affirme l'expansion commerciale des colonies : *Voyage en Perse et aux Indes orientales de Chardin* (1711), *Voyage autour du monde* de Bougainville (1771) et le *Supplément* que celui-ci inspire à Diderot (1772), *Lettres édifiantes et curieuses de Chine* publiées par les missionnaires jésuites. Il est aussi intéressant d'observer comment la perspective s'inverse très rapidement pour présenter le regard de l'Étranger sur l'Européen : *Amusements sérieux et comiques d'un siamois à Paris* de Dufresny (1707), les *Lettres persanes* de Montesquieu (1721), les *Lettres péruviennes* de Madame de Graffigny (1747), *L'Ingénu* de Voltaire (1767). Voir *L'Importance de l'exploitation marinière au siècle des Lumières*, C.N.R.S., 1982.

4 - PRÉTEXTE

UNE IDYLLIQUE INNOCENCE ?

Le CI permet de commenter l'illustration de quelques passages précis du roman : ainsi l'épisode où les deux enfants passent le gué d'un torrent (p. 1, à rapprocher de la p. 107 pour le texte, et du commentaire de l'auteur pp. 49-50), puis, égarés dans la montagne, sont retrouvés par le chien Fidèle et le Noir Domingue (pp. 12, 109 pour le texte) ; celui où ils s'abritent ensemble de la pluie sous le jupon de Virginie (pp. 10, 98 pour le texte). De la « bande dessinée » conçue comme une succession d'images d'Épinal au début du XIXᵉ siècle (p. 3), reprise par les délicats motifs d'un papier peint (p. 16), à l'adaptation télévisée moderne (pp. 14-15), on peut aussi mesurer le succès de cette idylle parée des chatoyantes couleurs de l'exotisme : un rêve de fraternité dans de simples cases à l'ombre des palmiers (pp. 10 et 14 à rapprocher), où transparaissent pourtant l'autoritarisme colonial et la barbarie de l'esclavage (pp. 4-5, 6-7 et 8). Sur fond de lagon bleu, l'ancienne île de France, devenue île Maurice, demeure l'image d'un trop lointain paradis (pp. 4-5), immortalisé par la nostalgie d'un écrivain-philosophe qui se voulait savant et moraliste (p. 2).

Une curiosité à signaler : une adaptation à la scène de l'œuvre sous forme d'un opéra d'Erik Satie sur un texte de Raymond Radiguet et Jean Cocteau en 1920 !

GEORGE SAND
(1804-1876)

1 - MÉMENTO

Mes instincts avaient toujours été révolutionnaires, en ce sens que l'injustice était un spectacle antiphathique pour ma nature, et qu'un immense besoin d'équité chrétienne avait rempli ma vie dès mon plus jeune âge ; mais la confiance dans mes instincts ne m'est venue que peu à peu avec la certitude que le progrès est la loi vitale de l'humanité, et à mesure que je sentais ce progrès s'opérer en moi-même. Qui se sent vivre, sent et saisit la vie dans les autres ; et cette vie des autres vient alimenter et étendre la sienne propre. Je suis donc arrivée, sans grands efforts et sans fortes études, à cet état de lucidité dans la conviction où peut arriver toute âme sincère, sans qu'il lui soit besoin d'une trempe supérieure. Ce que je suis, tout le monde peut l'être ; ce que je vois, tout le monde peut le voir ; ce que j'espère, tout le monde peut y arriver. Il ne s'agit que d'aimer la vérité, et je crois que tout le monde sent le besoin de la trouver. » (Préface de l'édition des *Œuvres complètes* chez Hetzel en 1851-1856 ; PP n° 6059, pp. 283-284.)

« Mon communisme suppose les hommes bien autres qu'ils ne sont, mais tels que je *sens* qu'ils doivent être. L'idéal, le rêve de mon bonheur social, est dans les sentiments que je trouve en moi-même, mais que je ne pourrais jamais faire entrer par la démonstration dans les cœurs fermés à ces sentiments-là. » (Lettre à Giuseppe Mazzini, octobre 1850 ; PP n° 6059, p. 273.)

2 - VADEMECUM

DATES PRINCIPALES

1832	*Indiana.*
1833	*Lélia.*
1840	*Le Compagnon du tour de France.*
1842-1843	*Consuelo.*
1846	*La Mare au diable.*
1847-1848	*François le Champi.*
1848	*La Petite Fadette.*
1853	*Les Maîtres sonneurs.*
1854	*Histoire de ma vie.*

JUGEMENTS SUR L'AUTEUR

« Personne comme Mme Sand n'a peint l'enfance et les paysans sous le côté naïf et poétique. [...]

La Petite Fadette est l'œuvre d'un *écrivain d'imagination*, d'un poète dans le sens le plus élevé et le plus séduisant du mot. » (Article Fadette (La petite) du *Larousse du XIXe siècle*).

« Pour moi, je préfère, je l'avoue chez Mme Sand les productions simples, naturelles, ou doucement idéales ; c'est ce que j'ai aimé d'elle tout d'abord. Lavinia, Geneviève, Madeleine Blanchet, la petite Marie de *La Mare-au-Diable*, voilà mes chefs-d'œuvre. Mais il y a aussi des parties supérieures et peut-être plus fortes, plus poétiques en elle, et que je suis loin de méconnaître. C'est Jeanne, c'est Consuelo ; au fond, tout au fond, c'est toujours cette nature de Lélia, fière et triste, qui se métamorphose, qui prend plaisir à se déguiser et à se faire agréer, sous ces déguisements, de ceux mêmes qui ont cru la maudire en face. Et qu'est-ce que Consuelo, par exemple, sinon Lélia éclairée et meilleure ? » (Sainte-Beuve, *Causeries du lundi*, tome 1, « *La Mare au diable, La Petite Fadette, François le Champi*, par George Sand (1846-1850) ».

LA MARE AU DIABLE

« LIRE ET VOIR LES CLASSIQUES »
N° 6008

■ LIRE ET VOIR LES CLASSIQUES ■

George Sand
La Mare au diable

Ce quatrain en vieux français, placé au-dessous d'une composition d'Holbein, est d'une tristesse profonde dans sa naïveté. La gravure représente un laboureur conduisant sa charrue au milieu d'un champ. Une vaste campagne s'étend au loin, on y voit de pauvres cabanes ; le soleil se couche derrière la colline. C'est la fin d'une rude journée de travail. Le paysan est vieux, trapu, couvert de haillons. L'attelage de

PRESSES ♥ POCKET

---

1 - CONTEXTE

LE CONTEXTE DE PRODUCTION :
Principaux événements en 1846

- **En littérature :** Boucher de Perthes, *Antiquités celtiques et antédiluviennes ;* Michelet, *Le Peuple.*
- **En musique :** Berlioz, *La Damnation de Faust.*
- **Vie intellectuelle et sociale :** fondation de l'École française d'Athènes ; Proudhon, *La Philosophie de la misère.*

HISTOIRE ET FICTION

Le roman s'ouvre par une *notice* datée du 12 avril 1851, dans laquelle l'auteur s'adresse au lecteur à la première personne. Puis dans les deux premiers chapitres (le premier s'intitule « L'auteur au lecteur ») le *je* de l'auteur devient insensiblement celui du narrateur, présentant l'histoire de Germain comme vraie et contemporaine. Encadrée par deux fois deux chapitres, l'histoire proprement dite se déroule ensuite entre un vendredi à la saison des châtaignes (chap. 3) et le dimanche suivant (chap. 15). La nuit de l'ensorcellement auprès de la Mare au diable occupe une place centrale dans ce récit (chap. 7-11). L'*appendice,* prolongement ethnographique en même temps qu'épilogue, situe le mariage de Germain et de Marie au cours de l'hiver — suivant sans doute, mais peu importe — « aux environs du carnaval ».

2 - TEXTE

LE TITRE

La Mare au diable semble entraîner le lecteur dans le domaine de la légende populaire. Cependant le personnage du chanvreur et celui du fossoyeur signalent, en tant que « hérauts » du jeune couple, le statut du fantastique dans le roman : on n'y trouve pas de surnaturel, mais bien un sortilège, celui de l'amour qui conduit un laboureur naïf en passe d'épouser une riche veuve à faire sa femme d'une petite paysanne dénuée de tout. Le titre, en fait, unifie un roman disparate : à l'épisode romanesque se raccrochent un manifeste politique, la notice, ainsi qu'un appendice : l'étude presque ethnologique de ce rite de passage qu'est le mariage. Si *La Mare au diable* permet l'initiation amoureuse, cette dernière est récupérée dans une double idylle, amoureuse et politique.

L'ORGANISATION

● LE RÔLE DU FANTASTIQUE

La progression des personnages dans la forêt, voyage géographique et psychologique, va leur permettre de subir le travail du fantastique : métamorphose du paysage, présence du brouillard et de l'eau, apparition de la lune font basculer le monde normal dans un univers étrange sans points de repère. La Mare au diable, endroit infernal, est d'abord un piège, où l'on se perd, avant de devenir le lieu de la révélation. C'est en fait au désir que Germain et Marie ne peuvent échapper : l'étrangeté du monde fait signe à l'homme et lui apporte une connaissance supérieure, celle de la force cachée de l'amour. Germain ne peut prendre conscience de ce qui pousse Marie au bord de cette Mare au diable où les interdits sociaux se transgressent d'autant plus aisément qu'ils sont vaincus par d'autres, d'origine mystérieuse. Le rapport établi entre le magique (la mare) et le refoulé (Germain est sans femme depuis deux ans) constitue la véritable originalité de cette idylle. Mais c'est vers l'aube et non vers les ténèbres que l'on s'achemine après le baiser.

● L'IDYLLE AMOUREUSE ET POLITIQUE

Au matin de cette nuit « chargée de rêves dangereux », Germain s'en va trouver celle qui doit devenir sa femme, la veuve Guérin. Tout semble rentrer dans l'ordre. Alors pourquoi dans *La Mare au diable* cette victoire finale du cœur sur l'argent ? En fait si le schéma attendu peut s'inverser, c'est que Germain et Marie réalisent une sorte d'idéal de la paysannerie selon le cœur « socialiste » de George Sand. L'auteur oppose en effet deux villages, deux sociétés : les bons travailleurs pauvres et modestes, les riches souvent pervers et parfois coupables.

Qu'est-ce qui différencie les anges et les démons, les parvenus et les cœurs simples ? L'argent. Mais il ne faut pas dresser les hommes les uns contre les autres. Le roman, pour George Sand, « devrait remplacer la parabole et l'apologue des temps naïfs » (« L'auteur au lecteur »). Si le côté de chez Maurice l'emporte sur celui de chez Léonard, c'est que les « bons pauvres » possèdent ces vertus chrétiennes, l'humilité et la résignation.

S'ils sont bons parce qu'ils sont pauvres, les paysans doivent rester pauvres. Pour George Sand (cf. « appendice »), le progrès est une catastrophe : face au monde moderne, le monde rural apparaît comme un univers patriarcal, d'un « ailleurs » et d'un « avant » forcément positifs, où l'organisation sociale se reproduit dans ses rites.

Ainsi les textes de l'« appendice » accomplissent vraiment le récit, dont le sens est de faire disparaître les individus dans l'organisation ritualisée de la vie collective. L'idylle ayant rechargé les vieilles traditions, les héros se fondent dans la communauté.

3 - INTERTEXTE

● PREMIER CYCLE

1. - La géographie du diable : rechercher des légendes qui expliquent des appellations géographiques (cf. *Guides noirs*, Tchou-Hachette ; *Contes et légendes...*, Nathan).

2. - Le paysan et la paysanne : comparaison avec *La Petite Fadette* et *François le Champi*.

3. - Le fossoyeur dans *La Mare au diable* : comparaison avec le même personnage dans *Le Fossoyeur* et *Le Vieux Léon* de Brassens.

● SECOND CYCLE

1. - La terre et la femme dans *La Mare au diable*.

2. - Le folklore : les éléments exploités dans le roman, leur utilité, leur sens politique (voir DHL, pp. 210-218).

3. - La mission de l'art selon Sand (pp. 196-202 et 219-224).

4. - La nature du fantastique dans le texte.

5. - Comparaison avec *Les Paysans* de Balzac, 1844 (voir DHL, pp. 203-209) :
● les figures de femmes : la mère Maurice, Marie chez Sand ; la Tonsard, la Péchina chez Balzac ;
● les lieux paysans dans les deux romans, notamment les cabarets, les bois, la ferme des Ormeaux / le château ;
● les univers moraux des paysans d'après les deux romans (la tentative de viol de Marie, le viol de la Péchina) ;
● les deux dénouements (le domaine des Aigues dépecé / le sillon de Germain) : étude de leur sens politique.

4 - PRÉTEXTE

Le CI ouvre encore d'autres pistes de travail : le paysage de *La Mare au diable* et ses représentations (pp. 3, 12-13 et 16) ; George Sand dans le monde artistique de son temps (pp. 4-7) ; l'image du labour et sa signification symbolique (pp. 8-11) ; l'adaptation télévisée (pp. 10-12).

LA PETITE FADETTE

« LIRE ET VOIR LES CLASSIQUES »
N° 6059

---

1 - CONTEXTE

LE CONTEXTE DE PRODUCTION :
Principaux événements en 1848

- **En politique :** France : abdication de Louis-Philippe (23-24/2), élection d'une Assemblée constituante conservatrice (23/4), fermeture des ateliers nationaux (21/6), émeutes et répression par Cavaignac, Louis-Napoléon Bonaparte président de la République (10/12). Mouvements et défaites révolutionnaires en Europe. Annexion de la Californie et du Texas par les États-Unis.
- **En peinture :** « Confrérie préraphaélite ».
- **Vie intellectuelle et sociale :** John Stuart Mill, *Principes d'économie politique* ; Karl Marx, *Manifeste du Parti communiste* ; en France, mouvement féministe.
- Début de la ruée vers l'or en Californie.

HISTOIRE ET FICTION

Peu d'indications pour dater l'action de ce récit. Le père Barbeau, nous apprend la première phrase, est « du conseil municipal de sa commune » au moment de la naissance des « bessons ». La Révolution est passée. À la fin du roman, Sylvain a environ dix-neuf ans lorsqu'il s'engage ; on est « au temps des grandes belles guerres de l'empereur Napoléon ». Et dix années plus tard, le voilà capitaine. Il ne sera pas autrement question du contexte politique de cette histoire. Mais la condition paysanne décrite par George Sand est bien celle de ces années post-révolutionnaires, dans son Berry natal, et plus précisément entre Priche et Châteaumeillant.

2 - TEXTE

LE TITRE

George Sand s'en est elle-même expliquée : « Le vrai titre serait : les *bessons*. C'est un mot berrichon [...]. S'il ne vous va pas, [...] on pourrait donner [...] le nom de l'héroïne qui s'appelle *la petite Fadette*. Fadette est le diminutif de *fade, fée* » (PP, p. 251). L'édition Pierre Larousse de 1860 regroupa cette œuvre et quelques autres dont *La Mare au Diable* sous l'étiquette « Romans champêtres » et l'auteur avait pensé au sur-titre « Les Veillées du Chanvreur » pour sa trilogie qu'elle qualifiait de « contes villageois » (PP, n° 6008, p. 223).

L'ORGANISATION

• Un roman écrit par une femme engagée dans la révolution de 1848, qui assiste impuissante au retour d'un pouvoir fort élu par le peuple ; qui constate « le mal que les révolutions font remonter à la surface » ; mais qui ne perd pas pour autant foi en ses idées et qui, plus que jamais sensible à la misère du peuple, brosse à son intention — pour le distraire et « réconcilier les gens de bonne volonté » (P.P., p. 8) — un portrait flatteur du monde paysan qui le représente allégoriquement.

● Pourquoi le monde paysan ? C'est un monde qu'elle connaît bien pour y avoir passé son enfance. C'est là qu'elle a fui le tumulte parisien. C'est au contact de la nature qu'elle conserve son espérance. La peinture, volontairement édulcorée, est cependant réaliste et les grands problèmes sont évoqués : question des bras, pauvreté, problématique sociale du mariage.

● Mais ce choix s'inscrit aussi dans une époque où l'on commence à rechercher la province « comme un lieu où traîne le passé » et George Sand initie avec d'autres un « pèlerinage aux sources légendaires » (PP, p. 12). Ainsi *La Petite Fadette* est aussi un « conte merveilleux » dont toutes les fonctions et motifs se laissent aisément distinguer (PP, pp. 16-17).

3 - INTERTEXTE

EXPLICATIONS DE TEXTE

1. Chapitre 1 : La naissance des jumeaux ; **2.** Chapitre 2 : Sylvain et Landry ; **3.** Chapitre 8 : Landry chez les fées ; **4.** Chapitre 9 : Rencontre de Fadette ; **5.** Pages 104-105 : Au gué des Roulettes ; **6.** Chapitre 13 : La promesse ; **7.** Chapitre 18 : Dans la clairière ; **8.** Chapitre 27 : Sylvain tombe malade ; **9.** Chapitre 31 : La prédiction de la Baigneuse ; **10.** Chapitre 33 : La visite au père Barbeau ; **11.** Chapitre 39 : Un traitement énergique ; **12.** Chapitre 40 : Épilogue.

EXPOSÉS

1. - Réalités du monde paysan dans *La Petite Fadette*.
2. - Perception de la nature dans *La Petite Fadette*.
3. - Portraits de paysans : le couple Barbeau.
4. - Similitude et non-identité : le couple Sylvain-Landry.
5. - Fille, fée, animal : la petite Fadette.
6. - La condition féminine dans *La Petite Fadette*.
7. - *La Petite Fadette*, conte merveilleux.

4 - PRÉTEXTE

Le CI fournit plusieurs pistes de travail.

Les pages 1, 16 et la 4e page de couverture montrent quelques exemples de peintures ou gravures du XIXe siècle représentant le monde paysan. C'est l'occasion de rappeler que le sujet a inspiré de nombreux peintres de l'époque : l'un d'eux, Constant Troyon (1810-1865), dont une œuvre est reproduite ici (4e de couverture), travailla précisément dans le Berry. La contemplation de ces œuvres a parfois manifestement influencé les descriptions de George Sand dont on montrera aux élèves le caractère pictural. Dans le cadre d'une telle étude, on pourra compléter ces documents de ceux des pages 6 et 7 représentant un paysage berrichon, et surtout de visites de musées.

La Petite Fadette devenue poupée, ou la référence à George Sand sur l'étiquette de camembert (pp. 2-3) pourraient alimenter une recherche sur l'utilisation des succès de la littérature (relayée aujourd'hui par la BD et le cinéma) dans la promotion de produits divers. Mais ces images témoignent aussi de la réception de l'œuvre au même titre que les adaptations diverses (voir documents iconographiques, pp. 12-15 et dossier, p. 326) ; on peut éventuellement montrer le téléfilm.

Les pages 6 à 9 sont une invitation au voyage dans le Berry et à Nohant, si l'on n'en est pas trop éloigné, tant l'œuvre est indissociable du pays qui l'a vue naître et tant de fraîcheur y baignant les souvenirs de l'auteur.

Les pages 3, 10 et 11 enfin montrent des illustrations contemporaines des œuvres de George Sand. Elles peuvent être comparées à d'autres illustrations dans des éditions pour la jeunesse, si on en a l'opportunité.

STENDHAL
(1783-1842)

1 - MÉMENTO

« L'amour a toujours été pour moi la plus grande des affaires ou plutôt la seule. »

De l'amour.

Qu'ai-je donc été ?... Avais-je un caractère triste ?... Ai-je été un homme d'esprit ? »

Vie de Henry Brulard.

« Presque tous les malheurs de la vie viennent des fausses idées que nous avons sur ce qui nous arrive. Connaître à fond les hommes, juger sainement des événements est donc un grand pas vers le bonheur. »

Journal, 10 décembre 1801.

« J'ai écrit dans ma jeunesse des biographies (Mozart, Michel-Ange) qui sont une espèce d'histoire. Je m'en repens. Le *vrai*, sur les plus grandes comme sur les plus petites choses, me semble presque impossible à atteindre, du moins un vrai *un peu détaillé*... On ne peut plus atteindre, du moins un vrai que dans le Roman. »

« Étant donné les caractères d'un drame quelconque, trouver l'*intrigue*. »

2 - VADEMECUM

1814   *Vie de Haydn, de Mozart et de Métastase.*
1817   *Histoire de la peinture en Italie ; Rome, Naples et Florence ; Vie de Napoléon.*

1822 *De l'amour.*
1823 *Vie de Rossini ; Racine et Shakespeare.*
1827 *Armance.*
1829 *Promenades dans Rome.*
1830 *Le Rouge et le Noir.*
1834 Commence *Lucien Leuwen.*
1835 Commence *Henri Brulard.*
1838 *Mémoires d'un touriste.*
1839 Écrit *Lamiel* ; publie *La Chartreuse de Parme.*

« Beyle, original en toutes choses, ce qui est un vrai mérite à cette époque de monnaies effacées, se piquait de libéralisme, et était au fond de l'âme un aristocrate achevé. Il ne pouvait souffrir les sots ; il avait pour les gens qui l'ennuyaient une haine furieuse... »

Mérimée, *H.B.*

« Ce qui fait la vivacité du style de Stendhal, c'est qu'il n'attend pas que la phrase soit toute formée dans sa tête pour l'écrire. »

Gide, *Journal.*

« En somme la sincérité propre de Stendhal — comme toutes les sincérités volontaires sans exception — se confondait avec une comédie de sincérité qu'il se jouait »

Valéry, *Stendhal.*

Pour Gérard Genette *(Figures II)*, l'œuvre de Stendhal est « un texte fragmenté, morcelé, lacunaire, répétitif, et par ailleurs infini, ou pour le moins indéfini, mais dont aucune partie ne peut être séparée de l'ensemble » et selon Jean Prévost, l'impression de liberté que donne son œuvre vient de ce que « le mouvement de l'invention chez Stendhal est le même que le mouvement de la sympathie chez le lecteur » *(La Création chez Stendhal)*. Nombreux sont ceux qui pensent, comme Claude Roy *(Stendhal par lui-même)*, qu'Henri Beyle « a écrit deux romans qui comptent parmi les très rares œuvres absolument parfaites de la littérature » *(Le Rouge et le Noir, La Chartreuse de Parme).*

ARMANCE

« LIRE ET VOIR LES CLASSIQUES »
N° 6117

1 - CONTEXTE

EN 1827...

- **En politique :** en France, Restauration. Charles X, roi depuis 1824, s'appuie sur l'Église et les ultras, avec Villèle comme ministre.
- **En littérature :** Hugo, *Cromwell*, dont la préface est une affirmation des principes esthétiques de la révolution romantique ; Chateaubriand, *Voyage en Amérique* ; Mérimée, *La Guzai* ; Paul de Kock, *La Laitière de Montfermeil* (roman populaire à succès) ; triomphe à Paris des pièces de Shakespeare jouées par une troupe anglaise.

HISTOIRE ET FICTION

Le souci d'écrire un roman contemporain est évident, par le sous-titre que donne Stendhal à son récit : « quelques scènes d'un salon de Paris en 1827 ». La fiction anticipe même sur l'histoire, puisque le roman qui commence à l'automne 1827 se termine en mars 1829. De plus, ce qui, dès le deuxième chapitre, fait d'Octave un jeune homme riche, c'est la loi du milliard des immigrés, votée en réalité en 1825 (cf. DHL, pp. 253-256). Elle était destinée à indemniser les anciens immigrés dont les biens avaient été confisqués et vendus comme biens nationaux durant la Révolution, une trentaine d'années auparavant. En 1827, on avait donc déjà pu constater que l'aristocratie avait mis ces nouvelles ressources au service de son luxe personnel et non de l'économie de la nation. Elle avait véritablement cessé d'être une force vive. Les banquiers, au contraire, sont désormais, comme l'a d'ailleurs écrit Stendhal, « au cœur de l'État ».

2 - TEXTE

LE TITRE

Armance est le prénom de la cousine d'Octave de Malivert, le véritable héros du roman, âgé d'une vingtaine d'années. Pourquoi avoir choisi comme titre le prénom d'un personnage qui n'est que la partenaire du protagoniste ? Peut-être pour les mêmes raisons qui ont fait changer à Stendhal le premier prénom choisi pour son héros, « Olivier », qui évoquait trop directement deux romans récents ayant donné le prénom d'Olivier à un jeune homme affligé d'impuissance (pp. 244-248). De la même manière *Armance* détourne l'attention, enrichit la compréhension du roman : car le problème d'Octave n'est-il pas essentiellement celui du rapport à autrui, à Armance en premier lieu, mais aussi à sa classe sociale, à la société ?

L'ORGANISATION

● - Le « secret » d'Octave : le mystère de la mélancolie et de l'impassibilité d'Octave sont dus à une cause qui n'est jamais indiquée clairement par le roman, et que les critiques supposent être, d'après les commentaires de Stendhal lui-même, l'impuissance sexuelle. Cette infirmité lui interdit l'amour tel qu'on l'entend communément. Il se mariera cependant avec Armance, mais se suicidera peu après. Cependant il faut tenir compte du fait que Stendhal a soigneusement éliminé de son roman tout ce qui expliciterait le contenu du secret. Ce n'est pas seulement par pudeur, c'est aussi un moyen d'ouvrir des possibilités de lectures multiples. On peut très bien comprendre comme certains critiques (Dominique Fernandez) l'ont fait, que c'est l'homosexualité qui rend Octave incapable d'aimer une femme. Mais on doit aussi penser que le secret d'Octave n'est pas seulement de nature physiologique. C'est aussi une maladie de l'âme affaiblie. De nos jours Octave ne se tuerait pas : il ferait une psychanalyse qui découvrirait à ses yeux l'atmosphère de saturation pathologique dans laquelle il a baigné dès l'enfance.

● - La peinture d'une classe sociale. Octave est un aristocrate et le sous-titre du roman invite à considérer celui-ci comme une fresque d'actualité. Octave et les gens qu'il fréquente ne sont plus concernés par le devenir de la société dont ils font partie, mais obsédés par leurs aïeux et par les valeurs du paraître, héritées de l'Ancien Régime. Longtemps frustrés du pouvoir politique, au moment où la Restauration leur offre la possibilité de revenir sur la scène, ils se montrent dépassés par l'arrivée de la modernité, incapables de comprendre que c'est désormais la science et l'industrie (cf. p. 112) qui permettent le développement de la nation, et non plus les guerres. Le duel (pp. 153-157) qui met la vie d'Octave en danger, son désir rétrograde de partir en Grèce pour une Croisade moderne, en sont autant de signes, de même que l'inspiration contraire qui le pousse parfois à devenir un autre, un ingénieur, un professeur ou même un valet (pp. 118, 119, 129), témoigne du besoin qu'il éprouve de se revitaliser au contact des classes actives.

3 - INTERTEXTE

Le « secret » d'Octave peut rendre délicate l'étude de ce roman, par ailleurs de lecture facile ; mais il représente aussi un centre d'intérêt pour les adolescents extrêmement préoccupés par la question des rapports entre les deux sexes. Le DHL aidera à aborder cette question sous un angle impersonnel et historique, aussi bien du point de vue autobiographique — Stendhal rapporte une situation où il s'est montré impuissant en face d'une fort jolie femme, dans un contexte d'homosexualité latente du reste (p. 238) — que du point de vue de la pathologie sexuelle — ainsi Stendhal envisage les situations de « fiasco » (pp. 233-237) — et du commentaire de Stendhal sur *Armance* — la lettre à Mérimée (pp. 229-232).

Les rapprochements avec les héros de la duchesse de Duras et de Latouche fourniront l'occasion de mesurer la complexité d'Octave. Si la neurasthénie d'Aloys a inspiré Stendhal, la question du lien entre homosexualité et mal de vivre pourra aussi être abordée (pp. 249-252).

Par ailleurs, les travaux du médecin Cabanis ont beaucoup compté pour Stendhal : ce sera le moment de dater dans l'histoire des sciences l'apparition de l'idée qu'il existe un lien étroit entre physique et moral (pp. 241-243).

4 - PRÉTEXTE

Le CI permet d'approfondir d'autres aspects : la biographie de Stendhal et les liens étroits entre son œuvre et sa vie, avec le portrait de Clémentine Curial, pp. 2-5 (voir aussi Béatrice Didier, *Stendhal autobiographe*, P.U.F., 1983) ; les questions historiques du déclin de l'aristocratie malgré les espoirs placés dans l'avènement de Charles X (pp. 6-7), mais aussi de la guerre de l'indépendance de la Grèce (pp. 12-13) ; les indices disséminés dans le roman pour l'interprétation du secret d'Octave (pp. 10-11) ; les œuvres cinématographiques d'inspiration voisine — *La Chatte sur un toit brûlant, Le Bel Antonio, La Comtesse aux pieds nus* (pp. 14-16) — ; ou adaptant d'autres romans de Stendhal — *Le Rouge et le Noir, La Chartreuse de Parme* (p. 15).

LA CHARTREUSE DE PARME

« LIRE ET VOIR LES CLASSIQUES »
N° 6001

---

1 - CONTEXTE

LE CONTEXTE DE PRODUCTION :

En 1838, quand il entreprend, avec une imagination intacte et un enthousiame de jeune homme, ce roman qui sera son chef-d'œuvre, Stendhal a cinquante-cinq ans. Il est en congé pour raison de santé depuis 1836 et mourra à Paris trois ans après la publication de *La Chartreuse de Parme* (cf. repères biographiques, p. 567).

Parmi les événements notables de ces années 1838-1839, on retiendra :

● **En littérature :** Michelet est nommé professeur au Collège de France ; Balzac, *Le Cabinet des Antiques* ; Hugo, *Ruy Blas* ; Stendhal, *Mémoires d'un touriste* (1838) ; Balzac, *Béatrix* ; Sand, *Lélia* ; Vigny, *Le Mont des oliviers* (1839).

● **En musique :** Berlioz, *Benvenuto Cellini* (1838) ; Berlioz, *Roméo et Juliette* ; Schubert, *Symphonie en ut majeur* ; Chopin, *Préludes* ; Schumann, *Le Carnaval de Vienne* (1839).

● **En politique :** Mort de Talleyrand ; fin de la « guerre de Sept ans » en Espagne ; Abd El-Kader envahit la Mitidja.

• **Sciences et techniques** : traversée de l'Atlantique par le « Great Western » ; premiers daguerréotypes ; invention de la vulcanisation par Goodyear.

HISTOIRE ET FICTION

Écrit à bride abattue entre le 4 novembre et le 24 décembre, le dernier grand roman de Stendhal a pour origine une mince « chronique italienne » dénichée vers 1831 par l'auteur, alors consul à Civita-Vecchia, dans les archives privées qu'il s'amuse à annoter lors de séjours à Rome (cf. pp. 537-539). Celle-ci raconte l'ascension scandaleuse de la famille Farnèse au XVIᵉ siècle, ascension qui s'achève par le pontificat d'Alexandre en 1534, mais qui commence, écrit malicieusement le chroniqueur anonyme, par « la prostitution de Vendozza Farnèse, sa tante ». Ajoutons qu'Alexandre, cardinal à vingt-quatre ans grâce à Vendozza, a pour maîtresse « une noble dame du nom de Clélia » et nous voyons s'esquisser les personnages de Gina del Dongo, dite « la Sanseverina », de Fabrice son neveu, et de Clélia Conti son amante.

Par une transposition hardie, dont l'idée est du 3 septembre 1838, Stendhal, qui tentait, depuis deux ans, de réunir les matériaux d'une *Vie de Napoléon*, situe l'action de son roman à l'époque toute récente de la Restauration. *La Chartreuse de Parme* commence le 15 mai 1796, date de l'entrée des troupes bonapartistes à Milan. Un an après, naît le héros du roman, Fabrice, qui est vraisemblablement le fils naturel d'un lieutenant français hébergé dans la demeure du marquis Del Dongo. Le roman s'achève avec la mort du héros en 1830, suivie de près par celle de la comtesse Mosca.

Toute l'épopée napoléonienne, emportée, chez Stendhal, par une sorte de fougue juvénile et presque d'ivresse, vient buter sur la journée de Waterloo (18 juin 1815), à laquelle participe Fabrice (Livre 1ᵉʳ, chapitre 3). À partir de ce moment, en effet, l'exaltante aventure du libéralisme politique se referme, et les petits états italiens retrouvent

l'atmosphère de mesquine bigoterie, de censure, de dictature policière, que l'action bienfaisante (selon Stendhal)
des Français avait balayée.

2 - TEXTE

LE TITRE

Par une singularité dont Stendhal est coutumier, le titre
n'éclaire en rien le roman. Il n'intervient que dans les dernières lignes du livre, pour désigner le lieu où se retire
l'archevêque Fabrice, avant d'y mourir, un an après les
disparitions successives du fils que Clélia, mariée au marquis Crescenzi, lui avait donné secrètement, et de Clélia
elle-même, tuée par le chagrin et le remords.

UN TEXTE INCLASSABLE

La Chartreuse de Parme apparaît d'emblée comme un
texte inclassable, tant le narrateur y vagabonde, avec un
constant bonheur, une euphorie d'écriture véritablement
communicative, entre l'odyssée picaresque d'un jeune
homme doté par les fées de tous les dons dès le berceau,
et qui, malgré son activisme para-romantique, porte sur
les choses et les êtres un regard détaché, et la description
mi-fantaisiste, mi-figurative d'une Italie du Nord en
grande partie mythique, dont Stendhal, contre Grenoble
et l'image du père détesté, s'est voulu à toute force et
contre toute logique citoyen.

LE GOÛT DU BONHEUR

En même temps le sentiment poignant et tendre de la
fatalité et de la précarité du bonheur, lequel ne saurait se
trouver, en toute honnêteté à l'égard de soi-même, que

dans la passion amoureuse gratuite et désintéressée, imprè-
gne *La Chartreuse de Parme*.

Le secret du charme magique de ce livre tient peut-être
à ceci : aucun drame humain ne peut s'y inscrire qui ne
soit aussi lisible autrement, avec une certaine ironie ou au
moins de la désinvolture. Les bonheurs les plus intenses
y naissent en prison, dans une cellule élevée, au voisinage
des oiseaux, en vertu d'une certaine activité des âmes
d'élite (celle de Fabrice, mais aussi celles des deux femmes
qui l'entourent, et même, par moments, celle du comte
Mosca qui aime et épouse la Sanseverina tout en sachant
qu'elle aime Fabrice, qu'il aime également...).

3 - INTERTEXTE

La Chartreuse de Parme aurait pu, elle aussi, s'intituler *Le Rouge et le Noir*.

Fabrice, adolescent dont l'âme brûlante est pleine
« d'énergie », à la nouvelle que Napoléon s'est évadé de
l'île d'Elbe, se rend en Belgique, dans l'espoir de se battre aux côtés du grand homme dont l'image le facine
(comme elle fascine Stendhal lui-même : cf. pp. 540-541)
et reçoit le baptême du feu à Waterloo où s'évanouissent
ses rêves de gloire et ses illusions héroïques.

Après le rouge, le noir : sa carrière militaire prématu-
rément arrêtée, Fabrice, de retour en Italie, est poussé par
sa tante Gina dans la voie ecclésiastique. Celle-ci use de
son influence auprès du comte Mosca, premier ministre
du duché de Parme, dont elle est la maîtresse, pour assurer
l'ascension de ce neveu qu'elle affectionne particulièrement
en dépit de ses frasques et de ses liaisons tumultueuses avec
des comédiennes (Marietta) et des cantatrices (Fausta).
Les années d'apprentissage de ce curieux théologien sans
cesse poursuivi par la police et par des rivaux (il a tué le
protecteur de Marietta) sont riches en rebondissements.
Condamné pour meurtre à douze ans de prison, Fabrice
est conduit en captivité à la Tour Farnèse (ce nom seul

est passé sans modification de la chronique originelle dans l'intrigue) en 1882.

C'est là qu'il s'éprend de Clélia Conti, la fille du gouverneur de la forteresse. De tels épisodes romanesques, chargés de péripéties et de rebondissements, foisonnent dans *La Chartreuse de Parme*, sur fond d'Italie plus rêvée que réelle, mais riche en personnages secondaires (gendarmes, ouvriers, cochers, hôtesses), pleins d'une vie intense et d'une vérité pittoresque.

4 - PRÉTEXTE

Le CI permettra :

• d'éclairer le contexte de la production et de la publication du roman (pp. 1, 2, 3, 7).

• de préciser les sources d'inspiration de Stendhal : images de la Renaissance italienne (pp. 4-5), lieux réels (p. 6) et mythiques (p. 10), références historiques (pp. 8-9).

• de comparer le texte à des représentations : gravures d'époque (pp. 11-19) et images filmiques (pp. 14-16).

Aux jugements de Balzac et de Proust sur *La Chartreuse* (cf. DHL, pp. 554-566), on ajoutera deux formules. Charles Maurras y voyait « un charmant manuel de coquinologie politique », tandis que Paul Valéry disait qu'il « songe à l'opérette ». Deux formules réductrices dans lesquelles le roman ne peut évidemment pas se laisser enfermer...

LE ROUGE ET LE NOIR

« LIRE ET VOIR LES CLASSIQUES »
N° 6028

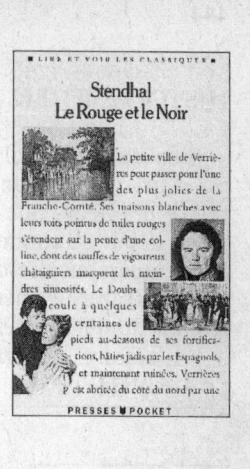

1 - CONTEXTE

LE CONTEXTE DE PRODUCTION :

Le sous-titre « Chronique de 1830 » et la référence à Danton placée en exergue du roman (« la vérité, l'âpre vérité ») inscrit d'emblée le texte dans une perspective socio-politique. Celui qui affirme fonder la fiction sur la vérité (« un roman est un miroir qui se promène sur une grande route », p. 406) et « copier les personnages et les faits d'après nature » ne pouvait manquer de refléter les grandes mutations qui ont affecté le XIXe siècle et de traduire le sentiment d'accélération de l'histoire.

Commencé en octobre 1829, l'ouvrage, qui est en pleine gestation alors que la Révolution de Juillet fait rage, sera publié en novembre 1830 (cf. repères biographiques, p. 573).

Mais 1830, c'est aussi le triomphe du romantisme.

● **En littérature :** V. Hugo, *Hernani* (qui provoque la fameuse « bataille ») ; A. de Lamartine, *Harmonies philosophiques et religieuses* ; A. de Musset, *Contes d'Espagne et d'Italie.*

● **En musique :** H. Berlioz, *La Symphonie fantastique* ; F. Liszt, *Symphonie révolutionnaire.*

● **En peinture :** E. Delacroix, *La Barricade.*

HISTOIRE ET FICTION

Bien que Stendhal ne précise jamais la chronologie, il est clair que l'action se passe dans les années 1830 (on relève d'ailleurs une allusion au triomphe d'*Hernani*).

Au début du roman Julien a 19 ans ; il meurt à 23 ans. L'intrigue s'inspire de deux faits divers :

• L'affaire Berthet (jeune homme qui tue la mère des enfants dont il avait été précepteur), 1827 (cf. pp. 575-581).

• L'affaire Lafarge (drame passionnel), 1829 (cf. pp. 583-584).

2 - TEXTE

LE TITRE

On a proposé plusieurs interprétations du titre (cf. pp. 5-6). Elles prennent en compte le goût de l'époque pour les oppositions de couleurs (ex. Dumas, *Les Blancs et les Bleus*) ou bien le désir de Stendhal d'intriguer son lecteur. Certaines veulent y voir le symbole du bourreau (exécution finale) et du prêtre. Il vaut mieux, semble-t-il, se reporter à l'auteur lui-même : « Le Rouge signifierait que, venu plus tôt, Julien Sorel, eût été soldat, mais que, dans l'époque où il vécut, il dut se faire prêtre, de là le Noir » (Henri Martineau).

LE PERSONNAGE CENTRAL

Le personnage de Julien Sorel est très complexe. Rejoindra-t-il le camp des passifs, préfiguration des désenchantés de Flaubert, artistes ou résignés ? Se rangera-t-il, au contraire du côté des Rastignac, représentés ici par Tanbeau, au nom transparent ? Tout en se disant plébéien, Julien est ouvert aux livres et à l'étude, ce qui le marginalise. Héritier spirituel du XVIIIᵉ siècle, il présente ce mélange de sensibilité et de narcissisme très particulier qui caractérise son modèle : Rousseau. Il hésite entre Tartuffe, chez qui prévalent les moyens, et Napoléon, qui sacralise la fin. C'est cette même oscillation qui l'empêche d'être un politique. D'où la contradiction de Julien : un pessimisme qui condamne une société mourante à ne pas avoir de grands hommes et, conjointement, une aspiration à être un grand homme.

Ajoutons à cela la haine farouche qu'il voue à son père, un petit charpentier rude et sévère. C'est cette aversion viscérale pour l'image paternelle qui le poussera à berner sans scrupule le grossier M. de Rênal comme l'autoritaire marquis de la Môle : le premier n'est-il pas *maire* du village de Verrières et le second *pair* de France ?

Faut-il voir en Julien Sorel un jeune homme ambitieux qui cherche, à travers ses exploits amoureux, à faire reconnaître son mérite par des maîtres qu'il méprise ? Ou encore un être sensible, à la recherche de l'âme-sœur (son patronyme évoque justement la « sorella ») à la fois douce et ardente, tendre et passionnée ?

LA LEÇON D'UN ÉCHEC

La Restauration, malgré sa médiocrité, ne permet plus à de nouveaux Bonaparte d'envahir ses terres. Les conquêtes amoureuses que Julien mène avec la lucidité d'un stratège, sont l'œuvre d'un individu plus souvent porté par une haine de classe que par une passion pure. Séduire Mᵐᵉ de Rênal ou séduire Mˡˡᵉ de la Môle, c'est une façon d'atteindre des honneurs, mais surtout d'attenter à l'honneur de cette noblesse au pouvoir. Son entreprise échoue de peu. Mᵐᵉ de Rênal, dans sa jalousie qui camoufle peut-être inconsciemment une solidarité de classes, évite au marquis de la Môle la mésalliance à laquelle il s'était résolu. La greffe est rejetée. « Homme malheureux en guerre contre la société », Julien Sorel accepte alors avec une étonnante passivité le verdict du tribunal qui, en le condamnant, signifie l'échec des aspirations forcenées de toute une génération.

3 - INTERTEXTE

L'histoire s'inscrit dans un triple espace symbolique :
- Une petite ville de province : Verrières. C'est le monde des notables où le conservatisme est surtout passif, mais sait à l'occasion se déchaîner contre les récalcitrants. L'influence majeure est celle de la Congrégation, ordre religieux qui dirige les consciences par la confession et l'organisation très contrôlée de la charité, véritable impôt religieux. Frilair, futur évêque, et Valenod, qui sera maire, sont les agents de la Congrégation.
- Une grande ville de province : Besançon. C'est la pépinière du militantisme ultra et clérical. On y forme des marionnettes en vue de la représentation ecclésiastique. Celle-ci est méchante, vidée de contenu charitable, pure forme sociale dont le dessein est de servir la réaction.
- La capitale enfin : Paris. Julien y connaît ce qui tient le haut du pavé, les salons vides de pensées et pleins de « nigauds à tranche dorée ». La délation y est une menace permanente. Mais on complote de part et d'autre, du côté réactionnaire comme du côté libéral.

À l'organisation spatiale correspond une hiérarchisation sociale. Notons aussi la présence, chère à Stendhal, de la poésie des lieux élevés qui nourrit la rêverie des héros et marque une forme d'aspiration à l'ascension sociale, particulièrement vive chez ce plébéien qui rêve d'avoir « la destinée de Napoléon » : « Julien prenait haleine un instant à l'ombre de ces grandes roches, et puis se remettait à monter. Bientôt par un étroit sentier à peine marqué et qui sert seulement aux gardiens des chèvres, il se trouva debout sur un roc immense et bien sûr d'être séparé de tous les hommes. Cette position physique le fit sourire, elle lui peignait la position qu'il brûlait d'atteindre au moral. L'air pur de ces montagnes élevées communiqua la sérénité et même la joie à son âme » (p. 86).

4 - PRÉTEXTE

Le CI permettra d'une part de visualiser les repères biographiques et historiques (pp. 1-11), d'autre part de se remémorer quelques-unes des principales adaptations du *Rouge et le Noir* à l'écran (pp. 12-16). Le roman se prête tout particulièrement à une animation autour du film de Claude Autant-Lara. On comparera le film et le roman, notamment la mise en images des pensées intérieures décrites par le romancier. On essaiera, à partir du scénario, de préciser la notion d'écriture filmique.

Comme lectures complémentaires, on suggèrera de regrouper les œuvres qui tournent autour des différentes figures de Julien :

• L'aventurier : Rastignac *(Le Père Goriot* ; fiche n° 9), Maxime du Trailles *(Le Député d'Arcis)*, Henri de Marsay *(La Fille aux yeux d'or)*, Turelure (Claudel, *L'Otage, Le Pain dur)*.

• Le précepteur (et plus particulièrement les précepteurs amoureux) : Saint-Preux (Rousseau, *La Nouvelle Héloïse)*, Jane Eyre (C. Brontë, *Jane Eyre* ; fiche n° 14) et puis aussi Lentz, *Le Précepteur* ; H. James, *L'Élève*.

• Le séducteur-ambitieux : Lovelace (Richardson, *Clarisse Harlowe)*, Villefontaine (Dancourt, *Le Chevalier à la mode)*, Faublas (Louvet de Couvray, *Les Amours du chevalier de Faublas)*, Rodolphe Boulanger (Flaubert, *Madame Bovary* ; fiche n° 22), Claveroche (Musset, *Le Chandelier)*, Lantier (Zola, *Les Rougon-Macquart)*, Georges Durry (Maupassant, *Bel-Ami* ; fiche n° 39), etc.

• On s'attachera enfin à retrouver les traits de Julien Sorel dans les autres romans de Stendhal : *Armance, Lucien Leuwen,* Fabrice del Dongo *(La Chartreuse de Parme)*, Pietro Missirili *(Vanina Vanini)*, *Lamiel*.

ROBERT-LOUIS STEVENSON
(1850-1894)

1 - MÉMENTO

« Il appartient à la classe de ceux qui ont la matière et la manière » (Henry James). Stevenson voit dans le roman l'art de l'avenir. Pour lui, les fictions répètent, réarrangent, clarifient les leçons de la vie. Les romans « nous désengagent de nous-mêmes, ils nous obligent à la connaissance des autres, et ils existent non parce qu'ils ressemblent à la vie, mais qu'ils en diffèrent incommensurablement ». De là cette magnifique définition de la lecture : « Dans tout ce qui a trait à la lecture, l'activité proprement dite devrait être voluptueuse et captivante ; nous devrions dévorer un livre des yeux, nous sentir arrachés à nous-mêmes, et nous trouver à la fin l'esprit plein d'un kaléïdoscope d'images dansantes [...] » (1882).

2 - VADEMECUM

1879 *Voyage dans les Cévennes avec un âne.*
1882 *Nouvelles Mille et Une nuits* (vol. 1), contes.
1883 *Les Pionniers du Silverado. L'Île au trésor* (volume). *La Flèche noire* (feuilleton).
1886 *Le Cas étrange du Dr Jekyll et de M. Hyde.*
1888 *Le Maître de Ballantrae.*
1892 *La Traversée des plaines ; Le Trafiquant d'épaves.*
1895 *Dans les Mers du Sud*, recueil d'articles posthume.
1896 *Hermiston, le juge-pendeur*, posthume.

L'ÎLE
AU TRÉSOR

« LIRE ET VOIR LES CLASSIQUES »
N° 6065

1 - CONTEXTE

LE CONTEXTE DE PRODUCTION : 1883

Voir la fiche n° 46.

HISTOIRE ET FICTION

L'action se passe quelques années avant « l'an de grâce 17... », moment où le narrateur prend la plume pour raconter ses aventures. Postérieure à 1745, sa durée peut être déterminée grâce à quelques indications éparses. Roman d'aventures, *L'Île au trésor* renvoie à toute la mythologie prestigieuse de la piraterie, particulièrement florissante au XVIIIe siècle. Roman d'initiation, il utilise cette trame pour mettre en scène l'apprentissage de Jim, le jeune héros. Il deviendra un « gentleman » vivant dans une société de marins et de commerçants.

2 - TEXTE

LE TITRE

Le titre, traduit littéralement de l'anglais : *Treasure Island*, assure d'emblée une entrée dans les prestiges de l'aventure et du rêve. D'une part l'exotisme de l'île, riche de nombreuses connotations (éloignement, isolement, liberté, beauté, mystère...) et d'une abondante intertextualité *(Robinson Crusoë, L'Île mystérieuse...).* D'autre part le trésor, qui suppose la quête, la découverte, et laisse deviner une lutte pour sa conquête. Depuis au moins Jason et les Argonautes, ce thème hante l'imaginaire.

L'ORGANISATION

Les 34 chapitres adoptent une structure classique du roman d'aventures. Les ingrédients nécessaires (pirates, trésor, île, jeune héros...), les éléments mystérieux (la position de l'île, l'identité des pirates...), les épisodes mouvementés (combats, coups de théâtre, enlèvement, etc.), les héros pittoresques (le courageux garçon, les affreux flibustiers, et même un insupportable perroquet) composent la recette infaillible. Mais, sous cette trame, le roman se constitue d'abord comme roman sur le courage, et donc sur les valeurs. En effet, il y a plusieurs héros qui défendent une bonne cause : Jim, le chevalier Trelawny, le capitaine Smollett. En face, les pirates, Billy Bones et John Silver, font preuve d'un même courage, mais ils sont socialement, sinon moralement, disqualifiés. On notera que dans ce roman viril, la seule femme, la mère de Jim, se montre l'égale des hommes. Enfin, il s'agit d'un roman initiatique, où un jeune garçon entre dans la société des adultes par une série de rites : doué des qualités qui font de lui un aventurier né, Jim se fait reconnaître et apprend le code de l'honneur. Il achève son éducation, devenant un véritable Anglais.

3 - INTERTEXTE

Suggestions pour un parcours méthodique

• Billy Bones (ch. 1) ; • les papiers du capitaine (ch. 6) ;
• Long John Silver (ch. 10) ; • l'île (ch. 14) ; • l'attaque
(ch. 21) ; la tache noire (ch. 29) ; la chute d'un chef
(ch. 33).

Le DHL permet un parcours historique et thématique.
• La constitution du mythe de la piraterie (pp. 275-321),
qui permet de combiner récits véridiques et traitement littéraire.
• Une comparaison de *L'Île au trésor* avec *L'Île mystérieuse* de Jules Verne et *Le Scarabée d'or* d'Edgar Poe
(pp. 357-368).
• Une problématisation littéraire du roman populaire
centrée sur Stevenson (pp. 323-355).
• *L'Île au trésor* comme roman personnel et onirique
(pp. 379-411).

À ce dossier particulièrement riche, l'on peut ajouter
le roman d'aventures (tout particulièrement les autres
romans de Stevenson comme *Le Naufrageur*, ceux de
Conrad, comme *Le Nègre du Narcissus* ou *Typhon*, ceux
de Melville comme *Billy Budd* et *Moby Dick*), le thème
de la quête et de la chasse au trésor, le thème de l'île, le
roman d'apprentissage. Le personnage du pirate permet
une traversée du XIXᵉ siècle. Pour situer le roman dans
le genre, on se référera au *Roman d'aventures*, par Jean-
Yves Tadié, P.U.F., coll. « Écritures », 1982.
Parmi les textes redevenus disponibles, signalons l'intérêt des Mémoires de Garneray, notamment *Corsaire de
la République* (Payot, 1991). Chez le même éditeur, on
lira *Les Pirates* de Gilles Lapouge, et, dans la collection
Découverte-Gallimard, *Sous le pavillon noir. Pirates et flibustiers,* de Philippe Jacquin (n° 45).

4 - PRÉTEXTE

Le CI fait largement appel aux adaptations cinématographiques, puisque le cinéma s'est maintes fois approprié ce chef d'œuvre. La version de 1972 (pp. 6, 8, 16), celle de 1991 (pp. 1, 15) peuvent être confrontées aux versions noir et blanc de 1920 et 1934. Se trouve également exploitée la filmographie des pirates et flibustiers (pp. 12-15) qui compose une pittoresque galerie de portraits. Il est dès lors possible de mettre au point une physiognomonie du pirate ou du corsaire, et de réfléchir sur le stéréotype. L'on reviendrait alors au portrait écrit. L'on ajouterait des bandes dessinées, car le thème y est particulièrement fécond depuis au moins *Le Trésor de Rackham le Rouge*.

La figure mythique de Long John Silver donne lieu à plusieurs représentations graphiques (pp. 7, 11) et cinématographiques (pp. 1, 6, 9, 10, 15, 16, 4e de couverture). Mais l'on trouve également Jim (pp. 7, 8, 9, 11, 16) et Billy Bones (p. 8).

Outre une documentation sur Stevenson (pp. 2-3), on a un panorama littéraire (pp. 4-5) qui renvoie à l'intertextualité.

La documentation disponible dans un ouvrage comme *Sous le pavillon noir* complétera cet ensemble. Elle ouvrira encore plus sur la question de la figuration de l'imaginaire, son évolution dans le temps, son rapport avec l'imagerie plus conforme à la réalité.

On pourrait également rassembler des documents sur les îles réelles et rêvées. Inscription d'un onirisme utopique, rêverie géographique, aspiration au monde clos, nostalgie du paradis perdu... : tout milite pour faire de l'île l'un des sujets iconographiques privilégiés. On n'omettra pas la carte (p. 6), en confrontant des cartes authentiques aux cartes imaginaires, fréquentes dans ce genre littéraire.

JULES VALLÈS

(1832-1885)

1 - MÉMENTO

« Toutes ses sympathies vont à ceux qui choisissent l'indépendance ou l'aventure, aux réfractaires en dehors de l'institution, aux pauvres, aux obscurs, aux sans-grade pittoresques. Car on aurait tort de réduire Vallès à la colère ou à l'amertume. Il y a dans son œuvre une sensibilité très grande à la beauté, à la souffrance, à l'émotion. Mais sans grandes phrases, avec pudeur et humour. Rien n'échappe à son regard, y compris les ridicules de ses amis ou les siens propres. Selon son expression, il rue et se cabre, ''trouvant en route de l'ironie et de la colère'', avec un ''style de pièces et de morceaux que l'on dirait ramassés, à coups de crochet, dans des coins malpropres et navrants''. Même là, Vallès est un insurgé : abandonnant toutes les lourdeurs de la rhétorique ancienne, il invente une forme rapide, concise, libérée ».

Dictionnaire Larousse des littératures, 1986.

2 - VADEMECUM

CHRONOLOGIE DE L'ŒUVRE

Dans la vie du proscrit Jules Vallès, condamné à mort par contumace le 4 juillet 1872 pour sa participation à la Commune de Paris, *L'Enfant*, qui est une autobiographie partielle et déguisée, a connu une gestation difficile. Le personnage de Jacques Vingtras, double de l'auteur, ébauché en 1865 sous le nom de Jean Delbenne, déjà très reconnaissable en 1869 dans *Le Testament d'un blagueur,* apparaît pour la première fois dans le feuilleton *Jacques Vingtras,* publié sous le pseudonyme de La Chaussade en 1878 (Vallès est alors en exil à Londres) dans *Le Siècle,* sur les instances d'Hector Malot, ami de Vallès. En 1879, le texte remanié paraît, sous le pseudonyme de Jean La Rue, et le titre *Jacques Vingtras, L'enfant,* chez Charpentier (l'éditeur de Zola). La loi d'amnistie ayant été votée le 10 juillet 1880, Vallès rentre à Paris, et le livre qui lui tient fort à cœur, puisqu'il constitue le premier volet d'une trilogie qui explique et justifie les deux volets suivants *(Le Bachelier* et *L'Insurgé)*, est enfin publié en 1881 sous le véritable nom de l'auteur.

UN ART SOCIAL

« Avec Zola, Vallès fonde la tradition d'un art social, où le peuple intervient, non plus comme chez les romantiques, à titre de référence idéalisée, mais bien en acteur vivant du drame historique, avec ses mœurs, sa logique, son parler. Cette évocation des classes opprimées n'est pas ici simple curiosité d'auteur ».

Ch. Doumet - J. Pécheur,
Littérature française, Hachette, 1985.

L'ENFANT

« LIRE ET VOIR LES CLASSIQUES »
N° 6015

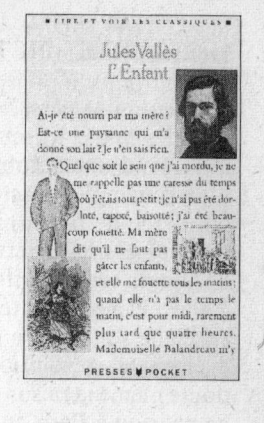

---

1 - CONTEXTE

LE CONTEXTE DE PRODUCTION :
Principaux événements

- **En littérature :** 1880 : P. Loti, *Le Mariage de Loti* ;
L. Wallace, *Ben Hur* ; 1881 : G. Flaubert, *Bouvard et Pécuchet* (posthume) ; A. France, *Le Crime de Sylvestre Bonnard* ; P. Verlaine, *Sagesse* ; O. Wilde, *Poèmes*.

- **En musique :** 1880 : J. Brahms, *Danses hongroises* ;
1881 : G. Fauré, *Ballade*.

- **En peinture :** 1880 : C. Monet, *Nature morte aux pommes et raisin* ; A. Renoir, *Baigneuse, Place Clichy* ;
1881 : P. Cézanne, *Nature morte*.

- **Sciences et techniques :** introduction du radiateur à gaz et confection du papier à bon marché avec de la pâte de bois (1880) ; début de la construction du canal de Panama (1881).

- **En politique :** en France, le Parlement rentre à Paris (1880) ; début de l'expansion coloniale de la IIIe République : les Français occupent la Tunisie (traité du Bardo, 1881).

HISTOIRE ET FICTION

L'action se passe, sans jamais être précisément datée, entre les cinq et les seize ans du héros, mais, puisqu'il s'agit à la fois d'une autobiographie par *alter ego* interposé et d'un roman (le « pacte autobiographique » n'y fonctionne donc que de façon biaisée), elle ne recoupe qu'approximativement les divers épisodes de la vie de l'auteur. Des décalages significatifs sont repérables : ainsi à seize ans, Vallès, élève à Nantes, fait voter dans son collège — où enseigne son propre père — des motions de soutien aux événements révolutionnaires de février 1848 : c'est sans doute même la raison principale pour laquelle il est envoyé en pension à Paris en septembre de la même année. Dans le roman, Vingtras, à seize ans, et déjà de retour à Nantes, après avoir simultanément découvert à Paris, dans l'écœurement, l'atmosphère de la « pension Legnagna » où il prépare sans plaisir ses « humanités » et dans l'enthousiasme le métier de typographe et la presse d'extrême gauche.

L'Enfant n'offre pas un récit continu, mais plutôt une série décousue et lacunaire de tableaux, ou de vignettes, montrant le petit garçon, puis le garçonnet, enfin le jeune homme vigoureux et bagarreur, successivement au Puy, à Saint-Étienne, à Nantes, à Paris, puis à Nantes de nouveau, où le récit s'achève de manière abrupte sur une réconciliation improbable (elle n'eut pas lieu udans la réalité) entre Jacques et son professeur de père, la réconciliation avec la mère étant censée s'être produite à Paris un peu avant (elle n'eut apparemment pas lieu non plus, au moins sous cette forme spectaculaire et touchante, dans l'existence de Vallès).

2 - TEXTE

LE TITRE

En 1876, Vallès hésitait encore entre les titres suivants : *Enfance d'un fusillé, Enfance d'un révolté, Enfance d'un réfractaire* et le titre, à valeur plus universelle, *L'Enfant*, qui s'inscrit dans le paradigme de la trilogie avec *Le Bachelier* (qui couvre les années 1848 à 1857) et *L'Insurgé* (qui reprend le fil de la narration autobiographique pour la terminer en 1871 avec la chute de la Commune de Paris). C'est dire son obsession de montrer que, dans son propre itinéraire de révolutionnaire, l'enfance meurtrie a joué un rôle décisif (sur la genèse de la trilogie, cf. pp. 351-354).

L'ORGANISATION

À travers les différentes saynètes du livre, souvent très enlevées et construites, une vivante image de la vie de province dans la seconde moitié du XIXᵉ siècle s'élabore par petites touches. Il s'agit pour l'essentiel d'une famille restreinte, réduite aux parents immédiats et à l'enfant unique (Vallès transpose sa propre enfance en la transformant au point de gommer l'existence d'une sœur cadette, qui allait devenir folle en 1853, et des cinq autres rejetons issus de l'union d'une pauvre paysanne et du fils d'un petit propriétaire terrien, tous morts en bas âge).

Dans ce riche et subtil roman familial, l'enfant est victime moins d'une absence d'amour que (conjointement) du sacrifice pitoyable que fait une mère au mythe de la promotion sociale « par le travail et par l'épargne » (la formule est de Guizot, idéologue de la Monarchie de Juillet), et de la sourde mésentente opposant une femme amoureuse de son mari mais ridicule et maladroite, à son malheureux époux, d'abord pion, puis professeur de collège, enfin agrégé (et, dans cette ascension, soumis à des humiliations constantes), qui cherche un peu de bonheur ailleurs qu'au foyer conjugal.

Enfin, *L'Enfant* est une charge pleine de verve et de violence contre « les valeurs » sur lesquelles repose l'ordre sacro-saint de la famille et de la société : hiérarchie, cléricalisme, culte des humanités gréco-latines, etc.

L'Enfant offre une voie d'approche privilégiée au problème de l'autobiographie. On observera comment il se distingue du genre au sens strict, tout en entretenant avec lui des rapports plus naïvement directs que réellement concertés.

3 - INTERTEXTE

À certains égards, *L'Enfant* constitue un témoignage irremplaçable dans notre littérature sur les couches populaires, l'Auvergne, l'ascension sociale et ses servitudes, sous la Monarchie de Juillet. C'est une mine de renseignements sur les conditions ouvrière et paysanne, les activités et divertissements provinciaux, la rue et le cabaret, la misère de la fonction enseignante, et par-dessus tout, la situation, souvent effroyable, faite aux enfants dans une société où l'autorité du *pater familias* a encore un caractère presque romain.

Le style de Vallès est d'un journaliste, anecdotique, rapide, parfois trop pressé ou trop enclin à préférer la joliesse du coup d'œil, du crayon ou de la patte, à la rigueur d'une écriture romanesque véritable.

La consultation du DHL (pp. 349-350 et pp. 375-378) et des extraits du *Bachelier* (pp. 357-365) et de *L'Insurgé* (pp. 366-374) permet de repérer les révoltes qui ont marqué l'existence de Vingtras-Vallès.

On peut se demander, puisque la trilogie a un caractère si nettement autobiographique, pourquoi l'auteur a eu recours au subterfuge du pseudonyme. En fait, il ne s'agit pas d'un simple artifice littéraire : Vallès qui écrit son œuvre longtemps après l'événement, entend marquer une distance entre lui, narrateur, et son « personnage » ; le dédoublement des sujets (sujet de l'énonciation et sujet de l'énoncé) se traduit par le recours à un patronyme à la fois semblable et différent. C'est la parole de Jacques Vingtras — enfant, bachelier, insurgé — que l'on perçoit, non celle de l'écrivain. Écrite à la première personne, au présent, dans un style parlé, direct et familier, l'œuvre institue justement une rupture avec la conception bourgeoise du roman autobiographique classique : cette écriture violente, parfois forcenée et éclatée, devient ainsi elle-même la métaphore de la révolte totale.

4 - PRÉTEXTE

Le CI met particulièrement en valeur les figures, les lieux et les événements qui ont marqué la vie de Jules Vallès : Saint-Étienne, Nantes et Paris ; Courbet (le grand peintre réaliste, ami de Proudhon), les journalistes qui dérangent l'ordre établi (Émile de Girardin, Henri Rochefort), Séverine, l'âme sœur, et les amis politiques (Victor Ranvio, Hector Malot). C'est aussi l'évocation des classes sociales : paysans (pp. 2-3), ouvriers (p. 12), étudiants (p. 10) qui fraternisent sur les barricades de 1848 (pp. 10-11) avant de voir le rêve de la Commune écrasé (pp. 14 et 15) par une bourgeoisie soucieuse d'un ordre moral (p. 13) dont l'École semble à Vallès être le symbole révoltant (p. 16).

JULES VERNE
(1828-1905)

1 - MÉMENTO

Il y a un « cas Verne » (voir M. Soriano, in « Clés pour une approche ») et en cent trente ans de lectures, ce cas Verne est devenu un mythe.

« Nous sommes d'un temps où tout arrive, écrivait lui-même l'auteur du *Château des Carpathes* dans sa préface (1892), — on a presque le droit de dire : où tout est arrivé. [...] Il ne se crée plus de légendes au déclin de ce pratique et positif XIXᵉ siècle. »

Cet espace vacant de l'imaginaire collectif, Verne n'aura de cesse de le combler. Science-fiction ? Oui, si dans le nom composé on reconnaît d'abord une alliance de mots :

● **littérature, mais didactique** : « Instruire en amusant, amuser en instruisant, tel est le contrat de lecture vernien » (dossier Presses Pocket du *Voyage au Centre de la Terre*) ;

● **souffle de l'aventure, mais sécurité de la nomenclature** : Ray Bradbury : « Herman Melville, Jules Verne, auteurs « américains » tous deux dans leur nouveauté et leur façon de prendre d'assaut l'univers et notre monde qui tournoie parmi cet univers » (préface à une édition de *Vingt mille Lieues...* in M. Soriano, *Portrait de l'Artiste jeune*, Gallimard, p. 214) ; Roland Barthes : « Verne ne cherchait nullement à élargir le monde selon des voies romantiques d'évasion ou des plans mystiques d'infini : il cherchait sans cesse à le rétracter, à le peupler, à le réduire à un espace connu et clos, que l'homme pourrait ensuite habiter confortablement » (*Mythologies*, Seuil, Points, pp. 80-81) ;

• **dualité évolutive du public,** enfin : « Son accession à la grande littérature date du moment où il est lu comme par-dessus l'épaule du public auquel il est adressé. [...] [L'œuvre de Jules Vernes] interpellait son jeune lecteur en sujet euphorique d'acquisition de savoirs et de dépense d'imaginaire, elle interpelle aujourd'hui ses lecteurs adultes en sujets perplexes de méconnaissance scientifique et de conquête de l'imaginaire. » (Guy Rosa, Cerisy, 1979).

2 - VADEMECUM

JALONS BIOGRAPHIQUES

1862   C'est la recontre décisive. Jules Hetzel, le même qui incita Balzac à écrire son « Avant-propos » à la Comédie Humaine, offre un contrat au jeune inconnu. *Cinq Semaines en Ballon*, publié l'année suivante, sera un succès immédiat.

1864   Première édition de *Voyage au centre de la Terre*.

1866   Naissance du titre général « Voyages extraordinaires ». Travailleur infatigable, Verne aligne les réussites : après *De la Terre à la Lune* (1865) et *Les Aventures du Capitaine Hatteras* (1866), *Vingt mille lieues sous les mers* (1869 ; P.P., n° 6058), *Le Tour du monde en quatre-vingts Jours* (1873 ; P.P., n° 6027), *L'Île mystérieuse* (1874), *Michel Strogoff* (1876 ; P.P., n° 6082), *Les Indes noires* (1877), *Mathias Sandorf* (1884), etc.

1886-
1905   Une fin d'œuvre amère, où les drames personnels ont leur part (1886 : agression au revolver d'un neveu). Misogynie, anarchisme, fatras philosophique... On a traqué bien des errances dans les derniers « voyages » verniens. Leur ultime message n'en rejoint pas moins le toujours très actuel « science sans conscience »...

LE CHÂTEAU DES CARPATHES

« LIRE ET VOIR LES CLASSIQUES »
N° 6078

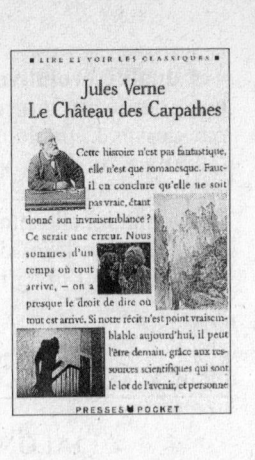

1 - CONTEXTE

JULES VERNE « FIN DE SIÈCLE » : 1892

● **Une république entre deux crises politiques :** Panama (1889-1892) et l'affaire Dreyfus (mise en accusation du Capitaine Dreyfus en 1894). Montée du socialisme (désormais essentiellement d'inspiration marxiste) : deuxième Internationale en 1889 ; en 1893, quarante-huit socialistes (dont Jaurès) seront élus à la Chambre des Députés. La stabilité du régime ne semble cependant pas en cause : Léon XIII invite les chrétiens au « Ralliement » à la république. La politique de Jules Ferry a ancré l'empire colonial français et l'enseignement obligatoire. Ce dernier redoublera l'essor de la presse à grand tirage.

● **Arts :** tandis que l'impressionnisme s'officialise, les « défricheurs » sont à l'œuvre... Renoir, *Jeunes filles au piano ;* Toulouse Lautrec, *Jeanne Avril sortant du Moulin Rouge* ; Cézanne, *Joueurs de cartes* (l'un des tableaux sur ce thème) ; Gaugin (pour la première fois à Tahiti), *Quand te marieras-tu ?*

Massenet (cinquante ans) donne *Werther* ; Debussy (trente ans) découvre *Pelléas et Mélisande* de Maeterlinck.

● **Lettres :** quelques titres « d'époque »... *La Débâcle*, Zola ; *Les Chauves-Souris*, R. de Montesquiou ; *Le Latin* *mystique*, R. de Gourmont et surtout *Bruges la morte* qui d'un coup rend célèbre Georges Rodenbach.

L'ACTION DU ROMAN

« Le 29 mai de cette année-là » (chap. I). L'année ne sera jamais davantage précisée, même lorsqu'à la fin Verne éprouve le besoin, pour maintenir un « effet de réel » technique, de situer son récit dans l'ère « post-Edison » (chap. XV, p. 219). On lira pp. 14-15 de la Préface les implications de ce flou onirique... déjà présent dans *Michel Strogoff* (voir fiche n° 48, Contexte et Texte).

2 - TEXTE

LE TITRE

Le titre du roman fonctionne comme un piège à fantasmes lectoriels. « J'ai lu quelque part que toutes les superstitions du monde sont rassemblées dans le fer à cheval des Carpathes ; comme si elles formaient les limites d'un tourbillon où se concentrent les imaginations populaires » : ainsi s'exprime Jonathan Harker, l'honnête voyageur qui, sous la plume de Bram Stoker, se propose de vérifier ces « on dit » auprès d'un certain Comte... Dracula. Nous sommes (du point de vue littéraire) en 1897, mais c'est dès 1820 que se fixe cet imaginaire, nous apprend Claude Aziza (préface de *Dracula*, PP n° 4669), « en même temps, ou presque que [...] les brumes hoffmaniennes du romantisme allemand et les burgs ruinés des imaginations françaises ». Nous y voilà...

L'ORGANISATION DU ROMAN

C'est bien le château lui-même qui constitue le cœur de l'œuvre, alimentant dans le public (du village comme des lecteurs) cette « libido sciendi » essentielle aux quêtes verniennes. Le tout en dix-huit chapitres en six ensembles.

• Chap. I-III : prologue et ouverture. Le berger Frik remarque une fumée mystérieuse s'élevant du vieux burg du plateau d'Orgall, depuis longtemps réputé abandonné. Il en répand la nouvelle au village de Werst. Présentation et galerie de portraits. Aperçu des légendes locales.

• Chap. IV-VI : première candidature héroïque du jeune forestier Nic Deck, qui décide de tirer l'affaire au clair, flanqué du docteur Patak, poltron bouffon. Échec de cette démarche.

• Chap. VII-IX : arrivée « par hasard » à Werst du héros, Franz de Télek. Le nom du dernier châtelain réputé disparu, Rodolphe de Gortz, réveille en lui la « lamentable histoire » de leur rivalité autour d'une cantatrice napolitaine, la Stilla, morte sur la scène le soir où elle devait la quitter pour épouser Franz.

• Chap. X-XII : seconde démarche d'élucidation, menée par Franz et son fidèle compagnon Rotsko. Franz n'a pas l'intention de pénétrer dans le château, mais une fois au pied de celui-ci l'apparition fantomatique de la Stilla bouleverse ses projets.

• Chap. XIII-XV : Intérieur du château. Parcours initiatique de Franz, décidé à délivrer la Stilla qu'il pense prisonnière. D'épreuve en épreuve, il accède à une première révélation : la présence effective de R. de Gortz et d'Orfanik, l'« âme damnée » du baron, savant génial et incompris qui a mis sa maîtrise de l'électricité au service de son protecteur — d'où l'explication de tous les phénomènes « surnaturels » survenus jusqu'alors… *mis à part la survivance de la Stilla*.

• Chap. XVI-XVIII : apocalypse et dénouement. Franz, qui vient d'apprendre que tout le château doit sauter, affronte son rival et croit ressaisir la femme aimée. Hélas, l'apparition de la Stilla n'était que restitution audio-visuelle. Rechute de Franz dans la folie. Arrivent alors Deck et la police, conduits par Rotzko. Gortz mourra dans l'explosion, Franz sera providentiellement sauvé. Les aveux d'Orfanik, arrêté après sa fuite, achèveront de tout élucider.

3 - INTERTEXTE

STRATÉGIES D'UN « ROMAN DU MYSTÈRE »

La lecture intégrale ne peut guère se dispenser ici d'une étude structurelle (cf. Préface, pp. 6 à 9).

1. - le schéma initiatique : piste la plus évidente, pour laquelle la Préface (p. 12) et le dossier (pp. 335-340, texte de S. Vierne) serviront de guides ;

2. - la symbolique des nombres, spécialement le 2 et le 3 : $18 = 6 \times 3$ (six chapitres « villageois », six chapitres « héroïques »-rationnels, six héroïques-irrationnels) et $18 = 2 \times 9$ (les chap. IX et XVIII soldent deux fois le même échec de Franz) ; noter la présence deux fois de la triade amant-femme-rival, et trois fois du couple actant-adjuvant ;

3. - les mythes enfouis : Orphée, bien sûr (DHL, p. 345) directement relié à l'initiation, mais aussi Ariane (les fils conducteurs, l'air ultime de la Stilla), la sirène (DHL, p. 311) — plus qu'ailleurs, une exploration de l'onomastique romanesque s'impose (Préface, p. 18) ;

4. - la complexité narratologique : ruptures, suspensions et retours en arrière du récit... à étudier en association avec les effets d'imprécision temporelle et spatiale (effet très précis pour leur part !), le lexique de l'épouvante ou du surnaturel (empreint de nombreuses modalisations), ou en comparaison avec l'hypotexte hoffmannien (DHL, p. 291).

LE ROMAN DU FANTASME AMOUREUX

Une thématique singulièrement dense : le regard, métonymie du désir ; la voix, métonymie du corps (la diva qui *se donne* à voir et à entendre en spectacle ne peut que se refuser en réalité) ; la femme aimée, illusion et construction fantasmatique, qu'elle soit vivante ou morte (n'est-ce pas le choc de cette révélation amère qui est proprement insoutenable à Franz arrivé au terme de sa quête ?). S'aider de la préface, pp. 15-17.

PAGES D'ANTHOLOGIE ET AUTRES PAGES...

• Le 1er chapitre s'avère capital à tous les sens du terme :
pour le roman, à qui il sert à la fois de préface, de prologue et d'ouverture lyrique ; pour toute l'œuvre vernienne :
outre l'humour d'un écrivain maître de ses effets , on y
remarque l'esquisse d'un testament poétique et philosophique (valeur emblématique des quatre instruments de
connaissance, véritable tétramorphe vernien ; complémentarité du savoir empirique et du savoir scientifique ; et surtout appel à l'imagination du lecteur comme caution ultime
de la vérité de l'œuvre).

• Ch. IV, p. 67 : Jonas, ou l'exception qui confirme le
cliché antisémite du Juif usurier (dossier, p. 263).

• Ch. IV, pp. 77-79 : la scène d'auberge, de la comédie
à l'épouvante.

• Ch. VI, pp. 101-103 : la première « nuit transfigurée »
du château.

• Ch. VII, p. 117 : une curiosité ethnique décrite sous
le signe de la prétérition, la foire aux fiancés (D.H.L.,
p. 262).

• Ch. IX, pp. 158-161 : la mort de la Stilla.

• Ch. XII, pp. 188-190 : son apparition sur les remparts,
et les conséquences (dossier, pp. 291-311) — étudier le lien
thème-propos avec le chapitre suivant.

• Ch. XV en entier, pp. 218-225 : discours et récit, vérité
et leurre... un chapitre charnière où se découvre le rôle
magique de l'électricité (D.H.L., pp. 265-280).

• Ch. XVI, pp. 232-238 : la « seconde mort » de la
Stilla (à rapprocher de la première).

4 - PRÉTEXTE

EXCURSIONS DANS LES IMAGES ET LECTURES COMPLÉMENTAIRES

1. - 1e destination, celle qui s'impose évidemment : la représentation du burg romantique de Hugo à Benett (illustrateur de l'éd. de 1892). DHL, p. 329, CI, pp. 1, 4, et planches intercalées dans le texte. On observera notamment : la symbolique du haut et du bas, le « pacte » du burg avec le chaos minéral et le labyrinthe sylvestre — peut donner l'occasion d'une recherche sur le paysage de montagne et le romantisme depuis Rousseau, ou sur le château dans la vision symboliste de *Pelléas et Mélisande* (cf. Contexte).

2. - Les influences picturales les plus sensibles dans les illustrations : Goya (« Le sommeil de la raison... ») et les leçons du magister Hermod, p. 48 et CI, p. 6 ; scènes d'auberge au clair-obscur caravagesque (1er tiers du roman) ; influence de l'opéra, aussi, dans un jeu double de mise en abyme (textuelle et iconique) : CI, p. 9.

3. - Le folklore ou l'apprivoisement euphorique de la différence : représentation du montagnard transylvain : ch. I, VII du roman, illustrations de Benett, CI, pp. 2-5, 14, 15.

4. - Le goût « décadent », arts décoratifs (CI, pp. 8, 9), peinture (l'école préraphaélite, p. 12), ésotérisme (CI, pp. 12, 13). Voir sur ce dernier point : M. Eliade, *Occultisme, Sorcellerie et Modes culturelles*, Gallimard, Essais, pp. 78-92. Sans oublier Nerval, sa quête de la femme à jamais perdue derrière ses incarnations multiples (*Les Filles du Feu*, PP n° 6090 et fiche), ni Proust qui a immortalisé dans des pages célèbres du *Côté de Guermantes* les impressions des premiers usagers du téléphone. Près de nous, le film de Jean-Jacques Beineix, *Diva*, confirme la pérennité du mythe de la cantatrice.

MICHEL STROGOFF

« LIRE ET VOIR LES CLASSIQUES »
N° 6082

1 - CONTEXTE

CE QUI SE PASSAIT EN EUROPE EN 1876 :
L'adaptation de *Michel Strogoff* pour la scène a lieu en 1880

- **En France, Mac-Mahon fait régner « l'ordre moral »** sur la jeune IIIᵉ République.

- **La recherche scientifique et technique** accentue encore ses progrès. Depuis 1865, Pasteur travaille à l'étude de « corpuscules » dans la pathologie infectieuse : encore un an, et les microbes feront leur entrée dans l'histoire de la biologie. Grâce à l'ingénieur Charles Tellier, le « Frigorifique », premier navire à cales réfrigérées, réussit un transport de viande et de fruits de Buenos Aires à Rouen.

- **Arts et lettres :** fin de la période d'Argenteuil de Monet. « Paysage de Viroflay », de Gauguin, accepté au Salon (l'artiste a vingt-huit ans). Inauguration du Festspielhaus de Bayreuth. Mallarmé publie *L'Après-midi d'un Faune*, Zola *Son Excellence Eugène Rougon* (sixième volume de la série des Rougon-Macquart).

CEPENDANT, EN RUSSIE...

Pierre Chuvin, dans son article « Les Steppes de Michel Strogoff » (« Le Monde » du 15 août 92) le confirme :

« En 1876, le khanat de Kokand fut annexé par les Russes lors d'une promenade militaire : les troupes du tsar (Alexandre II) écrasèrent une armée de cinquante mille hommes en ne perdant que six soldats ». Divisés, affaiblis, sous hégémonie russe, les trois émirats d'Asie centrale n'ont donc rien de la farouche coalition menée par Féofar Khan chez Jules Verne ! De fait l'expansionnisme tatar a été définitivement arrêté par la prise de Kazan en... 1552 ! On comprend que *l'action du roman*, située dans une frange chronologique manifestement voisine de sa date d'écriture (« autour des années 1860 » — préface, p. II), et chronométrée de façon pointilleuse, entre le 15 juillet et le 7 octobre..., reste par ailleurs si peu datée...

2 - TEXTE

LE TITRE

Éponyme, le titre du roman signale de loin le héros — et non sa mission, comme Verne l'avait d'abord envisagé : « le prince Orloff, ambassadeur du tsar à Paris, consulté (par Hetzel), donna son *nihil obstat* et conseilla de changer le titre ; *Le Courrier de Czar* devint ainsi *Michel Strogoff* » (Préface, p. II). Le sous-titre, « Moscou-Irkoutsk », nous informe pour sa part que l'affirmation héroïque se fera par une de ces « aventures de la ligne droite » où Pierre Macherey voit la quintessence de la rêverie vernienne (*op. cit.,* p. 207). Une orientation ouest-est qui va bien sûr échapper à la simple dénotation géographique pour atteindre à la saturation connotative (cf. « Intertexte »).

UN ROMAN « BÂTI
COMME UNE COURSE D'OBSTACLES »

On en trouvera la recette diégétique, puis le synopsis, pp. II, III et IV de la Préface. Signalons ici quelques lignes de force en suivant le conseil pragmatique contenu dans

la toute dernière phrase : « Ce n'est pas l'histoire des succès [de Michel Strogoff] qui méritait d'être racontée, c'est
l'histoire de ses épreuves ». On peut distinguer ainsi :

● **trois obstacles extérieurs** : la nature russe dans la tur-
bulence de l'été et de l'automne (pour un Sibérien, la saison propice est l'hiver : voir la fin du roman) ; l'ennemi,
les Tartares ; le félon, Ivan Ogareff, qui ne se confond
pas avec l'ennemi, même si c'est la collusion temporaire
des deux qui crée précisément le péril pour la couronne
russe et son messager. Ces obstacles forment une adver-
sité frontale, qui se situe le plus souvent devant le héros
(mis à part les ch. I à XII, s'agissant du traître) ;

● **un obstacle psychologique, le plus redoutable** : l'atta-
chement de Michel à sa vieille mère et à sa jeune compagne
de rencontre, Nadia. Des chapitres XIV, I^e partie, à V,
IIe partie, l'incertitude sur le sort de l'une et/ou de l'autre
alors qu'il les laisse derrière lui, constitue un frein moral
contre lequel il doit lutter pour continuer à avancer. Un
véritable écartèlement intérieur qui enrichit notablement
la trame narrative et permet de comprendre pourquoi
Michel Strogoff paraît avoir plus d'épaisseur psychologique que Phileas Fogg, alors que chacun d'eux est « une
force qui va » (voir plus loin « Prétexte »).

Les quatre types d'opposition vont donc se succéder,
puis se combiner durant toute la première partie, selon un
double principe d'aggravation et d'accélération (très fréquent chez Verne), jusqu'à la capture du héros. Le
suprême « palier » dramatique et pathétique est évidemment le supplice, dont la lente orchestration ouvre la
deuxième partie (ch. I à V) ; avec la reprise du cheminement de Michel et de Nadia vers Irkoutsk, débute la longue
marche qui conduira à l'accomplissement de la mission
et à la liquidation du conflit. Le tout pouvant être ramené
à ces grandes étapes initiatiques (cf. S. Vierne, *op. cit.*) :
quête, descente aux enfers, mort symbolique et remontée
vers le jour.

Dans cette perspective, on aurait tort de sous-estimer
la séparation entre la première et la seconde partie : plus
qu'une ellipse, c'est une syncope. Arraché à ses repères

anciens, le héros prisonnier pénètre dans l'envers (fascinant et maléfique) du décor, il a accès à la vision qui consume, celle du camp tartare (« regarde de tous tes yeux, regarde »). La cécité s'impose dès lors comme sanction et passage obligé vers une nouvelle, une vraie clairvoyance.

3 - INTERTEXTE

QUESTION QUE POSE UN ÉLÈVE QUI LIT

• **Tartares ou Tatars ? un exemple somptueux pour étudier la notion de connotation.**

La transcription des vocables non latins tend à produire des lexiques mouvants : l'histoire actuelle ne connaît plus que des Tatars là où Littré et son siècle identifiaient des Tartares... Le célèbre dictionnaire se réfère, comme Verne (p. 32) à Abel de Rémusat ; ô surprise ! nous y apprenons sous la plume de l'éminent sinologue qu'au XIXe siècle c'est la question du « e » qui se posait : « S'ils arrivent, ces Tartares, nous les ferons rentrer dans le Tartare d'où ils sont sortis ! le jeu de mots qu'on prête ici à St Louis [...] est peut-être la véritable cause de l'altération que les Occidentaux ont apportée au nom des Tartars ». On l'aura compris, ce qui sépare le Tartare de ses variantes plus érudites (mais plus fades) c'est un fantasme collectif de six siècles, c'est toute une mythologie : de la charge connotative de quelques lettres... Pour les nostalgiques, il est encore possible de lire Dino Buzzati ou de manger du steack cru.

• **Fiction ou histoire ? pour une initiation (en lycée) à l'approche socio-historique des textes.**

D'un côté Verne a tout inventé, de l'autre il pousse le souci de la véracité jusqu'à citer nommément ses sources (voir dossier, p. 468). Paradoxe constant et fondateur, dira-t-on, mais le fait nouveau ici est qu'il s'applique non plus à un objet scientifique, mais à un objet historique. C'est l'occasion d'une lecture en profondeur avec le DHL. On pourra progresser en trois temps :

1. - « Le réalisme de Jules Verne » (p. 496)... et ses précautions diplomatiques à l'égard de l'autocratie russe. Choisir ses extraits dans « Montages russes » (II) ou dans Rufin Piotrowskki et Maurice Gheri (pp. 489-498).

Attention, *erratum* : à la fin du « chapeau » de « Prisons russes », p. 496, on lira : « cette description [...] que l'on rapprochera du chapitre 4 de la première partie du roman » et non « de la deuxième partie ».

2. - Le génie géo-politique de J. Verne. Le romancier a saisi ce qui est le problème essentiel de la Russie depuis 1552 : la fragilité non seulement du pouvoir central, de la domination qu'il a imposée aux états voisins, mais encore de l'identité russe, impossible à fixer en raison d'une frontière perpétuellement « en marche » — expression d'Hélène Carrère d'Encausse, dans son étude *Victorieuse Russie* (Fayard, sept. 92 ; voir les pp. 11 à 84).

3. - L'imaginaire du roman : de ses contemporains, « [Verne] reflète les peurs, les rêves et les fantasmes » (P. Chuvin, article pré-cité). Entre Asie et Occident, la Russie déchaîne dans l'inconscient collectif français un ensemble de productions contradictoires : dureté de la nature (retraite de Russie : hiver 1812), endurcissement d'un peuple par ailleurs bouillonnant, chatoyant et... sentimental (la fameuse « âme slave »), piété profonde, religieuse et filiale (côté orthodoxie), mais aussi sexe et sang, chair offerte au plaisir comme à la torture (plutôt côté Asie... c'est ignorer, bien sûr, que la Russie doit aux Mongols ses structures étatiques, fiscales et militaires). Autant d'ingrédients qui figurent en bonne place dans le roman : on les retrouve chez Xavier de Maistre (1825) et Octave Béliard (1927), DHL (pp. 485-488 et 511-512).

TRAVAUX SUR LA STRUCTURE

1. - Les indicateurs de progression dramatique pour un travail de groupes. Les équipes se répartissent différents pointages : changements géographiques et ethniques, changements de moyens de locomotion, rapprochement du danger collectif (la progression de la présence tartare), rapprochement du danger individuel et gradation des épreuves, montée des enjeux affectifs (dont la cristallisation autour du « méchant »), présence du regard occidental (Jolivet et Blount), *leitmotiv* de la réaffirmation du héros (« c'était toujours cet homme de fer... »).

2. - Sous le roman, le mélodrame. Étude d'énonciation comparée entre l'extrait V du dossier et les chapitres correspondants du roman (lycée). On verra en particulier que le passage à la scène suppose : concentration des lieux, condensation des dialogues (l'interrogatoire de Marfa = dialogue I, XIV, p. 194 + II, III, p. 268), prise en charge par les répliques et les didascalies des informations indispensables fournies par le récit, d'où des décalages (Ogareff apprend plus tard que dans le roman l'existence du courrier).

POUR UNE LECTURE MÉTHODIQUE...
EN SYMÉTRIE

À partir des chapitres consacrés à la mise en scène du supplice, qu'on étudiera dans la cohérence de leur progression, les temps forts de 2e partie peuvent être mis en rapport avec ceux abordés dans la 1e partie. Cela permet, en allant plus vite, de ne pas lasser, et aussi de mettre au jour des correspondances :

• III, le dialogue tsar-Michel et II. XIV, p. 443-444 : dialogue grand-duc-Michel.

• VI, rencontre Michel-Nadia, et conclusion, p. 448.

• X, le premier combat de Michel et Nadia contre la nature (orage et ours) et le dernier. II.XI p. 402.

• XII : le duel impossible (Michel humilié) et « la scène terrible » (II, XIV : Michel en archange exterminateur). Les deux confrontations mère-fils (XVI et II, V). Deux adjuvants sacrifiés (entre autres) : le « brave cheval » qui meurt dans la fameuse poursuite du chap. XVI après avoir galopé depuis la p. 193, et Nicolas Pigassof, l'« ami de grande route » (II, VI) qui finit en martyr au chap. II. IX.

4 - PRÉTEXTE

D'abord, reproduire en les accolant les cartes fournies par Verne, pp. 89 et 392, et stimuler l'imagination géographique par les documents des pp. 6, 8, 9, 12 et 13.

TRAVAUX SÉMIOLOGIQUES

1. - On partira des perspectives ouvertes par Guy Gautier (DHL p. 513 *sq.*), pour étudier, dans les illustrations de Férat qui accompagnent le texte, le recours à des stéréotypes picturaux, d'origine romantique (orientalisme, thème du cavalier fougueux au cheval fou), d'origine hagiographique aussi : figures de Michel Strogoff en saint de la cause politique, dans la IIe partie. À noter : l'illustration de la p. 313 le représente subissant son supplice debout la tête renversée comme un Saint Sébastien, alors que le cinéma, emboîtant le pas au drame, le montre à genoux (CI pp. 1, 14 et 15).

2. - Isoler les signifiants « russitude » dans les paysages et l'aspect des personnages.

3. - Comparer les différentes incarnations et représentations du héros, pp. 7, 9, 11... selon qu'on a voulu souligner le sens du devoir, l'audace, la générosité... mais toujours le travail du regard est là pour signifier la volonté.

4. - On verra encore comment affiche et frontispice d'édition (pp. 5 et 15) tentent de mimer par la superposition l'enchaînement syntagmatique des péripéties du roman.

LE TOUR DU MONDE EN QUATRE-VINGTS JOURS

« LIRE ET VOIR LES CLASSIQUES »
N° 6027

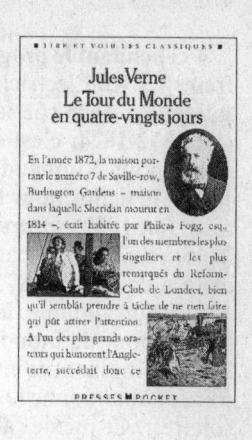

1 - CONTEXTE

Le Tour du monde est *le* best-seller des « voyages extraordinaires » (voir préf. pp. 6-13). Sa rentabilité en a fait une véritable « entreprise » : « feuilleton *plus* roman *plus* théâtre » (dossier p. 322). Succès immédiat et durable, qui survient entre automne 1872 et automne 1874. Durant cet intervalle :

• **après l'écrasement de la Commune** (semaine sanglante : 21-28 mai 1871), la France se cherche un régime nouveau qui sera la IIIᵉ République. Élection de Mac-Mahon à la Présidence en 1873 — Thiers a été évincé le 24 mai ;

• **l'Allemagne,** définitivement unifiée par le couronnement de Guillaume Iᵉʳ à Versailles (18 janv. 1871), s'affirme comme puissance européenne ; parallèlement la perte de l'Alsace et d'une partie de la Lorraine, l'indemnité de guerre de 5 milliards, exigée par Bismarck et liquidée en 1873, nourrissent en France le désir de revanche ;

• **montée des nationalismes de part et d'autre du Rhin, mais aussi protectionnisme économique,** le krach de la Bourse de Vienne ouvrant une période de dépression (1873-1875) ;

• **cependant le progrès technologique** ne connaît pas de frein. La fée Électricité fait ses premiers pas, avec l'utilisation, en 1873, de la dynamo de Gramme.

• **1872-1874, c'est encore :** le temps de l'escapade tragique pour Rimbaud et Verlaine (incarcéré à Mons en 1873), le temps pour l'impressionnisme de naître à l'Histoire (en 1872, *Impression, soleil levant* de Monet lance le nom du mouvement ; première exposition « impressionniste » en 1874). 1873 : Zola donne *Le Ventre de Paris.*

Partout domine le modèle occidental européen : à l'autre bout du monde, le Japon, entré depuis 1868 dans l'ère Meiji, institue en 1872 l'enseignement public obligatoire et abandonne le calendrier lunaire pour le calendrier solaire… Ce même calendrier qui règle en maître les aventures de Phileas Fogg et de Passepartout.

LES QUATRE-VINGTS JOURS QUI SONT EN FAIT QUATRE-VINGT-UN

Vont du mercredi 2 octobre 1872 à 8 h 45 du soir au samedi 21 décembre, même heure — vue de Big Ben, tout est là ! *Le Tour du monde*, un roman du contemporain qui se rêve en « temps réel »…

2 - TEXTE

LE TITRE

Le titre du roman est, de tous ceux de l'œuvre vernienne, le seul à poser une articulation espace-temps explicite. Mais l'apparente transparence du programme ainsi formulé cache une ambiguïté énonciative (due elle-même au statut ambigu du déterminant « le ») : record établi ou à établir ? s'agit-il *du* tour du monde *de tel voyageur* raconté comme un exploit après son homologation, ou d'un défi toujours actif, proféré comme « une fiction invraisem-

blable,... mise avec gourmandise en représentation »
(Préface, p. 15) ? Un non-dit qui traduit/trahit l'enjeu
romanesque, car cette hésitation même sera celle de la
défaite-victoire finale. Idem : le silence sur toute espèce
de moyen de locomotion ménage d'emblée la place de cette
question dans l'horizon d'attente du lecteur.

Quant au nombre, quatre-vingts, sur lequel on pourrait gloser longuement (en signalant entre autres qu'il
inverse les vingt-quatre heures que met le globe terrestre
à parcourir les vingt-quatre mille milles de sa circonférence
— cf. dossier, p. 342), sa précision installe un arbitraire,
celui du désir de pouvoir sur un espace promis à la domes-
tication.

LA STRUCTURE DU RÉCIT

Commençons par mettre en regard le parcours chrono-
métré par le « Morning Chronicle » au chap. III (p. 35 ;
voir aussi dossier, p. 317), avec son actualisation romanesque ultérieure. Chaque écart par rapport au programme
prévu est évidemment la brèche par où vont s'engouffrer
aventure et exotisme.

Prévisions du « Morning Chronicle »		
Étapes	Moyens	Temps
Londres/Suez par Mont-Cenis et Brindisi	railway paquebots	7 jours
Suez/Bombay	paquebot	13 jours
Bombay/Calcutta	Railway	3 jours
Calcutta/ Hong-Kong	paquebot	13 jours
Hong-Kong/Yokohama	paquebot	6 jours
Yokohama/San Francisco	paquebot	22 jours
San Francisco/New-York	railroad	7 jours
New-York/Londres	paquebot railway	9 jours

Actualisation dans le roman			
Chapitres	Moyens	Temps	Avance ou retard éventuels
IV-V	rail paquebot	7 jours	
IX	paquebot	11 jours	Avance de 2 jours
X-XIV	rail éléphant	5 jours	Retard de 2 jours
XVI-XVIII	paquebot	13 jours	
XX-XXIII	goëlette paquebot	6 jours	Retard de 8 jours évité
XXIV	paquebot	22 jours	
XXVI-XXXI	rail traîneau	moins de 7 jours	Retard de 20 heures
XXXII-XXXIV	steamer commercial rail	moins de 9 jours	Retard de 5 minutes

Au chap. XXIV (p. 199), le passage des antipodes de Londres constitue un axe discret, mais effectif, de symétrie : ligne de partage entre Orient et Occident, entre ancien et nouveau monde. Il est souligné par l'inversion mathématique de l'attitude du détective Fix, qui cesse de chercher à retarder Fogg pour favoriser au contraire son retour sur le sol anglais où il pourra enfin l'arrêter. Symétrie également dans la fonction de prologue et d'épilogue assurée par les trois premiers et les trois derniers chapitres. Cette composition en boucle (que le sujet semble commander) n'est cependant pas rigide : ainsi l'effet de « chute » provoqué par le revirement final a-t-il pu faire dire que tout *Le Tour du monde* s'articulait en vue de son dénouement, comme un sonnet en fonction du quatorzième vers...

3 - INTERTEXTE

SCÈNES À FAIRE, PAGES À EXPLIQUER (PROPOSITIONS)

Le Grand Larousse universel de 1876 observe que dans l'adaptation du *Tour du monde* pour la scène, « M. Dennery n'a pas eu beaucoup à faire pour découper en tableaux l'ouvrage de son collaborateur » (p. 318), tant le roman se présente comme la succession des figures chaque fois renouvelées d'une « partie carrée » entre Fogg et Passepartout, le tandem héroïque, la femme, Aouda, et l'opposant, Fix. Soit, en suivant les étapes du parcours dégagées plus haut :

• étape « O » : constitution du couple Fogg-Passepartout (chap. I, pp. 22-26), pari (chap. III, pp. 35-38) et départ (IV) ;

• 1 et 2 : apparition de Fix (VI, pp. 49-52) ;

• 3 et 4 : achat de l'éléphant (XI, pp. 89-90) ; le sutty et l'enlèvement d'Aouda (XIII, p. 106 : « Les heures s'écoulaient… » — p. 109) ;

• 5 et 6 : interception du paquebot de Yokohama par Fogg en goëlette (XXI, pp. 177-178) ; retrouvailles dans un cirque japonais de Fogg et de Passepartout, momentanément séparés par Fix (XXIII, p. 192 : « inutile de décrire ici… » — p. 195) ;

• 7 : traversée par le Pacific Rail-road du pont de Medicine Bow, qui s'écroule derrière le train (XXVIII, pp. 234-237) ; attaque des Sioux (XXIX, pp. 245-250) ; course en traîneau à voile (XXXI, pp. 262-267) ;

• 8 : ultime équipée en bateau, de commerce cette fois, où tout le bois du bord finit débité en combustible (XXXIII, pp. 277-281) ; emprisonnement de Fogg, sa défaite (XXXIV, pp. 286-288) ; son triomphe : « Me voici, Messieurs » (XXXVI-XXXVII, pp. 298-301).

POUR UNE LECTURE SYNTHÉTIQUE

• **En collège** on ne manquera pas de faire reproduire en le renseignant avec les jours et heures de passage des protagonistes, le planisphère des pp. 306-307, qui peut aussi donner lieu à des recherches interdisciplinaires sur l'histoire de Suez, Hong-Kong, de l'empire britannique... p. 422-430 du dossier, le voyage de Cocteau en 36 offre une strate historique supplémentaire (rapprocher du chap. XIX, en particulier).

● LE TEMPS, PRINCIPE POÉTIQUE

(« de l'éternité pliée », p. 430).

• **Un réseau thématique :** la durée n'est plus seulement circonstance, mais objet, voire sujet de l'action, d'où un lexique « rajeuni » : « contretemps (pp. 105, 219, 275), avoir, gagner du temps (pp. 100, 145), délai réglementaire (pp. 239, etc...), jours, heures, minutes, secondes » se cédant la place à mesure qu'on approche de l'arrivée...

• **Principe de composition,** le temps gouverne la syntaxe de la phrase (observer le jeu imparfait-passé simple, les circonstanciels fontionnant comme embrayeurs narratifs, ex. : « Le lendemain + *[date]* ») et la syntaxe du récit : le déroulement de l'action, très souvent linéaire chez Verne, adopte ici quelques techniques éprouvées de renforcement dramatique, le récit alterné, et l'ellipse suivie de retour en arrière (chap. XIX-XXIII, XXXV-XXXVII). Pour étudier l'accelerando final, on le comparera à sa caricature sous forme de fantasme rythmique dans *Le Docteur Ox* (DHL p. 379 *sq.*), et à la subtile parodie de Jarry dans *Le Surmâle* (DHL p. 406 *sq.*).

• **Indicateur idéologique :** (« au lendemain de la Commune, pour les lecteurs de M. Thiers », préface, p. 12), le temps vérifie l'équation capitaliste « time is money » par la réciproque : « money is time ». Fogg en effet ne cesse d'acheter du temps à prix d'or tout au long de son périple. Si l'on observe le rôlc de l'argent dans le roman, on passera de la notion d'investissement, prépondérante au départ (c'est parce que vingt-mille livres sont en jeu que Fogg avance à coups de bank-notes... et que Fix le talonne) à celle d'acte gratuit (voir le titre du dernier chapitre), quand la mise finit par égaler l'enjeu. C'est alors que se révèle pleinement la part d'irrationnel et de romantisme mal éteint qui sommeille dans le héros et son entreprise.

• **Le mythe faustien** n'est pas loin : on rapprochera la nouvelle *Maître Zaccharius*, fournie in extenso partie VI du dossier, du portrait réitéré de Fogg en homme-horloge, ou d'une page aussi apparemment innocente que celle où Passepartout déclare à Fix : « Moi ! Toucher à ma montre ! Jamais ! [...] Tant pis pour le soleil ! C'est lui qui aura tort ! » (chap. VIII, p. 60). Aussi la victoire finale est-elle d'abord *un pacte avec le mystère*, qu'on retrouve exprimé par Verne dans trois postures différentes : celles du lecteur de Poe (dossier V), du conférencier (dossier VI) et de l'écrivain à nouveau, instituant cette fois ouvertement le ludique en méthode d'écriture, comme fera plus tard l'Oulipo (DHL p. 388 *sq.* : *Le Testament d'un Excentrique*).

● SOUS LE ROMAN, LE VAUDEVILLE

Personnages « brossés » en touches larges, plus conçus pour leur combinatoire que pour leur psychologie particulière, quiproquos à court et à long terme (chap. VI, XV, duos Fix-Passepartout), farce (chap. XXIII-XXIV), prouesses de clown (Passepartout), parties de cache-cache, poursuites (chap. XXIX, XXX), calembours (chap. XXXIV), apartés burlesques (spécialité de Fix)... : « si texte a jamais eu une vocation à l'adaptation théâtrale, c'est bien celui-là » (préface, p. 14).

● « INSTRUIRE EN AMUSANT » : UN CONTRAT CHAHUTÉ

Fogg ne voyage pas, il « décrit une circonférence » : comment alors présenter le spectacle d'un monde dont le héros n'a cure ? Quand le monde ne s'impose pas en s'interposant (la forêt indienne, les Sioux), quand ce n'est pas Passepartout qui assume le rôle du touriste, la description vernienne devient avec malice un monument de prétérition, avec des cascades de « ni », comme au chapitre XIV. La fiction va jusqu'à prévoir et inclure la fuite du public devant l'accumulation des données : c'est l'étonnant chapitre XXVII.

4 - PRÉTEXTE

● **Portrait du romancier en héros.** Mettre en rapport le portrait de J. Verne dans *La Gazette illustrée*, ses portraits graphiques ou photographiques et les portraits romanesques et dessinés de Phileas Fogg : apparaît alors un troublant jeu de miroirs qui ne se limite pas aux traits physiques...

● **Incarnations du héros :** de la silhouette conçue par de Neuville et Benett, à David Niven et Jean Le Poulain... (CI, pp. 12-15) quelle latitude d'interprétation ! mais aussi un même effort pour signifier l'essence du gentleman — en rechercher les indices. Orbis terrarum : pp. 1, 6-7 et 10, le motif du cercle concentre étapes et pays qu'on pourra se plaire à reconnaître. Les pp. 2, 8 et 9 sont à confronter aux pp. 320-321 pour une approche du théâtre à machines. Enfin, pp. 4, 5, 16, on verra comment l'« entreprise Voyages extraordinaires » fait elle aussi concurrence à l'état civil (p. 5, même jeu d'identification que ci-dessus, mais sur les personnages).

VINGT MILLE LIEUES SOUS LES MERS

« LIRE ET VOIR LES CLASSIQUES »
N° 6058

1 - CONTEXTE

LE CONTEXTE DE PRODUCTION : 1870

Voir la fiche n° 92.

HISTOIRE ET FICTION

● **Actualité artistique et littéraire :** 1869 : mort de Lamartine et de Berlioz. 1870 : Hugo revient. Il évoquera le siège de Paris (puis la Commune) dans *L'Année terrible* (1872). Zola : début de la série des Rougon-Macquart (1869-1870). Flaubert : *L'Éducation sentimentale* (1869).

● **L'action de *Vingt mille lieues sous les mers*,** qui est (aussi) un roman de la technologie visionnaire, se situe au plus près de sa date de parution : 1866-1868. Le voyage sous-marin dure sept mois, du 8 novembre 1867 (chap. XIV) au 22 juin 1868 ; datation de *Vingt mille lieues*, qu'on retrouve avancée d'un an dans *L'Île mystérieuse* (cf. DHL, pp. 656-659).

2 - TEXTE

LE TITRE

Vingt mille lieues sous les mers, qu'explicite le sous-titre :

« Tour du monde sous-marin », n'est ni le premier, ni le dernier périple vernien de cette dimension (cf. préface, pp. 7-8). Mais si *Le Tour du monde en 80 jours*, qui suivra en 1872, semble de par son titre sorti de quelque livre des records, l'épopée marine de 1869 revendique pour sa part le flou de l'hyperbole poétique. Qu'importe en effet que le tandem Nemo-Arronax parcoure de conserve plutôt 110 000 km (en lieues marines) ou 88 000 (en lieues communes françaises) : la centaine de milliers de kilomètres évoquée est avant tout incitation au rêve sur fond de démesure, tout comme le pluriel « les mers », les reprises de sonorités (entre autres liquides !) ou les équivoques éveillées en écho : « mille » le nombre et « mille » l'unité de distance, « lieues » et « lieux »... L'Océan, qui est l'infini sous l'espèce de la fécondité, la Création chaque jour répétée, ne saurait souffrir les bornes du terrestre : « non finito » primordial qui est aussi principe de structure...

L'ORGANISATION DU ROMAN

Le temps d'une initiation aux mystères sous-marins, Arronax, le savant-narrateur qui livre ici ses souvenirs de bord, permet au roman de s'inscrire dans les limites (généreuses) de quarante-sept chapitres répartis en deux groupes presque équivalents. Mais Nemo existait avant l'arrivée d'Arronax et de ses deux compagnons, il continuera d'exister après leur évasion. Fausse « conclusion », la fin renforce l'énigme du Nautilus et appelle *L'Île mystérieuse* (1874) à l'horizon de l'œuvre.

Tel qu'il est, le tour du monde sous-marin n'en allie pas moins dynamisme euristique (de l'opacité à la connaissance) et projet encyclopédique (la revue des richesses maritimes du globe). Au moment de s'arracher à lui (chap. XXII, 2e partie), Arronax revoit « toute [son] existence à bord du Nautilus ». On peut dégager de cette anamnèse sept étapes de lecture.

Après la « disparition [Arronax] de l'*Abraham Lincoln* », (chap. I-VII : c'est l'exposition en deux temps du

roman, de la légende du « monstre » pourfendeur de
navires à l'expédition qui doit tirer l'affaire au clair), la
découverte du sous-marin est en soi une première aventure (VIII-XIII). Commence ensuite le voyage subaquati-
que proprement dit, avec : « les chasses sous-marines »
et l'exploration d'un Pacifique qui porte bien son nom
(XIV-XIX), mais s'avère aussi théâtre potentiel de drames plus ou moins obscurs : « Le détroit de Torrès, les
sauvages de la Papouasie, l'échouement, le cimetière de
corail » (XX-XXIV). La symbiose avec la mer, cependant,
reste parfaite.

La deuxième partie s'ouvre sur l'Océan Indien puis
enchaîne sur la Méditerranée, grâce au « passage de Suez »
par un canal naturel sous-marin (!). Rencontre, dans les
profondeurs toujours, de « l'île de Santorin » et « d'[un]
plongeur crétois » mystérieusement averti du passage du
submersible (chap. I-VII). Puis c'est l'Atlantique (VIII-
XII), plus sombre et plus athlétique, si l'on nous permet
l'équivoque, avec « la baie de Vigo », « l'Atlantide »
engloutie, et « le pôle Sud, l'emprisonnement dans les gla-
ces » (XIII-XVI). La remontée de l'Atlantique côté américain puis la « poussée » jusqu'en Norvège se passent sous
le signe de la violence, qu'elle soit naturelle ou humaine,
présente ou passée, jusqu'à la révélation insoutenable qui
décidera de la rupture avec Nemo : « le combat des poulpes, la tempête du Golf Stream, le *Vengeur*, et cette horrible scène du vaisseau coulé avec son équipage !... »
(chap. XVII-XXIII). De cette incroyable odyssée J. Verne
a fourni lui-même deux cartes, reproduites pp. 154 et 397.

3 - INTERTEXTE

1. - « Mers ». « Le grand poème de la mer » (Rimbaud).

1.1. *Le lyrisme de la mer.* Nemo en est le chantre incontesté : fin ch. X, pp. 116-118 ; ch. XVIII, pp. 198-200.

1.2. *L'ambiance originelle de la mer*, qui unit depuis
toujours bien et mal, vie et mort, dans une dialectique aussi

fascinante qu'impensable pour l'homme : doc. XIII
(Hugo) et XIV (Michelet) à rapprocher des « mirabilia »
offertes tantôt à la contemplation (ch. XIV, pp. 157-165)
tantôt à la lutte (ch. XVIII, 2e partie : « les poulpes »).

1.3. La *stylistique de l'indicible* chez Hugo et Verne. Les
procédés n'en sont pas tous identiques, mais ils servent le
même paradoxe performatif : édifier la victoire du langage
sur sa propre défaite (« Quel spectacle ! quelle plume saurait le rendre ? » puis aussitôt : « c'était comme... » —
Autour de la Lune, extr. VII, p. 630 ; voir aussi extr. V).

Fil conducteur de lecture : l'étude du temps propre au
Nautilus. Ou comment, au-delà de la chronologie
humaine, le submersible est en dialogue permanent avec
l'histoire, passé et devenir (ch. XIX ; 2e partie, ch. VIII,
IX, XX). Commenter la devise calligrammatique où le
« N » central (fusion-équilibre de deux flèches, ascendante
et descendante) soutient comme une voûte la variatio :
« mobilis in mobili ».

2. - « Points ». Dans le naturel, le supranaturel est
immergé comme un « point » magnétique : le surnaturel
est son mode de révélation aux yeux éblouis du néophyte.
D.H.L. IV, V et VI à confronter avec le ch. XIV,
2e partie : « Le Pôle Sud », bien sûr, mais sans oublier
cet autre pôle d'attraction : la profondeur (ch. XVII par
ex.) liée à la sérénité intemporelle d'un paradis perdu.

3. - « Bords » (D.H.L. III-IV, VI-VII). L'itinéraire du
héros vernien est quête du voir et du savoir, parcours initiatique mû par une véritable « libido sciendi » (cf.
S. Vierne, *op. cit.*). Mais arrive le moment où « la fatalité vous montre ce que vous ne deviez pas voir » (Nemo,
antépénultième chapitre, p. 579), et où la transgression se
paie de folie ou de rupture.

Indicateurs pour suivre ce cycle chez Arronax : la maîtrise ou absence de maîtrise des repères spatio-temporels,
l'accès à la connaissance ou la perte de connaissance (au
sens d'abord physique : ch. VII, XXIII, XXII, 2e partie).

4. - « Liens » (D.H.L. VIII à XI). Être ou ne pas être de ce monde ? c'est la question qu'incarne Nemo, à coup sûr l'une des créations romanesques les plus réussies du XIXᵉ siècle. Le capitaine se rattache à une triple famille : les figures mythologiques (il est héros au sens premier du terme, mi-homme, mi-dieu ; synthèse de Neptune, Jupiter (ch. XXII) et Pluton « le Riche » (II, VIII) ! Enfin, « Nemo », c'est encore Ulysse devenu « Personne » face au Cyclope) ; les grands maudits romantiques (Gilliatt est en ce sens son jumeau) ; les justiciers des romans populaires. Pour parachever ce détonant cocktail, Verne recourt à la focalisation interne : condamné à épouser le point de vue incomplet d'Arronax, le lecteur n'a plus qu'à fantasmer sur les épisodes troubles, disposés comme autant de trous de serrure : ch. XI, XXIII, XXIV, partie I ; VI, XXI, XXII, 2ᵉ partie.

4 - PRÉTEXTE

Pour une étude des illustrations de De Neuville, se reporter aux pistes fournies pour *Voyage au Centre...* (« Prétexte »).

Dans le **CI**, on pourra observer successivement : pp. 1 à 9, la construction du mythe Verne, ainsi que l'« effet de vitrine » recherché dans la présentation éditoriale des *Voyages Extraordinaires* (commenter l'expression : « Magasin illustré » ; identifier les romans évoqués par la couverture « au portrait ») ; pp. 6, 7 et 9, la hiérarchie technique, proportionnelle à la sophistication, entre « engins », « instruments » et « outils » (cf. *Voyage au Centre*, p. 93 et *Vingt mille lieues...*, p. 30) ; pp. 1-12, le bestiaire plébiscité par le « lectorat » vernien. **Côté cinéma** : Méliès et Jules Verne, un même effort pour réaliser l'imaginaire ; *Vingt mille Lieues*, scénario pour grand spectacle, voire film-catastrophe : lecture de l'affiche du film produit par W. Disney, dans lequel on appréciera la promotion très américaine du personnage de Ned Land.

VOYAGE AU CENTRE DE LA TERRE

« LIRE ET VOIR LES CLASSIQUES »
N° 6056

1 - CONTEXTE

CE QUI SE PASSAIT EN 1867 (date de l'édition augmentée) :
voir fiche n° 98.

L'ACTION DE *VOYAGE AU CENTRE DE LA TERRE*

Elle se situe au plus près de sa date de parution, comme
dans tous les « voyages » où la fiction se veut le terrain
d'expérimentation de l'actualité scientifique. L'incipit
s'ouvre sur la date du « 24 mai 1863 » ; le départ proprement dit a lieu le 27 mai (chap. VII, p. 66) et le retour le
« 9 septembre au soir » de la même année (chap. XLV,
p. 306).

2 - TEXTE

LE TITRE

Entre la première et la seconde édition, le mot « voyage »
s'impose comme générique et programmatique de toute
l'œuvre de Verne. La destination affichée, le centre de la

terre, n'est pas moins emblématique, car chaque héros vernien pourrait adopter comme devise l'ultime alexandrin
des *Fleurs du Mal* :

« Au fond de l'inconnu pour trouver du nouveau. »

Que le centre ne soit finalement pas atteint, en tout cas
pas consciemment (voir la perte des repères rationnels
développée au chapitre XLI) ne rompt pas pour autant
le contrat narratif : d'une part parce que le schéma initiatique place le but dans la quête elle-même, d'autre part
parce qu'il s'agit avant tout d'écrire « le roman de la
paléontologie » (préface, pp. 8, 9 et 13).

LA STRUCTURE DU RÉCIT

Ainsi que l'a montré Pierre Macherey (*op. cit.,* p. 215)
la découverte, dans *Voyage au centre de la Terre*, est redécouverte, sur les traces d'un autre (Arne Saknussemm)
dont on sait d'emblée qu'il est revenu. L'aventure s'organise donc symétriquement autour de l'objectif central, tandis que le récit, linéaire, observe un rythme de gradation :

• **chap. I à VII** (pp. 19 à 66) : lancement de la quête.
Déchiffrement du cryptogramme de Saknussemm (I-V),
préparatifs et départ (VI-VII).

• **chap. VIII à XVI** (pp. 67 à 131) : voyage terrestre aller,
véritable parcours d'obstacles. Il faut gagner l'Islande
(VIII-IX) puis, par sélection centripède, le cratère du Snef-
fels au fond duquel il s'agit d'emprunter la bonne chemi-
née (chap. XVI). Le franchissement de cette première
grande étape est sanctionné/récompensé par la signature
d'A. Saknussemm, gravée dans le rocher (XVI).

• **chap. XVII à XLIII** (p. 68 à 298) : voyage souterrain
proprement dit. Il comprend lui-même : — un aller-descente
(XVII-XXVIII) ; — une exploration intérieure sur la mer
souterraine, où se concentre l'« extraordinaire » du voyage ;
— un retour, imprévu, par éruption volcanique (XL-XLIV).

• **chap. XLIV** : renaissance au jour, sur le cratère du
Stromboli. Identification de celui-ci : « Entrés par un vol-
can, nous étions sortis par un autre. » (p. 304).

• **chap. XLV**, « conclusion » : quête accomplie, retour vers la gloire et le bonheur. Le dernier mot cependant revient à la science, avec la résolution in extremis de l'énigme de la boussole : ultime restauration et triomphe du sens.

3 - INTERTEXTE

1. - Lecture suivie des sept premiers chapitres comme « *voyage au centre de la lettre* » (p. 331) du cryptogramme.

La comparaison des différentes méthodes de décodage illustrées par Verne dans et autour de son œuvre (DHL, III) permet d'en dégager les invariantes (pourquoi pas en vue d'un réinvestissement ludique, surtout en 1er cycle ?) : 1. recours à une clef de correspondance alphabétique et/ou non alphabétique (comme les grilles) ; 2. découverte, après un premier transcodage, d'un principe de brouillage second, comme l'écriture du message à l'envers ; 3. appel au savoir encyclopédique personnel du décrypteur, en particulier à ses compétences linguistiques ; 4. enfin techniques de restauration liées à l'état matériel du message.

2. - Lecture du voyage proprement dit.

2.1. *Schéma actantiel et itinéraire initiatique.* Le repérage désormais classique des éléments adjuvants, opposants, du destinateur, du héros sujet et/ou destinataire, etc., peut s'enrichir de la problématique propre à l'initiation pubertaire, à travers le personnage d'Axel. Partir de la préface et des travaux cités pp. 12 à 15, et rapprocher de l'extrait de *Laura* (DHL, V, p. 403). On s'interrogera en particulier sur les figures du père, sur la triade héroïque vernienne (l'intellectuel, l'affectif, le concret : cf. J. Delabroy, préface de *Vingt mille lieues*, p. 10, PP, n° 6058), sur la nature exacte du gain qui attend le jeune héros devenu un homme (la sexualité comme enjeu et comme réseau métaphorique).

Quant aux épreuves, « vertige (chap. VIII), mer (chap. IX puis XXXII-XXXV), soif (XXI), obscurité, solitude (XXVI-XXVIII), faim, chaleur (XLII-XLIII) » (relevé établi, p. 10 de la préface), elles fournissent un fil d'Ariane très sûr pour relier les passages-clés destinés à la lecture méthodique.

Deux comparaisons révélatrices enfin :

• **les réactions antithétiques d'Axel devant la signature de Saknussemm**, à l'orée de la descente (chap. XVI, pp. 128-129) puis de la remontée (chap. XL, pp. 272-278).

• **l'itinéraire d'Axel et celui du héros d'Hoffmann, Elis,** objet d'une contre-initiation où il va se perdre lui-même, dans « Les mines de Falun » (DHL, IV, pp. 378-382).

2.2. *Enjeux scientifiques d'hier et d'aujourd'hui :* on rappellera d'abord le contexte passionnel de la querelle du darwinisme (préface, pp. 8-9) ; puis l'on étudiera l'effort d'actualisation que constituent les ajouts de l'édition de 1867 (DHL, V, p. 437 *sq.*) ; autre repérage (en liaison interdisciplinaire avec les sciences naturelles ?) : celui des conceptions à présent vieillies (voir par exemple la question récurrente du feu central, pp. 57, 136, 237).

2.3. Enfin, centre d'intérêt indispensable à une lecture approfondie en second cycle : *l'articulation du savoir et de la fiction.* G. Rosa (Cerisy, 1879) cite quatre « procédures d'intrication » : « présence d'un jeune élève auprès de héros pédagogues, intrigue dont le thème vise le savoir dont l'emploi dénoue les péripéties, subordination de la succession des événements à un ordre pédagogique, comportements énigmatiques du savant héros qu'explique l'énoncé différé de leurs raisons scientifiques ». L'alternance entre « couches informatives et narratives » du texte, dit encore G. Rosa, conserve au roman vernien un aspect « feuilleté », où le choix du lecteur peut s'exercer : de fait il est très aisé d'isoler les « fiches » : Islande (pp. 97, 110, 118...), géologie, paléontologie, etc. Le DHL, V, pp. 418-437, permet justement d'apprécier le travail de J. Verne sur ses sources ; il montre aussi que si la fiction sert le savoir, le savoir à son tour procure à la fiction la caution de « l'effet de réel » (p. 418).

4 - PRÉTEXTE

VARIATIONS SUR UNE DOUBLE ICONOGRAPHIE

● **Les illustrations de Riou, véritable travail de coopération textuelle.** Il est passionnant d'étudier les procédés (cadrage, point de vue, rapport noir/blanc, flou/netteté) grâce auxquels l'image remplit ici une triple fonction : condensation du récit, explicitation, mais aussi relance de l'imagination.

● **Centres d'intérêt particulièrement fructueux :** l'homme dans la nature (échelle, position, attitude) ; le goût romantique (chaos, tempêtes, clairs-obscurs et clairs de lune) ; la difficile représentation d'un narrateur adolescent, alors que l'époque (et Verne) commence tout juste à inventer l'adolescence.

● **Le CI,** lui, offre l'occasion d'appréhender, pp. 4-7, le référent géographique (établir une carte terrestre Hambourg-Stromboli, vision plane où le trajet souterrain apparaîtra en pointillés ; y associer une carte souterraine, forcément plus approximative, en « coupe ») et, pp. 8-11, le référent préhistorique : comparer la p. 9 avec une coupe stratigraphique actuelle, y situer l'apparition des fleurs (voir pp. 264 et 459), des dinosaures, de l'homme, repérer les couches fossilières... Pages 12-16 du dossier iconographique, on appréciera l'extraordinaire vitalité mythique de l'œuvre vernienne, à travers des « trahisons » cinématographiques qui sont en fait des expansions mythiques.

À noter que le squelette d'un véritable pliosaure (alias plésiosaure) vient d'être découvert dans le Pas-de-Calais, où il fait désormais la vedette de la Maison du Marbre et de la Géologie (62720 Rinxent. Tél. : 21.83.19.10).

VOLTAIRE
(1694-1778)

1 - MÉMENTO

« Un homme de lettres doit vivre dans un pays libre ou se résoudre à mener la vie d'un esclave craintif, que d'autres esclaves jaloux accusent sans cesse auprès du maître. [...] Je vous l'ai toujours dit. Si mon père, mon frère ou mon fils étaient premiers ministres dans un état despotique, j'en sortirais demain » : dès le 1er mars 1737, Voltaire posait avec pertinence les termes d'un dilemme qu'il n'était point si aisé de résoudre. Après bien des expériences décevantes, il conquit le droit de penser tout haut. Effectivement, ce fut « un pied en France, l'autre en Suisse » que François-Marie Arouet devint le « roi Voltaire », une puissance intellectuelle de l'Europe du XVIIIe siècle. De nos jours, il reste une référence : symbole d'un certain esprit français, agitateur d'idées, croisé des Lumières, combattant le fanatisme et les superstitions. Que l'absurdité se fasse trop criante ou que les libertés paraissent en péril, son nom resurgit sous les plumes les plus diverses. [...] Deux siècles ont passé. Notre monde n'est plus le sien, mais la parole obstinée de celui qui se définissait comme « un ouvrier en paroles et puis c'est tout », peut encore susciter des questions, voire déranger, et c'est tant mieux. Dans l'article « Liberté de penser », du *Dictionnaire philosophique*, deux personnages aux noms symboliques s'affrontent : l'Anglais Boldmind, à l'esprit hardi, admoneste l'Espagnol Medroso, à l'esprit peureux. Son exhortation est celle qu'adresse l'œuvre de Voltaire à chacun de ses lecteurs : « Il ne tient qu'à vous d'apprendre à penser. Osez penser par vous-même ».

Christiane Mervaud, *Voltaire en toutes lettres,*
Bordas, 1991, pp. 3-5

2 - VADEMECUM

Pour une chronologie de l'œuvre, on se référera aux
repères biographiques (pp. 167-172) ainsi qu'à la Préface
où l'on trouvera (pp. 7-9) un essai de classement des différents contes philosophiques, genre littéraire que Voltaire
affectionne depuis qu'il l'a inauguré avec *Zadig* (1747) et
qu'il continuera après *Candide*.

La bibliographie (pp. 299-300) donne une idée de
l'ampleur de l'œuvre (cf. les 150 volumes prévus pour
l'édition intégrale d'Oxford dont 50 pour la seule correspondance !) et de l'importance des travaux qu'elle a suscités. Historien, philosophe, conteur, critique, épistolier,
mais aussi poète et auteur dramatique, Voltaire est bien
ce génial touche-à-tout dont on ne cesse de répéter qu'il
incarne l'esprit français et qui ne s'est jamais résigné à
accepter la présence du Mal sur la terre. Quoi de plus terrible, de plus actuel aussi, que ce cri d'indignation devant
l'indifférence face au malheur : « on tuerait cent mille
hommes en Allemagne que l'Opéra serait plein tous les
vendredis » ?

CANDIDE OU L'OPTIMISME

« LIRE ET VOIR LES CLASSIQUES »
N° 6006

1 - CONTEXTE

LA GENÈSE DE *CANDIDE*

Fin 1754, Voltaire entrevoit la fin de sa vie errante. Il se retire, apparemment heureux, en Suisse, dans sa propriété des Délices, avec Mme Denis (CI, p. 2). Mais plusieurs événements extérieurs viennent troubler sa tranquillité :

• le tremblement de terre de Lisbonne (1er novembre 1755) qui fait 20 à 40 000 morts et qui l'amène à s'interroger sur l'antinomie du Mal et de la Providence (cf. *Poème sur le désastre de Lisbonne*, 1755, et CI, p. 6) ;

• la guerre de Sept ans (1756-1763) qui oppose la France et l'Autriche à la Prusse et à l'Angleterre et qui lui apparaît comme un nouveau défi à l'optimisme philosophique (CI, p. 4) ;

• l'exécution de l'amiral Byng (14 mars 1757) en faveur duquel Voltaire est intervenu en vain.

À cela s'ajoutent des blessures narcissiques : ses querelles avec les philosophes (cf. Rousseau, *Lettre à d'Alembert sur les spectacles*, 1755), des déboires sentimentaux, l'échec de ses espérances diplomatiques auprès de Frédéric II, quelques mauvaises combinaisons financières.

HISTOIRE ET FICTION

On trouve dans le roman des échos directs de ces événements : la guerre entre les Arabes et les Bulgares, au chapitre 3, fait écho à la guerre de Sept ans ; quant au séisme de Lisbonne et à l'exécution de Byng, ils sont directement évoqués aux chapitres 5 et 23. Cela permet d'inscrire la chronologie du récit entre l'été 1754 et sans doute l'automne 1757.

Au début, Cunégonde a 17 ans ; à la fin, elle a « les yeux éraillés, la gorge sèche, les joues ridées, les bras rouges et écaillés » (cf. CI, pp. 14 et 15). Vieillissement qui semble plus être le résultat des épreuves qu'elle a dû affronter que des effets de trois années...

N.B. : Pour un panorama complet de la situation, en ce milieu du XVIIIe siècle, voir DHL, pp. 173-196.

2 - TEXTE

LE TITRE

L'adjectif latin *candidus* signifie : d'une blancheur éclatante ; la *toga candida* était la toge blanche du candidat romain à l'élection qui symbolisait sa loyauté, sa franchise. En français s'est ajoutée l'idée d'ingénuité.

C'est l'innocence qui explique comment un jeune homme peut se laisser persuader que « tout est pour le mieux dans le meilleur des mondes possibles ». Il lui faudra le tour d'un monde déchiré par la guerre, l'injustice, l'intolérance, la violence pour perdre cette candeur et cesser d'être l'adepte d'une philosophie que Voltaire caricature d'autant plus férocement qu'il fut lui-même un « optimiste » au début de sa vie (voir le *Le Mondain*, 1736).

LE CONTE PHILOSOPHIQUE

● **L'intrigue du roman** : Candide recherche Cunégonde de qui il a été violemment séparé ; il la retrouve, la perd à nouveau et la retrouve enfin, mais dans quel état ! Quête menée en 30 chapitres et en un peu plus de cent pages : le héros parcourt l'Europe et l'Amérique du Sud en passant par l'Eldorado, dans une suite d'aventures sans la moindre vraisemblance : ainsi, Pangloss est pendu, Cunégonde a été éventrée après avoir été violée « autant qu'on peut l'être », le baron a été transpercé d'une épée... et tous ces « morts » se retrouvent bien vivants (même s'ils n'ont plus leur fraîcheur initiale) en Turquie, guidés par l'étoile merveilleuse du romancier à qui rien n'est impossible.

Peu importe. Ce qui compte, c'est la thèse : la dénonciation d'une métaphysique, de toute métaphysique.

• **La thèse philosophique :** Il s'agit pour Voltaire de montrer que la philosophie providentialiste qui conduit à l'optimisme est absurde. Comment une philosophie qui prétend que tout est organisé et prévu pour le bien de l'homme peut-elle intégrer tous ces malheurs ? Pour les drames sociaux, on peut expliquer, à la rigueur, que c'est l'homme qui en est responsable, usant ainsi (mal) de la liberté que Dieu lui a donnée. Mais pour les catastrophes naturelles ? En quoi les femmes et les enfants écrasés à Lisbonne sont-ils coupables ?

3 - INTERTEXTE

Trois jardins, trois havres de tranquillité dans un monde troublé où chaque déplacement débouche sur un véritable jeu de massacre.

• **Premier jardin :** la Westphalie (ch. 1). Un château fermé sur lui-même, sclérosé, au nom impossible, en train de mourir. Caricature et réalisme se mêlent dans la peinture d'un monde que Voltaire n'aime pas ; il l'a bien connu dans la première partie de sa vie. Il a des comptes à régler avec l'Allemagne (cf. son échec auprès de Frédéric II), mais aussi avec l'aristocratie française.

Si ce monde est un paradis pour Candide, c'est parce qu'il n'a pas d'autre référence. De même, la philosophie providentialiste de son précepteur, le bavard Pangloss (*pan*

en grec signifie : tout, et *gloss(a)* : langue), qui est définie
par un libellé d'autant plus long (métaphysico-théologo-
cosmolonigologie) qu'il représente le vide d'une connaissance non scientifique (métaphysico-théologo) ou à prétention (ridicule : « nigo ») scientifique (cosmologie). On
sait (cf. *Micromégas*) l'importance, pour la tolérance, la
paix, que Voltaire accorde à la connaissance scientifique
qu'il oppose aux discussions théologiques.

L'expulsion de Candide ressemble à une naissance :
chassé du « paradis », il va découvrir la réalité que Voltaire s'est attaché (pour les besoins de la démonstration)
à réduire à une accumulation de malheurs (cahier iconographique pp. 8-9). L'Europe et l'Amérique se valent : les
hommes intéressés, belliqueux, méchants y prospèrent (le
matelot furieux du tremblement de terre, Vanderdendur,
le « fameux négociant », que Voltaire fait périr il est vrai
plus par un esprit de vengeance personnelle — il règle ses
comptes avec son éditeur hollandais — que pour défendre
une thèse) alors que les bons y meurent (le bon anabap-
tiste Jacques).

• **Deuxième jardin :** l'Eldorado (ch. 17-18). Le « pays
doré » se situe au milieu du roman : il est un lieu privilégié
entre le passé (le château du baron) et le présent (la métairie), le lieu du bonheur « idéal » (cahier iconographique,
p. 13) : un seul dieu (qui a tout donné et auquel on n'a
rien à demander — le dieu « horloger » cher à Voltaire),
pas d'églises, pas de clergé, pas de disputes métaphysiques,
mais le développement des sciences

Candide et Cacambo doivent se dépouiller de tout ce
qui est leur passé, vivre de fruits sauvages, s'abandonner
enfin au courant d'une rivière pour un voyage terrifiant.
Peut-être ce pays mythique demande-t-il pour être atteint,
qu'on se dépouille de ces *a priori* qui interdisent la sérénité ? « Si nous restons ici, dit Candide, nous n'y serons
que comme les autres... » On peut comprendre que
l'homme européen est si attiré par l'argent, la puissance
et la gloire, qu'il ne peut se résoudre à un bonheur profond qui se paie du renoncement à ces « valeurs » si

aliénantes. On sait que Voltaire sera initié — à la fin de sa vie — à la franc-maçonnerie...

• **Troisième jardin :** la métairie (ch., 29-30). Il s'agit du monde réel, au présent : situé aux frontières du monde occidental (comme Voltaire à la frontière française), il n'est pas au premier abord, enthousiasmant. Il faut encore fermer une porte (le derviche : refus de la métaphysique) et en ouvrir une autre (le bon vieillard : apologie du travail). On abandonne enfin le *dire* pour le *faire*. Chacun existe à partir du moment où il agit : l'industrie remplace le débat philosophique. Il faut ici se rappeler comment Voltaire cultivait son jardin à Ferney, attentif non seulement à ses propres intérêts, mais encore à ceux de la société proche ou lointaine qui l'entourait : il contribua à la modernisation de l'agriculture dans la région qu'il habitait ; et l'affaire Calas date de 1762...

4 - PRÉTEXTE

• À la lueur du CI et des extraits des autres contes de Voltaire (voir « le cortège de Candide » pp. 197-298), on s'efforcera de mesurer le décalage entre des personnages tout de loyauté et de bonne foi, assoiffés d'absolu et de vérité, qui incarnent les illusions de Voltaire jeune et les turpitudes de l'existence qui les transforment en marionnettes vouées à l'échec et réduites à accepter des réalités plus prosaïques. « Morale du dégagement », disait à son propos Roland Barthes...

• De la même manière, on pourra étudier l'idée de *civilisation* telle que le héros-voyageur peut l'appréhender au hasard de ses périples : la féodalité westphalienne, la Hollande, état moderne dont il déplore les excès religieux, le Portugal de l'Inquisition, le Paraguay, théocratie efficace mais stérile, Paris et Venise, cités policées où règnent les plaisirs et la corruption, et enfin le mythique Eldorado, le meilleur et le plus humain des mondes possibles.

ZADIG ET AUTRES CONTES ORIENTAUX

« LIRE ET VOIR LES CLASSIQUES »
N° 6046

1 - CONTEXTE

LE CONTEXTE DE PRODUCTION :

Voltaire a écrit ses contes orientaux entre 1747 *(Zadig)* et 1774 *(Le Crocheteur borgne)*. Vingt-sept ans se sont donc écoulés entre la publication du premier conte et celle du dernier. Principaux événements de cette période :

● **En politique :** Louis XV règne depuis 1723, il meurt en 1774. Influence de Mme de Pompadour, puis de Mme du Barry. Agitation parlementaire. Guerre de sept ans (1756-1763). Affaires Calas (1762) et du chevalier de La Barre (1766). Le Dauphin épouse Marie-Antoinette (1770).

● **En littérature :** *L'Encyclopédie* (1750-1772). Œuvres de Diderot (1760, début du *Neveu de Rameau* ; 1769, *Entretien avec d'Alembert* ; 1772, *Supplément au voyage de Bougainville* ; 1773, *Jacques le Fataliste*), Rousseau (1754, *Discours sur l'origine et les fondements de l'inégalité* ; 1761, *La Nouvelle Héloïse* ; 1770, achèvement des *Confessions*), d'Holbach...

● **En musique :** Haendel, Rameau, Bach, Haydn, Mozart...

• **En peinture :** Boucher, Quentin de La Tour, Gains-
borough, Piranèse, Chardin, Greuze, Fragonard...

• **Sciences et techniques :** Oberkampf crée la première
manufacture de toiles peintes (1759), début du voyage de
Cook (1768-1779). Invention du paratonnerre, de la
machine à filer, découverte de l'oxygène, de l'hydrogène,
de l'azote.

HISTOIRE ET FICTION

La plupart des contes se déroulent dans un passé très
lointain. Zadig est contemporain du roi Moabdar, la princesse de Babylone vit dans un Orient mythique antérieur
à la Bible. Les personnages de Pythagore et Nabuchodo-
nosor datent plus précisément deux autres contes. Seule
fiction historiquement datée, et relativement moderne, *Les
Lettres d'Amabed*, dont l'action se déroule en 1512.

Mais le véritable cadre temporel de l'œuvre est le XVIIIᵉ
siècle de la guerre et de l'intolérance, de la corruption mais
aussi du luxe et des arts *(Le Monde comme il va)*. Le roi
Moabdar de *Zadig* peut ainsi évoquer Louis XV, lui aussi
influençable et mal conseillé.

2 - TEXTE

LE TITRE

Voltaire lui-même définit sa conception du conte : « Je
veux qu'un conte soit fondé sur la vraisemblance, et qu'il
ne ressemble pas toujours à un rêve. Je désire qu'il n'ait
rien de trivial ni d'extravagant. Je voudrais surtout que,
sous le voile de la fable, il laissât entrevoir aux yeux exer-
cés quelque vérité fine qui échappe au vulgaire ». (p. 16)
cf. dossier, p. 350.

Tous les contes ont pour cadre un Orient mythique et
fabuleux. L'action commence une fois en Égypte, une

fois à Persépolis, deux fois à Babylone, quatre fois en
Inde.

L'ORGANISATION

Au-delà de la diversité des intrigues, la plupart des contes
reposent sur une structure récurrente, celle du voyage philosophique. Les personnages sont, le plus souvent malgré
eux, entraînés dans un périple qui les mène à travers mille
aventures jusqu'à l'objet de leur quête. Zadig quitte Babylone, erre d'Égypte en Syrie avant de se lancer à la recherche d'Astarté. La princesse de Babylone poursuit le bel
Amazan, Rustan *(Le Blanc et le Noir)* est amoureux de
la princesse de Cachemire, Amaside cherche aussi, à sa
manière, à être réunie à son beau taureau blanc.

Mais la quête romanesque ou fabuleuse cache en fait
un itinéraire initiatique. *Zadig* raconte la formation d'un
sage, et *Les Lettres d'Amabed* la découverte du monde
par un jeune couple vertueux. Au terme de cet apprentissage, les héros acquièrent une sorte de sagesse pratique,
faite de l'expérience de la diversité des mœurs et de la
coexistence du bien et du mal. Loin de vouloir, comme
Memnon, être parfaitement sage, le héros accepte le
monde et s'y adapte.

3 - INTERTEXTE

Les contes de Voltaire peuvent sans inconvénient être
étudiés tout au long des deux cycles. Ils conviennent néanmoins plus particulièrement aux classes de troisième et de
seconde.

EXPLICATIONS DE TEXTES TIRÉS DE *ZADIG*

1. - Début (pp. 26-27).
2. - Naissance de l'amour de Zadig et d'Astarté
(p. 46 sq.).

3. - Le souper (pp. 59-62).
4. - Le basilic (pp. 73-74).
5. - L'ermite (pp. 84-90).
6. - La danse (pp. 95-97).

ÉTUDES THÉMATIQUES

1. - Le merveilleux oriental dans *Zadig* et les autres contes.

2. - La géographie des contes.

3. - Paris et les capitales européennes *(Le Monde comme il va, La Princesse de Babylone)*.

4. - Les personnages féminins (dans *Zadig* ou l'ensemble des contes).

5. - La satire de l'Église et des ecclésiastiques.

6. - La satire de la justice.

7. - Traductions, récits, lettres : formes de la fiction et modes narratifs.

8. - La pensée philosophique dans les contes orientaux.

9. - Les procédés de l'humour et de l'ironie.

LECTURES COMPARATIVES

1. - Le conte oriental, structures, formes et fonctions. Voir DHL p. 375 sq.

2. - La philosophie de Voltaire. Étudier les textes du DHL pp. 351-373.

LECTURES COMPLÉMENTAIRES

Candide (PP n° 6006), *Les Lettres philosophiques* (1734), *Le Traité sur la tolérance* (1763), voir aussi la bibliographie pp. 403-404.

4 - PRÉTEXTE

1. - Le merveilleux : le merveilleux des contes orientaux n'est pas seulement celui des *Mille et Une nuits*. Voltaire s'est aussi inspiré de la mythologie antique et des légendes médiévales (cf. CI pp. 8-9). Les élèves pourront rechercher dans quels contes apparaissent licornes, griffons, phénix, se documenter sur leur histoire et constituer eux-mêmes un petit dossier iconographique (reproductions d'œuvres antiques, d'enluminures, illustrations de livres pour enfants, etc.).

2. - La Bible : elle joue un rôle important dans quelques-un des textes étudiés. Comment Voltaire en parle-t-il ? Voir cahier iconographique, pp. 10-13.

3. - Les contes et le théâtre : Voltaire fut en son temps un grand dramaturge. *Zadig* a été porté à la scène. Les élèves pourront travailler à une adaptation théâtrale du conte, en s'inspirant des photos proposées dans le cahier iconographique pp. 14-15-16. Un tel travail pourrait être organisé en plusieurs séquences :

• découpage du texte, repérage des scènes importantes et constitution d'un schéma dramatique ;

• rédaction du texte. Quand est-il possible de conserver le texte original ? et pourquoi ? Sinon, quelles modifications apporter ?

• réflexions sur la mise en scène. Ce travail pourra aboutir à une véritable représentation (par exemple dans le cadre d'un club de théâtre), ou à une édition artisanale, éventuellement illustrée (décors, costumes), du texte ainsi constitué.

OSCAR WILDE
(1854-1900)

1 - MÉMENTO

« Je n'ai mis que mon talent dans mon œuvre, mon génie est dans ma vie. »

« Wilde écrit seulement pour des aristocrates déréglés et des télégraphistes pervertis. »

Scots Observer, 8 juillet 1890.

« Wilde reste un des analystes les plus perçants des compromis où s'était complu l'âge victorien »

Legouis et Cazamian.

2 - VADEMECUM

1881 Recueil des *Poèmes*.
1882 *Vera*, pièce de théâtre.
1888 *Le Prince heureux et autres contes*.
1890 *Le Portrait de Dorian Gray* (son unique roman).
1891 *L'Âme de l'homme sous le socialisme* (essai).
      Le Crime de Lord Arthur Saville.
1892 *L'Éventail de Lady Windermere*.
1893 *Une femme sans importance*.
      Salomé, pièce en français.
1895 *Un mari idéal*.
      Il importe d'être constant (pièces de théâtre).
1898 *Ballade de la geôle de Reading*.
1905 Publication posthume de *De Profundis*.

LE PORTRAIT DE DORIAN GRAY

« LIRE ET VOIR LES CLASSIQUES »
N° 6066

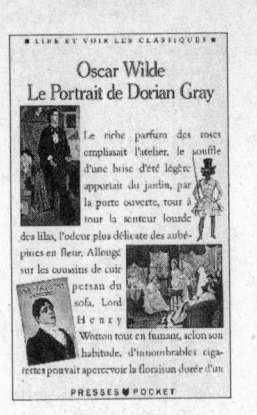

1 - CONTEXTE

LE CONTEXTE DE PRODUCTION :
Principaux événements en 1891

- **En littérature** : les mouvements naturalistes sont relativement éclipsés par le symbolisme et les auteurs dits « décadents ». P. Claudel, *Tête d'or* ; H. Ibsen, *Hedda Gabler* ; W. Morris, *Nouvelles de nulle part*.
- **En musique** : P. Mascagni, *Cavalleria Rusticana* (opéra) ; E. Satie, *Gymnopédies* ; P. Tchaïkovski, *La Dame de pique* (opéra).
- **En peinture** : P. Cézanne, *Madame Cézanne dans la serre* ; E. Degas, *Danseuses en bleu*.

HISTOIRE ET FICTION

L'action se passe à la fin du XIXᵉ siècle, sans précision particulière ; elle se déroule sur une vingtaine d'années comme nous l'apprend explicitement la fin du chapitre 16. On ne voit dans le livre que la société aristocratique qui connaît sans doute l'apogée de sa splendeur et mène une vie ponctuée de bals et de réceptions (on a pu parler de « *a long garden-party* » pour caractériser la période : une robe de bal de la mère de Winston Churchill a pu coûter l'équivalent de trois années de salaire d'un ouvrier). Quelques plongées dans les coulisses du théâtre ou dans les bas-fonds de Londres. Les mœurs évoluent et dans cette atmosphère de plaisirs, on conteste le puritanisme victorien. Mais l'auteur a volontairement gommé toute allusion homosexuelle et ce n'est que quatre ans plus tard qu'éclatera le scandale qui le conduira en prison.

2 - TEXTE

LE TITRE

Il s'agit littéralement d'un tableau : du portrait d'un très beau jeune homme soucieux de mener sa vie dans le raffinement. Dorian Gray s'aperçoit que le vœu qu'il a imprudemment fait se réalise : c'est son portrait qui vieillit et porte les stigmates des débauches perverses qui le mèneront au crime. Il ne connaîtra la mort que le jour où il se décidera à détruire ce tableau qui est l'image horrible de ce qu'est devenue sa vie.

L'ORGANISATION

Le roman est écrit à la troisième personne. Il est découpé classiquement en 20 chapitres et le récit est fait de façon chronologique mais les dix premiers chapitres couvrent une période assez restreinte remplie de divers épisodes. Le point de vue généralement adopté est celui de Dorian Gray, mais les réflexions de l'auteur peuvent se mêler de façon plus ou moins indirecte à celle des héros.

Des intrigues secondaires se nouent : le peintre avouera la passion qu'il a vouée au héros, celui-ci connaîtra un bref épisode amoureux qui se termine tragiquement par la mort de l'actrice Sibyl Vane ; la découverte d'un livre corrupteur précipite la déchéance morale de Dorian Gray qui va jusqu'au crime ; le seul personnage qui reste dans une

position d'observateur est Lord Henry, témoin, qui se
contente d'orienter la vie ou les pensées de Dorian.

Le frère de Sibyl Vane poursuit Dorian pour la venger.
Le roman appartient plutôt au genre du conte philosophique : les réflexions sur l'art et même sur le sens de la vie,
sur la psychologie se multiplient au fur et à mesure que
le héros mûrit même si c'est sans vieillir.

3 - INTERTEXTE

LA PISTE HISTORIQUE

1. - Étude de la société aristocratique « fin de siècle » :
les occupations, les décors, les lieux ;

2. - place et rôle des femmes dans le roman ;

3. - la philosophie « décadente », la crise des valeurs,
les interrogations d'une société en crise ; la culture du
paradoxe ;

4. - humour, satire et bel esprit dans la présentation de
la société anglaise ;

5. - les formes de débauche, le crime, le mal ;

6. - l'image de la France dans le roman ; le lien avec
les écoles décadentes françaises.

L'ESTHÉTISME

1. - Le thème de l'image qui est la réalité de la vie ; en
chercher toutes les modalités : le théâtre, la peinture, la
littérature, les manières et les attitudes mondaines, les
livres, la fuite dans la drogue ;

2. - la recherche systématique de la beauté : étudier les
diverses définitions qui en sont données ;

3. - le raffinement des manières, l'humour, l'élégance
des conversations.

LA RÉFLEXION PHILOSOPHIQUE

1. - Le thème du temps qui joue dans le roman un rôle essentiel : le temps détruit tout, en particulier la beauté physique, et l'art seul peut en triompher ; étudier le rôle des beaux objets antiques, des images du passé ;

2. - le cynisme et le dégoût de la vie : comparer au Spleen romantique ;

3. - la culture du paradoxe.

LA PISTE FANTASTIQUE

Le mystère du tableau ; son lien avec la beauté et la mort :

1. - d'autres effets fantastiques : le fantastique social de la vie dans les bas-fonds (drogue, crime, etc.) ;

2. - le thème des progrès de la science : la psychologie, mais aussi la chimie qui fait disparaître les cadavres ;

3. - le dandysme : classer les personnages du *Portrait* parmi les diverses formes de dandysme présentées dans le dossier ; comparer les philosophies qu'elles représentent. Distinguer et comparer dandysme et décadentisme. Confronter avec les théories de Paul Bourget.

4 - PRÉTEXTE

ÉTUDE DU DOSSIER ICONOGRAPHIQUE

Dater les différents documents proposés; définir explicitement les types de beauté qu'ils représentent ; établir un rapport avec la société correspondante.

• **L'art du portrait :** comparer les portraits, photographies et caricatures contenus dans le CI ; étudier la disposition du visage, la mise en scène (vêtements, cols, pipes, etc.). Chercher quels accessoires ont une valeur suggestive (monocle, pochette ou fleur à la boutonnière, etc.).

Commenter les différentes figures de dandy présentées. Quelle est la portée des caricatures ?

● **Londres ou Paris en 1900 :** une société d'images ou les images d'une société ? Raffinement ou frivolité ? Repérer les contrastes et les ambiguïtés des scènes représentées. Faire attention à la date du portrait de la reine Victoria. Dégager les allusions et les implicites des situations représentées. Discuter à l'aide du CI les termes de « Belle Époque » ou de « société décadente ».

● **Images et films :** Étudier dans les images :

1. - les façons de suggérer la dualité ou le dédoublement. On insistera sur les différents plans, le croisement des regards ou des profils, les jeux de lumière et de miroir.

La création d'une atmosphère fantastique : les personnages maléfiques, le climat d'angoisse ; le double.

2. - Comment certaines de ces images traduisent-elles l'idée du temps ? de la menace de mort ?

● **Prolongements possibles :** on trouvera dans le dossier littéraire des extraits d'œuvres évoquant :

1. - le thème du portrait dans le fantastique ;

2. - le thème du double qui dévore la vie.

On pourra compléter par la lecture d'autres œuvres marquées du même esthétisme baroque : dans Cocteau en particulier, (par exemple dans *Les Enfants terribles* ou *Thomas l'Imposteur*) où l'on verra la même fascination mortelle pour la beauté.

Enfin, de Baudelaire à Gide, on pourra suivre la piste de la recherche systématique de la sensualité exacerbée (voir en particulier le thème des parfums). On peut dégager la philosophie qui sous-tend cette apologie de l'épanouissement de tous les sens.

ÉMILE ZOLA
(1840-1902)

1 - MÉMENTO

Celui qui à vingt-six ans déclarait : « Je suis un révolté, moi. » (*L'Événement*, 20 avril 1866) anime depuis le kaléidoscope de nos mémoires : la campagne pour Manet, les soirées de Médan, « l'odeur du peuple » et les caricatures au pot de chambre, les mineurs d'Anzin... et, bien sûr, l'« Affaire », qui sans lui n'aurait jamais pu éclater.

Portrait de l'écrivain en justicier... Quand il est question, dix ans plus tard, d'accueillir au Panthéon le citoyen méritant, on fait la moue devant l'homme de plume — ce qui fait bondir Jules Romains :

« Nous devons nous garder, comme d'une offense, de l'erreur que commit l'homme politique (chargé de défendre le projet), qui concédait le Panthéon à Zola, comme on donne à un élève pas très doué le prix de bonne conduite. Commençons par dire avec beaucoup de fermeté qu'à nos yeux, Zola, comme écrivain et comme artiste, est grand. »

Saints de notre calendrier.

Difficile, assurément, de ne pas avoir à cette œuvre-là un rapport anthropomorphique. Car la doctrine (naturaliste) n'ignore pas le « tempérament » (épique) :

« Toute œuvre d'art est comme une fenêtre ouverte sur la création ; il y a, enchâssé dans l'embrasure de la fenêtre, une sorte d'écran transparent. [...] Nous voyons la création dans une œuvre, à travers un homme, à travers un tempérament, une personnalité. »

Zola à Antony Valabrègue, 18 août 1864,
cf. *Thérèse Raquin*, PP n° 6060, p. 289.

En fait d'école, il faut donc se garder des simplifications scolaires — c'est l'avertissement d'Henri Mitterand (*Zola journaliste*, A. Colin, pp. 47-48) :

« Qui interprète le naturalisme comme une doctrine de soumission absolue à l'objet, de reproduction impersonnelle des choses, des êtres regardés comme choses, commet un contre-sens absolu, tant sur l'œuvre romanesque de Zola, que sur ses thèses esthétiques. À beaucoup d'égards, le réalisme Zolien — il convient de marquer la précision — est un romantisme. »

2 - VADEMECUM

JALONS BIOGRAPHIQUES

- 1867 : *Thérèse Raquin*, premier chef-d'œuvre.
- 1870 : mariage avec Alexandrine Meley.
- 1871 : *La Fortune des Rougon* inaugure la fresque des Rougon-Macquart, « Histoire naturelle et sociale d'une famille sous le Second Empire » : Vingt-six personnages en vingt romans, qui prendront vingt-quatre ans d'écriture.
- 1877 : *L'Assommoir*, succès et scandale énormes. Zola accède à la notoriété d'un Victor Hugo.
- 1882 : *Pot-Bouille* : les accusations de scatologie et d'obcénité s'exacerbent.
- 1885 : *Germinal*, le plus grand triomphe de la série. N'était sa double vie (Zola se partage depuis 1878 entre femme et maîtresse), l'image d'un patriarche des lettres, d'un chef de file respecté (en 1880-1881, il donne au naturalisme sa charpente théorique) semble solidement installée, quand...
- Le 13 février 1898, « J'accuse », bombe « médiatique », amène l'État à traîner Zola en justice pour diffamation à l'égard de l'État-Major : l'affaire Dreyfus naît alors au grand jour. Exil à Londres jusqu'en juin 1899. Zola n'aura pas le temps d'achever *Les Quatre Évangiles* : il meurt asphyxié le 29 septembre 1902 (accident ou attentat ? le doute demeure).

L'ASSOMMOIR

« LIRE ET VOIR LES CLASSIQUES »
N° 6039

1 - CONTEXTE

LE CONTEXTE DE PRODUCTION :
Principaux événements en 1877 (en feuilleton dès 1876)

- **En littérature :** A. Daudet, *Jack* (1876) ; *Le Nabab* (1877) ; G. Flaubert, *Trois contes* (1877) ; voir fiche n° 23) ; V. Hugo, *L'Art d'être grand-père* (1877) ; S. Mallarmé, *L'Après-midi d'un faune* (1876) ; L. Tolstoï, *Anna Karénine* (1877) ; Y. Tourgueniev, *Terres vierges* (1876).
- **En musique :** A. Borodine, *Symphonie n° 2 en si mineur* (1876) ; J. Brahms, *Symphonie n° 1 en ut mineur* (1876) ; *Symphonie n° 2 en ré mineur* (1877) ; C. Saint-Saëns, *Samson et Dalila* (opéra, 1877).
- **En peinture :** P. Cézanne, *L'Ermitage à Pontoise* (1876) ; E. Degas, *La Classe de danse* (1876) ; *Le Café-concert* (1877) ; C. Monet, *Le Pont de l'Europe* (1877) ; A. Renoir, *Le Moulin de la Galette* (1876) ; *La Première Sortie* (1876).
- **En politique :** début de la IIIe République (élections de février-mars 1876 ; ministère Jules Simon) ; coup de force de Mac-Mahon contre la Chambre (1877), suivi d'une réélection d'un majorité républicaine ; agitation en

Orient ; guerre dans les Balkans ; dissolution de la première Internationale (1876) ; législation sur le travail des
femmes et des enfants (Grande-Bretagne) ; formation de
l'Armée du salut.

 • **Sciences et techniques** : nombreuses inventions : téléphone (G. Bell, 1876) ; moteur à explosion (N.-A. Otto,
1876) ; phonographe (T. Édison, 1877) ; travaux de Pasteur et de Charcot.

HISTOIRE ET FICTION

L'action se passe entre 1850 et 1868 (mort de Coupeau).
Gervaise vit les années qui la mènent de 23 à 41 ans ;
le roman se termine à sa mort, à l'âge de 42 ans. Son action
est donc presque exclusivement contemporaine du Second
Empire (1852-1870), que Zola traverse par l'histoire d'un
destin d'ouvrière, issue de la branche bâtarde des Rougon-
Macquart. Ce faisant, en romancier naturaliste, il souhaite
dresser le tableau de la misère des classes laborieuses.

Les conditions de vie créées par l'essor du capitalisme
depuis le milieu du siècle, en rendant les classes sociales
plus étanches que jamais, ne laissent d'issue que dans une
lutte à mort ou dans la résignation à la misère. C'est cette
tendance qui semble caractériser les vues de Zola à
l'époque de *L'Assommoir*, au moins négativement, dans
la mesure où il brosse ici un tableau d'un noir pessimisme.
L'autre volet du diptyque, consacré à la condition
ouvrière, *Germinal* (voir fiche n° 93), apportera la contre-
partie dynamique à ce premier constat, à moins que l'on
interprète l'impossibilité de la promotion sociale qui est
montrée par l'échec de Gervaise comme la condamnation
des voies pacifiques et l'ouverture à la violence.

Quoi qu'il en soit, les données sont là : l'urbanisme et
la réfection de Paris ont bouleversé le paysage géographique de la capitale et, par contrecoup, ont profondément
modifié l'occupation sociale des quartiers, repoussant les
couches ouvrières vers la périphérie ; le boom industriel a

rendu celles-ci toujours plus nombreuses : les seuls équipements d'Haussmann utilisent 60 000 travailleurs, d'origine rurale, peu qualifiés. Cette surcharge en main-d'œuvre explique aussi que, dans le bâtiment par exemple, on puisse chômer cinq mois par an. Les loyers montent du fait des démolitions et de la surcharge humaine. Un loyer annuel à la Goutte-d'Or, si le logis est équipé d'un poêle, vaut environ cent cinquante journées de blanchisseuse, ou cinquante journées de peintre. Sous le Second Empire, la proportion des débits de boisson est énorme (un cabaret pour 8 personnes ; 25 000 « assommoirs » ; cf. CI, pp. 3, 5, 8). Un ouvrier sur quatre épargne, un ajuste son budget, deux sont endettés. Pour les femmes, la prostitution peut apparaître comme un providentiel complément de ressources.

2 - TEXTE

LE TITRE

Le titre, choisi avec un grand bonheur après bien des hésitations, propose six niveaux de lecture.
- Le lieu (où l'on est assommé) : l'enseigne d'un bistrot.
- Tout établissement du même genre (grâce à la valeur générique de *L'*).
- L'agent : le poison alcoolique.
- L'état : l'ivresse de l'être inférieur assommé (comme aux abattoirs qui, significativement, bordent la rue).
- L'enchaînement irréductible des causes dégradantes : la « mauvaise société ».
- Les effets : les cauchemars dans le délire hallucinatoire de Gervaise.

L'ORGANISATION

• L'IDÉOLOGIE DU ROMAN

La plus lue des œuvres de Zola, avec *Germinal*, sera peut-être familière aux élèves ; il sera dès lors aisé, pour peu qu'on s'assure d'une bonne lecture du roman (objet des travaux écrits et oraux suggérés ci-dessous), de dépasser assez vite le plan purement narratif et anecdotique pour aborder assez rapidement celui de l'idéologie du roman. Ce sera d'abord l'occasion de rappeler un débat et une définition, puis de souligner certains points de méthode d'approche littéraire.

● UN TABLEAU FIDÈLE DE LA SOCIÉTÉ

• Le débat partage les histoires et, par raccroc, la critique littéraire : *L'Assommoir* est-il le tableau fidèle d'une société ? Il sera bon de faire classer les arguments par les élèves (exposés 3, 4, 5), mais on fera surgir la problématique suivante : ou bien nous avons affaire à un tableau documentaire — mais alors, lié à une réalité étroite, il se serait démodé —, ou bien nous avons affaire à une œuvre de création « poétique » qui, s'appuyant sur des données concrètes, élargit la vision. Zola est coutumier du fait (cf. fiches sur ses autres romans aux Presses Pocket). Cela ne signifie-t-il pas que l'intérêt historique passe au second plan ? C'est de ce débat que surgira une idéologie du texte, réécriture probablement inconsciente du réel, même chez les adeptes du naturalisme artistique.

• La définition de l'idéologie ne doit pas être réduite au sens faible du terme (« ensemble des opinions peu fondées ») mais doit avoir son contenu le plus fort. Il s'agit d'une véritable production de sens, chaque individu, et l'écrivain en particulier dans son acte créateur, s'affirmant dans son appartenance à un réseau de comportements et de jugements sociaux, de représentations qui l'aident à étayer son rapport au groupe.

● UN DRAME À COLORATION SOCIALE

Si l'on peut retenir, à propos de *L'Assommoir,* la problématique de l'alcoolisme, qui est le leitmotiv de l'époque, il y a aussi un drame à coloration plus sociale, celui de l'ouvrière désirant se hisser au rang des patrons dont elle n'a pas l'étoffe. Gervaise est un échec social (c'est par l'intermédiaire de sa fille Nana — cf. fiche n° 95 — que se fera la promotion sociale) et presque un scandale. Gervaise, la clocharde boiteuse, et Nana, la belle gaspilleuse de son corps, représentent les deux faces de la même immoralité, le refus de la tempérance et de l'épargne, ces valeurs bourgeoises par excellence.

● MYTHOLOGIES

Aussi est-ce peut-être dans les mythologies qu'il faut chercher la puissance de l'œuvre : celle de l'action dévoratrice du temps, celle de la régression (56 fois le mot « trou » dans le roman), celle de l'alambic et de la forge. D'où une chaîne symbolique entre l'alcool, l'or et la défécation.

3 - INTERTEXTE

RECHERCHES ET TRAVAUX

● EXPOSÉS

1. - Des *Misérables* (cf. fiche n° 29) à *L'Assommoir* : romantisme, populisme, socialisme.

2. - Gervaise et Emma Bovary (cf. fiche n° 22).

3. - Le couple, la famille, le groupe social à travers *L'Assommoir* (voir DHL pp. 539-540).

4. - La condition de la femme à travers *L'Assommoir* (voir aussi CI pp. 2, 7).

5. - L'alcool : une mythologie surchargée (voir DHL pp. 541-544).

6. - Les décors symboliques dans *L'Assommoir*.

7. - Le problème de la crasse : sa valeur symbolique.

8. - Le langage de Zola : placage littéraire ou authenticité (voir DHL pp. 545-551 et le glossaire, pp. 555-559).

9. - Zola et l'impressionnisme (Degas, Manet, Cézanne) à travers *L'Assommoir* (voir CI pp. 1, 2, 3).

10. - Le romancier au travail (voir DHL pp. 514-517).

● RECHERCHES

1. - Chronologie interne du roman (voir DHL pp. 511-513).

2. - La vie quotidienne dans le roman (on s'aidera du DHL pp. 518-520).

3. - Les créatures fantastiques chez Zola : la pompe du Voreux *(Germinal)*, la locomotive *(La Bête humaine)*, l'alambic *(Le Docteur Pascal)* et, ici, la « machine à soûler ».

4. - L'âme des lieux : les Halles dans *Le Ventre de Paris* (cf. fiche n° 100) ; le grand magasin dans *Au bonheur des dames* (cf. fiche n° 90), la Bourse dans *L'Argent* et, ici, la maison de la rue de la Goutte-d'Or.

● DOSSIERS

1. - La chronologie interne du roman (voir DHL pp. 511-513).

2. - Étude complète de la Préface (on s'aidera des pp. 521-532 du DHL).

4 - PRÉTEXTE

1. - Zola et la peinture : on complètera l'exposé n° 9 par une étude des tableaux reproduits ici dans le CI, p. 1 (Cézanne), 2 et 3 (Degas).

2. - Les femmes au travail : on commentera la page 2 du CI.

3. - Scènes de la vie de café (CI pp. 4 et 5).

4. - Les pauvres (CI p. 6).

5. - Le roman au théâtre : à partir des pp. 534-538, on commentera les pages 8 à 11 du CI.

6. - *L'Assommoir* au cinéma. Que penser du changement de titre voulu par R. Clément ? Pourquoi avoir appelé le film *Gervaise* ? Commenter les photos des pp. 12, 14, 15 du CI.

7. - Plus de vingt ans séparent les films de Clément et de Roudès. Les photos des pp. citées à la question précédente et celles de pp. 13 et 16 du CI le montrent-ils ? Si oui, comment.

● DISCOGRAPHIE : on ajoutera au DHL la mention du disque 33 T. n° 320E338, Hachette, coll. Phares *(Émile Zola)*.

LA BÊTE HUMAINE

« LIRE ET VOIR LES CLASSIQUES »
N° 6062

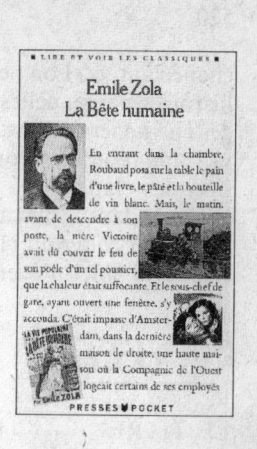

1 - CONTEXTE

LE CONTEXTE DE PRODUCTION :
Principaux événements en 1890 (en feuilleton du 14 novembre 1889 au 2 mars 1890 dans *La Vie populaire*.)

- **En littérature :** P. Claudel, *Tête d'or* ; G. Frazer, *Le Rameau d'or* (jusqu'en 1915) ; H. Ibsen, *Hedda Gabler* ; W. Morris, *Nouvelles de nulle part*.
- **En musique :** P. Mascagni, *Cavalleria Rusticana* (opéra) ; E. Satie, *Gymnopédies* ; P. Tchaïkovski, *La Dame de pique* (opéra).
- **En peinture :** P. Cézanne, *Madame Cézanne dans la serre* ; E. Degas, *Danseuses en bleu*.
- **Sciences et techniques :** découverte du sérum contre le tétanos (E. Von Behring) ; première ligne de métro à Londres ; premier building complètement en acier à Chicago ; ligne téléphonique entre Paris et Londres ; films à images en mouvement montrés à New York (cinématographe) en 1894.

HISTOIRE ET FICTION

L'action se passe en 1869 (comme cela se déduit du début du chapitre IV). Le climat politique est celui de l'Empire chancelant, où l'on peut chercher, du côté républicain, des histoires personnelles pour compromettre des personnages en vue, et où l'instruction classe des affaires pour couvrir une réputation ou, au contraire, accuse sous la pression des clans.

Cependant Zola a été inspiré par des faits divers : l'affaire Fenayrour (1882), l'affaire Barrême (1886) et les crimes de Jack l'éventreur, peut-être (1888).

2 - TEXTE

LE TITRE

Il est impossible de citer toutes les hésitations de Zola avant qu'il ne se soit arrêté au titre définitif (voir DHL pp. 423-427). Cette série, qui figure dans les brouillons de Zola, longue d'environ cent-cinquante propositions, peut être classée selon deux axes : l'un purement négatif, centré sur l'idée de meurtre, l'autre plus explicatif, où domine l'idée d'instinct et de pathologie mentale. L'auteur retient finalement, en un saisissant raccourci, un titre fortement contrasté, qui lance l'imagination vers l'envers de l'homme et ses profondeurs ancestrales. La symétrie apporte une source supplémentaire de réflexion : l'homme y est héréditairement animal, mais aussi, sa « monture », la locomotive, y est comme personnifiée.

L'ORGANISATION

● DEUX NIVEAUX DE LECTURE

Il sera possible, comme souvent avec Zola, d'entreprendre une lecture à deux niveaux : le social, au sens le plus large, et le psychologique. On ne perdra pas de vue l'idée que les outrances maintes fois reprochées au romancier naturaliste sont celles-là mêmes qui caractérisent le genre épique — simplification des ressorts, retour obsédant des métaphores, choix d'une dynamique visionnaire et massive, torrentueuse, de préférence à une analyse minutieuse, isolante, ténue, même si c'est ce dernier parti que croit prendre l'écrivain.

● LA REPRÉSENTATION DE L'INCONSCIENT

L'accumulation des morts violentes dans ce roman français à la russe est, en effet, naïvement lue, de la caricature de destin : si on lui applique les critères du tragique, on y trouvera le simple mélodrame ; approchée d'un œil favorable, elle vient illustrer la thèse d'un homme mixte, pétri de ce mélange où la pulsion érotique et la pulsion de mort se soutiennent mutuellement, loin de se juxtaposer, comme le croyait le romantisme. Pour apporter sa pierre à l'édification « poétique » de la représentation de l'inconscient (Zola avait même pensé donner ce titre à ce roman), l'auteur est contraint de renforcer l'aspect clinique de ses analyses et, dans le climat plutôt scientiste de son époque, son mérite est, contrairement à l'idée répandue, d'avoir su éviter l'endoctrinement, les hâtives généralisations tenant lieu de certitudes sur une possible « explication » de l'instinct de détruire. Il se contente de dérouler devant nous, agencées autour d'une symbolique exaspérée, les composantes de la mécanique du cœur. On peut même se demander si toutes ces notes qu'accumule Zola, et pas seulement pour élaborer ce roman, ne constituent pas une variante de l'introspection, comme si la documentation était pour lui une façon de confirmer dans un deuxième temps ses intuitions. Or, Zola a l'imagination mécanique précisément comme beaucoup de visuels, ou d'individus assiégés par une imagination très centrée sur des faits de digestion, d'assimilation, d'évacuation cloacale : il pense les grands mouvements sociaux en termes de transit, et il exprime explicitement (dans *La Faute de l'abbé Mouret* notamment, mais à plusieurs reprises dans ses confidences) le fantasme d'être emmuré vivant dans l'éboulement d'un tunnel.

● LA TRANSFORMATION DU RÉEL

À un autre niveau, moins anecdotique, il rejoint la prédilection des grands rationalistes de l'histoire pour les images mécaniques servant de support aux développements théoriques : Descartes et Malebranche et leurs boules de billard, Freud et ses « réservoirs » de pulsions, les généticiens modernes et la forme de la double hélice. Le thème de la locomotive doit beaucoup à l'environnement historique. Depuis Vigny et ses invectives dans *La Maison du berger*, c'est de façon irréversible que le progrès du machinisme l'a emporté, inspirant, entre autres, le peintre Monet, dont Zola écrit notamment : « Là est aujourd'hui la peinture, dans ces cadres modernes d'une si belle largeur. Nos artistes doivent trouver la poésie des gares comme leurs pères ont trouvé celle des forêts et des fleuves » (*Le Sémaphore de Marseille,* 19 avril 1877). Le génie de Zola a fait le reste, en transformant notamment l'engin en une allégorie sexualisée, un symbole moins féminin ou masculin que l'emblème animal du temps qui engendre et détruit : « l'échange des idées, la transformation des nations, le mélange des races, la marche vers une unification universelle ». Sur cette toile de fond devra se détacher le mythe de l'antiprogrès : « Sur ce résultat social et intellectuel, montrer le statu quo du sentiment, la sauvegarde qui est au fond de l'homme » (notes manuscrites de Zola dans son *Ébauche*). Plus encore peut-être que chez Victor Hugo, s'affrontent chez Zola l'instinct et la raison. Lecteur de Dostoïevski, l'écrivain penche néanmoins pour une vision du meurtre moins métaphysique, plus ancrée dans le physiologique (C. Lantier a eu en partage la « sublimation » dans l'art — voir *L'Œuvre*, fiche n° 93 — Jacques, lui l'instinct meurtrier).

● UNE ŒUVRE BAROQUE

Qu'importe, à ce niveau, la fiction, qui peut d'ailleurs recouper en des éclairs lucides le tableau de l'épilepsie (de même Séverine accuse bien des traits de l'hystérie). L'œuvre est d'abord baroque, si l'on veut bien mettre derrière ce terme le goût pour la grandiose disproportion, pour le mouvement qui emporte les formes, pour la vie dans ses contradictions.

3 - INTERTEXTE

RECHERCHES ET TRAVAUX

● EXPOSÉS

● Étude de l'incipit (comparer notamment le cimetière de *La Fortune des Rougon,* fiche n° 92, et la gare, ici, sous l'angle du décor clos, porteur d'ouvertures).

● Violence et sexualité dans le roman (cf. notamment l'incipit, les pages 205-207 ; le chapitre VIII).

● *La Bête humaine* et la technique du roman policier (expliquer notamment la logique des morts ; insister sur les pages 78-79 et la page 314).

● Les trios dans le roman (Roubaud-Séverine-Lantier ; Pecqueux et ses deux femmes ; Séverine-Lantier-Flore ; Lison-Pecqueux-Lantier ; Séverine-Grandmorin-Roubaud.

● La psychologie des profondeurs et *La Bête humaine* (voir, entre autres, les pp. 428-431 du DHL).

● *La Bête humaine*, roman fantastique ?

● Étude littéraire de la conclusion (pp. 407-412).

● RECHERCHES

● Le train : ses apparitions comme décor et agent.

● Le personnage de Lison (cf. les deux voyages, les comparer ; cf. aussi p. 244 seq. ; relever les métaphores de la maîtresse).

● Le train : concentration de l'espace.

● Les personnages de criminels chez Zola (voir DHL pp. 433-457).

● DOSSIERS

● Recherches sur le train au XIXᵉ siècle (voir DHL pp. 477-500 et la bibliographie) en fin de DHL, p. 503, à laquelle on ajoutera H. Vincenot, *Mémoires d'un enfant du rail* (Le livre de poche, n° 5651).

• Criminologie et littérature (voir DHL, pp. 457-476). On pourra à partir de ces extraits se reporter aux œuvres citées : *Le Horla* (cf. fiche n° 42), *Dracula* (PP n° 4669), *Illusions perdues* (cf. fiche n° 6), *Splendeurs et misères des courtisanes* (cf. fiche n° 10)

4 - PRÉTEXTE

1. - *La Bête humaine*, un roman populaire ? Se servir, pour répondre à la question, de l'affiche de la p. 1 du CI. Relever tous les éléments caractéristiques d'un roman feuilleton (attitudes, personnages, décor).

2. - Le monde du chemin de fer à travers l'image : photos (CI pp. 2, 3, 4, 5, 6), tableaux (CI pp. 3, 4).

3. - La locomotive : mythologie et show-business (CI pp. 4, 5, 6).

4. - Le roman en images, réalisme et dramatisation (CI pp. 6, 7).

5. - Crime, criminels et hérédité (CI pp. 8 et 9).

6. - Le roman au cinéma. Comparer les images des deux versions, celle de Jean Renoir (CI pp. 10-14 et p. 16 ; voir aussi, dans le DHL, l'analyse de C. Aziza, pp. 504-507) et celle de Fritz Lang *(Désirs humains)*. Presque vingt années séparent les deux cinéastes, tous deux européens.

7. - Le « mythe » Gabin (CI pp. 10-13). L'américain Glenn Ford, pourtant un excellent acteur de composition, fait-il le poids face à lui, dans le même rôle (CI p. 15) ?

8. - La femme fatale vue par Renoir (Simone Simon, voir article cité dans le DHL et CI, pp. 11-14) et Gloria Grahame (CI p. 15).

9. - Carette, populaire acteur du cinéma français des années 1930-1950, comme prototype du lampiste (CI p. 16).

AU BONHEUR DES DAMES

« LIRE ET VOIR LES CLASSIQUES »
N° 6032

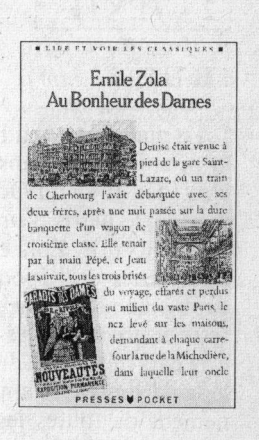

■ LIRE ET VOIR LES CLASSIQUES ■

Emile Zola
Au Bonheur des Dames

Denise était venue à pied de la gare Saint-Lazare, où un train de Cherbourg l'avait débarquée avec ses deux frères, après une nuit passée sur la dure banquette d'un wagon de troisième classe. Elle tenait par la main Pépé, et Jean la suivait, tous les trois brisés du voyage, effarés et perdus au milieu du vaste Paris, le nez levé sur les maisons, demandant à chaque carrefour la rue de la Michodière, dans laquelle leur oncle

PRESSES ◆ POCKET

1 - CONTEXTE

LE CONTEXTE DE PRODUCTION :

Principaux événements en 1883 : voir fiche n°46.

HISTOIRE ET FICTION

Le roman se passe entre 1864 et 1869. Il est scandé par trois temps forts : octobre 1864 (chap. IV) et la grande vente de nouveautés ; 14 mars 1867 (chap. IX), jour de l'inauguration des nouveaux magasins ; février 1869 (chap. XIV), mois de la grande vente de blanc.

Or cette période correspond à peu près exactement à l'ouverture des grands magasins parisiens : Le Bon Marché, en 1852 ; La Belle Jardinière, en 1856 ; Le Printemps, en 1865 ; La Samaritaine, en 1869. On consultera sur ce point la chronologie du DHL (pp. 463-464).

2 - TEXTE

LE TITRE

Le magasin « Au bonheur des dames » apparaît pour la première fois dans *Pot-bouille* (1882, fiche n° 97), et c'est dès 1871 qu'Octave Mouret, calicot, est destiné à devenir le héros d'un roman sur le « haut commerce ». Aux yeux d'É. Zola en effet c'est là une des composantes essentielles de l'époque, avec ses grands magasins qui, depuis une trentaine d'années, montrent de façon manifeste et privilégiée les mutations sociales contemporaines : « la caractéristique du mouvement moderne est la bousculade de toutes les ambitions, l'élan démocratique, l'avènement de toutes les classes. » *(Notes générales sur la marche de l'œuvre)*.

Si, dans sa volonté de concurrencer *La Comédie humaine*, É. Zola récrit *La Maison du Chat-qui-pelote* (1829), c'est bien à un sujet neuf qu'il a conscience de s'attaquer dans ce qu'il considère comme un « poème de l'activité moderne ».

Après l'échec du coup de force de Mac-Mahon en 1877, la République s'est consolidée et la France affermie. En témoignent l'Exposition universelle, le retour des communards exilés et les lois de J. Ferry sur l'Instruction publique. É. Zola, républicain, mène d'abord campagne dans *Le Voltaire* et *Le Figaro* : mais, bien vite, il préfère cesser de ferrailler contre des politiciens (il voudrait quant à lui « moins de gâchis, moins de petits hommes et des appétits moins gros »). C'est à travers sa tâche d'écrivain qu'il veut participer à l'œuvre de son siècle en faisant connaître, dix ans après les Halles dans *Le Ventre de Paris*, fiche n° 100, ces nouveaux monuments du commerce moderne que sont les grands magasins dans *Au bonheur des dames*.

L'ORGANISATION

● UNE COMPOSITION OUVERTE ET OPTIMISTE

Au bonheur des dames, contrairement à *L'Assommoir*, fiche n° 88, de structure fermée, offre une composition ouverte et optimiste. Le roman se présente comme une irrésistible ascension vers l'exposition de blanc du chapitre XIV : « Grand final, large description du magasin arrivé à son apothéose. » (*Deuxième plan* du chapitre XIV).

Trois temps forts scandent en une organisation musicale quatorze chapitres de longueur égale : le crescendo culmine au moment du baiser, acmé et purification sur fond d'or.

a) Octobre 1864, chap. IV : grande vente de nouveautés : recette de 87 742, 10 F ; Mouret, de son observatoire, voit son magasin animé puis encombré.

b) 14 mars 1867, chap. IX : grande vente des nouveautés de l'été à l'occasion de l'inauguration des nouveaux magasins : recette 587 210,30 F ; une véritable cohue envahit le magasin embrasé par le soleil couchant.

c) Février 1869, chap XIV : grande vente de blanc et inauguration de la façade du magasin enfin achevées : recette de plus d'un million ; le magasin est envahi depuis le matin d'une telle affluence qu'un piquet d'ordre est nécessaire pour faire circuler la foule.

● DARWINISME AU GRAND MAGASIN

● La réussite du *Bonheur des dames* se construit sur un énorme champ de bataille selon une loi qui préside à l'évolution des sociétés comme à la régulation des flux biologiques. De bas en haut de l'échelle, tout dans le magasin obéit au principe efficace de la concurrence. « Cette lutte des appétits, cette poussée des uns sur les autres était comme le bon fonctionnement même de la machine, ce qui enrageait la vente et allumait cette flambée de succès dont Paris s'étonnait. » Aucune solidarité entre administrateurs, chefs de rayons, contrôleurs, vendeurs, caissiers :

« La lutte pour la vie est entière, chacun va à son intérêt immédiat. » L'accroissement des ventes fait la fortune de Mouret et permet aux vendeurs d'augmenter leurs gains par le biais de la guelte. Hutin veut « manger » Robineau et Favier mange Hutin par derrière. « Machinerie modèle, circulation de produits et de signes », le Bonheur « transforme en or tous les matériaux qui passent dedans, le personnel et les dentelles » (M. Serres) :

— c'est sur le « flux des dames » que s'organise la richesse, dans l'exaltation des sens et la transe érotique de toutes celles dont le désir n'est forgé que pour en exploiter la fièvre ;

— la femme, couronnée « reine du désir oblique », participe au « flux », par le déplacement méthodiquement endigué de son désir vers des objets fétiches ;

— elle y participe encore et symboliquement par le sang répandu sur les fondations du magasin, depuis la mort de Caroline Hédouin.

● La violence et la mort vont en effet, comme dans les sociétés païennes de l'Antiquité, alimenter le Moloch. Ces sacrifices fécondaient les entreprises humaines : ce sont les morts de Geneviève Baudu et de sa mère, l'accident de Robineau (chap. XIII), sans parler des crises en tout genre et des ruines qui vident le petit commerce.

● Denise constate « ces maux irrémédiables qui sont l'enfantement douloureux de chaque génération ». Ainsi naturalisé, le système ne peut qu'être accepté, voire rationnellement magnifié. La loi du progrès accomplit en effet les principes républicains puisqu'elle fait des hommes les fils de leurs œuvres : Mouret et Hartmann sont des hommes de métier qui vont dans le sens de l'Histoire.

● AMOUR ET CAPITAL

« Plus de pessimisme d'abord… Conclure à la puissance et à la gaieté de l'enfantement (de la vie) » (*Ébauche* du roman).

Pour que l'argent puisse devenir « facteur de civilisation et de progrès » (É. Zola, à propos de son roman de

1891, *L'Argent*), il faut un bon ange intercesseur qui fera du magnat un bon père.

Denise est la seule à parler de l'amélioration de la vie des employés en humanisant le *Bonheur des dames* par des institutions propres à attacher son personnel à l'entreprise. Elle croit que le magasin doit devenir « l'immense bazar idéal, [...] dans l'intérêt même des patrons et avec eux ». C'est sa « pitié active » et son « humanitairerie » (sic sous la plume de Zola), son expérience aussi qui la conduisent à rêver le phalanstère. « Toute la vie était là, on avait tout sans sortir, l'étude, la table, le lit, le vêtement. »

Par ce biais, « la fille sage et pauvre (devenue) la femme du patron — récompense de la vertu — achèvera de décorer d'un badigeon paternaliste le capitalisme triomphant ». (H. Guillemin, préface d'*Au bonheur des dames*). Où le bonheur des uns fait le bonheur des autres et réciproquement.

3 - INTERTEXTE

RECHERCHES ET TRAVAUX

● EXPOSÉS THÉMATIQUES

  ● Les boutiquiers (Bourras, Baudu, Robineau, Gaujean) :

  — les individus et leurs lieux (voir DHL pp. 465-466) ;

  — les attitudes symboliques face à l'évolution du grand commerce.

  ● Vendeuses et vendeurs :

  — les types (Pauline, Denise, Madame Amélie, Clara, Mignot, les Lhomme, Colomban) (voir DHL pp. 473-476) ;

  — la vie des employés des grands magasins : relations humaines, organisation du phalanstère et vie familiale (voir DHL pp. 469-470).

  ● Les clients :

  — les types sociologiques (Mme de Boves, Mme Guibal, Mme Marty) (voir DHL pp. 473-476) ;

— consommation et érotisme (voir DHL pp. 466-467).
● Les « couples » :
— Mouret/Bourdocle ;
— Mouret/Paul de Vallagnac.
● Le sang :
— rôle et présence de ce fluide dans *Au bonheur des dames*.
● Les métaphores dans le roman :
— le Moloch ;
— la machine et le labyrinthe (voir DHL pp. 468-469) ;
— la cathédrale.

● ÉTUDES DE TEXTES

● L'exposition de blanc (chap. XIV) : « Le blanc, sous la lumière électrique, apothéose finale » (Deuxième Plan du chap. XIV). Un chef d'œuvre dans la description.
● La grande vente du chap. IV :
— organisation cinématographique des séquences (matin, midi, après-midi, soir) ;
— étude du point de vue, de l'image, du son.

● RECHERCHES

● *Au bonheur des dames*, une « nouvelle race de magasins » (voir DHL pp. 471-475).
● Les grands magasins et la littérature (voir DHL pp. 476-481).

4 - PRÉTEXTE

1. - Zola et la caricature (CI p. 1). On trouverait aisément d'autres exemples dans les autres romans. On remarquera le côté à la fois coquin et humoristique de la gravure. Car si Zola, en satyre, mène les femmes par le bout du nez, en les poussant à une consommation effrénée dans son roman, il les amène à tirer le diable par la queue...

2. - L'irrésistible ascension du commerce en trois temps et en deux images (CI p. 2).

3. - Les débuts de la publicité (CI pp. 3, 5, 10).

4. - Étude comparée des grands magasins du siècle dernier et de ceux d'aujourd'hui (CI p. 4, 6, 7). Organiser une visite du Bon marché qui est, rappelons-le, le modèle du Bonheur des dames.

5. - Modernité et architecture. Enquête sur les grands travaux du XIXe siècle (CI pp. 6-7).

6. - Les enfants et la publicité. Déjà les enfants sont la cible privilégiée de la publicité (CI pp. 8, 9, 16). Qu'en est-il aujourd'hui ?

7. - Étude de l'affiche de la page 10 du CI (onomastique, couleurs, dessin, orthographe...).

8. - Le cinéma et les grands magasins (voir, aujourd'hui, les publicités du type : « on trouve tout à la Samaritaine » ou « King Kong à la Samaritaine »). Comment le cinéma a-t-il su rendre l'atmosphère trouble des grands magasins (CI pp. 11-12, voir aussi DHL pp. 488-489) ?

9. - Rêves de grandeur (CI p. 13) et rêves d'amour (CI p. 14).

● BIBLIOGRAPHIE COMPLÉMENTAIRE

On complètera l'édition Presses Pocket par : C. Bertrand-Jennings, *L'Éros et la Femme chez Zola*, Klincksieck, 1977 ; N. Krakowski, *Paris dans les romans d'Émile Zola*, éd. P.U.F., 1968 ; dans le n° d'*Europe* cité p. 486, on lira surtout l'article de M. Bouvier-Ajam, « Zola et les Magasins de nouveautés ».

LA CURÉE

« LIRE ET VOIR LES CLASSIQUES »
N° 6035

1 - CONTEXTE

LE CONTEXTE DE PRODUCTION :
Principaux événements en 1871

- **En politique** : entrée des Prussiens à Paris, Thiers chef du gouvernement, le 28 mars installation à l'Hôtel de Ville du Conseil de la Commune, en mai écrasement de la Commune par les Versaillais.
- **En littérature** : Rimbaud, *Le Bateau ivre* et autres poésies, *La Lettre du voyant* ; Banville, *Petit Traité de poésie française* ; Dostoïevski, *Les Démons*.
- **En musique** : Saint-Saëns, *Le Rouet d'Omphale* ; Verdi, *Aïda* ; Wagner, *Siegfried*.

HISTOIRE ET FICTION

L'action de *La Curée* se déroule, comme celle de tous les autres romans du cycle Rougon-Macquart, sous le Second Empire. Rougon arrive à Paris en 1852, peu après le coup d'état. En 1854, il est déjà lancé, en 1860 sa fortune est faite. L'Empereur apparaît en personne dans le roman, sous des traits d'ailleurs peu flatteurs (pp. 166-167, 354).

Zola a voulu écrire ici « le poème ou plutôt la terrible comédie des vols contemporains » (p. 384).

2 - TEXTE

LE TITRE

Le titre du roman appartient au vocabulaire de la chasse à courre. Aristide Rougon et ses semblables, profitant des grands travaux d'Haussmann, dépècent Paris et se repaissent du butin.

À propos de *La Curée*, Zola écrit : « J'y étudie les fortunes rapides nées du coup d'État, l'effroyable gâchis financier qui a suivi, les appétits lâchés dans les jouissances, les scandales mondains. [...] Le titre *La Curée* s'imposait, après *La Fortune des Rougon* ; le premier était la conséquence du second. » (p. 385)

L'ORGANISATION

La Curée peut d'abord apparaître comme une chronique de la société parisienne sous le Second Empire. Le développement anarchique des affaires, le désintérêt général pour la politique, la spéculation permettent la constitution rapide d'immenses fortunes. L'argent facile sert à satisfaire tous les appétits, à commencer par ceux du corps. Le roman s'ouvre et se clôt sur la description des brillants équipages qui paradent au Bois, symboles du luxe et du triomphe des apparences. La fête du chapitre VI, placée sous le double signe du plaisir et de l'argent, consacre le triomphe — provisoire et déjà menacé — de Saccard et de son monde.

Le destin de Renée est parallèle à l'ascension de Saccard et à l'histoire de l'Empire. À la fin du chapitre III, sa présentation à l'Empereur, dans une robe noire et blanche symbolique, constitue « la note aiguë de sa vie ». Renée est encore à mi-parcours, entre le vice et la vertu.

Le bal masqué, au moment où Maxime l'abandonne,
creuse un abîme sous ses pieds. Elle est désormais perdue
et tout le dernier chapitre est une variation autour du
thème de la mort.

3 - INTERTEXTE

RECHERCHES THÉMATIQUES

1. - *La description chez Zola :*

• l'hôtel du parc Monceau : pp. 39-42, 47-49, 58-59,
60-62, 65-69, 210 sq. ;

• comparaison des deux descriptions du Bois, au début
et à la fin du roman ;

• comparaison avec la technique descriptive de Balzac.

2. - *Le personnage de Renée :*

• portraits : pp. 26, 45-46, 144 sq., 304-305 ;

• Renée et la symbolique des éléments (cf. préface) ;

• Renée, nouvelle Phèdre ;

• Renée, personnage d'un roman naturaliste (application à Renée des théories de Zola, cf. DHL pp. 411 sq.,
419 sq.).

3. - *Robes et toilettes :* rôle esthétique, social, symbolique.

4. - *Paris :* pp. 82-83, 106-107, 139-140, 161 sq., 184,
188-189, 235-236.

Cette étude peut conduire à un travail historique sur les
grands travaux du baron Haussmann (cf. DHL p. 389
sq.).

5. - *L'hôtel Béraud :* description, fonction narrative et
symbolique.

6. - *La satire de la société du Second Empire* (cf. DHL
pp. 382-384, 389 sq.).

7. - *Le personnage d'Aristide Rougon* (cf. DHL p. 399 sq.). À comparer éventuellement avec le banquier Nucingen de *La Comédie humaine*.

4 - PRÉTEXTE

1. - La caricature

Le CI s'ouvre sur deux caricatures. La grande période de la caricature française, commencée sous Louis-Philippe, se poursuit sous le Second Empire. *La Curée* peut être à sa manière considérée comme une charge contre la corruption, la médiocrité et le mauvais goût. On recherchera ce qui — dans les tableaux de la vie mondaine en particulier — peut relever de la caricature : silhouettes (Michelin, Hupel de la Noue...), déformations et grossissement, etc. On pourra comparer l'art de Zola et les œuvres de Daumier, Cham, Gill et Grévin.

2. - Les grands travaux d'Haussmann

Chercher textes (en particulier dans les autres romans de Zola) et documents iconographiques concernant l'architecture du Second Empire. Quels en sont les techniques, les formes et l'esprit ?

3. - La peinture de la vie moderne

Le C.I. présente plusieurs tableaux et gravures illustrant cette vie mondaine que dépeint *La Curée*. Montrez qu'on y retrouve la même importance des rites sociaux, la même fascination du luxe et les mêmes ambiguïtés. Peut-on parler d'ostentation ? de mauvais goût ? Quel est le sens de la « fête impériale » ?

À partir des deux gravures de la page 13, il serait intéressant de rapprocher le chapitre VI de *La Curée* de deux scènes parallèles empruntées à Flaubert (*Madame Bovary*, PP n° 6033, pp. 346-347 et *L'Éducation sentimentale*, p. 151 sq.). On verra qu'à chaque fois les déguisements montrent plus qu'ils ne cachent, et que les bals masqués sont le lieu d'un malaise individuel et collectif.

LA FORTUNE DES ROUGON

« LIRE ET VOIR LES CLASSIQUES »
N° 6071

1 - CONTEXTE

LE CONTEXTE DE PRODUCTION :
Principaux événements en 1870 : voir fiche n° 19.

HISTOIRE ET FICTION

L'action se passe du 7 au 11 décembre 1851. « Le premier épisode (des Rougon-Macquart) aura pour cadre
historique le coup d'État dans une ville de province, sans
doute une ville du Var » (Lettre de Zola à son éditeur).
En tant que journaliste, Zola avait pu avoir connaissance
d'une polémique, dix-sept ans après les événements, entre
le préfet d'alors du Var et des publicistes républicains, qui
lui reprochaient d'avoir exercé une répression sanglante.
Il existait d'autre part quelques ouvrages traitant de cette
période dont *La Province en 1851* (paru en 1865), *Insurrection de décembre 1851 dans le Var* (paru en 1853).

2 - TEXTE

LE TITRE

• On peut penser, pour le titre, que le terme de « fortune » a le mérite de son ambiguïté : il n'est pas indifférent de remarquer que le maître de la théorie héréditaire des passions et des mouvements de l'âme a laissé avec bonheur quelque rôle à jouer, et non des moindres, puisqu'il est inaugural (le roman avait d'abord été appelé *Les Origines*), à ce véritable moteur de la tragédie, le hasard (sens étymologique de fortune) qui se transforme en destin.

• Quant au patronyme de Rougon, Zola ne l'a pas immédiatement choisi, et il s'est imposé après une longue série d'hésitations. Le romancier avait d'abord pensé aux Richaud (on y lit l'adjectif riche) s'opposant à une branche apparentée, celle des David (et l'on pense au triomphe du petit berger sur Goliath). Les Richaud sont devenus les *Goiraud* dans une étape intermédiaire. Enfin Zola s'arrêtait, pour le patronyme, aux Rougon qui, inversant la structure précédente, évoquait dans ses sonorités l'âpreté morale et surtout la couleur rouge. On n'y pouvait manquer de repérer la connotation du sang baignant tout le cycle, tant sous les espèces de la guerre que de la physiologie et de l'hérédité.

L'ORGANISATION

● UN TEXTE FONDATEUR

• Il conviendra de faire en sorte que les jeunes lecteurs se pénètrent de l'importance pour l'œuvre du roman qui inaugure les 20 volumes des *Rougon-Macquart* : il s'agit là d'un texte fondateur, d'un frontispice, dont la fonction est plus de programmer le tout que de le décorer d'un vestibule. Il faudra que le lecteur vienne sans cesse se demander comment le dessein général est servi par l'intention romanesque, localisée ici à une intrigue ramassée.

• Le double thème du roman (amour et insurrection) relève d'un procédé familier à Zola qui mêle volontiers une intrigue politique (ou sociale) à une autre poétique (cf. fiches sur *Germinal* et autres œuvres).

● L'INCIPIT

Pour s'écarter de l'habituelle lecture politique (au sens étroit) qui limite Zola à l'engagement (alors que sa portée est ailleurs, intemporelle) nous avons centré les remarques sur un passage doublement placé aux origines puisque par lui s'ouvrent à la fois le roman et le cycle.

Il est ainsi significatif que les premières pages du roman constituent la description d'un cimetière. Ce n'est pas un chant de mort qu'il convient d'y lire mais la forme symbolique que prend chez Zola son intuition fondamentale et qui va parcourir tout le cycle : la notion de lignée, de généalogie. Bien des éléments (romantisme des lieux écartés, poésie de l'ombre, souvenirs d'enfance, etc.) concourent à faire de ces pages une ouverture d'opéra.

● LE PREMIER « PERSONNAGE »

Quant au premier trait vivant qui vienne s'insérer dans le récit, sous les espèces du premier « personnage », c'est l'engin de mort, la carabine que Silvère tient cachée sous sa veste. Tout dans la posture du « héros », dans sa méditation intériorisée rappelle le veilleur de la tragédie classique. Cette arme indique que Silvère a fait son choix : il participera à l'Histoire : il est dans le camp des adultes, tout comme par son amour pour Miette.

● UNE VOLUTE

L'ensemble du roman va former une volute dont le support sera, dans ce mouvement clos, cette fameuse tombe qui apparaît trois fois dans le roman.

3 - INTERTEXTE

● EXPOSÉS

● L'art du flash-back dans *La Fortune des Rougon*.
● Le temps dans le roman (établir la chronologie).
● Les leitmotive et la façon dont ils s'entrelacent.
● Le thème du sang et son caractère ambigu.
● Le gendarme borgne : la transformation d'un fait divers en symbole.

● DOSSIERS

● Zola et *Les Rougon-Macquart* (genèse, mise en œuvre, travail du romancier ; pp. 389-410 du DHL).
● Zola et le roman (voir DHL pp. 411-416).
● *La Fortune des Rougon* : un roman inaugural (voir DHL pp. 417-432).
● Recherche de champs sémantiques chez Zola : la folie, le caractère, la passion (voir les autres romans de Zola).
● Le Deux-Décembre et la littérature : les Goncourt, Hugo (voir DHL pp. 433-448).

4 - PRÉTEXTE

1. - Le décor inaugural, tableaux et photos (CI pp. 1, 4, 5).
2. - Zola au seuil des *Rougon-Macquart* : quelles réflexions la photo de la page 3 du CI inspire-t-elle ?
3. - La couverture du roman : comparaison avec des couvertures d'aujourd'hui (CI p. 2).
4. - Les classes sociales dans le roman (CI pp. 5, 6, 7, 16).
5. - 1848 : espoirs et déceptions (CI pp. 8, 9, 10, 12, 13). Lamartine et le drapeau tricolore (CI pp. 8-9).
6. - Les fossoyeurs de la république : que penser des trois personnages de la page 11 du CI ?
7. - Le coup d'État du 2 décembre (CI p. 12).
8. - Le roman en images (CI pp. 14-15).

GERMINAL

« LIRE ET VOIR LES CLASSIQUES »
N° 6029

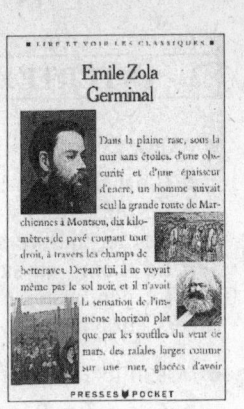

---

1 - CONTEXTE

LE CONTEXTE DE PRODUCTION :
Principaux événements en 1885 (en feuilleton du 26 novembre 1884 au 25 février 1885. : voir fiche n° 39).

HISTOIRE ET FICTION

L'action se passe en 1866-1867 (quelques points de repère dans le roman comme la guerre du Mexique).

Quelques événements contemporains :

La Prusse qui a vaincu l'Autriche à Sadowa (1866) devient une grande puissance ; les U.S.A. achètent l'Alaska à la Russie (1867). La même année, la France défend les États du Pape (défaite de Garibaldi à Mentana) et abandonne Maximilien au Mexique (il est exécuté par les Juaristes). En littérature, le Parnasse jette ses derniers feux (Catulle Mendès, *Le Parnasse contemporain*, anthologie), le réalisme (les frères Goncourt) va bientôt céder la place au naturalisme (Zola, *Thérèse Raquin*, 1867, fiche n° 98). Par ailleurs, entre 1877 (date de *L'Assommoir*, fiche n° 88) et 1885, le mouvement ouvrier s'organise malgré les rivalités entre « communistes » et anarchistes

(Congrès du Gard, 1877). Face aux mouvements syndicaux (Congrès des syndicats, Lyon, 1878), le gouvernement réagit parfois brutalement (procès de J. Guesde en 1878). Cependant, malgré le congrès ouvrier socialiste de Marseille (1879), des divisions qu'accentue le retour des « communards » (amnistie en 1880) font perdre des sièges au mouvement ouvrier aux législatives de 1881 (des échos dans *Germinal*). C'est en 1882 que l'on voit s'affronter, jusqu'à la scission, les partisans de Rasseneur, ceux de Guesde, les blanquistes et les anarchistes (attentat de Lyon, 1883). Il y a donc superposition des luttes des années 80-84 aux conditions sociales de la fin du Second Empire.

2 - TEXTE

LE TITRE

Le titre n'est pas venu d'un coup à l'imagination de Zola qui avait d'abord pensé à différentes allusions politiques ou à des métaphores tirées du feu (le feu souterrain, le feu qui couve, le sol qui brûle), ou encore de la fissure (coup de pioche, la maison qui craque, la lézarde). C'est avec d'autres essais qu'il se rapprochera le plus du titre qu'il retient pour finir : moisson rouge, sous terre, le grain qui germe, le sang qui germe.

Le titre définitif contient une allusion historique à l'émeute de 1795 (1er avril : le peuple envahit la Convention en réclamant du pain ; repoussé par la Garde nationale, il s'insurge à la fin du même mois). Mais c'est sans doute le symbole qui retient davantage Zola : la semence du futur germant dans les actions présentes. « Les graines, écrit-il, sont les idées de liberté, d'égalité qu'on a semées dans le peuple. » La trouvaille de Zola est d'une portée incontestable. Faut-il ajouter qu'outre le verbe germer, les sonorités de ce titre évoquent à la fois *malingre* (qui en est l'anagramme exacte), et donc l'antithèse de la production, et les anagrammes approximatives que donnent : *imaginer, marginal, l'an maigre,* etc. ? Le mot contient aussi presque toutes les lettres de la *mine,* de *galérien*, de *galerie*...

L'ORGANISATION

● LE FIL CONDUCTEUR

En choisissant comme fil conducteur du récit Étienne Lantier, le fils de Gervaise, Zola a voulu clairement montrer la filiation qui existe entre *L'Assommoir*, fiche n° 88, *Nana*, fiche n° 95, et *Germinal*. On se souvient que Gervaise s'est, d'une certaine façon, réalisée dans Nana, mais qu'en réalité c'est la part la plus obscure d'elle-même, sa mort, qui se réalise sous les espèces de la jouissance et du gaspillage. Profondément, il fallait à Zola le contrepoint à ce déterminisme (et ce n'était pas un hasard si la femme lui offrait fantasmatiquement le lieu de la dégradation la plus accomplie).

● MYTHOLOGIES

Par là (et comme aussi dans *La Fortune des Rougon* — cf. la fiche n° 92), Zola retrouve la dimension des grands mythes. Ici le plus transparent semble être celui de Thésée, héros solaire qui, descendant au labyrinthe (ici : la mine) pour affronter la bête dévoratrice (ici : le Voreux, celui qui dévore et vomit), en revient vainqueur. Il peut d'ailleurs être intéressant de rechercher tout ce que le roman comporte d'images chtoniennes (le Voreux vorace qui dévore et vomit, la « maison morte, sans lumière, sans feu, sans pain » du dénouement final, etc.). On pourra aussi se demander pourquoi cette importance dévolue à ces quadrupèdes, Bataille, Trompette, représentés jusque dans le patronyme du méchant, *Chaval.* Ainsi donc pour posséder la mère (ici la matière, l'énergie), il faut tuer le père, le châtrer (cf. le sort que subit, dans le roman, l'épicier Maigrat).

● LE PERSONNAGE DOMINANT

Le personnage dominant est, bien sûr, Étienne Lantier. Le fils de Gervaise était, dans le projet initial de Zola, destiné à devenir un criminel, mais ce rôle, après *Germinal*, sera dévolu à Jacques Lantier (le héros de *La Bête humaine*, fiche n° 89). Apprenti forgeron dans *L'Assommoir*, Étienne, renvoyé de la Compagnie des Chemins de fer, devient herscheur, puis haveur (on fera expliquer ces termes aux élèves) à la fosse du Voreux. Le héros fait son éducation socialiste : sous l'influence de Souvarine (on pense aux anarchistes russes comme Kropotkine), il s'initie aux idées de Bakounine mais bifurque vers le mouvement ouvrier. Il sera le chef de la grève tragique de Moscou (Zola pense à l'exemple récent de la grève des mineurs d'Anzin). À ses côtés les Maheu, famille de mineurs depuis cinq générations et surtout leur fille Catherine, en butte aux assauts d'un amant jaloux, Chaval. L'union d'Étienne et de Catherine trouvera un dénouement sanglant au fond de la mine.

3 - INTERTEXTE

RECHERCHES ET TRAVAUX

● EXPOSÉS

● Analyse du roman (analyse des six parties, découpage temporel, contenu narratif).

● Les personnages du récit (personnages ou acteurs ? rôles sociaux, etc.).

● Les éléments dramatiques (on pourra, à titre d'exemple, étudier de près, dans cette optique, le siège de l'hôtel du directeur, V, 6, pp. 375-391).

● La nourriture dans *Germinal* (analyse comparée du repas de la Ducasse chez les Maheu, pp. 164-179, et de celui chez les Hennebeau, le premier jour de la grève, pp. 215-230).

● Le plaisir et les plaisirs dans *Germinal*.

● La surface et le fond : deux univers opposés.

● On tentera de préciser ce que l'on entend par « écriture naturaliste », à partir de *Germinal* (on s'aidera du DHL pp. 557-559).

● DOSSIERS

● La documentation de Zola pour écrire *Germinal* (cf. DHL pp. 563-568).

- Le « socialisme » de Zola (voir DHL pp. 572-573).
- Mise au point d'un lexique des termes techniques (voir DHL pp. 611-613).

● RECHERCHES

- La vie dans la mine à la fin du XIXe siècle (on s'aidera pour cela de la bibliographie spécialisée donnée en fin de DHL p. 617).
- L'évolution du mouvement ouvrier à la fin du XIXe siècle (on trouvera la documentation nécessaire dans DHL), pp. 580-586).
- La mine et les mineurs dans la littérature (on consultera les pp. 591-610 du DHL).

4 - PRÉTEXTE

1. - Les conflits sociaux (grèves, manifestations diverses) en images : CI pp. 1, 4, 5, 12, 13.

2. - Zola et le roman populaire : CI p. 3.

3. - Le paysage de la mine : tableau (CI pp. 6 et 7), dessin (CI p. 7).

4. - L'imagerie de la mine : quelles réflexions peuvent inspirer les pp. 8 (tableau et dessin) et 9 (illustration spectaculaire) du CI ?

5. - La mythologie de la mine : expliciter avec l'aide de la page 10 du CI, la comparaison avec le Minotaure. Étude et analyse du tableau de la page 11.

6. - *Germinal* au cinéma les pages 12, 13, 14, 15 du CI montrent différentes photos du film d'Y. Allégret. Étude des personnages et de la double page 12-13 (comparaison avec la peinture).

7. - Commentaires sur la page 16 du CI.

● LECTURES COMPLÉMENTAIRES

Quelques lectures complémentaires, esquissées dans le DHL : H. Malot, *Sans famille* (1878, IIe partie la mine dans les Cévennes) ; J. Verne, *Les Indes noires* (1877).

LA JOIE DE VIVRE

« LIRE ET VOIR LES CLASSIQUES »
N° 6111

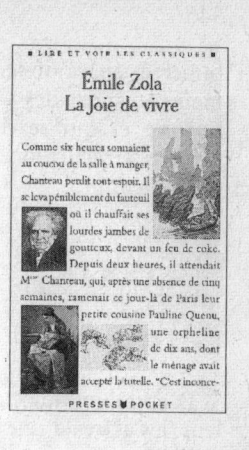

Émile Zola
La Joie de vivre

Comme six heures sonnaient
au coucou de la salle à manger,
Chanteau perdit tout espoir. Il
se leva péniblement du fauteuil
où il chauffait ses
lourdes jambes de
goutteux, devant un feu de coke.
Depuis deux heures, il attendait
Mme Chanteau, qui, après une absence de cinq
semaines, ramenait ce jour-là de Paris leur
petite cousine Pauline Quenu,
une orpheline
de dix ans, dont
le ménage avait
accepté la tutelle. "C'est inconce-

PRESSES ◆ POCKET

---

1 - CONTEXTE

LE CONTEXTE DE PRODUCTION :
Principaux événements en 1884

- **En politique :** Présidence de Jules Grévy, Jules Ferry président du Conseil. Le divorce est autorisé. Lois sur les libertés syndicales.
- **En littérature :** Huysmans, *À Rebours* ; Leconte de Lisle, *Poèmes tragiques* ; Verlaine, *Jadis et Naguère*.
- **En musique :** Massenet, *Manon*.

HISTOIRE ET FICTION

La Joie de vivre ne s'inscrit que très lâchement dans le contexte chronologique et politique des *Rougon-Macquart*. Aucune allusion n'est faite aux événements contemporains de l'action. Seule l'évocation du Saccard de *La Curée* renvoie aux flamboyantes spéculations du Second Empire. Un plan détaillé laissé par Zola fait commencer l'action en 1860 (p. 409).

Le véritable temps du roman est naturel (cycle des saisons, des marées, succession des portées de La Minouche), lié aux grands phénomènes de la vie et de la mort (enfance,

puberté, épanouissement du corps de Pauline, vieillissement ou mort des Chanteau). Temps cyclique plus que
linéaire et qui se distend interminablement comme le
prouve la récurrence des thèmes flaubertiens de l'attente
et de l'ennui.

2 - TEXTE

LE TITRE

D'épouvantables crises de goutte, un phlegmon puru-
lent, les affres d'une agonie terrible, un accouchement difficile, les tortures morales d'un névrosé et, pour clore
l'ensemble, le suicide de la bonne : le titre du roman semble avoir valeur d'antiphrase. *La Joie de vivre* est, de fait,
un livre sur la mort, écrit sous l'influence de Schopenhauer, à un moment où Zola traverse, après le décès de
sa mère, des moments difficiles. Le romancier veut y
dépeindre la souffrance, sous toutes ses formes, et le drame
de l'existence humaine prise entre le néant et l'ennui.

Toutefois le personnage de Pauline renouvelle le sens
du titre. La jeune fille accepte sans dégoût ni peur la
condition humaine. Sa pitié pour les malheureux, son infatigable activité et sa gaieté lui permettent d'échapper à
l'ennui et au désespoir. Le titre choisi par Zola, ainsi que
les toutes dernières phrases du livre, invitent donc à lire
La Joie de vivre comme un encouragement et une incitation à l'action et à la sagesse.

L'ORGANISATION

Le roman, qui comporte onze chapitres, est rigoureusement structuré. La première partie montre le dépouillement progressif de Pauline par les Chanteau. Sa fortune
s'en va peu à peu, dans l'entretien de la maison et les entreprises aventureuses de Lazare. Puis on la dépossède de ce
qu'elle croyait pourtant acquis, son amour et son mariage.

Le chapitre VI et la mort de Madame Chanteau constituent l'axe de l'œuvre. « La seconde partie répète sur le mode tragique les événements de la première » (p. 13). Pauline consomme sa ruine en refusant l'offre avantageuse faite par le docteur Cazenove, et résiste à la tentation de devenir, sinon l'épouse, du moins la maîtresse de Lazare. À l'agonie du chapitre VI correspond la naissance du chapitre X. Dans cette seconde partie, le dévouement de Pauline n'est plus résignation consentie, mais devient un don conscient et volontaire de soi. Le dernier chapitre est donc une sorte d'« apothéose » de l'héroïne. Toutefois l'absence d'un douzième chapitre laisse ouverte et comme suspendue la structure romanesque.

3 - INTERTEXTE

EXPLICATIONS DE TEXTE

Descriptions de la mer (pp. 21-22, 29, 226-227), les affres de Lazare (pp. 212-213, 304 sq.), la philosophie pessimiste (pp. 237, 309-310), mort de Mathieu (pp. 259-260), un acte héroïque de Lazare (p. 318 sq.), Pauline redonne la vie à l'enfant (p. 360 sq.), dernières pages (pp. 393-394).

ÉTUDES THÉMATIQUES

1. - La composition de *La Joie de vivre* : on étudiera le plan du roman, et l'on comparera les ébauches (textes 1, 2, 3 du dossier) à l'œuvre achevée.

2. - Le personnage de Lazare (textes 4-5). Les projets et les entreprises de Lazare : la musique, la médecine, l'industrie, les grands travaux, les affaires, le théâtre...

3. - Le personnage de Pauline (texte 6). À opposer éventuellement à Louise.

4. - Le personnage du docteur Cazenove et la médecine.

5. - Deux thèmes majeurs du roman : mort et fécondité.

6. - La philosophie pessimiste (textes 10-11).

7. - L'abbé Horteur et la religion.

8. - Le village de Bonneville : cadre de l'action, sujet d'étude sociologique et symbole.

9. - Le personnage de Véronique.

4 - PRÉTEXTE

1. - La peinture de la mer

Le CI présente plusieurs marines (pp. 1, 2, 6, 7). Voir aussi le DHL, textes 17 à 19. On pourra étudier la technique des œuvres reproduites, inviter les élèves à rechercher d'autres tableaux relevant du même thème, et étudier les descriptions du roman sous l'angle pictural.

2. - La vie des paysans et des pêcheurs

Étudier les œuvres reproduites (pp. 8-15). Quels aspects de la vie locale Zola a-t-il privilégiés ? Bien que l'action soit précisément située (sur la côte normande), peut-on parler de pittoresque ? Les élèves pourront rechercher d'autres documents iconographiques et romanesques concernant la Normandie (Maupassant).

3. - Étude d'un dessin humoristique (p. 3)

Montrer la fidélité de la caricature à l'action du roman. Comment Zola, très souvent caricaturé, est-il dépeint ? Que lui reproche-t-on ? Il sera intéressant de rapprocher ce dessin d'œuvres parallèles. Voir CI des n°s 6032, 6035, 6054, 6061…

4. - Lazare

Symbolique du nom et thème iconographique (p. 16).

NANA

« LIRE ET VOIR LES CLASSIQUES »
N° 6054

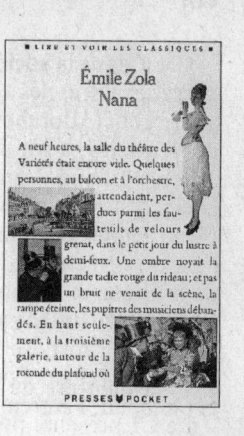

■ LIRE ET VOIR LES CLASSIQUES ■

Émile Zola
Nana

A neuf heures, la salle du théâtre des
Variétés était encore vide. Quelques
personnes, au balcon et à l'orchestre,
attendaient, per-
dues parmi les fau-
teuils de velours
grenat, dans le petit jour du lustre à
demi-feux. Une ombre noyait la
grande tache rouge du rideau ; et pas
un bruit ne venait de la scène, la
rampe éteinte, les pupitres des musiciens débandés. En haut seulement, à la troisième
galerie, autour de la
rotonde du plafond où

PRESSES ◆ POCKET

1 - CONTEXTE

LE CONTEXTE DE PRODUCTION :
Principaux événements en 1880 (en feuilleton du 16 octobre
1879 au 5 février 1880: voir fiche n° 40).

● **Sciences et techniques :** lampe électrique à filaments
de charbon (Édison, U.S.A.) ; construction du canal de
Suez ; exploration de Stanley au Congo supérieur ; introduction du radiateur à gaz et confection de papier à bon
marché avec de la pâte de bois.

HISTOIRE ET FICTION

L'action se passe entre avril 1867 (soirée théâtrale) et
juillet 1870 (mort de Nana). En fait, il faudrait remonter
jusqu'en avril 1851 (naissance de Nana, *L'Assommoir*, IV,
cf. fiche n° 88). Notons les libertés que prend Zola avec
la chronologie (il semble difficile que Nana n'ait que 16 ans
au début du roman). L'action est donc presque exclusivement contemporaine du Second Empire (1852-1870). Après
avoir eu hôtel particulier (année 1869) et vie fastueuse (mai
1869 : épisode des courses), Nana meurt au moment de
la déclaration de guerre.

C'est dans la société du Second Empire qu'il faut donc chercher les « clés » du roman. Le ménage Mignon, cet ancien chef d'orchestre, époux complaisant d'une étoile des *Variétés*, a son modèle dans le Paris de l'époque, les Judic. Millaud, l'amant de Mme Judic, est, comme Fauchery, l'amant de Rose Mignon, journaliste au *Figaro*. Nana elle-même amalgame les traits de trois courtisanes de l'ère des « biches de haute volée », Anna Deslions, Valresse de la Bigne et Delphine de Lizy. Elle emprunte sa mort à Blanche d'Antigny dont l'amant, le banquier Bischoffsheim, se transpose en banquier Steiner dans le roman. Même la Tricon existait dans la réalité sous les traits de la Guinoud, l'entremetteuse la plus libre du Second Empire.

2 - TEXTE

LE TITRE

Même si le rapprochement le plus évident doit se faire avec le tableau du même nom d'E. Manet (1877) — voir CI p. 1 —, il ne faut pas, semble-t-il, attacher une importance parculière au titre. Nana est le diminutif enfantin d'Anna, prénom de la fille de Gervaise. On ne peut guère rattacher ce diminutif au terme de « nana » au sens de « fille ». Bien que le mot apparaisse chez Théophile Gautier en 1850 *(Voyage en Italie)*, on ne le retrouve popularisé que vers les années 1940-1950. L'écart est donc trop grand avec le roman de Zola pour qu'il y ait eu une influence quelconque et, inversement, Zola n'a pas pu jouer sur une acception qui n'existe pas encore à son époque.

L'ORGANISATION

● LE PROBLÈME DE LA FIDÉLITÉ AU RÉEL

À s'enfermer dans la problématique des choses vues, on risque de perdre l'essentiel de *Nana* et de retomber dans la même erreur où se sont emprisonnés les contemporains de Zola. Il semble que la traditionnelle question « le romancier est-il un peintre fidèle des milieux qu'il donne à voir ? » soit un faux problème (cf. autres fiches sur les romans de Zola). Il ne sera toutefois pas mauvais de reprendre en face des élèves les pièces d'un dossier où s'affrontent thèse et antithèse, afin de montrer qu'il s'agit d'une fausse querelle, trouvant sa solution dans une lecture résolument moderniste. Elle aura pour avantage de restituer à l'écrivain sa dimension de démiurge, en soulignant la portée mythique que ne manque pas d'apporter toute stylisation.

● ZOLA HÉRITIER DE FLAUBERT ?

Outre les personnages dont nous avons montré plus haut la réalité, le goût « clinique » de Zola pour la documentation fait de lui un héritier direct de Flaubert. De même que celui-ci avait lu, pour *Madame Bovary*, fiche n° 22, une littérature sérieuse sur l'arsenic et les empoisonnements qu'il causait, de la même façon, Zola, faisant mourir Nana d'une maladie précise, en trouve d'abord les éléments dans *Recherche sur la variole*, un texte scientifique qui fait autorité. On peut ici alléguer que Zola travaillait de seconde main : sur le milieu qu'il voulait représenter, des amis à lui, experts en galanterie, lui fournissaient d'abondantes notes sur des anecdotes libertines dont ils avaient été témoins ou acteurs. Il demeure que ces esquisses sont des éléments qu'il fallait encore intégrer dans un projet artistique général et, on y insistera plus bas, la précision photographique n'est peut-être pas le but ultime du réalisme d'un artiste.

● L'HOMME DE LA TRANSGRESSION

Pourtant, et dans un esprit difficile à justifier, sinon à comprendre, la critique vint souvent de personnes qui déniaient à Zola compétence en la matière. On touche ici à une contradiction fondamentale de l'esprit bourgeois lorsqu'il profère une censure : on peut y lire, en effet, à la fois un sentiment révulsé par l'excès de détails scabreux, mêlé d'un regret devant trop peu de fidélité (c'est sans aucun doute derrière quoi se masque le déni de scientificité). Comment comprendre autrement le grief formulé contre l'auteur de n'avoir été « ni original ni vrai » ? Zola devenait, tout à coup, aux yeux de la bourgeoisie, l'homme de transgression, non pas seulement parce qu'il passait les bornes, mais parce que, avec son audace d'écrivain, il touchait à la vie et jouait les connaisseurs. Passe encore si son roman avait été seulement salace, mais cet homme ne voulait-il pas dépeindre une décomposition, à laquelle la classe bourgeoise était associée ?

● LE THÈME

Le thème en lui-même, celui de la courtisane, est trop contrasté, trop romantique en un certain sens (c'est une femme de la Nuit aspirant à la Lumière), et ses précédents trop livresques, durant tout le XIXe siècle, pour qu'on n'en tire pas une conclusion évidente : il peut s'agir, si l'on est mal disposé, d'un poncif, et, si on l'est bien, d'une figure mythologique. Même si l'on ne désire pas induire à toute force le second point de vue, on doit reconnaître qu'un livre de plus sur la question (voir plus bas les lectures complémentaires) devenait une gageure. C'est pourquoi Zola a trop manifestement exprimé ses intentions visionnaires pour que l'interprétation s'en tienne au cadre socio-politique.

● UN ROMAN ÉCRIT PAR UN HOMME DE DÉSIR

Nana est une œuvre où se reconnaît la griffe d'un homme de désir, réglant peut-être un compte à la sexualité qu'il hésite à décrire purement comme une force de vie ou de mort. Rappelons-nous que dans *L'Assommoir* Gervaise cède à Lantier sous les yeux mêmes de la fillette. Cette « scène primitive » est structurante pour Nana qui vivra de l'avilissement et en mourra, comme si son destin était en germe dans cet épisode décisif, où l'identification est brutale, engage l'être entier, et dicte sur un autre plan son histoire. Nana sera la déchéance qu'elle voit. Elle représente le ça, le scandale qui méprise la convention.

Mais la société se ligue contre cette pulsion de vie, et le roman devient le grand mythe de la dissociation entre Nature et Culture.

3 - INTERTEXTE

RECHERCHES ET TRAVAUX

● EXPOSÉS

• La mort de Nana et la mort d'Emma Bovary (cf. fiche n° 22).

• Comparaison entre *Nana* et *Splendeurs et misères des courtisanes* (cf. fiche n° 10). Peut-on parler de deux mondes en continuité ou y a-t-il au contraire, rupture de l'histoire ?

• Le baron Hulot et le comte Muffat, comme témoins d'une aristocratie décadente.

• Chronologie du roman (voir DHL p. 493).

• *Nana* et les Goncourt (voir DHL pp. 495-498). Que penser de ces réactions ? Sont-elles symptomatiques de deux écrivains « mauvaises langues » ou, au contraire, reflètent-elles l'opinion des lecteurs du roman ?

• Le personnage de Nana dans *L'Assommoir* (cf. fiche n° 88 et DHL pp. 499-503).

● DOSSIERS

• Les classes sociales dans *Nana*.

• Les grands mythes de Zola : l'alcoolisme (cf. fiche n° 88), la débauche, le sang (cf. fiche n° 100).

• Zola moraliste : plaisir et aliénation.

• Théâtre et opéras sous le Second Empire (voir DHL pp. 505-511).

• Plaisirs et fêtes sous le Second Empire (voir DHL pp. 515-523).

● RECHERCHES

● Le thème de la courtisane dans la littérature du XIXe siècle (on s'aidera des lectures complémentaires proposées en fin de fiche).

● La prostitution et les maisons closes au siècle dernier (voir DHL pp. 513-514 et, entre autres, A. Corbin, *Les Filles de noces,* Aubier, 1978).

4 - PRÉTEXTE

1. - Le plaisir en images (CI pp. 5, 9, 12).

2. - Zola et la caricature (CI pp. 2 et 3).

3. - L'argent et le sexe à travers le CI : citer les images qui les évoquent.

4. - Le thème de la prostituée (CI p. 5, voir aussi le CI de Maupassant, *La Maison Tellier*, fiche n° 43).

5. - Richesse et pauvreté dans le CI : commentaire des pp. 6-7.

6. - Mondains et demi-mondaines (CI pp. 5, 8, 9).

7. - Toulouse-Lautrec, peintre de la vie parisienne : recherche à travers le CI des œuvres de Zola et de Maupassant.

8. - L'agonie de Nana : commentaire de la page 11 du CI.

9. - *Nana* au cinéma. Le roman a été maintes fois adapté. On trouvera ici des photos extraites des films de Renoir (1926), Christian-Jaque (1955), Alhber (1970), Cazeneuve (1981). On comparera les deux plus talentueuses interprètes de Nana : Martine Carol (CI pp. 12, 13, 16) et Catherine Hessling (CI p. 13).

10. - Film et téléfilm : fait-on la différence entre les films (CI pp. 12-14 et 16) et le téléfilm (CI p. 15) ?

L'ŒUVRE

« LIRE ET VOIR LES CLASSIQUES »
N° 6077

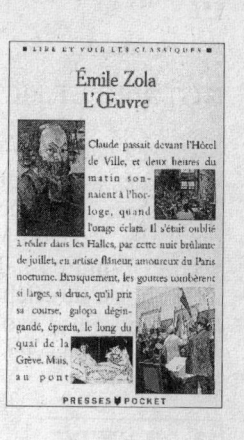

---

1 - CONTEXTE

EN 1886...

- Manet est mort depuis bientôt trois ans, l'impressionnisme passé dans les mœurs picturales. Cézanne a quarante-sept ans ; il prolonge en Provence un de ces longs séjours où se ressource son inspiration. En 1882-1887, ce sont (entre autres) les vues de l'Estaque et de la Sainte Victoire, qui deviendront célèbres à partir de 1890. Mais pour l'heure l'incompréhension presque générale entoure celui qui prépare les révolutions picturales du XXᵉ siècle.

- **En politique :** c'est le moment du grand ralliement antiparlementaire autour du général Boulanger (alors ministre de la guerre). À l'opposé, le mouvement ouvrier s'affirme comme une force nouvelle au lendemain du vote de la liberté syndicale (1884), ce qui n'empêchera pas la censure d'interdire *Germinal* à la scène, précisément entre les deux phases de rédaction de *L'Œuvre*.

- **En littérature :** une année féconde : *Bel-Ami* de Maupassant, *L'Insurgé* de Vallès, *L'Ève future* de Villiers de l'Isle-Adam — roman qui traduit à sa manière les progrès scientifiques et techniques.

- **En musique :** Saint-Saëns (chef de file des antiwagnériens) donne sa 3ᵉ symphonie, avec orgue.

HISTOIRE ET FICTION

Entre l'action de *L'Œuvre* (qui va de 1863 à 1875) et la date de parution du roman (1886), la distance ne répond pas seulement au nécessaire respect du programme historique des Rougon-Macquart (« ... une famille sous le Second Empire »). Par une sorte de pathétique ironie, Zola choisit de célébrer la peinture au moment où il n'en comprend plus l'évolution : un écart que le geste de rupture de Cézanne vient concrétiser (cf. préface, pp. 10-12).

2 - TEXTE

LE TITRE

Exprime un absolu. Et c'est bien ainsi, dans un sens mystique, voire alchimique, qu'il faut entendre cette « œuvre » idéale à la conquête de laquelle Claude Lantier, nouvel Icare, se brûlera les ailes. On trouvera le titre explicité par le roman (pp. 113, 152, 297-298, 373 et 433). Pour une lecture de type psychanalytique, noter que le fétichisme de la peinture chez Claude aboutit à représenter la plus intime partie d'un Paris femme, la pointe, l'Île de la Cité, avec pour centre une baigneuse nue, et que le peintre meurt d'avoir soutenu et enfanté du regard la « rose mystique de son sexe » (p. 418). Reste à souligner l'investissement autobiographique complexe dont *L'Œuvre* est l'objet : « Je raconterai ma vie intime de production, ce perpétuel accouchement si douloureux » avait noté Zola dans ses carnets. De sorte que s'il y a dans Claude du Manet *et* du Cézanne, Zola est *aussi* derrière Claude comme derrière Sandoz, l'ami romancier. Syncrasie romanesque qu'un Proust systématisera... De plus, il y a entre les deux œuvres décrites, la romanesque et la picturale, un jeu de miroirs qui a de quoi compromettre l'idée reçue d'un Zola « narrateur primaire ».

L'ORGANISATION

• Comme un groupe de Raphaël... ou comme « Le déjeuner sur l'herbe », *L'Œuvre* est de composition pyramidante : montée, sommet et descente. L'unité d'action tient dans la vie sexuelle et sentimentale d'une femme, Christine. « Pudique sensuelle » (p. 43) quand elle passe chez Claude une première nuit chaste due aux hasards des chemins de fer, « sensuelle publique » qui crie son désir à la fin (p. 417), cette « grande amoureuse » (p. 312) accompagne son artiste de mari tout au long de sa grandiose et lamentable trajectoire.

• *Chap. I à V : juil. 1862-mai 1863. Éclosion de l'amour et gestation du grand tableau « Plein Air »*, qui déclenchera une tempête de rires au Salon des Refusés tout en faisant de Claude l'initiateur d'une révolution picturale. La douleur partagée jette dans les bras l'un de l'autre Christine et le jeune peintre (fin ch. V). Ils fuient Paris (VI). *Ch. VI : mai 1863-nov. 1867. Idylle champêtre à Bennecourt*. Naissance du petit Jacques. Mais bientôt Paris et le milieu artistique récupèrent leur pouvoir sur Claude. Celui-ci amène à l'idée d'un retour sa compagne désespérée. *Ch. VII à XII : nov. 1867-nov. 1875. Descente aux enfers*. VII-VIII : la revanche impossible — alors même que le « plein air » est devenu une mode. Mariage triste, qui solde la mort de l'amour. IX-X : « L'enfant mort ». Claude à présent dévoré par l'œuvre-somme qu'il ne parvient pas à achever, livre le cadavre de son enfant en pâture dérisoire au Salon de 1875. XI-XII : mort de la fraternité artistique (XI) et suicide du peintre.

3 - INTERTEXTE

Suivons Zola résumant les pôles organisateurs de son récit : « Lutte de la femme contre l'œuvre, l'enfantement de l'œuvre contre l'enfantement de la vraie chair. Tout un groupe d'artistes. » Peinture de l'amour, amour de la peinture, luttes artistiques... Si le troisième centre d'intérêt peut être traité avec une relative indépendance, en revanche les deux premiers ne se conçoivent pas l'un sans l'autre, faisant de *L'Œuvre* le roman multiforme du regard.

1. *L'Œuvre*, bilan romanesque d'un critique d'art « engagé »

On s'assurera que les élèves ont du courant impressionniste une vision qui ne l'est pas... avant de s'intéresser au passage du matériau journalistique et polémique de départ à la fiction romanesque. L'article de *L'Événement* de 1866 (p. 456) confronté au ch. XI, pp. 329-341, fait ressortir l'invention satirique et anecdotique mise au service des deux griefs d'« indifférence » et de « camaraderie » adressés au jury. Idem, p. 463, l'extrait « Les rires du public », rapproché d'une étude de la structure du ch. V, permet de dégager tout le travail de composition dramatique fourni par le romancier. « Le bilan de trente années » reprend, lui, « en aval » de *L'Œuvre*, le principe d'antithèse qui fait la charpente du roman (en particulier l'opposition des deux Salons, celui de 1863 et celui de 1875).

2. Un roman du regard

2.1. Le regard comme point de vue. La subjectivité de la perception visuelle est à la fois thème et technique romanesque. L'incipit du roman, enchaînant les visions de Paris à la faveur d'éclairs-esquisses, introduit la focalisation interne comme principe esthétique... auquel répond l'ultime « nuit hallucinée » de la fin du ch. XI. D'où l'émergence de la question fondamentale : que voit le public d'un tableau ? Autant d'observateurs, autant d'œuvres ; le vérifier, pp. 160-161, ou encore dans les réactions de Dubuche (p. 66), de Christine (IV, XII), de Sandoz (p. 427).

2.2. Le regard comme transfiguration. Très vite on touche aux cas extrêmes, quand le génie ne se distingue plus très bien de la folie. En comparant l'extrait du *Chef-d'Œuvre inconnu* p. 441 et le 3e extrait de *Manette Salomon* avec le ch. XII, p. 418, on étudiera le lexique de la vision et de l'illumination, ainsi que la position du narrateur. En l'occurence, *L'Œuvre* présente une ambiguïté très zolienne : une morale patente construit le récit (à savoir qu'on se perd si l'on inverse les règnes, si l'on confond réel et imaginaire au point de laisser l'art dévorer la vie), mais la vision romanesque se nourrit, précisément, du dérèglement de l'artiste. De sorte que le fantastique affleure souvent, ne serait-ce que dans le thème envahissant de la peinture rivale qui rend la femme ennemie de son double, pp. 118-119, 139, 184-185, 191, 255, 260, 268, 277, 290-292, 295-297, 300, 413 sq. (noter la très étonnante page de « la bonne femme à Mahoudeau », véritable Vénus d'Ille, p. 280).

2.3. Regarder, acte charnel. L'extrait n° 1 de *Manette Salomon* montre que seule la puissance de l'institution académique permet de sublimer dans l'art l'observation d'une femme nue. Pour Christine, qui pose par « amitié », et le tout jeune Claude, la frontière est beaucoup plus ténue : d'où une superbe page érotique, pp. 143-145, à laquelle feront cruellement écho les épisodes sado-masochistes du « ménage à trois » avec « l'autre », pp. 294-295 et 308-309.

4 - PRÉTEXTE

Trois itinéraires dans le CI... et la 4e de couverture.

1. Pages 10-16 : Paris et le milieu des rapins sous le Second Empire. Occasion d'exposés : traditionnels, sur les grands peintres impressionnistes et leurs devanciers, ou plus novateurs, sur l'ethnographie naturaliste à l'œuvre là comme ailleurs (par ex. l'atelier d'école : roman, pp. 78-81, DHL, p. 444 et CI, p. 13). La peinture de Paris (CI, pp. 12-15) peut faire l'objet d'investigations de niveaux différents : sociologie des quartiers, repérage des itinéraires de Claude et de sa « bande » (ch. III puis VII), de Claude et de Christine (VIII), des différents ateliers du peintre (en souligner l'assombrissement progressif) ; le rôle de la Ville dans le drame humain (tour à tour complice et hostile à l'amour, offerte et refusée à la conquête, ville-catin et ville-déesse, etc.) ; plus difficile est l'éternelle (?) question d'esthétique posée par la description, surtout quand elle mime la peinture : comment avec des mots faire image, exprimer syntagmatiquement ce que l'image donne globalement — mais cette saisie « globale » de l'image n'est-elle elle-même fictive, notre regard ne suit-il pas lui aussi des chemins pré-établis, et dans ce cas lesquels ?... (voir sur cette question l'analyse filmique). On trouvera les principaux tableaux de Paris du roman, pp. 21-23, 259-263, 283-285, 408-410.

2. « Sont-ils bêtes d'avoir refusé ça !... Mais pourquoi, je vous le demande ? — Parce que c'est réaliste ! répondit Fagerolles » (p. 155). Le caractère subversif du réalisme ne nous apparaît plus aussi clairement qu'en 1860. Pour le faire mesurer à des élèves, on se reportera aux lettres de Van Gogh à son frère Théo où on lit notamment : « quand je peins des paysannes, je veux que ce soient des paysannes, quand ce sont des putains, je veux que ce soit une expression de putain. [...] Manet l'a fait et Courbet, eh bien, sacrebleu, j'ai la même ambition, parce qu'en plus j'ai trop senti jusqu'à la moelle l'infinie beauté des analyses féminines des grands maîtres de la littérature, Zola, Daudet, De Goncourt, Balzac » (Anvers, 1885-1886). C'est donc une première clé de lecture pour « Le déjeuner sur l'herbe » (CI, pp. 8-9 ; « l'effet de réel » en est analysé, p. 6 de la Préface) qu'on pourra comparer au « Concert champêtre » de Giorgione, de même que l'Olympia (p. 7) est à rapprocher, par ex., des Vénus et des Danaé du Titien. L'autre « clé », fournie par la précédente, est bien sûr la lumière : étudier le leitmotiv du « grand coup de lumière » tant dans le roman que dans la critique zolienne (DHL, pp. 460-466), à une époque où transporter son chevalet dans la nature passait encore pour bizarrerie, sinon pour hérésie. « Le bilan de trente années » évoque également le combat pour « la théorie des reflets » et « la tache », autrement dit pour une libération et un pouvoir accru de la couleur : on l'illustrera par une étude de la gamme chromatique de l'« Olympia », et des « Toits rouges » de Pissarro, p. 7. Voir aussi l'importance et le traitement des surfaces blanches, pp. 14 et 15. Cependant, Zola s'insurge contre la couleur arbitraire, il y a une limite qu'il ne franchit pas. Lui qui déplore (p. 463) que le public, en tombant dans le piège de l'illusion réaliste, ne voie dans une toile que son référent, reste cependant attaché au contrat figuratif. Au même moment, son ami Cézanne le fait voler en éclats.

3. Cézanne. « Évolution et révolution en art ont un seul but : parvenir à l'assemblage des signes au lieu de répéter la nature. On peut citer les travaux de Cézanne comme un mouvement éclatant » (Malévitch, *De Cézanne au suprématisme*, l'Âge d'homme, p. 89). Le CI permet de se faire une idée de cette révolution (où se reconnaîtra d'abord le cubisme), en deux étapes.

3.1. Comparaison des tableaux de Corot et de Courbet, pp. 4, 5 et 6 avec les reproductions des pages 1 et 2. Si la gamme colorée est proche, les lois classiques du clair-obscur observées (à merveille) par les deux premiers sont librement réinterprétées par Cézanne — la silhouette blanche de Zola, rendue en « négatif » par l'encadrement des autres surfaces ; la touche, affichée au lieu d'être dissimulée, s'affirmant comme principe de composition.

3.2. Étude de « La Montagne Sainte-Victoire au grand pin » (p. 3) et du « Golfe de Marseille vu de l'Estaque » (4e de couverture), où l'on verra des masses colorées d'une égale intensité gérer la structure interne du tableau, indépendamment de toute préoccupation d'arrière ou d'avant-plan, de netteté « réaliste » des contours... Écarts que Zola n'avait pas si mal sentis, à défaut de s'en faire le théoricien et le prosélyte (« bilan » de Cézanne par Zola : « grand peintre avorté », p. 467). On relira ainsi la description des esquisses dans l'atelier de Claude (II, p. 57, IV, pp. 118-119) et l'ultime tentative du ch. VIII, p. 253.

POT-BOUILLE

« LIRE ET VOIR LES CLASSIQUES »
N° 6061

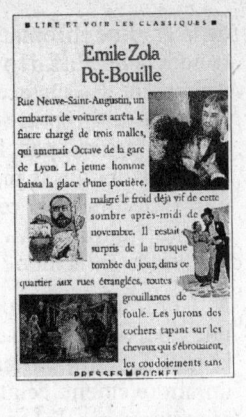

1 - CONTEXTE

LE CONTEXTE DE PRODUCTION

Quand, le 23 janvier 1882, *Le Gaulois* commence à publier *Pot-Bouille* en feuilleton, Zola a écrit la moitié des *Rougon-Macquart*. Il sort d'une crise de doute d'environ deux ans, où la mort de Flaubert et celle de sa mère, en 1880, ont joué un rôle certain. Il se détourne aussi du journalisme, qui l'a définitivement déçu : malgré une campagne d'articles pressante, les Républicains, dont il avait applaudi la victoire en 1877, refusent de reconnaître l'importance historique de l'avant-garde naturaliste !...

C'est pourtant au tournant 1881-1882 qu'une série de lois vient de fonder les libertés publiques (liberté de réunion, liberté de la presse... la liberté syndicale est pour 1884). Jules Ferry s'apprête à faire adopter l'enseignement public, laïque (il s'y emploie depuis 1880), gratuit et obligatoire.

Krach de l'Union Générale, en 1882 : la dépression économique alimente en Europe les nationalismes et, déjà, la psychose antisémite à laquelle se dévoue un Drumont. C'est aussi en 1882 que fonctionne la première centrale électrique du monde, construite par Édison.

• **Arts et littérature :** Wagner, *Parsifal*. Le maître mourra à Venise en 1883. Manet, *Le Bar aux Folies-*

Bergère, 1881 ; Degas, *Les Repasseuses,* 1882 ; Huysmans, *À Vau-l'eau*, H. Becque, *Les Corbeaux*, Maupassant, *Mlle Fifi* ; J. Verne, *Le Rayon vert* ; G. Ohnet, *Le Maître de forges*.

HISTOIRE ET FICTION

Le sujet de *Pot-Bouille* prend place dans une actualité d'autant plus brûlante qu'en matière de mœurs bourgeoises, vingt ans ne constituent pas (à cette époque du moins) un fossé de générations. L'action s'étale sur deux ans, 1862-1863, comme on peut le vérifier à l'âge d'Octave (né en 1840, 22 ans au début) et aux discussions politiques (ch. V, XI, XVIII).

2 - TEXTE

LE TITRE

En forme de bégaiement disyllabique, qu'on jurerait issu de quelque onomatopée grotesque... Sans déterminant, de registre populaire ou argotique, *Pot-Bouille* n'est pas un titre transparent... comme si là encore il s'agissait de mimer son objet, c'est-à-dire « la *tambouille*, l'ordinaire du ménage, une cuisine peu raffinée » (Préface, début) et, par extension métaphorique ici, « la marmite où mijotent toutes les pourritures de la famille et tous les relâchements de la morale » (P. Alexis, cité *ibid.*). Le pot de chambre et la marmite du diable des caricaturistes ne sont plus loin... Surtout, le choix du vocable « figurant déjà dans *L'Assommoir* » *(ibid.)* indique un point de vue : « les turpitudes bourgeoises, placées sous le regard du peuple ». D'entrée de jeu, l'intention satirique s'affiche.

COMPOSITION

« *Pot-Bouille* ne progresse pas selon la loi d'une intrigue » (Préface, p. 13). Ce que nous contemplons, c'est un tableau démultiplié en autant de « cases » qu'il y a de « foyers » (au sens de l'état civil) dans l'immeuble de la rue de Choiseul. « Le roman s'inspire de *L'Éducation sentimentale* et adopte le procédé flaubertien du retour par petits épisodes » (p. 13 sq.). Plus près de Balzac, des pulsions unificatrices (argent et sexe, désir de considération et de pouvoir) et des situations stéréotypées régissent les figures du ballet (Préface, pp. 15-17). D'autre part, *Pot-Bouille* est aussi la « campagne de Paris » (p. 464) d'Octave Mouret, arriviste par les femmes. Deux fils conducteurs : ses travaux d'approche auprès de la patronne du « Bonheur des dames », Mme Hédouin, qui fera sa fortune ; et l'initiation parallèle de Berthe Josserand, jeune fille à marier au début du roman, qui devient, à la fin, une épouse adultère exercée. Soit :

• Ch. I : installation d'Octave par l'architecte Campardon. Présentation générale de l'immeuble et du « Bonheur des dames ».

• Ch. II-VII : Octave entre dans l'intimité de l'immeuble et acquiert la confiance de Mme Hédouin. Chasse au mari de Berthe, qui finit par « lever » (sic) Auguste Vabre, fils aîné du propriétaire.

• Ch. VIII-XII : grandes « scènes de la vie bourgeoise », avec les noces de Berthe (ch. VIII) sitôt suivies de mésentente conjugale, et la mort du père-propriétaire suivie de guerre de succession (ch. X-XI) ; phase où Octave « s'immerge » dans la vie de l'immeuble, car son échec auprès de Mme Hédouin (ch. IX) le fait changer d'employeur ; engagé par Auguste qui tient le magasin de soieries familial, au rez-de-chaussée, il ne tarde pas à consoler Berthe de ses déceptions.

• Ch. XIII-XVIII : détachement progressif d'Octave, en trois temps, adultère (ch. XIII-XIV), flagrant délit et crise (ch. XIV-XVI), résolution (ch. XVII-XVIII) dans laquelle l'immeuble retrouve sa paix initiale par la mort de l'honnête Josserand, père de Berthe (ch. XVI-XVII), et « Le Bonheur des dames » un nouvel essor grâce au décès de M. Hédouin : entre Octave et la veuve, le mariage de raison... commerciale est désormais possible (ch. XVII-XVIII).

3 - INTERTEXTE

■ *Le contrat naturaliste*, théorie et application.

On pourra partir d'un travail sur l'argumentation des textes 1 et 2 du DHL. Étudier par exemple :

• Texte 1 : la vision positiviste à rebours des trois âges : impudeur, réserve, hypocrisie ; l'opposition entre littérature grivoise et roman naturaliste ; les champs lexicaux médical et scientifique.

• Texte 2 : on verra le romancier revendiquer la filiation classique du « castigat ridendo mores », tout en usant de l'argument non moins classique : s'il y a scandale, c'est celui de la réalité même. Or cette réalité tient en un mot : l'adultère. Mise au point historique : rapprocher la scène de flagrant délit du roman (ch. XIV, p. 350) de l'état de la législation résumé p. 488.

• Texte 3 : mettre en lumière les principes de causalité et de déterminisme (adultère = prostitution, parce que fruits du même mécanisme ; seul change le milieu), ce qui permet de dégager l'exemplarité typologique de personnages comme Valérie (adultère hystérique), Berthe (adultère vénal), Marie (adultère par bêtise) — pages particulièrement explicites : 146, 384, 303, 106. Chacune de ces femmes pose la question récurrente de l'éducation des filles, parfaite illustration d'une hérédité tantôt innée, tantôt fabriquée — quelle différence au regard du résultat ? Toutes « paient pour » la génération précédente. Relever dans le roman, outre les pages où l'éducation est mise en scène (ch. II, par exemple) ou en cause (pp. 95-406), la duplication de Mme Josserand par sa fille (pp. 281, 296-298, 348). L'argent, bien sûr, est ici le grand révélateur et le grand catalyseur protéiforme : dot, loyer, héritage, profit commercial, autant de fils conducteurs.

■ *Le « tempérament » zolien. La truculence satirique* : ses notes (texte 5) sont une réserve de scènes piquantes autant qu'exemplaires — étudier leur développement dans le

roman. On verra encore : l'art de la caricature et du ridicule (les chœurs de Clotilde), le burlesque tragi-comique
de Mᵐᵉ Josserand (p. 287, par exemple), la farce (pp.
177, 366) et surtout la tentation du vaudeville, quand
l'adultère prétendûment fustigé apparaît comme le garant
du bonheur des ménages, dès lors qu'on sait en user :
Duveyrier, Campardon, ou Pichon, même leçon ! À
l'opposé, les antithèses sociales ménagées à l'intérieur des
chapitres (dans le dernier en particulier, la composition
fait sens) et l'absence de dérision, dès lors qu'on quitte
clairement le point de vue d'Octave, laissent filtrer l'émotion, voire la révolte du narrateur (voir les fins de chapitre — le calvaire de l'abbé Mauduit, p. 442). Autres centres d'intérêt, tenant à des mythes personnels : le langage
et la place du corps (allégorie des maigres et des gras, for-
mulée dans *Le Ventre de Paris*, IV, illustrée par les « couples » Rose-Gasparine, Berthe-Hortense, l'évolution de
Clarisse..., et, bien sûr, l'attention portée à toutes les formes de la sexualité et de la sensualité), l'immeuble comme
organisme (le boyau d'évacuation), surface et profondeur,
masque et vérité.

■ Groupements de textes : *Adultère et littérature* (DHL
II). Outre les pages précitées, l'échec d'Octave face à
Mᵐᵉ Hédouin (pp. 218-221) peut être révélateur des isotopies suivantes, à étudier dans les différents extraits : la
question du plaisir féminin, les ellipses et les déplacements
qu'elle produit (ou pas) ; stéréotypes verbaux et gestuels
de la conquête masculine ; focalisations et modalisations
du récit (les partis pris du narrateur) ; l'usage du discours
rapporté (en particulier le discours indirect libre).

Humiliés et offensés (DHL III): montrer que la hiérarchie des domestiques dans *Pot-Bouille* mime la hiérarchie
bourgeoise. Puis sélectionner un discours individuel, par
exemple celui d'Adèle (pp. 326, 393-394, 446-449) ou de
Rachel (p. 439) et une page où le chœur des domestiques
joue le rôle du « chœur antique » (Zola, DHL 2, II) —
fin du ch. XIII par exemple. On les confrontera aux textes
A à E, en étudiant les dispositifs énonciatifs (alternance
ou enchâssement discours-récit selon la typologie des

œuvres, présence/absence de première personne, inclusion ou pas d'un narrataire), le ton (pathétique, tragique, satirique...) créé entre autres par l'éclairage temporel, enfin les (éventuelles) tentatives de restitution du parler populaire.

4 - PRÉTEXTE

Topographie immobilière : un parcours Zola-Bertall (CI pp. 2-3) Perec. Le grand héritier de *Pot-Bouille* de ce point de vue, c'est évidemment *La Vie Mode d'emploi*, dont on trouvera les grands principes de composition exposés par Pérec lui-même dans « L'Atlas de Littérature potentielle » de l'Oulipo (Gallimard, Idées, n° 439, pp. 387-396). Pour établir la « coupe stratigraphique » de l'immeuble de la rue de Choiseul, on se référera aux pp. 24-25. Trois seuls déménagements à noter : celui du menuisier puis de la piqueuse de bottines qui tentent successivement d'occuper la même chambre de bonne et sont tous deux déboutés par Gourd, le concierge (« ni chien ni ouvrier dans l'immeuble ») ; celui d'Auguste et Berthe qui installent leur ménage au 2ᵉ sur cour, face aux mystérieux « gens du second » — le monsieur, écrivain, ressemble comme un frère à un certain Zola.

Pot-Bouille, ou l'élection définitive de Zola par la caricature ordurière : en étudiant les constantes et les variantes du thème scatologique (CI pp. 1, 12, 13, 14,15) on remarquera que le mot composé change de genre, « pot » l'emportant sur « bouille » pour la valeur prédicative (p. 1).

Le sexe qu'on cache : (DHL p. 472) métaphores et déplacements du désir ou du viol, pp. 4 et 5.

La parure, le paraître et le langage du regard dans la scène de genre bourgeoise : pp. 6-7. Enfin, pp. 10-11, on s'amuse à détailler la panoplie obligée de la reconstitution XIXᵉ, pour la télévision. Au cinéma, le mythique G. Philippe pouvait se passer de la fine moustache du séducteur (pp. 8 et 9). Octave le servait, non l'inverse.

THÉRÈSE RAQUIN

« LIRE ET VOIR LES CLASSIQUES »
N° 6060

---

1 - CONTEXTE

LE CONTEXTE DE PRODUCTION :
Principaux événements en 1867

- **En littérature :** F. Dostoievski, *Le Joueur* ; E. et J. de Goncourt, *Nanette Salamon* ; K. Marx, *Le Capital* (1er volume).
- **En musique :** G. Bizet, *La Jolie Fille de Perth* (opéra) ; C. Gounod, *Roméo et Juliette* ; F. Liszt, *Messe hongroise du couronnement* ; G. Verdi, *Don Carlos* (opéra).
- **En peinture :** E. Manet, *Vue de la foire internationale de Paris* ; Cl. Monet, *La Plage de Sainte-Adresse* ; *Femme au jardin* ; A. Renoir, *Lise* ; *Le Bateau*.
- **En politique :** les États-Unis achètent l'Alaska à la Russie ; le gouvernement italien confisque les biens pontificaux, mais Garibaldi est battu à Mentana par les Français ; exécution de Maximilien par les rebelles mexicains de Juarez.
- **Sciences et techniques :** A. Nobel fabrique de la dynamite ; construction de la dynamo (Siemens) ; premier modèle de bicyclette moderne.

HISTOIRE ET FICTION

L'action dure à peu près quatre ans. Thérèse aura donc partagé sa vie conjugale en deux périodes : sa morne fidélité dure trois ans (p. 34), l'adultère huit mois (p. 65). Ces quatre ans s'écoulent dans les débuts du Second Empire : Thérèse est née des amours d'une indigène et d'un officier français occupé à la pacification de l'Algérie. On est dans le Paris d'avant Haussmann, celui qui s'arrête aux fortifications et qui mène à Saint-Ouen par des chemins de campagne. voir aussi le DHL, pp. 259-260.

2 - TEXTE

LE TITRE

Le titre est rarement chez Zola un nom de personnage : à l'exception de *Nana*, fiche n° 95 et du *Docteur Pascal* (encore ce dernier titre est-il plus étoffé que la simple mention d'une identité), le romancier a toujours voulu indiquer en tête de son livre comme le résumé d'une action. C'est dire que *Thérèse Raquin* est un peu à part, soit que l'auteur n'ait pas encore ce souci de vouloir signifier dès l'abord quelque chose, soit qu'il y ait là au contraire le désir de braquer le projecteur sur un destin qui se confond avec un visage de femme (le parallélisme avec Nana prend alors son sens) : ainsi faisait Racine la plupart du temps. Il y a peu de chose à dire sur le prénom de l'héroïne, dont les sonorités s'accordent musicalement avec le patronyme pour former un titre qui se grave dans la mémoire ; elle était née Degans (p. 25) : on y reconnaît les quatre lettres qui forment le mot sang. Elle épouse Raquin, au prénom sexuellement ambigu, mais dont le nom n'est pas sans préfigurer, par sa structure, la future trouvaille de Zola, les Rougon : même initiale, une occlusion médiane (la même, en sourde), une nasale pour finir ; dans ses effets et ses excès, Raquin, fait de la même inquiétante âpreté, est le brouillon de Rougon.

L'ORGANISATION

● UN PERSONNAGE CENTRAL

Ce n'est pas seulement parce que la boutique porte son nom que Thérèse Raquin est le personnage principal de ce roman ; alors qu'elle est déjà mariée à Laurent depuis quatre ans, ce Laurent sans nom, vaguement fils du « père Laurent », un paysan voisin dans la vie d'autrefois, le romancier laisse échapper que les invités sont reçus chez les Raquin.

Il peut s'agir d'un lapsus, mais alors il faut certainement y voir ou bien l'indéfectible présence du mort qui a donné son nom au groupe (on sera toujours, quoi qu'on fasse, chez Camille) — mais Zola n'aurait pas manqué d'exploiter cet effet, s'il avait été conscient chez lui —, ou bien, hypothèse au reste cumulable, les nerfs qui prim, ment le sang, et la dépossession qui noie Laurent dans une perte d'identité irrémédiable. Exploité comme fournisseur de caresses et d'émois par une femme en jachère, il est laissé pour compte ; après les abandons qui révèlent Thérèse à son être de femme, la femme le domine, comme dans le couple de Macbeth est dominé l'assassin de Duncan. De plus, la véritable castration qui frappe Laurent, incapable d'approcher sa femme tant il est en proie à ses hallucinations, alors qu'elle-même laisse encore parler, mais avec d'autres, sa sexualité, montre la fragilité même de l'homme ravalé à un rang de parasite : incapable de « prendre » la femme, il prend son argent (pp. 241-246). Dans l'une des scènes les plus réussies du roman, et l'une de celles qui nous hâtent vers le dénouement, le mot est lâché, par l'héroïne, sinon par le romancier, et son partenaire réagit d'ailleurs au mot, pas à l'idée, pas à l'insulte. Rien en lui ne se rebelle contre ce statut, car il a déjà été déserté du vouloir-vivre ; Thérèse, non.

● UNE TRAGÉDIE OU UN MÉLODRAME ?

Les détracteurs du livre parleront un peu vite de mélodrame. Il y a pourtant dans *Thérèse Raquin* la rigueur d'une construction de tragédie, une tragédie que la scène n'est pas faite pour rendre comme il faut, et l'échec de Zola transposant sa pièce au théâtre confirmait qu'on ne peut mettre en dialogue les beautés d'un texte où tout ce qui est extériorisé (et donc extérieur) s'oublie très vite au profit de l'analyse, du regard de l'auteur. Comment traiter devant des spectateurs le leitmotiv du cou blessé de Laurent, ce cou où il croit que le baiser de Thérèse va annuler l'histoire et le passé, alors qu'il affronte une deuxième mort par cette blessure exhibée, tache de sang comparable à celle qui, sur le couteau du meurtrier, est remords (on pourrait risquer re-mort) ? Jamais cou ne fut le lieu d'un tel double investissement, à la fois par Éros et par Thanatos.

Tout est d'ailleurs ambigu, et la scène n'aime pas, dans son optique théâtrale, l'ambiguïté. Comme l'est cette visite à la morgue : la logique du personnage, celle qui affleure à son esprit, le guide vers un acte tout juridique (p. 100 seq.), arriver au constat de décès. Mais la charge érotique de la mort est pour lui quelque chose de plus fort ; dans cette véritable danse macabre de chapelle médiévale, toute la primitivité (voir une notation intéressante, p. 52) resurgit, la foule qui ritualise dans ce lieu clos son contact avec la mort n'est que la projection de ce que Laurent côtoie le plus volontiers par édification, ces chairs décomposées faites pour un peintre habitué à des amours froides (p. 53) et qui trouve auprès de Thérèse des « épouvantes ». Zola va très loin dans la dissection de l'ambivalence entre mort et volupté.

● UNE ESQUISSE DES ROUGON-MACQUART

Esquisse, *Thérèse Raquin* ne l'est pas au sens péjoratif du terme : Zola crayonne beaucoup des thèmes à venir, ramassés (c'est ce qui les rend parfois irritants) dans un espace restreint. L'extrême concentration du résultat peut surprendre (le naturalisme a toujours dit tout à la fois), mais elle promet au moins que, quand la dissémination aura fait son œuvre, et qu'on n'aura pas dans le même roman *La Terre, La Bête humaine* (cf. fiche n° 89) et

L'Argent, alors, les motifs seront orchestrés avec toute l'ampleur qu'ils méritent.

3 - INTERTEXTE

RECHERCHES ET TRAVAUX

● EXPOSÉS

● Le passage du Pont-Neuf : valeur symbolique. L'unité de lieu dans le roman.

● Le leitmotiv du cou à travers le roman.

● Le personnage de Thérèse.

● Les comparses.

● Les occurrences du mot « sang » : valeur imaginaire (physiologie, mythologie).

● Comptez les adjectifs de couleur et classez-les dans la description du chapitre I. Faites le même travail avec le premier chapitre du *Père Goriot* (cf. fiche n° 9) et comparez.

● RECHERCHES

● La construction et la chronologie du roman (voir DHL pp. 259-260).

● Étude de la préface de la deuxième édition (voir DHL pp. 261-266).

● Étude des réactions à la sortie du roman (voir DHL pp. 266-283). Que pensez-vous des réponses de Zola ?

● Les idées de Zola sur le roman (voir DHL pp. 289-296).

● De la nouvelle, « Un mariage d'amour » (Voir DHL pp. 296-300), au roman.

● *Thérèse Raquin* au théâtre (voir DHL pp. 301-309).

● Zola et ses idées sur la peinture d'après *Thérèse Raquin* et d'après *L'Œuvre* (cf. fiche n° 96).

● Zola et Dostoïevski.

● DOSSIERS

● Zola dans le dictionnaire. Avec l'aide du DHL (p. 311), cherchez les notices sur Zola dans divers dictionnaires contemporains et comparez-les.

• Même travail que ci-dessus avec le roman (voir DHL pp. 312-314) et ses notices dans des dictionnaires des œuvres et des personnages (cf. bibliographie complémentaire).

• L'hérédité : dossier scientifique, avec l'aide du DHL pp. 315-320.

• La morgue : faire une enquête sur place. Comparer avec le texte du DHL pp. 321-330.

• Les romans « triangulaires » (mari-femme-amant) dans la littérature (cf. lectures complémentaires).

4 - PRÉTEXTE

1. - Les représentations féminines dans le CI (pp. 1, 5, 6, 8, 9).

2. - Zola et la peinture (CI pp. 3, 4, 10).

3. - Zola et la caricature (CI pp. 2 et 3). Comparez avec les autres CI des œuvres de Zola.

4. - Thérèse incarnée par Simone Signoret : étude des photos du film de M. Carné (CI pp. 6, 8, 9, 15).

5. - Les lieux du roman à travers le CI (pp. 7, 11, 16).

6. - Les amants meurtriers au cinéma (on s'aidera des pages 12, 13, 14 du CI).

● BIBLIOGRAPHIE COMPLÉMENTAIRE

On ajoutera à la bibliographie du DHL (pp. 331-333) l'entrée « Thérèse Raquin » du *Dictionnaire des figures et des personnages*, éd. Garnier, 1981.

LE RÊVE
« LIRE ET VOIR LES CLASSIQUES »
N° 6074

1 - CONTEXTE

LE CONTEXTE DE PRODUCTION : 1888

Voir fiche n° 44.

HISTOIRE ET FICTION

Le récit commence en 1860 et dure autant que la courte vie de son héroïne Angélique. Baignant tout entier dans un christianisme mythique, mystique et spectaculaire, ce conte échappe à l'emprise de l'histoire qui détermine nombre des romans du cycle zolien. Pourtant, il met en scène plusieurs thèmes obsessionnels des *Rougon-Macquart* (la fatalité, le désir et la mort), et redispose la problématique de l'hérédité et du milieu, mais en tirant tout le récit vers le sublime. La religion est aussi le poids d'une tradition et l'épaisseur d'un passé séculaire. Quant au déterminisme social, il retrouve ses droits : les noces de l'ouvrière et du noble avortent.

2 - TEXTE

LE TITRE

Il donne la tonalité générale de ce conte : l'imagination de la pure héroïne est nourrie de légendes, et, dans l'ignorance de son propre corps, la jeune fille s'épanouit dans la rêverie et le rêve d'un prince charmant. Pétrie d'idéalité, inscrivant dans un cadre sécurisant une perpétuelle élévation, la fiction est aussi rêve de pureté, rêve d'un monde sans manque ni rupture. La béatitude mystique impose sa loi déréalisante. Mais le revers de cette médaille pieuse donne à voir toute une imagerie de la mort, nécessairement programmée : le rêve de désincarnation et de plénitude spirituelle ne peut se maintenir que par l'occultation du corps, ou par le sacrifice. Si le mariage s'accomplissait au-delà de la cérémonie, le principe de réalité prendrait le dessus. La sexualité s'oppose au rêve. Il faut donc lire le titre dans toute son ambiguïté.

L'ORGANISATION

Les 14 chapitres suivent une progression simple : une enfant trouvée est recueillie. Elle fait désormais partie d'une famille de brodeurs, et sa vie se déroule à l'ombre d'une cathédrale dans le calme, le rêve, l'extase et le travail. La dramatisation intervient selon des étapes logiques : attente de l'amour, rencontre, partage. Puis se révèle l'identité du mystérieux jeune homme : il est noble. Le désir atteint alors son paroxysme, et commence son travail de destruction de l'héroïne. Sa langueur naît de la frustration, et l'union matrimoniale enfin réalisée entraîne sa mort. Sur cette trame se brodent quelques morceaux de bravoure descriptifs et des citations de *La Légende dorée*. Mais l'histoire simple d'Angélique se double du roman familial des parents adoptifs. Les Hubert ont transgressé l'interdit social d'une mère. Couple stérile, ils n'auront d'enfant que par le mariage d'Angélique, autrement dit par sa mort.

3 - INTERTEXTE

Suggestions pour un parcours méthodique

• La description de la maison (ch. 1) et de la cathédrale
(ch. 4) ; • le portrait d'Angélique (ch. 2) ; • les débuts du
travail du rêve (ch. 3) ; • la première apparition de Féli-
cien (ch. 4) ; • la rencontre (ch. 7) ; • la frustration
(ch. 11) ; • l'extrême-onction d'Angélique (ch. 13), que
l'on pourra comparer avec celle d'Emma dans *Madame
Bovary* ; • la cérémonie nuptiale et la mort (ch. 14).

Le DHL permet un parcours thématique et historique

• Une comparaison entre *La Légende dorée* et *Le Rêve*
(pp. 243-248). On mesure ainsi l'imprégnation mystique
du roman, le travail intertextuel, le rapport entre sainte
Agnès et Angélique. On peut élargir la réflexion au problème général de la documentation dans le roman zolien.

• Une étude comparée de la mort des héroïnes chez Zola
(pp. 249-278). Thème récurrent, lié au traitement zolien de
la sexualité féminine, à l'opposition du désir et de la vie, etc.

• La thématique religieuse dans *Le Rêve* invite à considérer ce récit comme l'un des textes où se donne à lire
l'importance capitale de la spiritualité chrétienne dans la
littérature de l'époque. Huysmans est un exemple privilégié de cette littérarisation du mysticisme (pp. 279-289). On
ajoutera Barbey d'Aurevilly, Villiers de l'Isle-Adam.

• La fin de siècle met volontiers en scène la jeune fille.
Un extrait de Rémy de Gourmont permet d'opposer le dia-
bolisme à l'angélisme (pp. 290-295). On peut élargir la
perspective en considérant la féminité fin-de-siècle (Huysmans, Barbey d'Aurevilly, Villiers de l'Isle-Adam, Octave
Mirbeau...).

• Il faudrait étudier *Le Rêve* comme conte, en faisant
intervenir les structures fondamentales du genre, quelques
exemples canoniques *(Cendrillon, La Belle au bois dormant,* déjà présent dans *Eugénie Grandet)* et la critique
de Jules Lemaître (pp. 237-242).

4 - PRÉTEXTE

Le CI permet deux parcours. Le premier met l'accent sur l'épaisseur réaliste et documentaire du roman : la cathédrale (pp. 2-3), le travail quotidien et les tâches ménagères (p. 5). On y ajoutera la procession (p. 4). La dalmatique impériale fournit une transition commode (p. 7). Œuvre, produit du labeur et du talent d'artisans qui sont de véritables artistes, elle est aussi image mystique, dont le bleu dominant et les ors renvoient à la tonalité d'ensemble du roman.

Le second multiplie les exemples d'une imagerie mystique, mythique idéalisante, empreinte de religiosité. À la petite fille misérable du début (p. 3) se substitue la figure pure et extatique (pp. 1, 8-9, 12-13, 15-16). La peinture préraphaélite et symboliste excelle dans ce type de représentations : lignes, couleurs, stylisation des motifs (pp. 8-9, 12-13, 15-16, 4e de couverture). On peut la comparer aux productions médiévales, notamment les icônes et enluminures (pp. 6, 10-11) : art de la composition, de la forme, jeu des couleurs, et surtout de la lumière. Luminosité spirituelle autant qu'éclairage de la surface, elle renvoie à une surnaturalité.

Avec le sommeil de la Belle au bois dormant (pp. 7-8), la prière (p. 10), l'amour suggéré par la référence mythologique (p. 12), l'élévation mystico-esthético-érotique (p. 13), la pureté aquatique (p. 15), la rêverie (p. 16), le décor végétal et floral symbolique (presque toutes ces images), le complexe intertexuel, herméneutique et iconique du roman se déploie. Combien plates et pauvres apparaissent en contraste les photos du film ! L'on saisit d'autant mieux les problèmes posés par l'adaptation cinématographique qui se contente de réduire le texte littéraire à sa seule intrigue, sans pouvoir ou savoir traduire sa polysémie métaphorique et symbolique.

N° 100

LE VENTRE
DE PARIS

« LIRE ET VOIR LES CLASSIQUES »
N° 6057

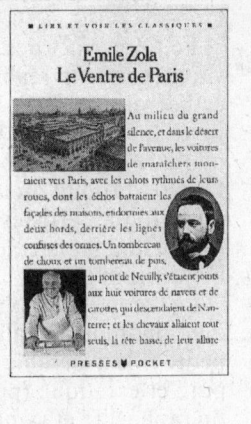

---

1 - CONTEXTE

LE CONTEXTE DE PRODUCTION :
Principaux événements en 1873

   Voir fiche n° 17.

HISTOIRE ET FICTION

   Avec *Les Rougon-Macquart*, dont le cadre est le Second
Empire, Zola se propose d'offrir une image sociale de son
siècle : grands travaux du préfet de Paris, Haussmann, et
spéculations foncières (*La Curée,* fiche n° 91, 1871),
monde des affaires et de la Bourse (*L'Argent*, 1891), développement des grands magasins (*Au bonheur des dames*,
fiche n° 90, 1883). C'est dans ce cadre qu'il faut concevoir *Le Ventre de Paris,* opéra des Halles, cette « œuvre
crâne et qui n'est encore qu'une révélation timide du XXe
siècle ».

2 - TEXTE

LE TITRE

« Le ventre se donne aussi comme circulation, nécessité vitale pour un lieu de l'entassement et de la redistribution. Le roman se plaît à en décliner les modalités » (Préface de l'édition PP). Titre transparent, qui dit bien les intentions d'un romancier qui a eu beaucoup de mal à publier son roman. C'est en 1873 qu'a lieu la publication du *Ventre de Paris* en feuilleton dans *L'État* (et en volume chez Charpentier) : Zola, fiché par la police après la publication de *La Curée* (fiche n° 91) qui avait entraîné la supension de *La Cloche*, eut beaucoup de mal à trouver un journal qui acceptât de publier en feuilleton *Le Ventre de Paris* : *Le Corsaire*, à qui le roman avait été promis, venait d'être à son tour suspendu à la suite d'un article politique très violent de Zola. C'est *L'État*, substitut éphémère de *La Cloche*, qui publia *Le Ventre de Paris* du 12 janvier au 17 mars 1873, après censure des scènes et des expressions les plus crues. L'accueil de la critique peut se résumer à celui de Barbey d'Aurevilly : « Aujourd'hui, on nous donne de la charcuterie, demain ce sera de la vidange ».

L'ORGANISATION

● LE « BOURBIER DANS LEQUEL LA FRANCE SE NOYAIT »

● Irrité par la triomphante permanence de l'esprit bourgeois après la chute de l'Empire, Zola poursuit dans *Le Ventre de Paris*, 1873, le dessein qu'il avait formé dans *La Curée*, 1871 : « donner une idée de l'effroyable bourbier dans lequel la France se noyait » (*La Cloche*, 15 novembre 1871).

● Saccard ne répond désormais qu'en partie à la recherche des responsabilités : « l'éréthisme fou de Saccard lancé à la chasse des millions, les voluptés cuisantes le l'apis, de la danse formidable des écus » *(Dossier préparatoire)* n'expliquent plus tout à ses yeux ; il lui faut rendre compte de l'assise sur laquelle repose la société impériale versaillaise, peindre « le contentement large et solide de la faim, la bête broyant le foin au râtelier, la bourgeoisie appuyant sourdement l'Empire parce que l'Empire lui donne sa pâtée ».

• Après l'analyse du mal dans sa forme extrême, c'est à la forme chronique que Zola s'attaque : « Donc j'appuie surtout sur la place de l'œuvre dans la série. Elle complète *La Curée*, elle est la curée des classes moyennes, le rut à la nourriture grasse et à la digestion tranquille [...] Au fond, même avachissement, même décomposition morale et sociale [...] Le livre sera classé. Il fera pendant à *La Curée* dans la série » *(Dossier préparatoire)*.

• Identité du propos moral et du propos politique, donc, et identité du cadre : après avoir évoqué le Paris d'Haussmann, Zola accorde une place prépondérante à l'œuvre de Baltard, les Halles, qui à elles seules font vivre la capitale : « Le Ventre domine l'action, [...] les Halles grondent avec leur appétit éternel ; elles jettent à Paris la nourriture à la pelle, pour que la bête reste tranquille dans sa cage [...] Donc j'ai Cayenne, j'ai l'histoire d'un complot, j'ai une trahison, le tout dans le cadre des Halles, de la bourgeoisie repue. C'est une matière très suffisante et il me reste uniquement à chercher les épisodes, les personnages épisodiques. » *(Dossier préparatoire)*

● « LE VENTRE EST L'ORGANE DIRIGEANT »

• Le ventre, comme le souligne J. Borie, constitue « l'une des images organiques les plus importantes chez Zola », « un véritable nœud gordien de significations », réunissant « les valeurs de la nourriture, de la fécondité, du sommeil digestif ou prénatal et de l'excrément. »

• L'allégorie centrale renvoie à la féminisation constante de la ville sous le signe de Lisa ; « Lisa, c'est le ventre » *(Dossier préparatoire)*. « Cette belle face tranquille de vache sacrée » se confond avec sa charcuterie, dans un mimétisme révélateur « Ce jour-là, elle avait une fraîcheur superbe, la blancheur de son tablier et de ses manches continuant la blancheur des plats, jusqu'à son cou gras, à ses joues rosées, où revivaient les tons tendres des jambons et les pâleurs des graisses transparentes ».

• Lisa représente l'univers gras que rien ne vient troubler, pas même le sexe. Significative est à cet égard la scène qui suit la découverte du magot de l'oncle Gradelle, où la seule vue de l'argent sur le lit tient lieu d'expérience charnelle, tant l'assimilation des êtres à leur bien est totale : « Ce lit défait, avec tout cet argent, les accusait d'une joie défendue, qu'ils avaient goûtée , la porte close. Ce fut leur chute à eux. Lisa, qui rattachait ses vêtements comme si elle avait fait le mal, alla chercher ses dix mille francs [...] Quand elle l'eut serré (le magot) et qu'elle eut refait le lit, ils descendirent paisiblement. Ils étaient mari et femme ». La confusion est d'ailleurs explicite dans la formule de Quenu, désignant Lisa comme promise : « C'est de l'or en barre, mon garçon, une femme comme ça, dans le commerce ».

● LES GRAS ET LES MAIGRES

• L'idéal de Lisa, « vivre comme tout le monde », s'asseoit sur une philosophie claire : « maintenant, tout marche, tout se vend ». Elle éprouve pour l'État « la reconnaissance du ventre » et « cajole les heureux ». Zola a nettement présenté à l'esprit la valeur de type des personnages. « Je veux lui donner l'honnêteté de sa classe, et montrer quels dessous formidables de lâcheté, de cruauté il y a sous la chair calme d'une bourgeoise. C'est tout un type que je grandirai. On ne me reprochera plus mes femmes hystériques et j'aurai fait une ''honnête femme'', un femme chaste, économe, aimant son mari et ses enfants, toute à son foyer et qui sera socialement et moralement un mauvais ange flétrissant et dissolvant tout ce qu'il touchera. » *(Dossier préparatoire)* Ce cœur simple ne connaît pas de doute : il sait qu'il doit avoir horreur des Maigres, « ces misérables tout à fait abondonnés » qui sont capables de passer « trois jours sans manger » !

● L'organisation du monde zolien semble juxtaposer deux univers hétérogènes : d'un côté les êtres bêtes et féroces qu'on voit graviter autour de Lisa, de l'autre les idéalistes inquiets. Si, parmi les premiers, il s'en trouve un que l'on juge « trop gras, trop satisfait, trop certain de tirer de lui-même ses meilleures joues », la bonne conscience ne tarde pas à retomber sur l'auto-satisfaction des Halles ; au mieux nous aurons Cadine et Marjolin, « végétations de ce pavé gras », à qui seule leur « lâche impudence » permet de vivre « innocents encore », « séparés du monde ».

● Les idéalistes inquiets, en face, sont explicitement disqualifiés par Zola, avec leurs références aux « utopies humanitaires que de grands esprits, affolés par la chimère du bonheur universel, ont rêvées de nos jours » (*La Fortune des Rougon*, fiche n° 92). Claude Lantier, d'ailleurs, stigmatise chez le prisonnier évadé qui subit « le rêve intolérable de nourritures gigantesques » le solitaire aigri : « Laissez donc ! vous êtes un artiste dans votre genre, vous rêvez politiques ; je parie que vous passez des soirées ici, à regarder les étoiles, en les prenant pour les bulletins de vote de l'infini… Enfin, vous vous chatouillez avec vos idées de justice et de vérité. »

● Claude s'oppose à l'idéalisme stérilisant de Florent qui refuse tout « dans un détraquement lent, un ennui vague qui tourne à une vive excitation nerveuse » au nom d'une acceptation esthétique du monde : « Claude, en ce moment-là, ne songeait même pas que ces belles choses se mangeaient. Il les aimait pour leur couleur ». Il peut à la fois exposer le « manifeste » des Halles (« Toute l'époque (est) là [...] C'est l'art moderne, le réalisme, le naturalisme, comme vous voudrez l'appeler ») et railler le triomphe de la matière, qu'il met en scène dans la vitrine de sa tante Lisa. « C'était barbare et superbe, quelque chose comme un ventre aperçu dans une gloire, mais avec une cruauté de touche, un emportement de raillerie tels que la foule s'attroupa devant la vitrine, inquiétée par cet étalage qui flambait si rudement. »

● Cependant ce héros qui aurait pu être positif, on le

sent déjà travaillé par l'inquiétude : « Moi, je ne dors guère la nuit. Toutes ces sacrées études que je ne peux achever me trottent dans la tête. Je n'ai jamais fini, jamais, jamais ». On verra d'ailleurs plus tard dans l'œuvre zolienne se briser ses espérances. Ce pessimisme général que Claude Lantier n'entame pas vraiment, en fait, est à peine éclairé par deux personnages. Madame François retourne chaque jour vers la terre, « la vie, l'éternel berceau, la santé du monde ». Manquant toutefois de prise sur le réel, elle n'aide finalement en rien Florent qui veut retrouver sa place *dans* Paris et *dans* la société des hommes. Quant à Pauline, malgré sa lourde hérédité, elle est la seule figure d'innocence véritable, et l'on sent déjà dans la fille que sa mère traite « d'ordure » à son retour de sa fugue avec Muche au square des... Innocents, précisément, la future sainte de *La Joie de vivre*, fiche n° 94. N'est-elle pas la seule à manifester quelque conscience morale et à demander de Florent : « Qu'est-ce qu'il avait donc fait, le pauvre homme ? »

3 - INTERTEXTE

RECHERCHES ET TRAVAUX

● **RECHERCHES**

● Qui mange quoi dans *Le Ventre de Paris* ? (Gras et Maigres, la nourriture comme signe distinctif de richesse, voir DHL pp. 401-405).

● **EXPOSÉS**

● Les consommateurs et les autres au XIXᵉ siècle (cf. J.-P. Aron, *Le Mangeur du XIXᵉ siècle*, Denoël, Médiations, n° 142 ; voir DHL pp. 401-405).
● Les Halles du XXᵉ siècle (cf. l'analyse de Parly 2 dans J. Baudrillard, *La Société de consommation*, éd. Gallimard, 1970, Idées, n° 316 ; Voir DHL p. 409) et ceux du XIXᵉ siècle (voir DHL pp. 395-400).

● DOSSIERS

● La consommation : comparaison entre *Le Ventre de Paris* et *Les Choses* (G. Perec ; voir DHL pp. 405-409).

● Zola et ses documents : les Halles dans *Le Ventre de Paris*, topologie personnelle et fonctions, hiérarchies sociales (voir DHL pp. 378-386).

● ÉTUDES THÉMATIQUES

● Les couples.

● Physiques féminins.

● Les petits commerçants (on comparera avec *Au bonheur des dames*, fiche n° 90).

● Les pauvres.

4 - PRÉTEXTE

1. - Les Halles par l'image (CI pp. 1, 5, 7, 8, 9, 16) et par la photographie (CI p. 6, 11).

2. - Le temple de la consommation (CI pp. 5, 6, 7, 9).

3. - Les Halles : un rêve de métal (CI pp. 2, 7, 11) à côté d'un rêve de pierre, l'église de Saint-Eustache (CI p. 4).

4. - L'affiche publicitaire au siècle dernier. Comparez la page 10 du CI avec les pp. 3, 5, 10 du CI d'*Au bonheur des dames*, fiche n° 90.

5. - *Le Ventre de Paris* au théâtre (CI pp. 12-13 et DHL pp. 386-343). Quelles remarques faites-vous sur les personnages ? Correspondent-ils à la description qu'en fait Zola ?

6. - La « grande bouffe » au cinéma. Recherches sur les films présentés dans le CI (pp. 14-15). Quelles remarques faites-vous sur les trois photos des pp. 14-15 ?

SUGGESTIONS
POUR UNE LECTURE DE L'IMAGE

> *« Je m'approche de l'objet iconographique*
> *pour le saisir : je viens à lui avec armes et*
> *bagages [...] mais je ne puis que constater*
> *l'inefficacité relative de mes démarches habi-*
> *tuelles [...] ; il me faut réapprendre la*
> *déroute et il me faut en même temps appren-*
> *dre à ne pas rester frappé de stupeur. »*
>
> Michel Tardy,
> « Le Regard appris et désappris »,
> *Communications* n° 33, 1981.

Une enquête auprès des élèves de 12 à 14 ans, d'un lycée de Hambourg, sur les éléments d'information qui fondent leur connaissance du monde et de l'humanité, a montré que l'image dans la presse et les livres fournit 30% des informations utilisées, le cinéma 20% et la télévision 25%. C'est dire l'intérêt que présente pour les élèves l'iconographie offerte par la collection « Lire et Voir les classiques ».

On sait, d'autre part, que l'enseignement traditionnel privilégie tout ce qui relève de l'hémisphère cérébral gauche, à savoir la pensée abstraite et le langage, l'hémisphère droit assurant quant à lui la pensée concrète et intuitive. Une éducation équilibrée ne devrait-elle pas solliciter de façon conjointe et harmonieuse les deux hémisphères cérébraux ? La présence d'images dans la collection « Lire et Voir les classiques » s'inscrit dans cette perspective.

Dire enfin que le monde moderne est saturé d'images est devenu un lieu commun. Il y a donc bien urgence à développer chez les élèves une véritable culture de l'image,

Au demeurant les Instructions officielles invitent les professeurs à donner sa place à la maîtrise de l'image dans la culture proposée aux élèves : « afin de prévenir une consommation passive et de se préserver des manipulations, le collégien doit apprendre à recevoir, à analyser et à interpréter de façon critique les images qui tendent à s'imposer à lui. Il doit aussi apprendre à produire des images, à les organiser et à les enrichir par l'association avec l'écrit et avec l'oral en fonction d'effets voulus ou escomptés [1] ».

Notre propos est ici de fournir aux professeurs quelques pistes pour l'utilisation pédagogique des documents iconographiques. Nous les ferons précéder d'un rappel de notions théoriques sur la perception visuelle et l'image avant de proposer les étapes d'une lecture méthodique des images, nous fixant pour objectif d'amener les élèves à ne pas seulement *voir* (accueillant le cahier iconographique comme simple illustration, documentation, voire ornement), mais *regarder*, c'est-à-dire décoder, apprécier, juger.

I - QUELQUES NOTIONS THÉORIQUES POUR UNE LECTURE DE L'IMAGE

Voir, regarder, deux verbes de perception. Entre les deux, la distance qui sépare l'inconscient du conscient.

1) DONNÉES PHYSIOLOGIQUES DE LA PERCEPTION VISUELLE

Commençons par l'universel et le simple — relativement — en considérant la perception sous son angle physiologique. La connaissance de la physiologie de la per-

---

1. *Collèges, Programmes et Instructions*, CNDP/Livre de poche, 1985, pp. 20-21.

ception visuelle a permis d'établir, en les expliquant, un certain nombre de faits objectifs. Citons-en quelques-uns avec leurs implications :

— les différentes couleurs impressionnent la rétine sur des plans différents, provoquant l'*accommodation* du cristallin et une impression d'avancée (le rouge) ou de recul (le bleu) ;

— le *temps de latence* (entre l'excitation de la rétine et la sensation) diffère selon les couleurs : plus faible pour le rouge, plus long pour le bleu ;

— la perception des couleurs varie suivant leur place par rapport à l'*axe de vision* : le vert est la première couleur à ne plus être perçue, le bleu la dernière ;

— la *persistance rétinienne* conserve la sensation quand sa cause a disparu : de là vient qu'un élément de l'image « mord » sur les éléments voisins, une image sur les suivantes ;

— aux différentes fonctions des *différentes cellules visuelles* correspondent les différents aspects de l'image (valeurs, couleurs et formes) et l'opposition entre la vision centrale (analytique) et la vision périphérique (synthétique) ;

— enfin, que l'image domine ou non le champ de conscience est fonction de la proportion du *champ perceptif* qu'elle occupe.

De leur côté les théoriciens de la forme *(Gestalt)* admettent « que le processus physiologique qui résulte d'un ensemble d'excitations tend à s'organiser spontanément suivant certaines lois de structure, indépendantes en principe des significations surajoutées par l'éducation » (Paul Gillaume). Les voici brièvement résumées : la perception est immédiate, intuitive et *globale* ; le tout n'est pas la simple addition des parties mais il les domine et les organise ; le champ visuel se décompose en un *fond* et et une *forme*, close et structurée, se détachant nettement sur le fond, d'autant plus prégnante qu'elle est simple, régulière et symétrique.

On voit quel parti on peut tirer de ces remarques dans l'analyse ou la production d'images. Mais les facteurs

physiologiques ne conditionnent pas seuls la perception
visuelle ; ils sont associés à des facteurs psychologiques
et socioculturels qui jouent un rôle considérable.

2) L'IMAGE, CANAL DE LA COMMUNICATION

Porteuse de sens et participant de la situation de communication, l'image n'est pas sans rapport avec le langage
et l'écriture et, dans une certaine mesure, les outils de la
linguistique lui sont applicables. À commencer par les
fonctions de la communication établies par Jakobson :
référentielle (centrée sur le référent), émotive (centrée sur
l'émetteur), conative (centrée sur le récepteur), phatique
(centrée sur le contact), métalinguistique (centrée sur le
code), poétique enfin (centrée sur le message).

La notion de *signe*, telle que Saussure la définit pour
la langue — à savoir l'association d'un signifiant et d'un
signifié, aussi indissociable que les deux faces d'une feuille
de papier —, convient également à l'image fixe. Les signes,
constitutifs de toute image, possèdent un degré variable
d'*iconicité*, c'est-à-dire de ressemblance avec un référent.

La réflexion sur le degré d'iconicité nous renvoie aux
liens étroits qui unissent *l'image et l'écriture*. L'image
remonte en effet au plus lointain passé de l'humanité
comme moyen de communication écrit entre les hommes
et se développe selon deux voies : la représentation du réel,
à divers degrés d'iconicité, sorte de langage universel, et
l'écriture, en rapport avec le langage du groupe humain
auquel elle appartient, sitôt qu'elle dépasse le stade idéographique (encore que l'usage des symboles se réfère à un
code plus ou moins universel).

L'image — entendons par là la représentation du réel —
a connu, depuis la découverte de la photographie, une
expansion considérable, et elle concurrence aujourd'hui
sérieusement la communication verbale écrite. Men-
tionnons son rôle dans la publicité, la politique, l'information.

Quant à l'écriture, son évolution la mène de l'iconicité

à l'abstraction. On distinguera successivement (et simultanément, aujourd'hui encore) : l'écriture idéographique comprenant le pictogramme (représentation du réel à fonction de communication), l'idéogramme iconique (signifiant non pas l'objet représenté mais sa valeur symbolique) et non iconique — on entre alors dans un système de notation phonétique ; l'écriture alphabétique enfin, où un nombre limité de graphèmes exprime les différents phonèmes d'une langue, est le point d'achèvement de cette évolution.

Compte tenu du statut du cahier iconographique, second par rapport à l'œuvre littéraire qu'il sert, le degré d'iconicité des documents présentés est en général élevé. On peut néanmoins sensibiliser les élèves à ses variations, par exemple dans les représentations du renard dans *Le Roman de Renard* de M. Genevoix (fiche n° 26) qui vont de la photographie au dessin le plus stylisé, nous livrant à la fois le type de support (BD, tableau, illustration d'un livre), l'art de son auteur, son intention, son époque, etc.

On peut aussi montrer que la photographie, la plus iconique des représentations, « truque » cependant la réalité, choisie, cadrée, composée par son auteur, et que la légende qui l'accompagne oriente encore sa perception. Ainsi, dans le même cahier, page 5, on est invité à *voir* le « regard glacial et cruel » du loup, alors que *la même* image pourrait figurer dans *Croc-Blanc* (fiche n° 37) légendée positivement.

On trouvera enfin maint exemple où le texte, à son tour, devient image ou s'intègre à l'image, par un jeu sur la forme, la taille, la disposition, la couleur des lettres : couvertures, frontispices d'éditions, affiches, BD, etc. (Edgar Poe, *Histoires extraordinaires* (fiche n° 58), pp. 1, 6, 13 ; J. Verne, *Voyage au centre de la terre* (fiche n° 84), pp. 1, 2, 13, 16 ; G. Sand, *La Mare au diable*, p. 7 ; M. Genevoix, *Le Roman de Renard*, pp. 2, 12, 13, 15 ; G. de Maupassant, *Contes de la bécasse* (fiche n° 41), pp. 3, 13 ; *La Maison Tellier* (fiche n° 43), p. 15 ; V. Hugo, *Les Contemplations* (fiche n° 28), p. 1, etc.)

3) La polysémie du message visuel fixe

Tout comme le message linguistique, le message visuel est polysémique, il possède un ou des sens *dénotés* et un ou des sens *connotés*. Si les premiers sont relativement aisés à déterminer, les connotations sont souvent plus difficiles à découvrir car elles peuvent dépendre du *contexte* non seulement pictural, temporel, spatial, mais aussi socio-culturel et subjectif de l'auteur (l'émetteur) et du récepteur. S'agissant d'enfants ou d'adolescents, le ou plutôt les professeurs jouent ici un rôle essentiel tant pour leur faire prendre conscience de la trompeuse apparence de simplicité du message visuel, de la complexité de l'activité cérébrale que constitue l'acte de regarder et du rôle qu'y joue leur propre subjectivité, que pour leur donner les éléments culturels extra-iconiques indispensables au passage de l'autre côté du miroir et leur ouvrir ainsi les portes du sens.

4) L'image, message codé

Mais il est un autre type d'aide que le professeur peut fournir à l'élève, c'est la connaissance d'un certain nombre de *codes*, ou systèmes de signes communs aux membres d'un même groupe culturel, que mettent en jeu les messages iconiques. Car de même que le code linguistique agence entre eux les signes constitutifs du langage commun à un groupe donné, de même les signes iconiques, pour être reçus, s'organisent selon des codes. Il n'est qu'à observer, pour s'en assurer, l'empreinte d'une époque, ou du contexte culturel de production sur n'importe quelle image.

L'accès au sens passe donc par un *décodage*, d'ailleurs en partie inconscient. Toutefois, comme l'écrivain, l'auteur d'un message visuel peut en outre utiliser une symbolique personnelle. L'interprétation en est alors plus délicate et demande un autre type de connaissance pour un travail d'*herméneutique*.

Rappelons maintenant quelques-uns des codes les plus importants. Ayant constaté les liens nombreux et étroits qui unissent le langage à l'image, et considérant l'image comme un ensemble organisé de signes, il est naturel de s'interroger sur les rapports entre le référent, le signifiant et les signifiés et, en particulier, sur les écarts du signifiant au référent (constitués dans la langue par les figures de rhétorique). Les codes rhétoriques sont donc les premiers auxquels nous nous intéresserons. Nous aborderons ensuite les codes chromatiques et morphologiques, puis les codes socioculturels.

a) *Les codes rhétoriques*

Parce que l'image signifie et ce faisant s'apparente au langage, elle utilise, à sa manière, les figures de rhétorique, définies comme des écarts à partir d'une norme supposée. Ces écarts peuvent se situer sur le plan paradigmatique ou sur le plan syntagmatique.

Sur le plan paradigmatique, on retrouvera :

— la *synecdoque*, « figure consistant à désigner une chose par une autre ayant avec elle un rapport de nécessité[1] », par exemple dans le très gros plan, le gros plan, le plan rapproché ;

— la *métonymie*, « figure consistant à désigner un objet par le moyen d'une autre ayant avec lui un lien habituel[1] » ;

— la *métaphore*, substitution analogique ;

— la *personnification* (voir, par exemple, la lune à la quatrième page de couverture des *Fables* (fiche n° 34) de La Fontaine ou encore la « Mélancolie » dans *Les Fleurs du mal* (fiche n° 12), p. 7) ;

— l'*allégorie*, expression d'une idée par un ensemble cohérent de signes (les illustrations des *Fables*, elles-mêmes allégories au plan linguistique, en sont un exemple ; dans

1. Olivier Reboul, *Introduction à la rhétorique*, PUF, coll. « 1er cycle », 1991.

Les Fleurs du mal, p. 15, l'allégorie de la Mort est aussi une personnification ; les pages 6 et 7 du même cahier présentent à la fois une allégorie et une représentation métaphorique de Hitler et de Clemenceau) ;

— l'*hyperbole*, qui apparaît notamment dans les caricatures (*Les Contemplations*, p. 11) ;

— l'*ironie*, « figure consistant à dire le contraire de ce qu'on veut dire non pour tromper mais pour railler [1] » ; dans Maupassant, *La Maison Tellier*, p. 4 : elle est le fait d'un rapprochement inattendu d'images et de la légende qui les accompagne.

Sur le plan syntagmatique, les écarts sont plus difficiles à déceler puisque le message visuel de l'image fixe est global et non linéaire. On rencontrera cependant les procédés suivants : l'ellipse, passage obligé de la bande dessinée (*Paul et Virginie* (fiche n° 72), p. 3) ; la syllepse, rupture dans la composition (au niveau de la mise en page lorsque l'iconographe superpose des images d'origines différentes : *Paul et Virginie*, p. 4 ; dans les couvertures de certaines éditions : *Le Capitaine Fracasse* (fiche n° 24), p. 1 ; dans la bande dessinée : *Odyssée* (fiche n° 27), p. 16 ; etc.) ; l'antithèse enfin des couleurs, des images, des formes.

Les écarts rhétoriques, consitutifs du style, apparaissent dans la langue comme la traduction de l'activité symbolique qui permet à l'inconscient de s'exprimer. Dans l'image leur fonction est la même ainsi que dans les rêves — images eux-mêmes — et dans les mythes, où au couple dénotation/connotation correspond le couple contenu manifeste/contenu latent. Il est donc légitime d'étudier de quelle façon les œuvres d'art révèlent, en les codifiant, les pulsions, l'angoisse, les archétypes qui les sous-tendent. La psychanalyse s'est d'ailleurs intéressée dès son origine aux mythes, aux contes, aux œuvres littéraires et plus généralement artistiques, comme à des lieux où affleure l'inconscient, personnel ou collectif.

Ainsi, dans les œuvres de Toulouse-Lautrec qui illustrent *La Maison Tellier*, c'est Éros qui s'exhibe mais, plus voilé, il est tout aussi présent dans celles de Renoir (pp. 8 et 9), dans les regards, les attitudes, le chien qu'on caresse, le repas consommé, etc. Thanatos est aussi abondamment représenté : allégories *(Les Fleurs du mal)*, scènes de guerre *(Récits fantastiques* (fiche n° 57) de Nodier *et al.*, p. 9), de carnage, de lutte *(Croc-Blanc*, p. 1)... mais souvent aussi associé à Éros *(Carmen* (fiche n° 47), pp. 14 et 15). On notera à ce propos la parfaite ambivalence de la couleur rouge.

Nombreux enfin sont les symboles figurant les grands archétypes : le Père, dieu, soleil, roi, lion... ; la Mère, grotte, ombre, eau... ; le principe masculin et le principe féminin *(Les Fleurs du mal*, p. 13 et le commentaire).

b) *Les codes chromatiques : couleurs et valeurs*

Sans entrer dans les détails, rappelons que la couleur blanche du spectre solaire se décompose en six couleurs dont trois *primaires* (rouge, vert, bleu) et leurs trois *complémentaires* (bleu cyan, rouge magenta, jaune), composées, pour chaque primaire, de l'addition des deux autres. La photographie comme la peinture utilisent la *synthèse des couleurs.* Pour le peintre, les primaires sont : le rouge, le jaune et le bleu et leurs complémentaires, respectivement : le vert, l'orange et le violet.

Dans toutes les civilisations, la couleur est fortement investie par l'activité symbolique. Il existe un symbolisme universel des couleurs dans la mesure où le rouge est la couleur du feu et du sang, le bleu celle du ciel et de l'eau, etc. Nous avons déjà signalé la polysémie, universelle elle aussi, de la couleur rouge. On pourrait le faire tout aussi bien des autres couleurs. Mais il faut ajouter à une signification universelle l'existence de codes sociaux et de codes personnels.

Dans la collection « Lire et Voir les classiques », le support photographique, la réduction du format et la primauté du texte sur l'image ne permettent pas ou ne justifient pas d'aborder un aspect essentiel de la peinture qui échappe à la reproduction en deux dimensions : la réalité de la *touche* picturale. On en signalera simplement l'importance aux élèves. De même on ne pourra parler de l'éclairage, du rendu de la lumière et de l'ombre que de façon succincte. Dans l'étude de la photographie, on s'efforcera de mettre en rapport le choix de l'éclairage, dur ou doux, l'accentuation ou non des contrastes, avec le sujet photographié.

À partir de 1839, les *lois de Chevreul* et ses travaux sur la lumière ont fortement influencé les Impressionnistes. Citons quelques effets de la juxtaposition des couleurs mis alors en évidence :

— deux couleurs complémentaires juxtaposées offrent le contraste maximal et s'exaltent réciproquement ; de même le noir et le blanc ; de même deux tons différents d'une même couleur ;

— une couleur juxtaposée avec du blanc voit croître son intensité colorée et diminuer son intensité lumineuse ; à l'inverse, une couleur juxtaposée avec du noir voit diminuer son intensité colorée et croître son intensité lumineuse.

L'*harmonie* chromatique se fonde aussi sur la distinction entre *couleurs chaudes* et *couleurs froides*. Les couleurs chaudes sont celles dans lesquelles il entre du rouge ou du jaune ; les couleurs froides sont celles dans lesquelles il entre du bleu ou du noir. D'autre part, dans la même couleur plus une teinte est saturée, plus elle est chaude. On étudiera la répartition dans l'image des couleurs chaudes et des couleurs froides.

Parmi les procédés utilisés dans la recherche de l'harmonie, retenons :

— les harmonies de contraste (cf. les lois de Chevreul) ;

— les harmonies à tonalité dominante (cf. la fameuse lumière dorée des marines de Claude le Lorrain observable dans l'*Odyssée*, p. 10) ;

— la modulation des couleurs que pratiquent les Impressionnistes (voir *La Maison Tellier*).

c) *Les codes morphologiques*

Ils décrivent la façon dont l'image structure l'espace et en déterminent la composition.

Le premier acte d'organisation consiste à donner un *cadre* à l'image, délimitant un certain champ vu sous un certain angle, et constituant par là un hors-cadre. « Le cadre a des fonctions représentatives et narratives. L'index de vision que constitue le cadre désignant un monde à part, se renforce encore, lorsque l'image est représentative, voire narrative, d'une valeur imaginaire remarquable. Le cadre en effet apparaît alors peu ou prou comme une ouverture donnant accès au monde imaginaire, à la diégèse figurée par l'image. On reconnaît la célèbre métaphore du cadre comme fenêtre ouverte sur le monde [1] [...]. »

Selon Paul Klee, « l'œil suit les chemins qui lui ont été ménagés dans l'œuvre ». Les *lignes de force* seraient ces chemins. Que l'œil les suive ou non dans son parcours analytique — et l'observation scientifique montre justement qu'il en suit d'autres — voici quelques schémas qui structurent un grand nombre d'œuvres :

— toutes les divisions du rectangle (cadre habituel du tableau) obtenues à partir de ses diagonales et des diagonales des demi-rectangles ;

— le report de la largeur du rectangle sur sa longueur ;

— la section d'or, à savoir la proportion idéale de chaque partie avec le tout, prétendument observable dans la nature, postulant une harmonie préétablie entre nature et sentiment esthétique ;

— les intervalles musicaux donnant les divisions 4/6/9 ou 9/12/16.

Compte tenu des contraintes de la mise en page et de la primauté accordée au contenu référentiel des images, il n'est pas question de faire retrouver aux élèves l'application de ces règles, mais il faut en signaler l'existence car elles témoignent de recherches sur l'harmonie depuis

---

1. J. Aumont, *L'Image*, Nathan-Université, 1990.

l'Antiquité qui ont mobilisé toutes les connaissances, des mathématiques à la philosophie.

On étudiera aussi le *rythme* des images, fondé sur la répartition des éléments. Une répartition équilibrée donne une impression de statisme. Au contraire, le déséquilibre, et la tendance à rétablir mentalement l'équilibre, engendre le dynamisme que peuvent aussi générer la gestuelle des sujets représentés, certains codes conventionnels dans la bande dessinée, ou encore les lignes obliques.

Le problème de la représentation de la profondeur en deux dimensions a donné lieu à des solutions différentes, selon l'époque, le lieu, l'âge, la personnalité, l'intention du créateur. L'image n'ambitionne pas toujours en effet de donner l'illusion du réel : d'autres systèmes de représentation concurrencent la *perspective géométrique*. Citons par exemple :

— le *changement de point de vue* dans une même image ;
— le procédé qui consiste à montrer l'invisible ;
— la *superposition des plans* pour signifier la profondeur ;
— la *perspective hiérarchique*, qui donne aux objets et aux êtres des tailles respectives proportionnelles à leur importance.

Les règles de la perspective, destinées à rendre la réalité sensible, n'ont été découvertes que peu à peu et ne furent établies qu'au XVe siècle. Le modèle le plus connu, celui de la perspective centrale, repose sur le principe d'un œil unique et fixe regardant à hauteur d'une ligne d'horizon qui porte les points de fuite.

Mais d'autres procédés peuvent se substituer ou s'ajouter à la *perspective centrale,* notamment :

— la *perspective cavalière*, représentant un objet d'un point de vue supposé situé à l'infini ;
— et la *perspective aérienne* exprimant l'éloignement par la dégradation des couleurs.

L'invention de la photographie a mis un terme aux préoccupations perspectivistes, tandis que les progrès scientifiques du XXe siècle tranformaient la conception de l'espace. La composition est alors revenue au premier plan des préoccupations.

Nous terminerons l'étude de la composition avec les codes morphologiques spécifiques à la *photographie* (qui s'ajoutent à ceux du dessin ou de la peinture) :

— l'*échelle des plans* concerne le cadrage du sujet : le plan général est le plan le plus large ; le plan d'ensemble cadre une grande partie du décor ; le plan de demi-ensemble prend pour sujet un ou plusieurs personnages ; le plan moyen, un personnage en pied ; le plan américain coupe un personnage à mi-cuisse ou à la taille ; le plan rapproché à hauteur de la poitrine ; le gros plan cadre le visage ou une partie du décor ; le très gros plan, un détail du visage ou du décor ;

— l'*angle de prise de vue* peut être : normal (en face et à hauteur du sujet) ; en plongée (de haut en bas) ; en contre-plongée (de bas en haut) ; mais aussi de face, de profil, etc. ;

— l'*angle de champ* fait varier la perspective, pouvant aller jusqu'à la perspective curviligne. Plus la focale est courte, plus l'angle de champ est grand, plus grande est l'impression de recul. À l'autre extrême se situe le télé-objectif ;

— la *profondeur du champ* (dans les limites duquel l'image est nette) varie en fonction de différents paramètres (diaphragme, vitesse, etc.).

On notera enfin l'apport de la photographie à la connaissance du mouvement par la possibilité qu'elle donne de le saisir dans son instantanéité et de le rendre par des procédés tels que le filé et le flou.

d) *Les codes socioculturels*

Pour un inventaire méthodique des codes sociocultu-rels, on lira l'article d'Umberto Eco dans *Communica-tions*, n° 15, 1970, Particulièrement intéressantes en classe sont les études sur :

— les codes de *reconnaissance*, permettant l'identifica-tion historique, sociale, etc. des protagonistes ;

— les codes d'*expressivité* : à partir de l'étude des postures (codes *kinésique* et *proxémique*), des visages, des regards, on peut déduire les relations entre les personnages, les sentiments qu'ils éprouvent, les valeurs qu'ils défendent, etc. ; on peut réfléchir à la façon dont le spectateur est amené à participer à la représentation (code d'*implication*) ;

— les codes du goût : certaines images invitent le lecteur à admirer certains personnages plus que d'autres ou à prendre parti pour eux. Les visages, coiffures, vêtements, postures peuvent être valorisants ou non. Mais on n'oubliera pas que les codes du goût sont toujours liés à une époque : tel personnage digne d'être admiré selon l'illustrateur peut nous apparaître ridicule aujourd'hui.

5) ANALYSE DE L'IMAGE FIXE

Ce survol rapide montre à quel point l'image est un objet fabriqué, interprétation plus que reproduction du réel (si réaliste soit-elle), mettant en jeu l'intersubjectivité. Nous sommes maintenant en mesure de proposer une méthode d'analyse.

Premièrement, donner le temps de regarder et laisser les élèves s'exprimer librement. C'est le moment privilégié où l'on perçoit le message visuel dans sa globalité. Celui aussi où l'on s'accorde sur le sens dénoté. Celui enfin où l'on laisse parler sa sensibilité, où l'on découvre la polysémie de l'image et « l'égale légitimité de deux lectures antagonistes. Cette conception ouverte de l'image engage une morale du sens : l'expérience de la différence se réalise en dialogue et présuppose la tolérance » (M. Tardy). Cette étape est indispensable pour que s'épanouisse « la relation affective ou esthétique que l'on peut et doit entretenir avec l'image » (L. Hamm). Elle enclenche le travail ultérieur car l'énonciation est déjà une prise de conscience, donc de distance.

Les renseignements sur l'image étudiée (auteur, titre,

date, indications d'ordre technique, etc.) peuvent ne venir qu'après cette prise de contact informelle.

Les remarques de la première étape sont alors reprises et classées. On met en évidence l'existence et le rôle des codes dans la relation signifiant/signifié.

C'est le point de départ d'une analyse plus poussée — toutes les connaissances théoriques sont alors mises à contribution — où chacun prend conscience de ce que « l'image est un réseau de sens tissé à partir de signifiants en interrelation » (M. Tardy). Par l'inventaire systématique des signifiants, l'étude de l'affleurement des différents codes, on accède alors à la richesse sémantique de l'image.

La dernière étape est celle de la synthèse, où on découvre que « l'ensemble des signifiés convergent vers un signifié qui les globalise. Il importe de chercher et de trouver la cohérence interne du sens propre à chaque image » (M. Tardy). Ce retour à la globalité de l'image permet d'évaluer le chemin parcouru depuis la première étape, intuitive, et montre *a posteriori* le bien-fondé d'un savoir structuré et maîtrisé sur l'image.

II - QUE FAIRE
DU CAHIER ICONOGRAPHIQUE ?

Comme la préface ou le dossier historique et littéraire, l'iconographie de la collection « Lire et Voir les classiques » a pour objet d'éclairer les conditions de production, de réception et le(s) sens du texte. La multiplicité et la diversité des documents iconographiques élargissent le champ culturel des élèves, prennent en compte leur familiarité avec l'image et les attire vers d'autres domaines, suscitent leur imaginaire et leur curiosité, y compris pour l'œuvre littéraire qui s'offre à eux sous un jour *nouveau* et devient plus proche. Le regroupement des documents iconographiques dans un cahier placé au centre du livre ne répond pas seulement à une commodité technique, mais les constitue en tout organisé selon une syntaxe et tenant un discours autonome.

1) IMAGE ET TEXTE

L'élève a entre les mains un livre. Fermé encore, ce livre déjà lui donne à voir, et bientôt à lire : des images et du texte s'inscrivent sur la page dont on a gardé la blancheur originelle. Du texte ? Des textes plutôt, dont la forme, la graisse (l'épaisseur), la taille, la couleur, l'espacement des caractères, la dimension de l'interligne, la mise en pages distinguent les différents statuts.

La *première page de couverture* est encadrée par le titre de la collection et le nom de l'éditeur, au centre duquel figure son logo, livre ouvert stylisé, pictogramme, entre l'écriture et l'image. Entre les deux, et de haut en bas, on lira en couleur le nom de l'auteur suivi du titre de l'œuvre. Viennent ensuite les premières lignes de celle-ci. Le texte occupe alors tout l'espace, s'écartant ici ou là pour laisser place à une image, qui vient interférer avec la lecture. Selon les cas et la culture du lecteur, elle se laisse facilement déchiffrer ou garde provisoirement son mystère : ici, c'est le portrait bien connu de Diderot par Fragonard — et il sera facile de faire repérer ce portrait de l'auteur comme la seule constante de l'iconographie des couvertures —, mais que fait donc la photo de Catherine Deneuve sur la couverture de *Manon Lescaut* (fiche n° 60) ?

Sur la *quatrième de couverture*, le texte et l'image occupent, respectivement, les moitiés supérieure et inférieure. Au premier coup d'œil, le resserrement et la taille des caractères indiquent le statut secondaire des textes de cette page par rapport à ceux de la première de couverture ; ils prennent acte aussi d'une différence de fonction : on les lira peut-être pour en savoir plus avant d'acheter le livre, ou bien encore pour prolonger un peu le plaisir de l'attente... Dans la partie supérieure de la page, trois textes que distingue leur typographie. Une comparaison avec d'autres volumes de la collection permettra d'en repérer les constantes : de la couleur et des petites italiques pour la présentation de « Lire et Voir les Classiques » :

un paragraphe aisément lisible, présentant l'œuvre et les textes qui l'accompagnent, rédigé par l'auteur du dossier historique et littéraire ; dont les nom et qualité suivent, en caractères plus petits. L'image de la partie inférieure ne laisse que l'espace obligé à des indications dont la graphie manifeste le caractère technique : code-barres, taille (donc prix) du volume à l'intérieur du logo, seul rappel de l'éditeur, numéro d'ISBN (identification internationale), etc.

Le *dos* du livre reprend les indications de la première page de couverture permettant l'identification de l'ouvrage, selon une disposition analogue. Un renseignement supplémentaire y figure, qui ne se trouve nulle part ailleurs : le numéro du volume.

Il est temps maintenant d'ouvrir le livre. Vraisemblablement beaucoup d'élèves, les plus jeunes surtout, l'ont déjà fait et sont allés directement au cahier iconographique. Différentes attitudes s'offrent au professeur : laisser chacun libre de son parcours et respecter le plaisir et la curiosité procurés par l'image, attirer ponctuellement l'attention de la classe sur telle ou telle image, marquer des pauses dans la lecture du texte pour des « arrêts sur image »... Mais une autre démarche consisterait à considérer à un moment ou à un autre *le cahier dans son ensemble*, et ce moment, dans certains cas, pourrait même précéder la lecture, accompagnant la démarche naturelle à l'élève.

Tournant les pages, ce dernier retrouve vite les images de la première de couverture pour en constater, parfois, les recadrages. Mais cette étape va surtout lui permettre d'identifier ces images, soit qu'une légende en indique le sujet, voire le titre, la date et le nom du peintre s'il s'agit d'un tableau ; soit que l'on trouve ces renseignements, ou d'autres, sous la rubrique « crédits photographiques », p. 16 du cahier. Il est utile d'apprendre à l'élève à chercher lui-même ces informations et à les comprendre. Que va-t-il trouver en cet endroit ? Après mention de la page du cahier, des indications concernant quelquefois la technique utilisée, le titre de l'œuvre, son auteur, le lieu où

elle se trouve et toujours le propriétaire de la photographie,
agence photographique ou autre. Si ce dernier renseignement n'intéresse guère le lecteur, les autres au contraire
pourront lui être précieux. En particulier il ne trouve nulle
part ailleurs de quoi identifier la photographie de la quatrième page de couverture.

On aura en outre attiré l'attention, lorsqu'une même
page rassemble plusieurs images, sur la nécessité de lire
cette page de gauche à droite, *puis* de haut en bas,
technique bien connue des lecteurs de bandes dessinées ;
faute de quoi on n'attribuerait pas correctement les
informations.

Peut alors commencer l'étude de la *composition du
cahier*. Un parcours rapide montrera le plus souvent que
les documents iconographiques sont présentés dans un
ordre généralement chronologique : au début, contemporains de l'œuvre, ils représentent l'auteur, son entourage,
son décor familier, les lieux qu'il a fréquentés, les hommes
et productions artistiques qui l'ont inspiré, la première
édition de l'œuvre, ses premières interprétations ou illustrations, etc. ; suivent, en général, des images plus
récentes, témoignant de la survie de l'œuvre dans ses
différentes éditions — surtout lorsque celles-ci ont été
illustrées —, ses mises en scène au théâtre, au cinéma, à
la télévision... ou encore de l'intérêt toujours actuel pour
l'auteur (mosaïque de la Grande Borne figurant le visage
d'Arthur Rimbaud). Mais l'iconographie suit d'autres fois
l'ordre du texte cité, dans *Cyrano de Bergerac* (fiche n° 70)
par exemple.

Il est plus intéressant de constater que, quel que soit
l'ordre adopté, les images, une fois disposées sur la page
ou la double-page du cahier, en « montage » pour ainsi
dire, prennent un sens qui leur est propre. Pour toutes les
raisons évoquées en I, 1), d'une image à l'autre, le sens
circule, se précise, du noir et blanc à la couleur, d'un type
d'image à un autre (tableau, illustration, caricature, affiche, document photographique, vidéogramme, photogramme, etc.), d'une technique à une autre, du passé au

présent, du document à la fiction, etc. Mais le sens surgit aussi de l'alliance du texte et de l'image.

Pour l'étude du *texte* inclus dans le cahier iconographique, la démarche sera la même que celle adoptée plus haut pour l'étude formelle de la couverture, voire pour le premier repérage effectué sur les images : il s'agit d'identifier. Même démarche, mêmes indices : la recherche des constantes, la typographie et la disposition de l'écrit dans la page. D'emblée, sur le plan formel, la double-page s'impose comme unité signifiante : il n'est pas rare, en effet, qu'une image chevauche les deux pages, que l'on trouve sur une page la légende d'une image située sur la page voisine, ou encore qu'une phrase commencée sur la page de gauche se termine sur celle de droite. Trois sortes de textes sur cette double-page, *trois présentations typographiques*. Des caractères gras et plus grands pour un texte de deux lignes au bas de chaque page (sauf la page 16), isolé du reste et mis en valeur par un trait de séparation horizontal. Sur chaque double-page, un encadré, caractères maigres un peu moins grands et titre en majuscules. Il arrive que cet encadré morde sur une ou plusieurs images. Enfin et de façon moins régulière, un ou des textes en petites italiques maigres, parfois en surimpression sur l'image. Cette typographie guide déjà la lecture. On peut lire à la suite les deux lignes de bas de page. On peut ajouter à cette lecture celle des encadrés, et on s'interrogera sur le rapport entre titre et texte. On peut enfin s'attacher aux textes en italiques, plus étroitement liés aux images par leur contenu, et, formellement, par leur empiétement fréquent sur celles-ci. La visibilité de ces différents statuts ouvre un éventail de lectures possibles : lecture linéaire — la moins probable peut-être —, mais aussi lecture globale, lecture buissonnière enfin qui peut déboucher sur une lecture analytique approfondie.

La typographie n'indique pas seulement le statut du texte, elle en signale aussi l'*origine*. Des guillemets, habituels dans les italiques, de rigueur dans les encadrés, marquent les citations : de l'œuvre le plus souvent dans le premier cas, éventuellement d'une autre œuvre ou d'un autre auteur dans le second cas ; ainsi une citation d'Antonin Artaud sur Rimbaud, ou de Léon Gozlan sur Vidocq. Mais pour ce qui est des lignes de bas de page souvent, et de tous les textes hors guillemets, ils sont du commentateur du livre.

On a déjà mentionné que des renseignements en italiques permettaient d'identifier les images. C'est une fonction possible de la légende. On observera généralement que plus le texte est imprimé petit, plus est grande sa valeur explicative par rapport à l'image, plus étroitement il lui est lié par son contenu ; plus les caractères sont grands, plus le commentaire est distancié, plus il dit le sens global de la page ou de la double-page, plus il explicite la composition du cahier. Dans tous les cas ces textes limitent la polysémie des images et la lecture de celles-ci devra en tenir compte.

Textes vus, à peine lus jusqu'ici. Notre itinéraire de découverte suit la démarche d'élaboration du cahier. Les documents, d'abord rassemblés autour de quelques pôles, s'organisent entre eux et prennent sens par leur auto-contextualisation et la mise en page dont ils font l'objet. Mais aussi par le contenu sémantique des textes qui les accompagnent. Ces derniers assument des fonctions différentes et complémentaires.

Pour tenter de dresser un *inventaire des fonctions* de ces différents types de textes, prenons par exemple le cahier du *Père Goriot* (fiche n° 9). En ce qui concerne les citations en italiques, toutes ne sont pas liées à l'image de la même manière. Certaines sont celles qui précisément ont « motivé » l'image qu'elles accompagnent : illustrations parues dans différentes éditions de l'œuvre (par exemple, la présentation d'Eugène de Rastignac à la vicomtesse de Beauséant gravée par Laisné, p. 12), photographies, photogrammes, vidéogrammes de la scène correspondante interprétée au théâtre, au cinéma ou à la télévision... D'autres fois le rapport entre l'image et le texte est plus vague, en quelque sorte occasionnel : le dessin de Guiaud, p. 5, n'était pas destiné à illustrer le passage du roman cité en légende. Enfin il arrive qu'une citation soit détournée de son sens par l'image qu'elle légende : le « fameux gaillard », c'est Vautrin dans le roman de Balzac à la page 2 du cahier. Le jeu du texte et de l'image traduit ici une certaine lecture de l'œuvre.

La citation en encadré, elle, est plus ambitieuse. En général, elle met en valeur un moment-clef du roman, un passage particulièrement significatif : ainsi, c'est tout l'enseignement de Vautrin qui se trouve condensé à la page 15. Elle assume de surcroît, par son titre notamment, un rôle de synthèse (plus souvent dévolu aux lignes de bas de page).

Les textes « ajoutés » par le commentateur se partagent d'autres fonctions. Bon nombre d'entre eux, en italiques essentiellement, ont un rôle d'identification : ils nomment le personnage ou le lieu représenté, l'œuvre et son auteur : « Dumas, Hugo et Balzac », « Le Boulevard du Temple » (p. 2), « Le Père Goriot par Daumier » (p. 8). Souvent en outre, ils apportent d'autres informations, ou évoquent de façon allusive l'intrigue du roman : « Personnage historique, héros de légende, Vidocq hante l'imaginaire du XIXᵉ siècle » (p. 6) ; « Boulevard du crime, artère enchantée du mélodrame, des larmes et de la peur » (p. 2). Quant aux textes de bas de page et aux titres encadrés, parfois, leur fonction essentielle est d'expliciter le thème de la page ou de la double-page et de faire apparaître le fil conducteur du cahier iconographique. Ainsi la phrase « Ambition, réussite, gloire : pour Balzac aussi il faut savoir construire sa carrière » (p. 2), désigne l'auteur du roman comme le principe unificateur de la page, ce que confirme la place énorme occupée par la statue de Rodin — énorme elle aussi —, qui empiète sur la page voisine. Le mot « aussi » renvoie au rapprochement opéré par la gravure de Roubaud entre Balzac, Hugo et Dumas, mais aussi à Vautrin le « fameux gaillard », et, si l'on connaît un peu l'intrigue, ou si seulement l'on a feuilleté plus avant le cahier iconographique, à Eugène de Rastignac qui fera son profit des leçons de Vautrin. Enfin l'analogie entre Balzac et Vautrin soude cette page à la précédente qui désigne l'ancien bagnard comme le « Balzac du crime ». La gravure

représentant le boulevard du Temple, en haut de la page,
s'éclaire alors d'un sens nouveau : Paris n'est plus seulement le lieu du roman — thème développé à la page suivante —, mais celui de la réussite de Balzac. Les lignes
de bas de page, synthèse des images et citations, invitent
le lecteur à s'élever du particulier au général : le bal donné
par la vicomtesse de Beauséant (gravure et citations, p. 4)
symbolise grâce au commentaire de bas de page l'importance du bal pour la société que dépeint Balzac : « Le bal,
son et lumière, haut lieu de rencontres et d'amours, fête
du corps et du monde. »

Le travail qui vient d'être ébauché sur le cahier du *Père
Goriot* pourrait être mené sur tout autre cahier. On y
repérerait aisément les différentes fonctions évoquées ci-
dessus : identification de l'image ; rapprochement — à
valeur parfois interprétative — de l'œuvre et d'une création plastique, contemporaine ou non, motivée ou non par
cette œuvre ; mise en lumière de passages jugés particulièrement significatifs ; bref, éclairages variés livrant, sous
une forme synthétique, à côté de la vision personnelle, une
diversité de regards stimulants pour l'imagination.

2) PARTIR DU CAHIER ICONOGRAPHIQUE ?

Le cahier iconographique peut être utilisé comme un
tremplin pour d'autres activités. L'objectif demeure : une
appréhension plus complète de l'œuvre, grâce à des approches diversifiées.

a) *Sortir de la classe de français*

Tout d'abord, un certain nombre de représentations,
picturales en particulier, sont assorties de la mention du
lieu où l'on peut les voir ; et il n'est pas rare qu'un même
dossier rassemble des œuvres visibles en un même lieu. Ce
dernier peut alors légitimement faire l'objet d'une visite
individuelle et collective. On y découvrira vraisemblablement d'autres œuvres à associer au texte littéraire ; et la

lecture d'image y trouvera un intérêt revivifié : possibilité de voir l'image dans sa réalité, son intégralité, sa dimension, sa matière, ses couleurs et même, souvent, son contexte historique et plastique.

D'autres images évoquent les lieux du texte ou de l'auteur. Pourquoi se contenter de ne s'y transporter qu'en imagination ?

Il va de soi que les professeurs d'autres disciplines trouvent pleinement leur place dans cette quête du sens : au premier rang le professeur d'arts plastiques pour sa connaissance des techniques et de l'histoire de l'art ; mais aussi le professeur d'histoire et géographie qui saura expliquer telle scène représentée, identifier tel personnage historique, tel symbole ou encore commenter tel paysage ; et encore les professeurs de philosophie quand apparaît le portrait de Spinoza, de sciences pour Cuvier, de langue vivante dès lors qu'on étudie une œuvre traduite... Mais laissons là les images d'objets « fixes ». Chaque dossier fait une part importante aux adaptations, ou représentations, théâtrales, cinématographiques ou télévisuelles de l'œuvre. Le travail ébauché grâce aux images du livre, qui ne pourra guère porter que sur les visages donnés aux personnages, les choix des acteurs s'ils sont connus d'autre part, et quelques éléments de costume, de décor et de mise en scène, ce travail peut être poursuivi par le visionnement des téléfilms ou films disponibles, ou l'assistance à telle représentation théâtrale si la chance veut que cela soit possible au moment de l'étude. Bonne occasion d'aborder le problème de la transposition d'un genre à l'autre, de l'interprétation, etc.

L'œuvre littéraire étudiée a constitué jusqu'ici le pivot de toutes les activités proposées. Et si nous partions maintenant du musée pour l'étude d'un thème plus vaste : tel courant artistique, tel contexte historique dans lequel notre œuvre a pris naissance ? Ou bien encore, si du paysage, de la ville où nous avons été conduits, nous allions à la rencontre des autres écrivains et artistes qui s'y sont trouvés inspirés à la même époque, avant ou après ?

b) *Créer enfin, ou retour au texte*

Les yeux emplis d'images en tous genres et les cadres donnés pour leur analyse, il est temps de passer à l'ultime étape : celle de la création. Plusieurs paramètres en détermineront la forme et l'ampleur : le goût des élèves et celui du professeur, les aptitudes particulières et les ressources techniques dont on dispose, le temps aussi que l'on peut y consacrer, en fonction notamment du niveau de la classe et de la filière où il est mis en œuvre. Un travail pourrait consister à proposer aux élèves de récrire les légendes des documents iconographiques d'un cahier, éventuellement en les réagençant, pour leur faire prendre conscience de l'illusion de l'iconicité, de la part subjective de la perception et de l'existence de cet autre message visuel que sont le cahier dans son ensemble et chaque double-page, message plus abstrait mais non moins signifiant.

On peut commencer par des réalisations modestes (et même s'en contenter) : constitution de dossiers illustrés et mis en page, expositions de photographies, montages de diapositives, sonorisés ou non, film vidéo ; dans tous les cas on prendra soin de faire associer texte, écrit ou oral, et image. Mais si les conditions le permettent, pourquoi ne pas envisager l'adaptation théâtrale ou filmique d'une partie de l'œuvre ? Sans parler du plaisir assuré, les bénéfices que chacun y trouvera sont immenses, et en particulier ceux qui intéressent au premier chef élèves et professeurs, les bénéfices scolaires : rejaillissement sur les compétences d'écriture et de lecture. Ainsi les élèves à leur tour s'inscriront dans ce courant qui a porté jusqu'à nous les classiques et, de plus, garderont trace de cette inscription.

L'image n'est pas une invention du XXᵉ siècle, mais sa fonction « d'aide à l'information ou au savoir » caractérise notre époque, nommée « vidéosphère » par Régis

Debray [1], et qui succède à la « logosphère » et à la « graphosphère ». Les progrès technologiques, qui produisent en même temps la multiplication des images et l'illusion du réel, ne sont pas sans danger pour celui dont le regard n'a pas été éduqué. Le pouvoir de l'image est tel, en effet, qu'elle est un instrument de choix pour les manipulateurs en tout genre. Dans ces conditions, la lecture de l'image est une urgence qui s'impose à l'école et que Roger Fayolle [2] ne craint pas de mettre sur le même plan que la lutte contre l'analphabétisme au siècle dernier : « Il serait temps qu'à l'aube du XXIe siècle les responsables de l'éducation nationale [...] prennent les mesures indispensables pour triompher d'un autre analphabétisme et donner la place qui doit lui revenir (à tous les degrés de l'enseignement) à la « lecture » de l'image et des messages audiovisuels omniprésents. » Les suggestions qui sont faites ici dans la première partie posent modestement quelques bases pour cette initiation. Elles doivent beaucoup à différents travaux publiés sur le sujet (cf. Bibliographie), tout particulièrement au très utile ouvrage de Cocula et Peyroutet.

Mais s'il est nécessaire de se garder des dangers d'une image qui ne se donnerait pas pour ce qu'elle est, il serait stupide de se priver des moyens nouveaux qui nous sont donnés de faire entrer dans la classe les images qui en ont été absentes pour des raisons d'abord techniques et économiques. Présenter une œuvre avec les images qui ont accompagné sa naissance — quel bonheur de pouvoir se reporter aux tableaux de Cézanne, Manet et Monet qui sont au cœur de *L'Œuvre* (la fiche n° 96 donne un exemple de traitement exhaustif d'un C.I. particulièrement riche) de Zola ! —, les images qu'elle a suscitées, ou simplement qu'elle évoque, c'est lui redonner toute sa dimension en l'ancrant dans le temps et dans l'espace, c'est prendre en compte le pouvoir évocateur de la littérature,

1. Régis Debray, *Le Monde*, 19 janvier 1993 et *Vie et Mort de l'image*, éd. Gallimard, 1992.
2. Roger Fayolle, *Le Monde*, supplément radio-TV, 26-27 juillet 1992.

son appel et son apport à l'imaginaire (bien nommé), son rapport intime, parfois dialectique, avec d'autres formes d'art. Tel est le projet du cahier iconographique de la collection « Lire et Voir les classiques ».

Sylvie DEWEERDT,
MAFPEN de Paris.

ÉLÉMENTS DE BIBLIOGRAPHIE

AUMONT Jacques, *L'Image*, Nathan-Université, 1990.

CADET C., *La Communication par l'image*, Nathan, coll. « Repères pratiques », 1992.

COCULA Bernard, PEYROUTET Claude, *Sémantique de l'image. Pour une approche méthodique des messages visuels*, Delagrave, 1989.

FOZZA Jean-Claude, et al., *Petite fabrique de l'image*, Magnard, 1989.

FRESNAULT-DERUELLE Pierre, *Les Images prises au mot (Rhétoriques de l'image fixe)*, Édilig, coll. « Médiathèque », 1989.

GAUTHIER Guy, *Initiation à la sémiologie de l'image*, Les Cahiers de l'audiovisuel, 1979.

GAUTHIER Guy, *Vingt + Une leçons sur l'image et le sens*, Édilig, coll. « Médiathèque », 1989.

HAMM Liliane, *Lire des images*, Armand Colin-Bourrelier, 1986.

Image et signification, Rencontres de l'École du Louvre, La Documentation française, 1983.

L'Image fixe. Espace de l'image et temps du discours, Centre Georges Pompidou, La Documentation française, 1983.

TARDY Michel, *Le Professeur et les images*, PUF, coll. « Sup », 1973.

VOIR UN TEXTE, LIRE UN FILM

Guide pour l'étude du film en classe

Première partie

SOMMAIRE

SOMMAIRE

0. 1993 : ARRÊT SUR IMAGE

La narratologie du XXIe siècle sera comparative ou ne sera pas : tel semble être le constat qui ressort du « P.A.E.F. » (paysage audio-visuel et éducatif français) au tournant de l'année 93 — moment où nous mettons sous presse. C'en est fini désormais du cinéma fruit défendu, jouissance buissonnière, celui qui faisait dire à Truffaut qu'il lui était arrivé de « sécher » la Cinémathèque pour aller en faculté... Le film est entré par la grande porte dans les programmes officiels des classes et des concours (voir notre bibliographie), son étude engendre des filières scolaires et universitaires spécifiques, figure en bonne place dans la formation des enseignants. Enfin débarrassé du soupçon ludique, diront les uns, menacé de pétrification, diront les autres, le cinéma arbore aujourd'hui ses classiques avec la même respectabilité institutionnelle que la littérature (souvenons-nous de la malicieuse définition d'Italo Calvino dans *La Machine Littérature* (Seuil, p. 103) : un classique, c'est ce que les gens prétendent toujours *re*lire et jamais *lire* ; ainsi peut-on aisément distinguer de nos jours les films que l'on va *re*voir et non plus *voir*...).

Cependant, la rencontre entre cinéma et littérature, consacrée par l'abondance persistante des adaptations, continue à poser question en didactique. D'une part, la lecture du film ressortit à une pratique plus vaste, l'analyse des contenus et des pratiques audio-visuelles, à laquelle est d'abord dévolu un rôle prophylactique : il s'agit de développer l'esprit critique d'élèves qui, baignant dans un environnement télévisuel de plus ou moins grandes densité et qualité, doivent pouvoir se défendre des manipulations que l'illusion référentielle rend possibles... former la génération d'« après Timisoara », pourrait-on dire pour résumer cet enjeu, qui n'est pas vain. On voit donc ici la télévision jouer son plein rôle de medium, c'est-à-dire d'intermédiaire et de filtre, et la généralisation du magnétoscope domestique achève de placer la lecture du film sous l'égide de la maîtrise de la vidéo — dimension qu'on ne saurait ignorer (cf. infra).

D'autre part, l'enseignant de français qui voit l'analyse du film figurer dans ses programmes *conjointement* à l'étude des œuvres littéraires, se pose la question de gérer cette cohabitation-là. Il y a d'abord l'extraordinaire hétérogénéité des situations matérielles dans les établissements : sans nier les efforts d'équipement partout réalisés et les perspectives remarquables de plus en plus offertes à la créativité, force est de constater que l'importance de la demande transforme encore souvent le parcours pédagogique audiovisuel en parcours du combattant. Pendant ce temps, le jeune public s'ébat en pratiques joyeusement anarchiques : les uns « repiquent » sur les cassettes de camarades le film qui les dispensera, croient-ils, de la lecture intégrale d'un roman ; les autres, conviviaux, organisent chez eux des visionnements qui se terminent par la rédaction collective des fiches de lecture imposées par leur professeur ; les créatifs bricolent des *Chartreuse de Parme* (fiche n° 76) interactives ; les naïfs se demandent si *Le Chef-d'Œuvre inconnu*[1] est une novellisation de *La Belle Noiseuse*... Caricature ? Interrogeons plutôt nos mémoires de pédagogues : on y trouverait cette étude de *L'Odyssée* où il fallut prouver à des « 6e » incrédules l'ancienneté d'Ulysse sur ses descendants nippons et intergalactiques, mais aussi cette mise en scène télévisée de Racine qui permit à une classe de surmonter la difficulté du français classique, et d'accéder à la musique de l'alexandrin...

Car l'adaptation à l'écran d'une œuvre littéraire est d'abord cela : un acte de lecture, qui conduit le nôtre. D'où la séduisante impression de facilité qui s'en dégage, d'où aussi les aberrations (au sens étymologique du terme) que peut accréditer une ignorance volontaire des compor-

---

1. Paru dans « Lire et Voir les classiques » dans le recueil thématique *Récits fantastiques* (juin 1992), voir fiche n° 57.

tements dont nous venons de faire l'esquisse : idée que le récit en images peut *équivaloir* au récit écrit, jugements de valeur portés sur l'un au nom de l'autre, sans considération minimale des spécificités codiques et énonciatives des deux régimes... La pratique ancienne et « sage », consistant à visionner un film après l'étude intégrale de l'œuvre dont il est issu, puis à instaurer une aimable discussion impressionniste en guise de synthèse, semble avoir vécu : comme toute lecture méthodique, la lecture d'un film se doit d'être « consciente de ses démarches et de ses choix » (Instructions Officielles pour les classes de lycée, brochure CNDP, p. 31).

Le présent guide n'a aucune prétention à l'innovation méthodologique, encore moins sémiologique : il se fonde entièrement sur des ouvrages-clés dont on trouvera la liste en bibliographie. Il se veut avant tout parcours de terrain et indication de pistes pour l'enseignant. C'est pourquoi on y trouvera successivement :

• 1. des conseils pédagogiques délibérément triviaux ;

• 2. outre la bibliographie commentée, des réflexions de synthèse sur quelques points de théorie « incontournables », et une « mallette » d'outils de sémiologie du cinéma (parfois allusive par souci de ne pas faire double emploi avec des manuels largement diffusés à l'heure actuelle) dont on n'a pas pu, ni voulu, exclure la perspective diachronique ;

• 3. dans une deuxième partie, un panorama de scénarios méthodologiques possibles pour l'analyse du film à l'école, gouvernant lui-même :

• 4. une série d'exemples pris dans la collection « Lire et Voir les classiques », variant chaque fois dans leur objectif, leur méthode et leur dimension pour travailler à l'articulation du livre et du film.

Nous l'avons annoncé : comme naguère les cinéastes de la Nouvelle Vague, on n'hésitera pas ici à « montrer le dispositif » matériel... de l'étude filmique. Le cas de figure implicitement retenu est celui, statistiquement « moyen », du professeur possesseur d'un magnétoscope doté des fonctions « arrêt sur image », ralenti et recherche rapide, et nous supposons par ailleurs que ce même professeur peut disposer assez régulièrement d'un lecteur similiaire dans son établissement.

Puisse ce modeste travail être rapidement débordé par les idées et les projets qu'il aura fait naître...

1. PRÉPARER LE TERRAIN

1.1. Des lieux qui font sens...

Cela paraîtra à d'aucuns un truisme : on ne peut induire chez des élèves une démarche rationnelle d'analyse dans un environnement où tout indiquerait que l'on est en marge d'une activité scolaire « normale », par exemple dans le cadre informel d'une salle présentant pour tout dispositif un paquet de chaises disposées au petit bonheur devant un écran. Que la classe aille vers la vidéo (dans une salle équipée) ou que la vidéo vienne à elle (grâce à un support déplaçable), on n'insistera jamais assez sur l'importance non seulement pratique, mais psychologique du fait que professeur et élèves puissent être à l'aise pour écrire pendant qu'ils visionnent. On pensera donc à des tables, mais aussi à l'éclairage de la salle qu'on modulera en conséquence.

Tout aussi capitale est la claire compréhension de la spécificité de la vidéo et du travail particulier qu'elle autorise sur l'objet-film. C'est pourquoi il sera nécessaire de préciser :

1.2. Avant l'étude du champ, le champ de l'étude

Soit un élève regardant « en cassette » *Gervaise,* de Clément, d'après Émile Zola : le diagramme suivant a pour but de l'aider à situer l'objet dont il fait usage.

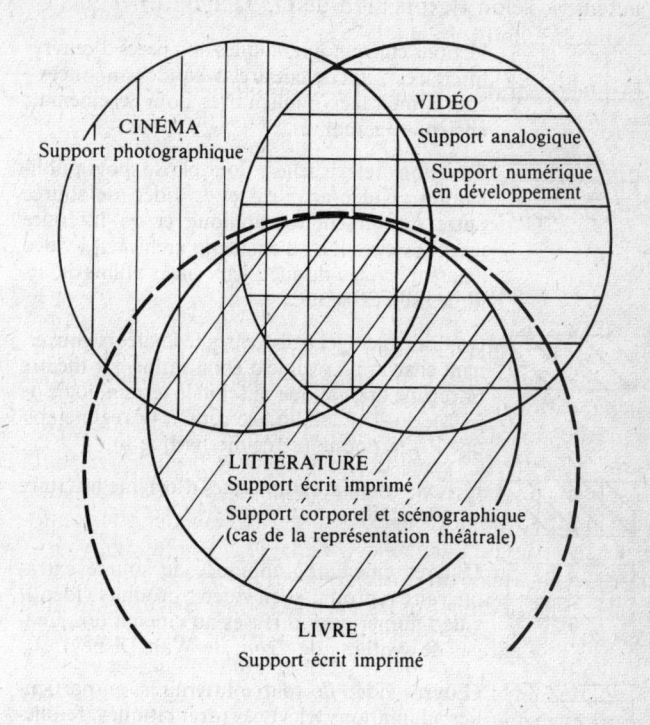

Pour ne pas surcharger, on s'est contenté de suggérer l'espace du livre extra-littéraire et ses croisements avec le cinéma et la vidéo. En effet un seul ouvrage de notre corpus pourrait s'y ranger : il s'agit du *Prince* de Machiavel, fiche n° 38. Or nous verrons que dès que le cinéma aborde cet auteur et cet ouvrage, il les englobe totalement dans le domaine fictionnel.

Légende des contenus principaux (le point de vue qui organise notre classification est celui de l'élève « récepteur-acteur », selon l'expression de G. Jacquinot).

Fictions cinématographiques non tirées d'œuvres littéraires ; documentaires ; bandes-annonces ; courts métrages publicitaires pour le cinéma ; anciennes actualités...

Émissions télévisuelles, dont clips, spots publicitaires ; vidéo-art ; cassettes vidéo de source autre que cinématographique et/ou littéraire (ex. : cassettes INA d'émissions archivées) ; vidéo amateur ; vidéo-disque ; jeux vidéo ; films didactiques sur cassettes...

On distinguera ici trois genres fédérateurs gouvernant chacun un régime d'énonciation : le théâtre (« régime dramatique », selon la terminologie de C. Metz — cf. biblio.) le roman (« régime épique »), la poésie (« régime lyrique »).

Fictions cinématographiques d'origine littéraire = adaptations.

Œuvres cinématographiques de source extra-littéraire reproduites en vidéo ; produits vidéo et vidéo-numériques diffusés au cinéma (ex. images de synthèse de *Tron*, de Walt Disney).

Œuvres vidéo de source littéraires, en particulier adaptations télévisées (dramatiques, feuilletons...).

Adaptations littéraires cinématographiques reproduites en vidéo.

Les trois dernières catégories représentent l'essentiel du marché de la cassette VHS, format qui s'est actuellement imposé pour l'usage domestique... et qui constitue donc notre outil de travail essentiel.

N.B. : Les intersections définissent des réalisations à support (successivement) multiple, mais de référent informatif ou diégétique identique. C'est pourquoi un film *qui concerne* la littérature, « péri-littéraire » pourrait-on dire, comme *Les Sœurs Brontë* d'André Téchiné, se trouvera hors du champ « LITTÉRATURE », alors qu'une adaptation de *Jane Eyre* (fiche n° 14), par exemple, figurera au carrefour LITTÉRATURE-CINÉMA.

Revenons à notre élève visionnant *Gervaise* : la chaîne des opérations de codage et de transcodage au bout de laquelle il se situe apparaît clairement. Le voici en effet triplement destinataire :

> *a) destinataire d'un récit romanesque, L'Assommoir* ;
> *b) destinataire d'un récit filmique, Gervaise*, dérivé du premier par transcodage sémiologique et poétique (pour résumer grossièrement, avant d'affiner par la suite) ;
> *c) destinataire d'un produit vidéo* qui se présente comme le transcodage technique du second.

D'où la nécessité d'acquis préalables *ou parallèles* à l'étude d'un tel film en vidéo.

a) La saisie du régime d'énonciation concerné par l'œuvre de départ. Elle s'effectue essentiellement par l'étude de textes en classe de français, mais aussi par la fréquentation d'un lieu aussi fondateur que le théâtre : beaucoup d'adaptations de romans célèbres passent d'ailleurs par la pièce qui en a été tirée (ainsi de *Michel Strogoff*, fiche n° 81, par exemple).

b) L'expérience renouvelée de la salle de cinéma : non point tant par militantisme cinéphilique (quoique le cinéma en ait bien besoin, comme on sait) que pour jouir de cette « grande nuit démocratique », comme l'a dit Marguerite Duras, et *l'apprécier dans sa différence*.

Des études fondamentales (cf. *infra*) ont « psychanalysé » la relation du spectateur au film, montrant en particulier que la pulsion scopique (concept lacanien) y est source de régression narcissique, selon une double identification : identification primaire du spectateur à l'œil-caméra, identification secondaire du spectateur au personnage. L'expérience du spectateur de salle obscure (surtout jeune !...) est massivement fusionnelle et régie par le principe de plaisir, de non-distance. Au contraire, l'inviter à analyser et à interpréter un film, c'est lui demander de se placer en position « forcément sadique » (Christian Metz, *Le Signifiant imaginaire*, p. 108). Il s'agit en effet de « faire produire du sens » au film en récupérant le plaisir initial sous la forme sublimée d'un savoir — voir aussi sur ce point F. Vanoye, *Précis...*, p. 13.

c) Une manipulation et une compréhension technique de la vidéo suffisantes pour dissiper toute croyance à un fonctionnement « magique » du magnétoscope et de l'écran. Une collaboration interdisciplinaire avec la technologie et les sciences physiques est ici très précieuse. Mais dans les petites classes, le seul fait d'ouvrir une cassette vidéo et de constater qu'aucun photogramme ne figure sur la bande magnétique (!) peut être un embrayeur pédagogique très efficace !... À l'autre extrêmité, les journées « Ciné-Mémoire » organisées depuis 1990 au cours du premier trimestre scolaire en collaboration avec le Centre National des Archives du Film de Bois d'Arcy, permettent de s'informer sur les difficultés matérielles (et les risques) de la conservation de la pellicule cinématographique... ce qui ne signifie pas, tant s'en faut, que les autres supports sont impérissables.

Ainsi, chaque fois qu'il le pourra, le professeur passera à ses élèves la télécommande, surtout s'il s'agit de les entraîner à l'analyse de séquence. Cela n'empêche en rien de tenir ferme le gouvernail conceptuel et méthodologique, comme on va voir par ce qui suit.

2. REPÉRAGES THÉORIQUES

2.1. **Bibliographie commentée**

Étant donné son objectif, le présent guide a eu pour « compagnons de rédaction » les ouvrages qui suivent. Cette liste n'exclut pas la nécessaire lecture de textes-clés qu'on n'a pu que mentionner allusivement ou citer dans le cours ultérieur de notre exposé faute de place.

2.1.1. *Cinéma, énonciation, pragmatique*

• C. Metz, *L'Énonciation impersonnelle ou le Site du film*, Méridiens-Klincksiek, 1991. Celui qui est à la fois l'« inventeur » (au sens premier du terme) et le penseur capital de la sémiologie du cinéma suscite un méta-discours de recherche particulièrement riche (voir par exemple, chez le même éditeur, *Christian Metz et la théorie du film*, Colloque de Cerisy, 1990). Mais la fréquentation de ce dernier doit d'abord être invitation à aller voir aux sources : outre l'allégresse de la pensée en marche et la rigueur classique du style, chaque livre de Christian Metz offre un puissant dialogue synthétique avec les textes fondamentaux qui informent le champ problématique concerné. C'est ainsi que *L'Énonciation impersonnelle* « rayonne » (entre autres) vers :

• Gérard Genette, *Figures III* (Seuil, 1972).

• Käte Hamburger, *Logique des genres littéraires* (Seuil, 1986).

• Francesco Casetti, *D'un regard l'autre, le film et son spectateur* (traduit de l'italien, Presses Universitaires de Lyon, 1990) ; dans la préface à ce livre, C. Metz fait justement le point sur l'émergence de la problématique de l'énonciation en filmologie, et la relie à celle, conjointe, de la pragmatique... ou comment le film, tout comme le livre, construit son récepteur, lui ménage « en creux » sa place. Pour intiation ou approfondissement concernant ce type de recherche, on lira le fondamental *Lector in fabula*, d'Umberto Eco (1979, trad. française, 1985, *in* Livre de Poche, Essais). Du « glorieux transalpin » (C. Metz) on n'ignorera pas non plus *La Structure absente. Introduction à la recherche sémiotique* (Mercure de France, 1974), que Roger Odin met en perspective (*Cinéma et Production de sens,* cf. *infra*), ni *Les Limites de l'interprétation* (Grasset, 1990-1992) dont s'inspire le *Précis* Vanoye/Goliot-Lété (cf. *infra*).

2.1.2. *Cinéma et sémiolinguistique*

Nous nous limiterons ici à un seul ouvrage, non par défaut mais parce qu'il introduit à tous les autres — avec une remarquable bibliographie chapitre par chapitre. Il s'agit de *Cinéma et Production de sens* de Roger Odin (Armand Colin, 1990). Faisant le point, et avec quelle clarté, sur des questions décisives, comme la connotation ou l'approche du cinéma en termes de codes, ce livre peut constituer un manuel de référence pour l'enseignant de français soucieux de bilan théorique transitionnel avant de « se lancer » dans l'analyse filmique.

2.1.3. *Cinéma et psychanalyse*

C'est d'abord le titre du numéro 23 de « Communications », « berceau » du maître-livre en la matière :

• *Le Signifiant imaginaire, cinéma et psychanalyse*, de C. Metz (1977, puis C. Bourgois, 1984) qui « [ressaisit] le cinéma dans une perspective freudienne » (Lucien Malson, cité en 4e de couverture). Mais le passage par Lacan y est tout aussi capital, sans oublier Octave Manonni dont le célèbre recueil d'essais *Clefs pour l'imaginaire ou l'autre scène* (Seuil, 1969) reste « incontournable », spécialement l'étude initiale, « Je sais bien mais quand même », qui analyse la croyance du spectateur à la lumière du « désaveu » *(Verleugnung)* freudien.

2.1.4. *Cinéma et histoire*

Ici également un numéro-carrefour, le n° 65 de *Ciné-*

mAction, fédère les perspectives autour de la personnalité de Marc Ferro, auteur d'*Analyse du film, analyse de société* (Hachette, 1976), *Cinéma et Histoire* (Denoël-Gonthier, 1977) et par ailleurs bien connu des fidèles d'« Histoire parallèle » (sur Arte). On retiendra aussi, cités dans la bibliographie dudit numéro :

• Michèle Lagny, *De l'histoire du cinéma. Méthode historique et histoire du cinéma*, A. Colin, 1991.

• Pierre Sorlin, *Sociologie du cinéma*, Aubier, 1977.

• Les Cahiers de la Cinémathèque, fondés en 1972 par Marcel Oms, qui offrent un éventail de précieuses monographies dont certaines sont malheureusement épuisées — d'où l'axiome : être cinéphile, c'est être bibliophile...

Quant aux lecteurs du « Monde », ils ne manqueront pas d'archiver les articles de Claude Aziza, dans le supplément Radio-Télévision du samedi : derrière cette discrétion hebdomadaire se cache en effet un « gai savoir » à la démarche encyclopédique. Claude Aziza mobilise chaque fois sa vaste érudition au service d'un film, brassant les faits et les mythes, pourchassant leurs avatars jusque dans les replis les plus obscurs du cinéma bis... bref opérant une inlassable navette entre histoire et cinéma, cinéma et histoire.

• *Le Roman du cinéma*, de Claude-Jean Philippe (deux tomes chez Fayard) se dévore comme le titre l'indique ; là encore la légèreté et la jubilation heuristique servent d'atours à la force de la démonstration — quand l'histoire court derrière la fiction : très belles pages sur l'avènement du parlant, la genèse du *Dictateur*...

Nous sommes ici à la frontière entre la problématique « cinéma *et* histoire », et l'histoire *du* cinéma. Celle-ci a ses Atlantes : Sadoul (Georges) et Mitry (Jean) qu'on retrouve bien sûr en tandem dans l'ouvrage de J.-L. Leutrat cité ci-dessous (2.1.6.). Signalons, de dimensions plus réduites et extrêmement clairs : *Cinématographe, invention du siècle,* d'Emmanuelle Toulet, dans la collection Découvertes-Gallimard (un véritable plaisir des yeux qui traite des premiers âges), et le *Guide du cinéma*, en trois volumes concis, de Gaston Haustrate (Syros ; dernier vol. paru en 1988).

2.1.5. *Vers l'analyse en pratiques*

La collection Nathan-Université regroupe sous le titre « Fac-cinéma » des ouvrages de synthèse assortis d'exemples qui sont de véritables fils d'Ariane pour l'analyse filmologique. On pourrait associer en un premier diptyque les deux ouvrages rédigés dans la perspective ouverte par Raymond Bellour (*L'Analyse du film*, Albatros, 1980) :

• *Esthétique du film*, par Jacques Aumont, Alain Bergala, Michel Marie et Marc Vernet (1983).

• *L'Analyse des films*, par Jacques Aumont et Michel Marie (1988). Le premier part de l'objet-film pour articuler à partir de lui de grands axes problématiques, le second pose d'abord la question méthodologique pour en venir au film. Bref on pourrait dire pour schématiser que le second est déductif là où le premier mène aux textes théoriques de façon plus inductive.

Dans la même collection, Pierre Sorlin interroge la place institutionnelle de l'audiovisuel dans *Esthétique de l'audiovisuel*, tandis que *la narrativité comparée du littéraire et du filmique* donne lieu à un « triptyque » (pour filer derechef notre métaphore picturale) :

• Francis Vanoye, *Récit écrit - Récit filmique (Cinéma et Récit I)*, 1989 ; François Jost et André Gaudreault, *Le Récit cinématographique (Cinéma et récit II)* ; F. Vanoye de nouveau pour *Scénarios modèles, modèles de scénarios* (1991).

FEMIS/AMIS, sous la direction de Claude Gauteur, présente dans la collection « Écrits/Écrans » une série d'ouvrages où l'on trouvera les *Actes du Colloque Cinémémoire*, présidé par Michel Ciment, 7-9 octobre 1991.

Du côté des *sciences de l'éducation*, la relation entre film et didactique (non seulement la didactique du film, mais aussi le film didactique) est le domaine de recherche de Geneviève Jacquinot : *Image et Pédagogie* (P.U.F., 1977), *L'École face aux écrans* (1987), éd. de « *Communica-*

tions » n° 33, « *Apprendre des médias* ». Voir aussi de L. Porcher, *Vers une pédagogie de l'audio-visuel* (Bordas), ainsi que les revues : « Pratiques » n⁰ˢ 18-19, « Le Français aujourd'hui » n° 38, la N.R.P., Nouvelle Revue Pédagogique (Nathan), où Michel Rolland consacre périodiquement une ou plusieurs fiches à l'analyse d'un film. Ceci nous amène aux :

2.1.6. *Ouvrages et textes à finalité pédagogique*

Leur qualité de réflexion ne le cède en rien aux précédents, tandis que leurs dimensions en font des ouvrages maniables directement par les « enseignés ».

Déjà on ne présente plus « Synopsis », chez Nathan, collection née avec le programme de filmologie des sections A3 audio-visuel, et qui atteint son treizième titre avec l'étude du « Cuirassé Potemkine » par Barthélémy Amengual. Même corpus de départ pour « Image par image », chez Hatier, qui coproduit avec la FEMIS, le CNC et Quintet Films, des cassettes d'analyse (Quintet Films, 7, rue Biscornet, Paris 12ᵉ, 43.41.33.18).

Un ouvrage qui, par ses exercices et sa remise à jour périodique, peut faire office de manuel d'initiation dans le secondaire comme dans le supérieur : « Clés et Codes de l'Image », d'Yveline Baticle, chez Magnard Université.

Pour le premier cycle universitaire, Michel Marie dirige chez Nathan une nouvelle collection de « précis », « Cinéma 128 », qui compte à ce jour deux titres :

• *Précis d'analyse filmique* par F. Vanoye et Anne Goliot-Lété, où sept encadrés, cernant des unités discrètes (au sens linguistique) forment une véritable topique de l'analyse filmique ;

• *Le Cinéma en perspective : une histoire*, de Jean-Louis Leutrat, qui introduit évidemment le point de vue diachronique complémentaire au « Précis ». On y trouvera en bibliographie les ouvrages généraux et les histoires particulières dont nous ne pouvons dresser la liste ici.

Les professeurs de langues anciennes et les amoureux du péplum découvriront dans les numéros de l'ARELAP

(Paris III-Censier, bureau 412, 13, rue Santeuil, 75005 Paris) une mine de renseignements pour une lecture non réductrice de ce genre injustement décrié (voir, par exemple, le « Spécial Pompéi » réuni par Annie Collognat).

La Vidéothèque de Paris, très ouverte aux enseignants (Forum des Halles, 40.26.30.60), organise depuis 1991 avec les Éditions Presses Pocket des rencontres « Cinéma et littérature » ; elle a d'autre part réalisé avec l'association APTE une plaquette de « Mode d'emploi, quelques propositions pour l'utilisation pédagogique d'une banque d'images », et vient de lancer une revue bimestrielle dans le même esprit : « Vidéothèque de Paris ».

Rappelons enfin les références des *textes officiels* pour l'analyse d'un film en classe :

• Programmes des classes des collèges, B. O. n° 44, 12 déc. 1985, p. 3129 ; compléments aux programmes de 4e, supplément au B. O. n° 25, 30 juin 1988, p. 55 ; compléments aux programmes de 3e, B. O. n° 12, 23 mars 1989, p. 12 ; programmes de 2e, 1re et terminale, brochure n° 001 F 6057 du CNDP, p. 16 ; le n° 6 de « Dossier spécial enseignants », édité par le ministère, mars-avril-mai 1992, « Développer l'audiovisuel dans le système éducatif ».

Nous ne voudrions pas conclure sans signaler les revues par lesquelles se bâtit la recherche, que ces revues soient illustres ou bien connues, comme *Communications, CinémAction* (à noter, entre autres, le n° 60, *Histoires des théories du cinéma*), *Les Cahiers du cinéma, La Revue du cinéma*, mais aussi *Hors-Cadre, Iris, Positif, Vertigo...* ou qu'elles soient encore confidentielles parce qu'attachées à leur berceau universitaire : les *Cahiers du CIRCAV* à Lille III, *La Licorne* à Poitiers...

Mais les essayistes et les écrivains dont nous invoquerons l'autorité ultime s'appellent Einsenstein, Renoir, Rossellini, Bergman, Godard, Satyajit Ray... Les collections Ramsay-Cinéma, Champs-Contre Champs Flammarion regroupent beaucoup de ces écrits qui sont la respiration du cinéma. C'est en Folio qu'on trouvera actuellement *Lanterna magica* de Bergman, ouvrage qui faisait dire à

C.-J. Philippe que le cinéma, décidément, avait détourné des carrières de romanciers.

2.2. « Lecture du film » : une métaphore nécessaire, qui devrait le rester

2.2.1. *Rester métaphore...* Ce fut la problématique inaugurale de la sémiologie du cinéma : « Cinéma, langue ou langage ? » se demandait Christian Metz en 1964 dans le fameux n° 4 de « Communications » — l'article est repris dans *Essais sur la signification au cinéma* (Klincksiek, t. 1/2, 1968). On lira chez R. Odin (*op. cit.,* chap. 3, pp. 61-90) et dans *Esthétique du film* (J. Aumont *et al.*) ch. 4, pp. 124-157, l'histoire de cette recherche primordiale, dont nous rappelons simplement les conclusions : l'absence de double articulation, de système temporel, l'hétérogénéité des signifiants... font qu'on ne peut pas parler de langue cinématographique. Il serait donc vain de rechercher dans le film un « équivalent-mot », un « équivalent-phrase »... Or justement, à l'école, le mot « lecture » désigne une pratique qui inclut le déchiffrement de la combinatoire monèmes-phonèmes : dans ce cadre, son emploi à propos du film revêt l'aspect d'une métaphore.

En revanche, si l'image cinématographique a le pouvoir immédiat de nous raconter des histoires, ce que K. Hamburger (citée par C. Metz) appelle « Erzhälfunktion », c'est bien parce qu'elle se présente obstinément à nous sous l'aspect d'un langage. En fait, cette « puissance de mot » de l'image (« Wortkraft des Bildes ») est la projection de notre expérience du langage, dans laquelle le cinéma s'enracine. C'est ce qu'ont montré les travaux de Michel Colin (cf. *infra*).

2.2.2. *Rester nécessaire...* Il y a donc un logomorphisme du film : trouvaille théorique et terminologique due à Gilbert Cohen-Séat, dans *Essai sur les principes d'une philosophie au cinéma* (P.U.F., 1958). Quels sont les éléments stables qui permettent d'ancrer cette observation ? d'abord l'enchaînement des images, qui est double : enchaînement des photogrammes, et surtout enchaînement des plans qui constitue la trame du montage. Ensuite les effets marqués de ponctuation : un fondu, par exemple, surtout un fondu au noir, peut clairement être traduit par « chapitre (en tout cas épisode) suivant » — même un récit déconstruit qui subvertit ce code narratif ne peut que le reconnaître implicitement comme pré-existant. Ces marques de ponctuation, conjointes aux unités de lieu, de temps, et à leurs ruptures, construisent peu à peu une segmentation narrative qui permet de répertorier différents types de syntagmes (parmi lesquels se rangent les « séquences ») : c'est précisément à leur recensement que C. Metz s'est employé dans sa « Grande Syntagmatique du film narratif », qu'on trouvera au chapitre 5 d'*Essais sur la signification au cinéma*, t. II. Mais R. Odin observe (*op. cit.*, p. 196) que « *La Grande Syntagmatique* analyse **la manifestation par le montage** (c'est nous qui soulignons) des codes narratifs généraux étudiés par la sémiotique narrative (Todorov, Brémond, Greimas). » D'autres outils de description analogiques ancrent, sinon l'exactitude scientifique, du moins la légitimité empirique de l'approche du film comme texte (« texte » étant d'abord entendu au sens barthien et étymologique de « tresse », entrelacs) : le discours rapporté et ses nuances, les couples dénotation/connotation, syntagme/paradigme, thème/rhème (ce dernier ayant été étudié dans son fonctionnement cinématographique par Michel Colin in *Langue, film, discours, prolégomènes à une sémiologie générative du film*, Klincksiek, 1985).

Il est temps à présent d'essayer de cerner ce qui distingue le récit filmique dans sa spécificité.

2.3. La « différence » cinématographique

Résumons trois caractéristiques essentielles, sans chercher bien sûr à épuiser la question.

2.3.1. Le film (y compris dans sa diffusion en vidéo) est *un énoncé multicodique hétérogène*. Pour s'en tenir d'abord aux codes spécifiquement filmiques, on sait qu'analyser un film parlant c'est rendre compte d'images figuratives, photographiques, multiples et mobiles, associées selon différents cas de figures à une bande-son tripartite (dialogues, bruits, musiques) qui obéit par ailleurs à l'opposition direct *vs* enregistré... Mais un film, c'est encore l'alliance de ces codes spécifiques avec des codes non spécifiques : les codes perceptifs, narratifs, et les codes culturels qui régissent entre autres les connotations. Voir sur ces questions Odin, *op. cit.,* chapitre 7, et *Esthétique du film*, pp. 140-143. Attention cependant ! dire que le cinéma est un produit composite et sophistiqué n'équivaut pas à dire que les énoncés cinématographiques sont plus complexes à analyser que les autres. La relecture de *L'Éducation sentimentale* (fiche n° 21) suffit à dissiper l'illusion que le roman serait « plus simple » parce qu'il est de matière purement verbale !...

2.3.2. Comme l'a récemment montré Christian Metz (cf. *supra*), le cinéma est *par excellence le lieu de l'« énonciation impersonnelle »*. Voici ce que nous pouvons lire p. 208 de l'ouvrage qui porte ce titre : « Bien que l'énonciation soit aussi impersonnelle dans un livre que dans un film, on n'éprouve pas, devant le second, le sentiment, si caractéristique du premier, d'une intervention pensante, unitaire et continue, imposant à toutes choses le filtrage homogénéisant d'un code unique et familier, vieux comme le monde, d'où naît la figure idéale et fallacieuse d'un raconteur humain. » Ainsi même lorsque le film suscite un énonciateur délégué, comme dans le cas des voix off de récitants, « cette voix, quoi qu'elle dise, *n'explique pas qu'il y ait des images*, elle n'est responsable que de ses mots, et non de tout l'apparat qui en impose à la vue et à l'ouïe » *(ibid.).* On mesure toute l'importance didactique de cette différence, d'autant que ce qui se vérifie au plan de l'énonciation se vérifie au plan de la représentation...

2.3.3. *Le signifiant cinématographique n'a que peu de réalité* (des sons et des ombres projetées sur un écran qui ont maintes fois convoqué l'image de la caverne de Platon) ; *or il multiplie les indices de réalité*, il porte l'effet de réel à son degré maximum — d'où il ressort que le signe cinématographique, comme la plupart des signes iconiques,

est un signe motivé, pour reprendre la terminologie saus-
surienne. L'histoire technique du cinéma peut ainsi se lire
comme une conquête progressive, d'ailleurs façonnée par
le public, de l'illusion parfaite : il naît en associant le mouvement à l'iconicité photographique (le mythique train des
Lumières entrant pour toujours en gare de La Ciotat...),
puis en 27 il « verrouille » la synchronicité image-son (le
non moins mythique « Do you like it, mother ? » d'Al
Johnson) et poursuit avec l'image de synthèse créant
l'impression de troisième dimension (voir la Géode de La
Villette ou le Futoroscope de Poitiers). À l'impersonna-
lité énonciative correspond donc l'effacement volontaire
du medium au profit de l'identification spectatorielle.

Cependant la cassette vidéo vient bousculer ces données
initiales. En rendant le film consultable presque aussi aisément qu'un livre, elle lui ôte une part de son immatérialité
(pour le récepteur, toujours) : elle supprime l'irréversibi-
lité du flux narratif. Sachant qu'un film se construit à la
fois vers l'aval, dans le sens de son déroulement chronologique, mais aussi vers l'amont, dans la mémoire de son
spectateur, que devient-il dès lors qu'on peut à loisir en
« chahuter » le rythme de défilement ? Ce changement de
réception s'avère capable de modifier la « nature » même
de l'objet perçu : un film reconstruit et/ou atomisé n'est
plus le même film que celui dont on voulait rendre compte
au départ... Faut-il faire de l'analyse filmique l'archéologie d'une réception perdue, laquelle est de toute façon
condamnée à rester idéale ? Sans pourchasser plus avant
cette importante question, renvoyons au livre d'André
Gaudreault, *Du littéraire au filmique, système du récit*
(Klincksiek, 1988), pour souscrire en pratique aux conseils
du *Précis* Vanoye-Lété (pp. 7-8) :

a) ne pas empêcher ni censurer la « fraîcheur » du premier contact avec le film, ne pas s'interdire d'y revenir
à l'occasion — bref, re-mimer quand c'est nécessaire les
conditions de la salle obscure ;

b) choisir des axes de lecture, lesquels motiveront des grilles
d'observation. Celles-ci sont des outils qui doivent servir

l'interprétation et non prendre sa place : elle n'en garantissent pas moins une base objective au commentaire.

3. DES UNITÉS FORCÉMENT SIGNIFIANTES

3.1. Petite panoplie de sémiologie portative

« *Tous les cadres naissent égaux et libres, les films ne seront que l'histoire de leur oppression ; cadre par exemple un décadrage de Bergman, ou l'absence de cadre chez Ford et Rossellini, ou sa présence avec Eisenstein, tu verras qu'il s'agit toujours d'apaiser quelque chose, son amant, les dieux, ou sa faim.* »

Jean-Luc Godard,
Introduction à une véritable histoire du cinéma.

3.1.1. *Au commencement il y a le cadre,*

donc. On le voit par la belle envolée de Godard, c'est déjà un outil stylistique de premier ordre. Le cadre délimite un champ et (par conséquent) un hors-champ. Tout sujet placé en position intermédiaire est dit en amorce. Entrées et sorties du champ peuvent à eux seuls porter une narration : voir *India Song* (Duras), *L'Année dernière à Marienbad* (Resnais)... La présence hors-champ d'un élément que l'on entend introduit de plain-pied à la question des relations image-son et à la notion de point d'écoute (cf. *infra*).

3.1.2. *L'image arrêtée du champ, tel le photogramme,*

relève pleinement de la sémiologie de l'image fixe photographique. On y distingue plusieurs codes.

• L'échelle des plans, encore appelée échelle scalaire par un pléonasme d'une grande pureté, et qui va du très gros plan ou insert (« Rose Bud » de *Citizen Kane*) au plan général (record de la largeur jamais surpassé à ce jour : la « Babylone » d'*Intolérance* de Griffith... 1916). Voir Y. Baticle (*op. cit.*) pour l'éventail des intermédiaires.

• L'incidence angulaire par rapport au sujet : plongée *vs* contre-plongée, position de face, de 3/4, de profil... NE PAS CONFONDRE avec : la focale, donnée technique qui modèle la perspective (voir ci-dessous), ni avec le point de vue, ou focalisation (noter le double suffixe) qui correspond à un choix énonciatif. Certes l'angle de prise de vue est une des manifestations optiques constantes de l'énonciation filmique ; mais dans la pratique cette coïncidence permanente mérite surtout d'être soulignée en cas d'énonciation déléguée au personnage. C'est l'effet de caméra subjective, ou focalisation interne pour reprendre la terminologie de Genette (contre-plongée sur Jean Valjean quand « nous » — c'est-à-dire l'œil-caméra — épousons le regard de la petite Cosette...). La caméra subjective dispose encore d'autres moyens, qu'on va voir. Il existe aussi un régime intermédiaire, appelé par C. Metz « régime objectif orienté », dont on trouvera l'étude dans *L'Enonciation impersonnelle,* chapitre 10.

• La profondeur de champ. Là encore, distinguons bien le choix technique de la focale (plus la focale est courte, plus la profondeur du champ optique est importante et les premiers plans « déformés » par les lignes de fuite : les célèbres focales courtes de *Citizen Kane*) et le choix esthétique, qui se superpose au premier mais aussi le déborde, en particulier par ce qu'on appelle le montage dans le plan : aucun mouvement d'appareil, c'est le sujet lui-même qui se déplace à l'intérieur du champ, créant par là le récit (les jeux de portes et de cache-cache dans *La Règle du Jeu*, mais aussi nombre d'actualités « Lumière »). Indépendamment de la question de la profondeur, le montage dans le plan est aussi l'occasion de tous les trucages ; rappelons que cet art d'illusionniste a été inauguré en 1896 par un jeune prodige nommé Georges Méliès.

• Les codes apparentés à l'esthétique picturale comprennent : outre la composition (qui rejoint le cadrage), la lumière (sources d'éclairage, clair-obscur, contrastes...), les filtres, la couleur... À ce propos il importe de montrer à des élèves que l'utilisation de la couleur ne fait pas que servir « bêtement » l'effet de réel, mais que le cinéaste peut travailler sa « palette » en artiste [1].

3.1.3. *En tant qu'image mobile, l'image cinématographique*

relève de deux grand paradigmes : le panoramique et le travelling.

* Le panoramique fait pivoter la caméra sur son axe, de droite à gauche (« pano DG ») ou inversement (« pano GD »), de bas en haut, haut en bas, encore que pour des mouvements plus amples, surtout aux États-Unis, on ait recours aux :

* trajectoires, ou mouvements de grue qui associent souvent pano et travelling. L'un des exercices spectaculaires que permet le mouvement de grue est l'accompagnement d'un personnage dans sa montée-descente d'un escalier *(Le Caméraman, Quand passent les cigognes...).*

* Les travellings, donc, qu'ils soient avant, arrière, latéraux, circulaires, déplacent la totalité de la caméra sur des rails... procédé qui n'est jamais totalement silencieux et gêne le son direct. C'est pourquoi un Rossellini, par exemple, a travaillé à rendre le travelling optique : c'est le zoom. Travellings et zooms peuvent s'associer (la fameuse trajectoire avant qui descend vers la clé de la cave, dans *Notorious (Les Enchaînés,* d'Hitchcock).

* la conjonction des deux types de mouvements porte le nom-valise de pano-travelling — on parle aussi de travelling panoramiqué. « Ce mouvement permet de suivre un personnage qui se déplace en biais par rapport à la caméra » (Y. Baticle). Nombreux exemples dans *La Dame de Shanghaï,* qui travaille beaucoup les diagonales.

3.1.4. « *Enfin Griffith vint »,* ou le montage abouti

« Je lui dois tout », disait Griffith de Méliès. « Je lui dois tout », disait Eisenstein de Griffith. Filiation qui est

---

1. Voir par exemple, de Rafaelle Monti, *[Le courant des] Macchiaioli et le Cinéma*, une clé pour aborder Visconti et Bolognini.

comme l'épine dorsale du cinéma. C'est à G. Méliès qu'on doit l'invention du fondu, à l'Anglais James Williamson celle du raccord (avec reprise partielle de l'action), à George Albert Smith (Anglais lui aussi) l'insertion de gros plans. Mais c'est bien à l'Américain David Wark Griffith (1875-1948) que revient la mise au point décisive du « langage » cinématographique, celui qui semble de nos jours si « naturel » au récepteur non averti : au cœur de ce dispositif, le perfectionnement du montage. Avec lui, le cinéma passe clairement et résolument dans le champ du récit. Ce qui amène immédiatement une triple problématique : celle des unités, de leur combinatoire, et du point de vue exprimé.

• Les unités. Le plan est défini avec une grande clarté dans l'encadré n° 1 du *Précis* Vanoye-Lété comme la « portion de film impressionnée par la caméra entre le début et la fin d'une prise ». Au montage, le plan est découpé et raccordé aux autres en fonction des prévisions du scénario... ou pas : « le montage peut n'être que la perfection du tournage, ou bien sa destruction » dit éloquemment Godard (*Image et Son*, n° 211) cité par Baticle (p. 293).

La séquence est « un ensemble de plans constituant une unité narrative définie selon l'unité de lieu ou d'action » (encadré 2 du *Précis*). Lorsque les limites d'un plan se confondent avec celles d'une séquence, on parle de plan-séquence, ce qui se traduit concrètement par un très long plan souvent rempli de prouesses techniques (admirables plans-séquences de Renoir dans *La Marseillaise*, du *Crime de M. Lange*, ... début de *La Soif du mal* de Welles, etc.), le record en la matière étant détenu par *La Corde* d'Hitchcock où, passé la séquence de générique, le film se résume à un seul plan-séquence ! L'essentiel, en fait, est de faire saisir que le plan est une unité d'origine technique, alors que la séquence est une unité d'origine narrative (d'où le flottement terminologique qui fait parfois parler de scène au lieu de séquence... flottement trahissant par ailleurs le long flirt du cinéma avec le théâtre : pour être rigoureux on réservera l'usage du mot scène à la séquence en temps réel).

• la combinatoire des unités. C'est le support essentiel de la chronologie, au cinéma. On a souvent dit que le présent était le seul temps que le cinéma était en mesure d'exprimer. De fait, l'image cinématographique non retravaillée confond le temps de l'énoncé et celui de l'énonciation. Si bien que les phénomènes bien connus de flash-back, flash-forward, ellipse, etc. qui régissent *les relations entre séquences* s'appuient majoritairement sur la structure du film, sur les relations image-son, ou sur la langue. R. Odin (*op. cit.*, pp. 72-73) : « Très souvent, c'est la structure narrative qui assure la compréhension du passage au passé ou au futur, ou, plus simplement encore, le dialogue : *Tu te souviens, il y a vingt ans à Paris ?* ou le commentaire : *ils se souvenaient des jours heureux passés il y a vingt ans dans cette capitale*, c'est-à-dire une intervention en langue naturelle. »

Quant *aux différentes sortes d'agencement des plans* à l'intérieur de la séquence, on les trouvera définies dans la *Grande Syntagmatique* de C. Metz (cf. *supra*). Insistons simplement ici sur deux types de montage qui ont connu et connaissent toujours une fortune énorme en fiction : le montage en parallèle et le montage alterné. Il s'agit chaque fois d'une structure alternant deux ou plusieurs séries de plans ; mais le montage en parallèle juxtapose sans induire de lien chronologique précis, comme dans *Intolérance* où c'est l''analogie entre les différentes époques qu'il convient de marquer, tandis que le montage alterné impose un lien de simultanéité entre les actions. Si le montage alterné ne s'étire pas interminablement (on songe aux sagas délayées made in U.S.A. de nos écrans domestiques) il produit souvent du suspens : car le spectateur n'a de cesse de savoir comment les diverses actions vont se réunir, et ce que produira cette réunion (par quels moyens le récit en arrive-t-il à « canaliser » de la sorte son récepteur ? c'est tout l'objet des recherches pragmatiques, qui débordent de beaucoup notre propos). Exemple entre des milliers : la fin des *Deux Orphelines* de Griffith, la fin du *Cuirassé Potemkine* — en étudiant les écrits théoriques d'Eisenstein, Dominique Fernandez [1] y voit l'équivalent sublimé d'une montée orgastique [2].

Les frontières entre plans et/ou entre séquences, sont le lieu des fondus ou des raccords. Ces phénomènes de passage peuvent être rendus plus ou moins sensibles. Le raccord, par exemple, peut maintenir une unité visuelle et sonore entre les plans (raccord dans l'axe, dans le mouvement, raccord-regard, raccord sonore...), se contenter d'une unité de récit, ou de pas d'unité du tout : dans ces derniers cas, on parlera de montage « cut ». Le cinéma américain actuel a même mis au point des « jump-cuts », qui consistent à supprimer plusieurs des photogrammes du plan suivant pour rendre l'enchaînement des actions encore plus abrupt. Dans ce cas, c'est de raccords à l'estomac dont il faudrait parler ! ils tendent à devenir un véritable tic du film d'action contemporain. De ce fait, le fondu (fondu au noir, fondu-enchaîné) aurait tendance, *à l'heure actuelle*, à se teinter de connotations romanesques, sous-entendant que le récit choisit alors le classicisme, voire le sentimentalisme. Connotations naguère inexistantes... Quant aux volets de toutes sortes, aux caches, aux « iris » (on appelle ouverture ou fermeture à l'iris, en optique, un passage au blanc ou au noir total obtenu par fermeture ou ouverture progressive du diaphragme), ils « datent » de « l'âge d'or du muet »... Leur emploi de nos jours produit donc un effet de citation.

• La question du point de vue exerce une contrainte sur le montage quand il y a embrayage et débrayage narratifs, c'est-à-dire lors d'une narration déléguée à un personnage

---

1. D. Fernandez, *Eisenstein* (Ramsay-Cinéma).
2. On trouvera une satire réjouissante et subtile du montage alterné dans l'épisode « Les Films de chevalerie » de l'album « Cinémastock », vol. I, bande dessinée de Gotlib et Alexis. Sous couvert de parodie, nul doute que l'analyse structurale n'ait aucun secret pour les deux compères. À exploiter...

qui fait explicitement acte de raconter, mais aussi de se souvenir, de rêver, etc. On en trouve un usage systématique
dans la série des enquêtes de commissaires tournées pour
la télévision (Maigret-Jean Richard, *Les Cinq dernières
minutes*, etc.) : chaque interrogatoire de quelque importance enclenche un flash-back, puis il y a retour et progression de l'enquête jusqu'au prochain, et ainsi de suite... Mais
le phénomène peut être fugitif : dans la version Hossein
des *Misérables* (voir fiche n° 29), Marius reconnaît soudain
en Valjean son sauveur en un flash-back éclair, enchaîné
« cut » avec un plan rapproché-épaules du jeune homme
brusquement pétrifié qui fixe la caméra. Même type de raccord pour effectuer le retour au plan de départ de même
expression. Durée du flash-back : huit secondes.

3.1.5. *Le son, dont le rôle diégétique est aussi important
que celui de l'image*, obéit à des codes spécifiques que nous
avons déjà abordés (voir 2.3.1.). On en affinera l'étude
en lisant, de Michel Chion, *Le Son au cinéma* (éd. de
l'Étoile, 1985) et *L'Audiovision* (Nathan, 1991).

Comme on pouvait s'y attendre, le son, dans ses relations avec l'image, est un paramètre décisif de l'énonciation. Nous résumons ci-dessous les grands cas de figure
qui peuvent se présenter. Mais pour assurer et préciser
chaque analyse, on lira avec le plus grand profit les chapitres 2 et 9 de l'*Énonciation impersonnelle*.

C'est bien connu, le son est soit « **in** », soit « **off** ». Le
son in est celui qui fait partie de la diégèse, c'est-à-dire
de l'univers où se déroule l'action ; il rappelle globalement
l'énonciation théâtrale. Mais deux cas différents peuvent
se présenter : ou bien la source du son est visualisée, ou
bien elle reste hors-champ (dans la coulisse, si l'on veut).
La notion de point d'écoute apparaît alors dans son hiatus
avec le point de vue optique : la scène de communication
téléphonique où nous entendons les paroles de X tout en
voyant Y en est un exemple typique.

Le son off, de son côté, présente plusieurs degrés de posi-
tionnement narratif. La voix off, en particulier, connaît

trois modes de distance par rapport au personnage. Par ordre de rapprochement progressif :

a) la voix extra-diégétique, celle d'un narrateur délégué extérieur à l'espace-temps de l'action. Rappelons qu'au cinéma un narrateur est délégué dès lors qu'il est signalé comme narrateur : en effet il est toujours une création de l'instance narratrice première, laquelle demeure non appréhendable (voir 2.3.2.). Ainsi la voix qui se présente à nous comme celle de Maupassant dans *Le Plaisir* de Max Ophuls est bien une voix extra-diégétique de narrateur délégué [1].

b) La voix du narrateur délégué devient péridiégétique quand celui-ci, sans être actant, se trouve témoin assez proche de l'action pour faire partie de l'univers diégétique. Exemple donné par C. Metz : la voix d'Orson Welles dans *La Splendeur des Amberson*, constamment présentée comme celle d'un habitant de la petite ville où se déroule l'action.

c) Enfin, quand c'est un personnage lui-même qui « coiffe » de son commentaire l'action à laquelle il prend part, la voix devient juxta-diégétique. Michel Chion, repris par Metz, appelle cette voix la « voix je » (cf. *La Voix au cinéma*, Nathan, 1982). Exemple dans *Ève*, de Mankiewicz.

Les effets de décalage image-son ont encore d'autres *fonctions* que la délégation de récit. Parfois le son n'est pas synchrone, comme il arrive en cas de doublage bâclé. La première séquence du film d'animation adapté d'*Astérix et Cléopâtre* (excellente séquence d'initiation sémiologique) en tire des effets savoureux. Quant à la musique, elle a presque toujours valeur de commentaire affectif, qu'il soit distancié ou pas. Le chant, intermédiaire entre musique et discours, est un cas particulièrement intéres-

1. pp. 55 et 56 de son étude, C. Metz se livre en note à une magistrale analyse de l'énonciation dans ce film. On ne saurait trop recommander de s'en inspirer, non seulement pour analyser l'adaptation elle-même, mais aussi parce que les subtiles nuances qui s'y trouvent ne sont pas sans rappeler, mutatis mutandis, l'énonciation flaubertienne.

sant. Pour autant que le spectateur soit en mesure d'en saisir les paroles, il peut « phagocyter » l'autonomie dont jouit par convention la musique et devenir une forme d'énonciation déléguée. Ainsi de « La Victoire en chantant », en ouverture du film éponyme de J.-J. Annaud : l'effet ironique est immédiat, sur le fond de savane qu'on voit défiler en panoramique.

Mais le rôle d'exposition dramatique du chant patriotique va aussi rapidement se manifester : 14-18 déferle en arriéré sur un village africain. Ton et place diamétralement opposés, mais même méthode à la fin du *Jardin des Finzi-Contini* de De Sica : la complainte funèbre en yiddish où se reconnaissent des noms de camps de concentration retentit, alors qu'un flash-back au ralenti évoque les parties de tennis du jardin comme un bonheur à jamais disparu. C'est la réponse narrative à la question : « Où vont-ils nous emmener ? » que vient de poser le personnage joué par Dominique Sanda à la séquence précédente.

3.2. Précautions d'emploi

3.2.1. « *Plan* » *: attention polysémie !* « Plan » n'est pas le seul terme polysémique de notre lexique, mais c'est de tous le plus dangereux : entendons par là qu'il peut faire perdre beaucoup de temps, si l'on n'a pas précisé les trois acceptions qu'il recouvre, et qui se rencontrent souvent conjointement dans l'analyse filmique.

On fera donc clairement noter que « plan » désigne tout à la fois :

a) une unité scalaire (cf. 3.1.2.) ;
b) un paramètre de la profondeur de champ (avant-plan, arrière-plan, premier plan, etc.) ;
c) une unité narrative (cf. 3.1.5.).

3.2.2. *Flaubert n'a jamais fait de travellings*
         (proscrire la sémiologie sauvage)

Est recevable l'énoncé : « Si vous deviez filmer le combat des Horaces et des Curiaces, quels types de plans, quels angles de prise de vue, etc. choisiriez-vous ? » — l'adaptation ne fait pas d'autre travail. Mais que dire d'un commentaire comme : « Ici, Tite-Live panoramique sur les Romains... ». L'absurdité de l'anachronisme éclate évidemment. Le vocabulaire de l'analyse filmique ne peut donc s'employer dans l'analyse des textes, et encore avec circonspection (voir 2.2.1.), que chez les auteurs ayant assez connu et pratiqué le cinéma pour que leur esthétique lui soit redevable. Par exemple, il y a dans *L'Espoir* de Malraux un traitement des sensations auditives qui fait souvent penser au défilement de la bande-son en lisière d'image. Mais, même ici, prudence : si l'hypothèse analogique est éclairante, elle n'autorise pas la substitution d'un lexique descriptif à l'autre.

3.2.3. *Si les plongées écrasaient, que de comédiens tragiquement disparus ! (proscrire la sémiologie affective)*

Cratyle n'est pas mort avec Platon. Au contraire, il a fort bien traversé l'histoire, comme nous l'a montré Genette avec *Mimologiques*. Aujourd'hui le revoici sur les bancs du lycée, sous les traits de nos sémiologues en herbe persuadés que les contre-plongées exaltent forcément leur sujet, que les cadrages penchés sont symptômes de déséquilibre du personnage, etc. Pour mettre à mal ce pseudo-alphabet qui n'a jamais eu cours que chez des réalisateurs sans inspiration, voici quatre exemples illustres.

La plongée, dans *Les Enfants terribles* de Cocteau, contribue effectivement à produire une impression d'étouffement ; mais c'est en relation co-textuelle à d'autres signifiants, comme le décor d'intérieur clos, l'éclairage, et... le scénario qui explicite l'intention des enfants de se passer du monde. Prenons maintenant la première séquence de *Cléo de cinq à sept*, d'Agnès Varda : le tirage des cartes y est filmé en plongée zénithale, cas radical s'il en est. Or, le tapis où évoluent les mains de la cartomancienne, en épousant parfaitement le cadre, devient une figure à deux dimensions, dont la décoration compose une sorte d'énigmatique mandala : c'est cette transformation de perspective qui se donne à voir en premier, plutôt qu'un cliché comme « le poids du destin » — car alors que dire du destin de la cartomancienne, filmée ici comme l'héroïne ?

Prenons à présent *Nosferatu* de Murnau : la contre-plongée magnifie l'essor du mal, dans le célèbre plan où le vampire, vu de la soute qu'il vient de quitter, s'approche du capitaine du navire. Mais la même position de caméra, dans les séquences à l'intérieur de l'*Inquirer*, dans *Citizen Kane* (on sait que Welles avait fait creuser le sol pour effectuer ces prises !) met surtout en valeur les plafonds ! Et si nous en venons à attacher un sens affectif à cette indice angulaire, l'impression qui domine (mais toujours parce qu'elle s'appuie sur un ensemble d'autres signifiants) est justement l'« écrasement » des personnages, dont on voudrait nous convaincre qu'il est la « spécialité » de la plongée...

3.2.4. *Pour un usage scolaire, non pas naïf*

Si nous avons éclairé notre « panoplie » de coups de projecteur diachroniques, c'est dans l'espoir de montrer que ce langage cinématographique aujourd'hui établi, est le résultat d'une histoire qui aura bientôt cent ans. Qui dit histoire dit traits culturels, idéologie... Rien de moins « neutre », par exemple, que les conceptions attachées au montage. Pages 50 à 62 d'*Esthétique du film*, on trouvera clairement résumée l'opposition entre la conception d'un André Bazin pour qui le montage doit être « transparent », se faire oublier, et celle d'un Eisenstein qui, travaillant au contraire sur le produit du raccord, en a fait la clé de voûte d'une esthétique conflictuelle fondée sur le matérialisme dialectique. À regarder les premières séquences de *Subway*, de Luc Besson, on prend conscience d'une facture rythmique très voisine du clip, lequel, sous sa forme galvaudée, inspire à C. Metz des lignes savoureuses et assassines : « ... montages-chocs d'images *cuts* sur hurlements off. Un nouveau cinéma sonore est né, convulsif et empâté, combinant les séductions de l'hystérie à celles de l'obésité. » (*Enonciation impersonnelle*, p. 60).

3.2.5. *L'intérêt stylistique de la norme, c'est l'écart*

L'histoire du cinéma est ainsi pleine de « désobéissances » et de ruptures célèbres vis-à-vis des dogmes ambiants... Elles firent parfois école à leur tour, au point de se figer en une nouvelle doxa. Se souvient-on aujourd'hui que lorsque Selznick superposa musique et dialogues dans *Autant en emporte le vent*, on craignait que le public ne protestât qu'il n'entendait plus les acteurs ?

Ozu déclarait ne pas se préoccuper des « faux raccords » de ses dialogues, transgressant ainsi la « fameuse » loi des 180 degrés, qui veut que dans le champ contre-champ montrant tour à tour deux interlocuteurs, ceux-ci aient l'air de regarder dans une même direction... sans quoi ils paraissent répondre à quelqu'un d'autre. Précisément, le « faux » raccord chez Ozu est un des éléments de la subtile complexité des échanges humains.

« Interdit » aussi, le regard frontal à la caméra, qui remonte le sens du nôtre... jusqu'à ce que Bergman, en 1953, fasse sensation avec un long regard de ce type, dans *Monika* (au moment où l'héroïne semble demander à la caméra (= nous demander) de se (de nous) faire miroir). C'est donc bien sur les transgressions des créateurs que se fonde la liberté raisonnée du commentateur.

Seconde partie

MENU

Liste des exemples

On trouvera ci-dessous et page suivante deux grilles
d'utilisation qui éclairent la progression adoptée et son
usage. Chaque exemple n'a pas été traité avec la même
longueur. Cela tient pour une large part à des documents
rares ou inédits qui viennent çà et là enrichir les perspectives — du moins sont-ils proposés dans cet espoir.

GRILLE D'UTILISATION N°1

Livre et film, par scénarios de séquences didactiques

Approche autonome du film.

    Séquence groupée : fiche 0.
    Séquence groupée ou étalée : 1.
    Séquence étalée (trimestre/année) : 2.

Approche comparatiste.

    Du film au(x) livre(s) : 3, 4, 5, 6.
    Alternance film/livre ou réciproquement :
        • parcours accompagné : 7,
        • parcours ponctué : 8, 9.
    D'un livre à un film : 10, 11.
    D'un livre à plusieurs films : 12, 13.
    Deux récits écrits, deux films : 14.
    D'un livre à X films : 15.

GRILLE D'UTILISATION N° 2

Problématiques et axes de lectures

Un commentaire de ces principaux axes (qui n'en excluent pas d'autres, comme on verra dans le détail), figure dans le préambule, numéroté 0. La colonne de gauche de la grille renvoie à chaque exemple.

	Approche socio-hist. ou ethnocritique	Typologie des genres	Topique des pages ou séqu.	Scénario	Énonciation		Psychol. des pers.
					Régime én.	Focal.	
1	X	X	X		X		
2	X			X	X	X	X
3	X		X				X
4			X	X	X	X	X
5					X		X
6					X		
7	X	X		X	X		X
8		X		X			
9		X			X		
10				X			
11	X						X
12	X						X
13	X			X		X	X
14	X	X		X			
15	X	X		X		X	X

MENU

O. PEUT-ON DÉFINIR UN PARCOURS-TYPE ? LEQUEL ?
(Légende commentée de la grille n° 2)

La lecture transversale de la collection « Synopsis » (cf.
2.1.6.) révèle une démarche relativement constante dans
l'approche de l'œuvre filmique : contexte et genèse avec
générique détaillé, découpage (avec ou sans tableau des
séquences), « action, structure et dramaturgie », personnages, thèmes, style, et analyse de séquences-clés. Les lecteurs du présent volume pourront remarquer la parenté
avec la progression : « contexte, texte, intertexte » de nos
fiches de lecture. C'est qu'il n'y a pas, *in abstracto*, mille
fa»ons d'aborder un récit de projet artistique déclaré ou
patent. Mais on pourrait dire aussi sans contradiction que
chaque œuvre et chaque créateur impose sa propre démarche de commentaire, ce que recouvrent les catégories assez
lâches de « thèmes » et « style ». On notera surtout que
le découpage n'est chaque fois qu'un outil technique
d'analyse, qui ne se confond pas avec la « structure »
entendue au sens dramatique du terme. L'étude de séquence
dit la nécessité d'une démarche syntagmatique à côté de
la démarche paradigmatique propre à la reconstruction
interprétative. Quant à la catégorie « personnages », qui
mobilise l'inévitable question de leur psychologie, elle n'est
bien sûr pas une invitation au bavardage affectif (du type :
qui est le plus sympathique ? Un Tel n'a-t-il pas des circonstances atténuantes ? etc.) mais soulève la question
fondamentale du personnage comme ressort dynamique
de l'œuvre, quand il n'est pas le continent noir dont le
film se fait l'explorateur diégétique.

Cependant, ces grands « topoi » de l'exégèse se trouvent
affinés par la démarche comparatiste, démarche évidemment reine pour le corpus de « Lire et Voir les classiques ».
L'adaptation pose concrètement le texte comme « modèle
de scénario » possible, pour reprendre le titre de l'ouvrage
de référence de F. Vanoye : elle induit donc deux pistes,

la piste dramaturgique et la piste dialogique. Elle implique aussi que certaines parties du film soient « marquées », répondent à une logique interne et à une esthétique qui leur est propre : c'est ce que nous désignons sous le nom de « topique ». Mais donner à voir un « classique », c'est encore dialoguer avec la tradition des adaptations précédentes, et mobiliser la catégorie du genre : la question typologique a donc d'autant plus de chances de revenir en force que les actualisations d'un même « scénario-modèle » (F. Vanoye) se suivent et se déposent dans la mémoire du public.

Enfin, de même qu'il est, ici plus qu'ailleurs, impossible de dissocier la « forme » du « fond », de même ce que nous raconte le film, la dialectique histoire-récit, etc., est directement façonné par le dispositif énonciatif. Ici il faut distinguer : d'une part le régime général propre au cinéma (« le site » de C. Metz), et d'autre part les choix narratifs de point de vue opérés *hic et nunc* par l'énonciation filmique à chaque étape de l'histoire racontée.

1. POUR UNE EXPLORATION DU MÉDIUM CINÉMA

Pour éveiller l'esprit critique de notre public, il faut être tout à fait intéressant d'inscrire l'étude du film dans une initiation de longue haleine au medium lui-même et (donc) à son histoire, sans pour autant diluer le propos. Nous suggérons quatre démarches, à répartir, redécouper, ... en fonction des goûts et du calendrier !

1.1. Étude synchronique par travaux pratiques : s'appuyer sur la division 1.2. de la 1ere partie, et sur le tableau de R. Odin (*op. cit.,* p. 159). l'image cinématographique peut apparaître ici comme un cas particulier de la lecture d'image. Montrer que la B.D., c'est *déjà* de l'image séquentielle, la photographie un « leurre » référentiel, etc. Quant au cinéma, son domaine comprend aussi bien le photo-montage (voir générique composite de *Croc-Blanc* de W. Disney (fiche n° 37), le film d'animation.

1.2. Démarche vers un objectif-cible : « le film, ce n'est pas que de l'image ». On pense au son, bien sûr, mais l'écrit est tout aussi important et pas seulement dans les cartons du cinéma muet. Le seul générique, par exemple, a pu faire employer à Nicole de Mourgues le terme de « livisaudible » : terme barbare peut-être, mais constat irréfutable[1].

1.3. Démarche diachronique. On traduira l'évolution du medium cinéma si possible en termes de problématique simple. Par exemple, bien faire comprendre que l'invention des frères Lumière opère la synthèse définitive entre deux catégories de chercheurs : les photographes, d'une part, et d'autre part les « bricoleurs géniaux » qui reproduisaient l'illusion du mouvement dans des « joujoux scientifiques » — l'expression est de Baudelaire, *Physiologie du Jouet*[2] : repérer la remarquable analyse de la persistance rétinienne dans l'analyse du phénakisticope de Joseph Plateau. En utilisant l'extrait n° 8 du DHL de *Michel Strogoff* (fiche n° 81), « Un supplicié parle », on demandera aux élèves de s'interroger sur la liberté de parole qu'avait l'acteur de muet ; d'où la crise du parlant...

1.4. La chasse aux clichés. Elle apparaît franchement thérapeutique en ces temps d'AUDIMAT. Qui mieux que le maître incontesté du suspense policier pouvait en traiter ? Nous livrons ci-dessous la transcription du véritable cours de pragmatique qu'Alfred Hitchcock fit, pour l'équipe de « Cinéma-Cinémas », à propos de la célébrissime séquence centrale de *North by Northwest (La Mort aux Trousses)* ; séquence dont Raymond Bellour a par ailleurs réalisé une étude non moins célèbre[3].

---

1. Communication à Zurich lors du 2ᵉ Congrès International « Word and Image » (29 août 1990). Actes du Colloque.

Par ailleurs Roger Odin, dans *Théorie du film* (Larousse) a donné une fort belle analyse du générique de *Partie de campagne*, de Renoir (« L'entrée du spectateur dans la fiction »), y analysant entre autres ce qu'il appelle « l'effet fiction ».

2. Collection Pléiade-Gallimard.

3. « Le blocage symbolique » : la séquence y est déployée dans toute sa complexité. L'article rend compte de tout le film, à la lumière de la psychanalyse. *Communications* n° 23, « Psychanalyse et cinéma ».

Ici on a un exemple de la façon d'éviter les clichés [*dans cette interview en anglais « pédagogiquement » ralenti, HItchcock emploie le mot français,* « cliché »]. Quelle est la scène ? On dit à un homme de se rendre à un point, et là le public [*the audience*] s'attend à ce qu'il soit abattu. Dans un film ordinaire, quel est le décor ? Le décor c'est la nuit, un coin de rue dans une ville. Le sol, comme dans tout film français, est fait de pavés inondés de pluie. L'homme attend sous un réverbère... Ainsi on a une atmosphère de terreur. Quelqu'un regarde derrière une fenêtre, un chat noir longe un mur, on attend que surgisse la limousine.. Tatatatata... [*Hitchcock imite le bruit d'une rafale de mitrailleuse*]. Ça c'est le cliché.

Je dis : non. Il faut faire autrement. Il faut faire frais et neuf. C'est pourquoi je décide de tourner la même scène sans rien du tout. Ni ambiance de nuit, ni réverbère [*no darkness, no lamp*]. Rien du tout, tout en plein soleil. Et alors le public se dit : « On va lui tirer dessus. D'où ça ? D'où ? » Je dis : « Eh bien, qu'est-ce qui est logique ? » C'est une séquence onirique, mais ça doit être vrai. « Qu'est-ce qui est logique ? — l'avion qui sulfate les cultures ! » Et c'est l'idée, puisqu'il peut venir de nulle part ! Je dois penser à quelque chose qui vient de nulle part, car on ne voit rien, ni maison, ni rien. L'homme est seul, il attend.

Ici je ramène le cliché. La limousine noire arrive... et elle disparaît. Le public se dit : « ce n'est pas la limousine, alors quoi ? » Alors arrive le tacot. L'homme descend. La voiture démarre, l'homme reste seul. Ah ! c'est notre homme ! Cary Grant s'approche de lui et parle. Vous vous dites : « Est-ce lui, ou pas ? » Tout le suspense est là. Nous savons qu'il [*C. Grant = Thornhill*] doit être abattu. Or l'autre ne tire pas. On voit arriver le car, et l'homme dit : « C'est bizarre, regardez, il y a un avion de sulfatage qui sulfate un terrain non cultivé. » Il monte dans le bus, et il s'en va.

On reste devant un mystère : un avion. Cary Grant

ne peut rien nous apprendre à ce sujet. Il ne bouge pas. Maintenant l'avion pique. Il le poursuit. [*Grant*] se met à courir. J'ai une règle essentielle : s'il y a un avion de sulfatage, il doit sulfater [*you must let it dust*]. C'est pourquoi [Grant] se précipite dans le champ de maïs, et se cache. Et que fait l'avion ? Il sulfate, il fait son travail !... sur un homme, et pas sur le champ. Et [Grant] s'enfuit. L'avion le poursuit. Il essaie d'arrêter le camion et boum ! L'avion explose...

> Document : André S. Labarthe.
> extrait de « Cinéma-Cinémas »
> A. Andreu, M. Boujut, C. Ventura
> Diff. FR3 le 15 mars 1983

2. POUR UNE APPROPRIATION GRADUELLE DU LANGAGE CINÉMATOGRAPHIQUE

On peut également concevoir qu'en parallèle à une séance au cinéma, ou à un visionnement complet d'un film (de type ciné ou vidéo-club), le professeur reprenne en classe un point sémiologique chaque fois différent, afin de constituer à ses élèves, en fin d'année ou de trimestre, un bagage cohérent. On choisira bien sûr, en fonction des films et des réalisateurs, des lieux d'observation riches de sens.

2.1. **Exemple de commentaire d'un plan.** Plan final de la première séquence de *Madame Bovary*, de Chabrol (1991, collection Canal + vidéo). Ce plan joue comme point d'orgue de la séquence. C'est le moment où, dans la version de Minnelli, Flaubert-narrateur raconte en voix off l'éducation d'Emma, ses lectures, ... que le roman garde pour le chapitre VI. Emma raccompagne Charles venu au chevet du Père Rouault. Nous sommes à la fin d'une scène de première rencontre. Plan d'ensemble de la cour de la ferme en plongée légère. Au premier plan à gauche, un groupe d'oies (blanches) dans un enclos. Au second plan à droite, la voiture dans laquelle Charles remonte. À gauche, au troisième plan, Emma détache la note de sa robe entièrement blanche. Quelques mesures narquoises au violoncelle rythment alors un triple mouvement synchrone : sortie de la voiture vers la droite, déplacement de quelques pas des oies de D à G, déplacement de quelques pas d'Emma en sens inverse. Par cette coïncidence dans l'élan comme par le chromatisme, Emma est clairement assimilée à une oie blanche... D'autre part, le cadrage, la durée (quelque 4 secondes) et le rythme de ce ballet rapide créent un mouvement d'automates : le petit manège répétitif de la cour amoureuse vient de s'enclencher, sous le regard goguenard d'un narrateur présent par le « style » (le « régime objectif orienté » de C. Metz) : exemple assez patent de traduction cinématographique de la fameuse ironie flaubertienne.

2.2. **Exemple de commentaire d'un mouvement d'appareil** : le travelling panoramiqué circulaire (véritable morceau d'anthologie) qui illustre, au cœur du *Plaisir*, de Max Ophuls, ce paragraphe lui-même central de *La Maison Tellier* de Maupassant (fiche n° 43) : « Comme la flammèche qui jette le feu à travers un champ mûr, les larmes de Rosa et de ses compagnes... le souffle prodigieux d'un être invisible et tout-puissant » (p. 49 : il s'agit de la cérémonie de la communion). Le texte est dit par Jean Servais-Maupassant en voix off, et c'est lui qui gouverne littéralement l'image, lui imposant de traduire l'élévation spirituelle par l'élévation du regard-caméra, ... mais également non sans ironie : les angelots sulpiciens dont on suit le chapelet en amorce de ce plan-séquence ressemblent comme des frères à des Cupidons joufflus, le temps réel du mouvement d'appareil est celui que met Rivet-Gabin pour décider une manœuvre d'approche vers Rosa... On rattachera par ailleurs la volute, la spirale, ce qu'on a appelé le baroquisme d'Ophuls, au thème du plaisir et de la fuite du temps : le retour à l'origine n'y est jamais exactement possible, des changements s'opèrent dans la

mouvance de la courbe, la légèreté de la danse... Ainsi
pourra-t-on lire l'affiche du film, reproduite dans le CI.

3. QUAND LE CINÉMA ENTRETIENT LE MYTHE
D'UN ÉCRIVAIN : ABEL GANCE ET MACHIAVEL

C'est dit ! la collection « Lire et Voir les classiques »
vous a décidé à aborder cet ouvrage plus lu dans les chan-
celleries que dans les écoles : *Le Prince*, de Machiavel.
Pourvu du « Memento » et du « Vademecum » fournis
ci-avant, vous vous apprêtez à faire accéder votre classe
aux finesses de l'échiquier politique italien vers 1513.
Tâche rébarbative ?... Le cinéma heureusement est là pour
vous aider à prêcher le faux pour débusquer le vrai, à distinguer la fiction de la réalité.

Dans sa *Lucrèce Borgia* (1935, éd. Virgin Vidéo) en
effet, Abel Gance n'a pas eu de délicatesses envers l'histoire. Faisant sortir l'illustre chronique de cette ténébreuse
famille droit des pages du *Prince*, comme les maux de la
boîte de Pandore (1ere séquence), il fait de Machiavel le
secrétaire attitré et l'âme damnée de César Borgia, pas
moins. Par un retournement logique et chronologique, on
est passé de l'éloge *a posteriori* au conseil *a priori*. On
placera donc les élèves en situation d'enquêteurs, pour leur
demander de débusquer les libertés prises par le cinéaste
(introduction contextuelle à l'œuvre) et leur intérêt scé-
naristique (introduction au film historique). On mettra
ainsi à jour l'efficacité dramatique à toute épreuve du couple : bras-cerveau, ordonnateur-exécuteur, face apparente-
face cachée, qui fait partie de la perception mythique des
périodes troublées. D'autre part, Gabriel Gabrio, interprète de César Borgia, incarne ici le type fini de la brute
(toute la part de tactique revenant à Machiavel) : or c'est
précisément dans les emplois « physiques » que le public
français avait coutume de le retrouver (en 1925, il a été
Valjean dans la version Fescourt). Au fil de la lecture des
grandes pages du *Prince*, on se plaira à reconnaître les lieux
communs reproduits par le film : « la fin justifie les

moyens » (que Machiavel n'a jamais dit, du moins en ces termes !), le primat tactique de l'apparence sur l'essence professé par le chapitre XVIII...

On voit qu'ici le film est « utilisé », au sens d'U. Eco. Au demeurant rien n'empêche qu'à tout moment on s'intéresse à son système fictionnel. Tout autre est cependant la question de l'adaptation.

4. L'ADAPTATION LITTÉRAIRE ET LE PROFESSEUR AU CARREFOUR DES CHOIX. *LES MISÉRABLES*

Soit un professeur maintenant confronté à ces deux versions aussi largement diffusées qu'éminemment respectables : *Les Misérables*, version Hossein (1982) et version Bernard (Raymond, le fils de Tristan), 1933, disponible chez R. Chateau. Sitôt visionnées les premières parties respectives de chaque film, jusqu'à l'ellipse majeure qui suit l'épisode de petit Gervais (2e partie), les différences éclatent, et apparaît le sentiment exaltant et pénible que cent approches simultanées sont possibles. les deux films optent pour un début symbolique, allégorique chez Bernard (GP sur un atlante du balcon de l'Hôtel de Ville, à Toulon, dont on découvre qu'il est soutenu par le forçat, dans un corps à corps métaphorique), en forme de synecdoque chez Hossein (le long GP des pieds enchaînés dans la boue). Sur quoi se greffent immédiatement la problématique de l'exposition (beaucoup plus étendue chez Bernard, soit 27 mn sur 3 h 25, contre 12 mn sur 2 h 15 chez Hossein), l'esthétique du générique, la différence de montage qui est en partie historique (dominante de fondus chez B., montage cut d'H.), les partis pris du narrateur, sensibles dans le maniement de la musique, la gamme colorée, etc. Globalement, il est patent que Bernard campe devant nous un être de souffrance, mais encore capable de communiquer avec autrui, resté virtuellement de l'univers des hommes, alors qu'Hossein nous montre les ravages du bagne jusqu'aux tréfonds de la psychologie. Le mot « vous êtes libre », qui immobilise l'image sur le visage stupide du forçat et sert d'embrayeur au générique, ne fait manifestement plus partie de l'univers mental de celui qui l'entend. Le Valjean de Bernard a besoin d'une étincelle de bonté, celui d'Hossein a besoin d'abord d'une rééducation à la vie. Le premier a droit comme tout le monde à la lumière du ciel, l'autre demeure plongé dans le noir et le sépia.

Comment faire de cette saisie globale le moteur d'une progression ? Comment en un mot choisir ses axes de lecture, tout en servant Victor Hugo en même temps que ses interprètes ? Ci-dessous quelques suggestions :

• respecter le cheminement de découverte que l'œuvre filmique et romanesque réservent respectivement à leur lecteur, ce qui revient à entrer dans la fiction par l'axe narratologique (voir n° 5) ;

• réserver pour une confrontation entre le début et la fin du récit l'analyse de la lecture du roman par le metteur en scène, le « message » s'il y en a un. La fin, en effet, dans ses relations avec l'ensemble de l'œuvre, tend structurellement à « verrouiller » le sens, à infirmer ou à confirmer définitivement les prémices de l'œuvre restées en suspens. Ici, on verra qu'alors que R. Bernard va dans le sens de la transfiguration de l'avant-dernier chapitre hugolien, faisant de la mort de Valjean le moment de la grâce suprême et rédemptrice (voir document), Hossein décrit les phases d'un infarctus, en y intercalant des plans fantasmatiques et subjectifs, qui jouent sur la panoplie du surnaturel. Si le secours d'une foi traverse cette mort solitaire et convulsive, au milieu de la perpétuation du mal, elle est ici présentée comme un suprême effort de l'être face à un ciel qui se tait (plan significatif du Christ souffrant couvert de poussière et de toiles d'araignée). Jusqu'à l'entrée en force du topos : « Maintenant, vous êtes libre » dit Javert réapparaissant fantomatiquement. Récurrence qui équivaut à point final.

• L'intention symbolique sera l'axe de lecture des passages où le texte hugolien se donne lui-même à déchiffrer comme allégorique (on pense en particulier à la traversée des égouts), tandis que l'épopée de l'insurrection sera l'occasion ou jamais d'étudier les procédés d'emphase (ralenti chez Hossein, par exemple) ou le montage « eisensteinien » chez Bernard. Bref, le principe méthodologique est de retenir chaque fois l'axe de lecture qui s'impose absolument comme fédérateur de remarques, ou révélateur d'éléments de description nouveaux, comme on va voir dans l'ex. 7.

Le tournage de la mort de Jean Valjean par Raymond Bernard : un opérateur témoigne.

Le Musée Albert Kahn — Musée départemental des Hauts-de-Seine, à Boulogne-Billancourt — nous a aimablement autorisée à retranscrire ici le témoignage plein de verve parisienne de Pierre Levent, opérateur puis chef-opérateur, qui fut du tournage de la scène suprême (on en verra un plan p. 6 du CI du tome III). L'anecdote révèle plaisamment l'importance de la mise en condition psychologique dans la prestation d'Harry Baur, qui n'est pas le moindre atout de la prestigieuse « version Bernard ».

« Neuf heures et demie le matin, ce jour-là, tout le monde convoqué au studio et Raymond Bernard nous dit : ''Mesdames et Messieurs, je vous demande aujourd'hui le plus grand recueillement, le plus grand silence. Nous filmons l'un des moments les plus pathétiques du film, c'est la mort de M. Jean Valjean, c'est-à-dire M. Madeleine, et vous voyez M. Harry Baur déjà prêt sur son lit : il a amené son propre phonographe avec ses propres musiques pour se mettre en condition, alors naturellement, s'il vous plaît, travaillez dans le silence le plus complet, hein ! Je compte sur vous ? Bien !''

Alors naturellement on s'y prépare, deux caméras seulement, le minimum de personnes sur le plateau, et Raymond Bernard répète une fois, deux fois, mais dans un silence religieux. Et puis le moment fatal arrive : ''Bon, alors, vous êtes prêts ? (mais tout ça à mi-voix) Vous êtes prêts ? Bon, alors attention, préparez le clap, on va tourner... Vous êtes prêts ? Moteur !'' — et alors quelqu'un dit, forcément : ''Ça tourne.''

Et le gars qui tenait le clap — c'était un bon machiniste, j'oublie son nom mais ça va me revenir — regarde Harry Baur, et il lui fait : "Alors bonhomme, c'est aujourd'hui que tu l'avales, ton bulletin de naissance ? — Les Misérables, couic..." Il n'a même pas eu le temps de donner son clap que Raymond Bernard a pris son chapeau, l'a jeté en l'air et l'a piétiné rageusement. Il a tout arrêté, il était fou de rage, disant : "On m'a tout cassé, le temps que je remette Harry Baur en condition, etc." Pour lui c'était un drame épouvantable... Il n'y avait que lui qui ne se marrait pas... »

> Propos extraits du film :
> *Sur un air de Sambre et Meuse.*
> Chargée de réalisation : Jocelyne Leclercq,
> attachée de Conservation au Musée.

5. JEAN VALJEAN A-T-IL VOLÉ ?
DU FILM COMME OUVERTURE APÉRITIVE

La suggestion est ici de partir de la focalisation externe que présente la version Hossein : un spectateur qui n'aurait jamais lu ni vu *Les Misérables* peut en effet se demander, devant l'ellipse opérée par le récit (la porte qui vient de se refermer derrière J. Valjean se rouvre presque aussitôt pour le propulser en sens inverse, jeté à terre par les gendarmes) et le jeu de Louis Seigner, si oui ou non l'ex-forçat a dérobé les couverts en argent. On passera ensuite à la version Bernard, plus longue, de rythme moins heurté et de démarche plus analytique, qui montre une série de plans où Valjean sort avec son butin. Enfin on en viendra à Hugo, mettant par-là en valeur les infinies ressources du roman en matière d'analyse psychologique. Même la voix off la plus bavarde ne parviendrait pas à éclairer le personnage comme le narrateur romanesque en a ici la liberté : on entre donc dans la lecture comme prenant possession d'une clé irremplaçable. Par la comparaison des régimes énonciatifs, la littérature devient objet de désir, ce qu'elle ne devrait jamais cesser d'être...

6. UN CINÉASTE DANS LA *COMÉDIE HUMAINE*. RETOUR DES PERSONNAGES ET SCÉNARIO

Toujours la perspective de l'accès à l'œuvre littéraire via le cinéma, mais cette fois l'œuvre est multiple : il s'agit de la « colonne vertébrale » de *La Comédie humaine*, celle qui associe *Le Père Goriot, Illusions perdues* et *Splendeurs et Misères des Courtisanes* (fiches n° 9, 6, 10). On sait que Balzac a eu l'idée du retour des personnages avec *Le Père Goriot*, et l'innovation fondamentale qu'elle constitue : variations prismatiques des points de vue autour d'êtres de papier, qui n'en vieillissent pas moins d'un roman à l'autre, créant le plus vaste « monde possible » (U. Eco) qu'une mémoire de lecteur ait eu l'occasion de forger. Or, précisément, deux des plus formidables ellipses qui informent le réseau narratif balzacien — de la pension Vauquer aux bords de la Charente où Lucien de Rubempré rencontre Vautrin-Carlos Herrera, au moment de se jeter à l'eau (*Père Goriot - Illusions*) et des bords de la Charente au bal de l'Opéra *(Illusions-Splendeurs et Misères)* où Herrera-Vautrin, ayant relancé Lucien dans le monde, avance masqué —, ces deux ellipses se trouvent totalement « mises à plat » par le film *Vautrin*, de P. Billon (1943, disp. chez R. Chateau). Et pour cause ! Le cinéaste, prenant Vautrin et ses avatars comme fil conducteur, opère à notre place le travail de recoupement de la lecture, et nous raconte « banalement » l'histoire d'un forçat, dont il est obligé de montrer l'évasion (ce que Balzac se gardait bien de faire, l'un des prestiges de Vautrin étant de traiter le bagne comme une auberge espagnole !). De ce fait, Vautrin au bal de l'Opéra n'a plus besoin de garder son masque !… En partant du film vers les livres, on prouve donc ici à une classe que l'important ce n'est pas l'histoire en soi, mais bien la façon de la raconter (souvenons-nous de Zola : « le premier qui passe est un héros suffisant », surtout dans la perspective réaliste).

Ceci ne revient pas à dévaluer le cinéma en général, ni même à bouder notre plaisir devant ce film certes pas immortel, mais tout entier bâti autour de la truculente présence de Michel Simon (scène savoureuse de l'entrevue entre le Préfet de police et le soi-disant abbé Herrera).

Autres cas de scénario-amalgame, où un film rayonne sur plusieurs récits du même auteur :

• *Boule de Suif*, par Christian Jaque (voir filmographie du volume Presses Pocket et fiche n° 40).

• *Vingt mille lieues sous les mers* (voir fiche n° 83), de R. Fleischer (1954) pour Walt Disney, qui clôt le dénouement resté ouvert chez Verne, en transposant des éléments de *L'Île mystérieuse*.

7. LE FILM COMPAGNON DE ROUTE DE LA LECTURE SUIVIE : *CROC-BLANC*

Voici une proposition de parcours sur cinq semaines, où l'on fera alterner la lecture suivie du roman de Jack London avec les « cinq actes » qu'en a tirés le film de Randal Kleiser pour Walt Disney. Le principe qui régit le scénario est celui de la double initiation en parallèle, celle de Jack et de Croc-Blanc.

7.1. Exposition et premiers pas. Tandis que Jack découvre les épreuves de la route de l'or, en devenant peu à peu le meilleur ami d'Alex, substitut paternel, Croc-Blanc vit son enfance. Axe de lecture : le montage, qui de parallèle devient alterné quand la narration nous montre Jack découvrant les loups et entrant en contact indirect avec la mère de Croc-Blanc. Ce premier acte comporte sept séquences, elles-mêmes subdivisables en sous-segments de plans groupés. C'est le moment de montrer à des élèves le caractère « hiérarchique » du scénario traditionnel. Voir dans *Lectures du Film* des modèles de grilles de découpage.

7.2. Premières épreuves pour Croc-Blanc, qui découvre le vaste monde après la mort de sa mère et ne tarde pas à être domestiqué par les Indiens qui l'ont pris au piège. Jack achève son apprentissage pendant le reste du trajet qui le mène à la ville. Axe de lecture : la première rencontre entre Croc-Blanc et Jack, au bord de l'eau. Analyse de la séquence (le champ contre-champ, l'initiative du regard et du dialogue, qui ici revient toute entière à Jack) et étude de son rayonnement sur la suite du film : thème de l'eau courante, purificatrice et garante de communion vitale avec la nature, qui ne va pas cesser d'accompagner le couple du jeune homme et du chien, par la suite. Symboliquement, on touche à la fois à la terre-mère et à la métaphore chrétienne de la source comme parole de vie (voir *Psaumes de David*).

7.3. L'amitié se noue, avec l'épisode de l'étape au village indien et la péripétie de l'ours où Croc-Blanc sauve la vie de Jack. Axe de lecture : présentation et représentation du loup devenu adulte, avec les facettes de sa « personnalité » (recours à des variations scalaires, à des effets de caméra subjective quand Jack approche le mystère de l'animal). Important pour la « Walt Disney touch » : repérer par le jeu des regards, vers la cinquante-cinquième minute, le moment où Croc-Blanc commence à *jouer*, au sens dramaturgique du terme, selon un anthropomorphisme qui ne le quittera plus.

7.4. Descente aux enfers de Croc-Blanc et affirmation héroïque de Jack. Deux axes de lecture ici : • le montage alterné atteint son degré d'intensité dramatique le plus aigu (le public n'ayant de cesse que Jack vienne enfin sauver Croc-Blanc de la torture qu'il endure ; tension renforcée, bien sûr, par le fait que, pendant que son ami souffre, Jack coule des jours paisibles avec Alex dans la concession de son père ; et compensée par la période suivante de guérison physique et morale, abondamment montrée ; • les euphémismes de la narration lorsqu'il s'agit de suggérer les mauvais traitements — euphémismes dont le récit de London ne s'embarrasse pas, vu qu'il fonctionne sous le régime de l'omniscience du narrateur. Utiliser les cartons d'avertissement qui encadre le film.

7.5. L'acte de l'or et le dénouement. Axe de lecture : montrer comment, terme à terme, le dénouement remplit les prémices de l'exposition (venu retrouver son père, Jack accomplit et dépasse l'identification à celui-ci, ce que lui a permis Alex ; venu chercher de l'or, il trouve de l'or ; Croc-Blanc a sa revanche, il n'est plus seul au monde, etc.), et commenter le carrefour de références à Chaplin *(La Ruée vers l'or)* et au western que constitue la séquence de l'attaque de la cabane.

On peut conclure en initiant la classe au décryptage idéologique, en montrant en une séance de synthèse comment il s'agit bien du Croc-Blanc de *Walt Disney*, ce qui suppose une « morale » de l'image assez précise, le « kitch » de certaines séquences très « chabadabada », de superbes cartes postales de décors naturels, etc.

8. « ET QUAND HUTTER EUT PASSÉ LE PONT, DES VISAGES INQUIÉTANTS APPARURENT » : L'ANALYSE DE SÉQUENCE COMME TEMPS FORT DE LA LECTURE SUIVIE

Soit la lecture du *Château des Carpathes*, de J. Verne, fiche n° 80. La classe est en milieu de progression (chapitre IX). On peut alors étudier le basculement momentané du récit dans le fantastique, avec l'apparition de la Stilla qui détermine Franz à abdiquer tout rationalisme pour entrer dans le château, en confrontant cette zone stratégique du texte avec la célèbre séquence du *Nosferatu* de Murnau où Hutter passe par étapes du monde des vivants à celui des morts. On constatera, entre autres points communs :

• la vanité des mises en garde à l'auberge, milieu de sagesse populaire qui n'est là que pour renforcer l'exaltation romantique du héros ;

• la géographie surnaturelle, déroutante au sens propre du terme (élévation croissante, bois mystérieux…), fondée sur la notion de profondeur (usage multiple de la profondeur de champ chez Murnau) ;

• la progression thématique qui assure le dynamisme de

la transition narrative d'un monde à l'autre. Se référer aux travaux de Michel Colin (cf. Bibliographie). Montrer comment les cartons d'intertitres assurent la progression connu-inconnu, linéaire quand le carrosse fantomatique emporte Hutter, à thème constant quand la voiture partie de l'auberge refuse, elle, d'avancer. Distinguer les cartons en gothique (récit par un narrateur juxta-diégétique) et les autres, dialogiques... ;

• le jeu symbolique de la lumière et des ténèbres (l'accueil de Nosferatu).

Ceci doit faire aboutir au constat de la différence des contrats de lecture, entre d'une part le récit fantastique (ici le film) qui se fonde sur un acte de « croyance » initial du spectateur au surnaturel (cf. Manonni), et d'autre part le roman d'aventures à arsenal fantastique, comme chez Verne dont le premier chapitre nous demande de suspendre, le temps du récit, le retour d'un positivisme qui n'est que trop sûr.

9. THÉÂTRE, OPÉRA, CAMÉRA = CINÉMA ?

Parcours d'énonciation comparée à la faveur de l'étude d'un texte de théâtre, ou d'une nouvelle qui, comme « Carmen », a servi de livret à l'opéra que l'on sait. On pourra se servir d'enregistrement de spectacles, puis de films-opéras, comme *Carmen* de Rosi (voir fiche n° 47), de « films - pièces » (*Dom Juan* de Bluwal, voir fiche n° 51, *Le Bourgeois gentilhomme* de Coggio, voir fiche n° 50, *Tartuffe* de Murnau, voir fiche n° 53), puis de films à grand spectacle comme *Le Cid* d'Anthony Mann (voir fiche n° 15). L'idéal serait de jalonner l'étude du texte en classe de visionnements d'adaptations différentes. Grâce à des questionnaires, faire chaque fois évaluer l'impact des contraintes physiques propres à la représentation, mais aussi la « dictature de la régie » qui, à l'heure actuelle, impose ses choix au spectateur de la retransmission (comparer avec les anciens dispositifs à caméra unique, comme dans *L'Avare* de Vilar, voir fiche n° 49), au contraire la liberté spatiale qui caractérise le cinéma, le situant à la charnière entre théâtre et roman de ce point de vue. Observer à chaque fois le statut différent du récit (que devient le combat contre les Maures ? par exemple).

10. ADAPTATION ET STRUCTURE DU RÉCIT : DE LA FIDÉLITÉ DE CERTAINES TRAHISONS

Certaines structures romanesques sont de véritables algorythmes, des recettes inépuisables de scénario. On le vérifiera avec l'adaptation par Michael Anderson du *Tour du monde en quatre-vingts jours* (voir fiche n° 82), où l'ajout d'un épisode espagnol où l'on voit toréer Passe-Partout, les changements de moyens de locomotion (le traîneau à voile américain devient un wagon à voile filant sur des rails au risque d'emboutir tout ce qui s'y trouve), et autres obstacles joyeusement franchis, sert en fait parfaitement l'esprit du livre. Voir les commentaires du CI et du DHL.

11. ADAPTATION ET DIALOGUE : QUAND BRESSON ACTUALISE DIDEROT

Les Dames du bois de Boulogne, de Robert Bresson, sont la transposition à l'époque contemporaine de l'épisode de Madame de la Pommeraye, le plus long des récits enchâssés de *Jacques le fataliste* (voir fiche n° 20). Sa confrontation au texte de départ est, ici comme ailleurs, doublement révélatrice.

D'une part éclate le travail narratif de Diderot, puisque Bresson ne conserve du texte que la trame du récit lui-même, soit à peu près 50 %, laissant de côté les digressions, adresses au lecteur, commentaires des auditeurs de l'auberge, que nous connaissons bien.

D'autre part se manifeste tout aussi brillamment l'art de Bresson dramaturge (même si, plus tard, le cinéaste a renié son film). La concision des moyens, la densité des dialogues, et surtout la partition dramatique confiée à Maria Casarès y sont déjà étonnantes. La grande tragédienne assume en effet seule, par son jeu, le double éclairage moral du personnage que l'on trouve complaisamment (et facétieusement) argumentée par le narrateur chez Diderot. La courte scène de deux minutes où Hélène (Casarès) livre comme par mégarde l'adresse capitale à Jean (« square de Port-Royal ») qui s'en saisit et tombe dans le piège, vaut d'être étudiée : pour la composition de l'actrice, mais aussi pour le moindre élément de décor (le fait que Jean fume une cigarette pendant le temps de son dialogue avec son ancienne maîtresse n'est pas seulement anecdotique : par exemple, il sert à chronométrer l'échange en temps réel, montrant que Jean réduit au minimum ce passage qui lui est devenu ennuyeux).

On étudiera par ailleurs la répartition de la scène finale sur deux sous-séquences : sans rien changer du texte de Diderot, Bresson actualise le dialogue qui s'apparente au genre du « drame sérieux » et pourrait être perçu comme trop mélodramatique. La fin des paroles de la jeune épousée sont donc prononcées sur le lit où on l'a déposée après son malaise. Beauté des éclairages qui créent un « happy end » tout en nuances.

12. LE FILM ET LE MYTHE :
EMMA BOVARY, UNE FEMME À SUIVRE...

La comparaison entre interprétations diverses d'une même œuvre est d'abord révélatrice d'un effet de miroir historique et idéologique, ce que montre mieux que tout autre l'héroïne de Flaubert dans ses traitements divers. La comparaison Minnelli-Chabrol a été faite par Annie Goldmann dans le n° 65 de *CinémAction*, « Cinéma et histoire ». À l'heure où nous mettons sous presse, une Emma hindi de Ketan Mehta vient de faire scandale au 34e Festival du Film de l'Inde. Commentaire du *Monde* du 7 février 1993 : « Elle incarne la première peinture sans fard du désir et de la sexualité d'une femme indienne, quand les héroïnes habituelles du cinéma sont adulées en tant que mères ou épouses sacrifiées (les danseuses exceptées). » Peu après, dans *Télérama* du 23 février, Fabienne Pascaud annonce le tournage d'une Emma portugaise par Manoel de Oliveira lui-même...

Le mythe est en marche, on ne saurait trop inviter les jeunes lecteurs/spectateurs à rester à l'affût.

13. VARIATION SUR UN TABOU : *ARMANCE*.
   LE FILM ET L'INDICIBLE

Tandis que le non-dit et le non dicible donne à *Armance* de Stendhal (fiche n° 75), sa dynamique faite d'allusions et d'ellipses (voir la structure du dernier paragraphe, le titre et son contexte de réception...), le cinéma traite l'impuissance sur le mode de la confession, du huis-clos et du voyeurisme : on repérera ces isotopies dans :
• *La Chatte sur un toit brûlant*, de R. Brooks, d'après T. Williams ;
• *La Comtesse aux pieds nus*, de J. Mankiewicz ;
• *Le Bel Antonio* de M. Bolognini.

Observer à quelle origine est ramenée l'impuissance, le lien qu'elle entretient avec le rêve de l'ascension (donc de la transgression) sociale, la place et le rôle des lits dans la mise en scène et la dramaturgie...

14. L'ADAPTATION DANS L'ŒIL DE LA POLÉMIQUE :
   GODARD CONTRE DELANNOY

Le traitement de deux classiques, *La Princesse de Clèves* (fiche n° 33) et *La Femme de Paul*, par deux ennemis jurés de l'histoire cinématographique. On verra dans l'adaptation de Mme de la Fayette, le retour du baron jaloux dans la prestation de Jean Marais (alors que Clèves est un jeune homme), et le hiératisme empesé du cadrage qui, s'il coïncide avec une partie de la thématique romanesque, finit par lasser à force de pesanteur académique. Étudier, par exemple, le cadrage et le montage alterné dans la séquence du tournoi (un cas d'école). En revanche, la belle photographie d'Alekan apporte çà et là une touche d'onirisme... qui « tire » le film du côté de Cocteau.

Rien de plus révélateur que d'y confronter la liberté (les libertés) de *Masculin-Féminin*, de Godard, où le thème de l'homosexualité vole en éclats (voir les bruits du générique) au fil de « quinze faits vrais », où abondent gags... et tics de style. L'étude des parasitages de la bande-son est aisée à réaliser, de ce point de vue. Étudier la séquence finale, et la confronter pour les choix narratologiques au récit du suicide chez Maupassant.

Consulter le *Précis* Vanoye-Lété pour une synthèse de l'esthétique de la Nouvelle Vague.

15. DE *BOULE DE SUIF* À *LA CHEVAUCHÉE FANTASTIQUE* : ESPACE ET LIMITES DE LA DÉMARCHE ANALOGIQUE

Il est éclairant, enfin, de pouvoir approcher la notion d'**hypotexte**, à propos de certains films qui, sans se présenter comme des adaptations, même lointaines, provoquent de la part des observateurs les mêmes réflexes de rapprochement. Tel est le cas pour le western *La Chevauchée fantastique* de John Ford, dont le scénario rappelle « irrésistiblement » *Boule de Suif* 6voir fiche n° 40). Pour explorer cette « irrésistible » sensation d'analogie, on confrontera l'analyse de Browne sur la focalisation dans la séquence du repas au relais, reprise in *L'Analyse des films*, pp. 109-115, avec l'étude complète du western par J.-L. Leutrat et S. Liandrat-Guigues, dans *Les Cartes de l'Ouest* (Nathan, 1990) [1].

---

1. Voir aussi l'utilisation pédagogique du film — et du genre — dans *Le Western* (Claude Lémie et Robert Samuel, Bordas, coll. Pluridis, 1976).

Globalement, on pourrait dire que *La Chevauchée fantastique* et *Boule de Suif* vérifient une sorte de « loi du microcosme », qui voudrait qu'un groupe d'individus enfermés dans un espace clos et soumis à des épreuves inattendues tendent à se typiser en devenant chacun représentatif de leur catégorie sociale. En revanche, le dénouement et la leçon de Maupassant sont un retour sans espoir à la situation initiale, alors que la fin de *Stagecoach* s'ouvre sur l'espace du Far-West et la chance redonnée au couple naguère marginal.

Nous espérons que ces pistes, précisément, ont pu contribuer à donner ses chances à l'analyse filmique dans le cadre d'une pédagogie non marginalisée et en même temps spécifique.

Françoise GOMEZ,
professeur de lettres au Lycée Baggio de Lille,
professeur en section A3 cinéma et audio-visuel
au Lycée Kernanec de Marcq-en-Baroeul.

TABLE DES MATIÈRES

.

Cet ouvrage a été composé
par TELE-COMPO – 61290 BIZOU

Imprimé en France
par Maury-Eurolivres S.A. – 45300 Manchecourt
Dépôt légal : mai 1993 – N° d'imprimeur : 93/04/M1511

PRESSES POCKET – 12, avenue d'Italie, 75627 Paris Cedex 13
Tél. 44.16.05.00